Michael Kotsch

Helden des Glaubens

33 Kurzbiografien aus der Kirchengeschichte

„Biografien bedeutender Persönlichkeiten bereichern, sind oft aber recht umfangreich. Michael Kotsch gelingt es, auf wenigen Seiten Leben, Denken und Wirken von Menschen darzustellen, die mit Recht Helden des Glaubens genannt werden, weil sie unerschrocken für die Weitergabe des Evangeliums von Jesus Christus eingetreten sind, obwohl einige von ihnen selbst befürchten mussten, ihr Wirken mit dem Leben zu bezahlen."

Horst Marquardt
(Mitgründer des ERF/
Vorsitzender des Kongresses
christlicher Führungskräfte)

***

„Ein hingegebenes Leben im Dienst für Jesus ist das größte Abenteuer des 21. Jahrhunderts. Das ist aber keine neue Erfahrung – das war schon in der Apostelgeschichte so und es ist so geblieben, bis auf den heutigen Tag. Das zeigt uns in beeindruckender Weise auch dieses Buch ‚Helden des Glaubens' von Michael Kotsch. ... ich hoffe so sehr, dass es eine große Leserschaft findet – besonders unter jungen Menschen, Bibelschülern, Studenten und Christen jeden Alters – und dass es viele Leser herausfordert und neu in Bewegung setzt für die wichtigste Aufgabe der Gemeinde, für die Evangelisierung der verlorenen Welt. ... Worte lehren, aber Vorbilder reißen mit!"

Wilhelm Pahls
(Evangelist und Leiter des Missionswerks „Die Bruderhand e. V.")

***

„Es ist eine großartige Aufgabe, die sich Michael Kotsch gestellt und auch erfolgreich umgesetzt hat. In großer Fleißarbeit hat er die Lebensbilder von Menschen aus der ‚Wolke der Zeugen' (Hebr 12,1) studiert und sie uns in spannender Weise erzählt. Einfühlsam zeigt er uns, wie jeder einzelne Zeuge von Gott behutsam auf seine große Aufgabe vorbereitet wurde und wie ihm Schwierigkeiten und zum Teil heftiger Gegenwind nicht erspart blieben."

Dir. und Prof. a.D. Dr.-Ing. Werner Gitt
(Evangelist und Buchautor)

Michael Kotsch

Helden des Glaubens

Band I

33 Kurzbiografien
aus der Kirchengeschichte

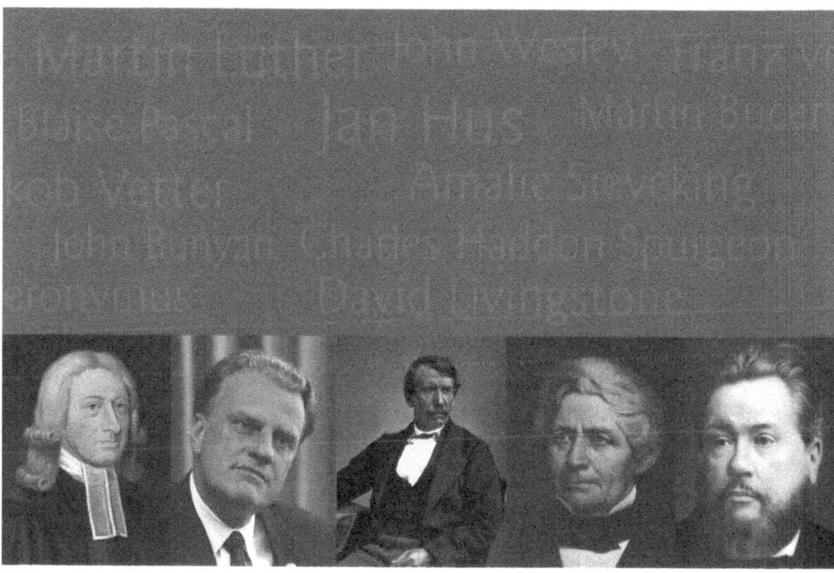

FSC www.fsc.org
MIX
Papier | Fördert gute Waldnutzung
FSC® C014496

Bildnachweis
Sämliche Fotos – wenn nicht anders ausgewiesen – sind gemeinfrei bzw. lizensiert unter cc-by-sa-3.0 bzw. 2.5 oder 2.0, Wikimedia Commons.
S. 334, 337, 340: FeG Riehen Schweiz, www.feg-riehen.ch, Abdruck mit freundlicher Erlaubnis.
S. 348, 349: Pressefotos der DZM; Quelle: www.dzm.de

Kotsch, Michael
Helden des Glaubens
33 Kurzbiografien aus der Kirchengeschichte

Best.-Nr. 271078
ISBN 978-3-86353-078-5
Christliche Verlagsgesellschaft mbH
Am Güterbahnhof 26 | 35683 Dillenburg
info@cv-dillenburg.de

Best.-Nr. 180159
ISBN 978-3-85810-499-1
Missionswerk Mitternachtsruf
Ringwiesenstrasse 12a | CH-8600 Dübendorf
kontakt@mnr.ch

6. Auflage 2025

Satz und Umschlaggestaltung: Christliche Verlagsgesellschaft mbH
Druck: GGP Media GmbH, Pößneck
Printed in Germany

Wenn Sie Rechtschreib- oder Zeichensetzungsfehler entdeckt haben, können Sie uns gern kontaktieren: info@cv-dillenburg.de

Inhalt

Vorwort

Die Beschäftigung mit Gestalten der Kirchengeschichte inspiriert. Hier findet man Vorbilder und Motivation, lernt aber auch Holzwege kennen, die man besser meidet. Mir selbst hat als Abiturient ein Buch über von Gott gebrauchte Männer der Erweckungsbewegung den Weg in den geistlichen Dienst gewiesen.

Wer sich mit Gestalten der Kirchengeschichte beschäftigt, bekommt einen weiten Horizont. Er merkt, dass die Geschichte Gottes mit seinem Volk nicht erst mit der eigenen Gemeinde oder Gemeinderichtung begonnen hat. Wir alle stehen auf den Schultern von Zeugen des Glaubens, die das Bekenntnis zu Jesus jeweils in ihrer Generation und Kultur durch 2000 Jahre hindurch wie eine Fackel weitergetragen haben.

Und wer immer sich mit Gestalten der Kirchengeschichte beschäftigt, lernt dazu. Er merkt, dass wir Menschen Wahrheit immer nur stückweise erkennen, dass wir oft blind sind für die Blickverengungen der eigenen Zeit, dass Gott aber mit unvollkommenen Menschen seine Gemeinde erhält und weiter baut.

Und so kann jeder von uns bei der Beschäftigung mit der Kirchengeschichte lernen, dass sich nicht nur in der eigenen Gemeinderichtung Wahrheitserkenntnis und Liebe zu Gott finden, sondern lange vor uns, neben uns und auch einmal nach uns. Jesus Christus hat verheißen: „Ich werde meine Gemeinde bauen". Und das tut er seit Beginn der Kirchengeschichte – durch Menschen.

Die Herausforderung wird sein, dass wir selbst in unserer Generation Treuhänder der Wahrheit sind. Dass wir das Staffelholz des apostolischen Glaubens, das Andere vor uns getragen haben, nicht fallenlassen, sondern fest ergreifen und einmal unbeschadet der nächsten Generation übergeben. In dieser Arena des Glaubens können wir gar nicht genug von denen lernen, die vor uns unterwegs waren!

Michael Kotsch hat für uns in diesem Buch ein anregendes und lehrreiches Spektrum von Helden des Glaubens porträtiert. Er ist ein zuverlässiger Kenner der Geschichte, hat als Fachlehrer für Kirchengeschichte und Konfessionskunde Generationen von jungen Leuten auf den Dienst für Gott vorbereitet. Mit diesem Buch öffnet er einem weiten Leserkreis Fenster in die Geschichte und lässt uns teilhaben am Leben und Auftrag von gesegneten Menschen. Mögen sie auch heute jedem Leser zum Segen werden.

Helge Stadelmann
Professor an der Freien Theologischen Hochschule Gießen

Einleitung

Jeder Mensch ist bewusst oder unbewusst Teil der großen Geschichte Gottes mit den Menschen. Geschichte muss nicht nur aus trockenen Daten, Fakten und Namen bestehen, sondern kann als lebendiger Bestandteil des eigenen Lebens begriffen werden.

Letztlich besteht auch die Kirchengeschichte aus konkreten Erfahrungen vieler einzelner Menschen, die auf Gott vertrauten und mit ihm lebten. Einige dieser Männer und Frauen sind uns bis heute in Erinnerung geblieben. Ihr Leben kann uns anregen, motivieren und zum Nachdenken bringen.

„Helden des Glaubens", das ist zweifellos ein herausfordernder Titel. Mancher wird sich dabei fragen, ob es denn so etwas überhaupt gibt, ob diese Formulierung nicht auf Hochmut hindeutet oder Gottes souveränes Handeln vernachlässigt? Natürlich sollte klar sein, dass Gott letztendlich die Geschichte seiner Gemeinde schreibt. Dabei hat er sich allerdings immer wieder einzelner Menschen bedient, so wie schon in den biblischen Berichten über das Volk Israel. Um ähnlich prägende und wegweisende Personen aus den vergangenen 2000 Jahren soll es in diesem Buch gehen.

Sicher wünschen sich einige Leser durchaus zurecht noch ein Porträt dieses oder jenes wichtigen „Helden". Solch eine Auswahl ist natürlich immer auch subjektiv. Der Blickwinkel auf die Vergangenheit ist in diesem Buch eher evangelisch geprägt. Dabei liegt ein Schwerpunkt auf der Neuzeit und der Entwicklung in Europa, wobei exemplarisch auch amerikanische, afrikanische und asiatische Christen in die Sammlung aufgenommen wurden bzw. Personen, die die Christenheit dieser Regionen stark beeinflusst haben. Es wurde versucht, in allen Bänden der „Helden des Glaubens" Christen aus jeder Epoche der Kirchengeschichte aufzunehmen, Männer und Frauen. Ein besonderer Schwerpunkt wurde dabei auf die Zeit der Reformation, des Pietismus und der Erweckungsbewegung gelegt. In diesen Büchern finden sich Kurzbiografien von Theologen, Missionaren, Dichtern, Denkern und Musikern, die etwas Besonderes geleistet haben und für die übrige Christenheit prägend gewesen sind.

Natürlich hatte jeder der porträtierten „Helden" und „Heldinnen" auch seine bzw. ihre Schwachpunkte. Sie stehen aber nicht im Mittelpunkt dieser Darstellungen. Der Fokus liegt auf den vorbildlichen oder herausfordernden Aspekten ihres Lebens. Gelegentlich wurde trotzdem kurz auf problematische Punkte in ihrem Handeln und Denken eingegangen, ohne diese allerdings bis zum Ende auszudiskutieren. Vielleicht ist es auch gerade ein Kennzeichen echter „Helden des Glaubens", dass sie keine perfekten Menschen waren, denn Gott gebraucht gewöhnlich fehlerhafte Individuen, zu biblischen Zeiten ebenso wie in der Kirchengeschichte. So wird David als „Mann nach dem Herzen Gottes" bezeichnet (Apg 13,22), obwohl er in seiner Laufbahn fast keine Sünde ausgelassen hatte, von Lüge und Raub bis zu Ehebruch und Mord. So ist auch nicht jeder Aspekt der hier vorgestellten Personen vorbildlich oder biblisch richtig. Doch trotz ihres begrenzten Lebens und Denkens haben diese Menschen positive Spuren hinterlassen.

Dieser und gegebenenfalls die folgenden Bände sollen zuverlässig informieren, geistlich herausfordern, aber auch unterhalten. Wer sich aufgrund dieser Kurzbiografien näher für einen der „Helden des Glaubens" interessiert, stößt im Internet ohne großen Aufwand auf Hinweise zu ausführlicheren Biografien. Sollten sich dabei Probleme ergeben, stehe ich natürlich auch gerne mit Rat und Tat zur Seite.

Auf Literaturverweise und theologische Fachbegriffe wurde so weit wie möglich verzichtet, um das Buch für ein möglichst großes Publikum lesbar zu machen. Es wird hier auch nicht jede Nuance einer vorgestellten Person beleuchtet oder jede momentan in der historischen Forschung laufende Diskussion aufgegriffen.

Die in den entsprechenden Kapiteln angeführten Zitate stammen normalerweise von der dort porträtierten Person. In einzelnen Fällen wurden Orthographie und Formulierungen an die heute übliche Ausdrucksweise angeglichen, ohne den Inhalt dabei wesentlich zu verändern.

Diese Kurzbiografien eignen sich, um einen schnellen Überblick über das Leben engagierter Christen zu gewinnen. Was die Länge angeht, so bieten die Lebensbilder genügend Material für ihre Vorstellung im Hauskreis, in einer Frauen- oder Kinderstunde. Sie informieren schnell und wecken manchmal auch Neugierde auf mehr.

Als Anregungen zum Weiterdenken wurden am Ende jeder Kurzbiografie einige Thesen formuliert, die sich aus dem Leben und Denken der vorgestellten Person ergeben. Dabei handelt es sich nicht um theologisch abgesicherte Aufsätze, sondern um den Versuch, einige geistliche Aspekte, die den Porträtierten wichtig waren, für die Situation des heute lebenden Lesers fruchtbar zu machen.

Nun wünsche ich Ihnen viel Freude und persönlichen Gewinn beim Eintauchen in das spannende Leben christlicher Männer und Frauen aus den vergangenen 20 Jahrhunderten.

Michael Kotsch

Geschichte lohnt sich

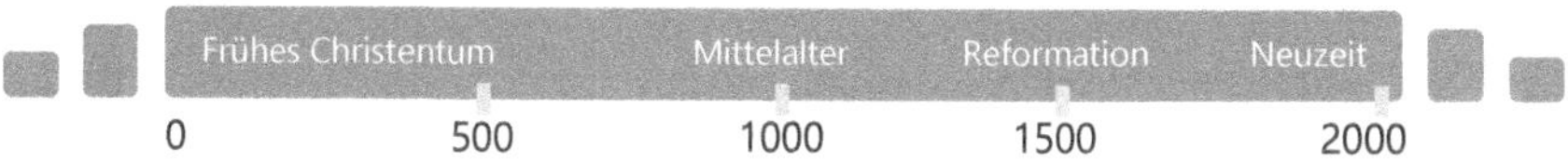

◊ 2000 Jahre Handeln Gottes mit Menschen umfasst die Kirchengeschichte. Durch die Auseinandersetzung mit dieser Zeit können wir Gott besser kennenlernen und nacherleben, wie er Geschichte gestaltet, Schritt für Schritt auf sein Ziel mit der Welt zugeht und in das Leben von einzelnen Menschen eingreift.

◊ Durch die Kirchengeschichte lernen wir zu unterscheiden zwischen dem, was wirklich unabdingbar zum christlichen Glauben gehört, und dem, was kulturell und geschichtlich geprägt, also zeit- und ortsabhängig ist. Wir lernen Wesentliches von Unwesentlichem zu unterscheiden.

◊ „Warum gibt es so viele Kirchen?" – „Warum haben Christen Hexen verbrannt und Kreuzzüge durchgeführt?" – „Was wollte Luther eigentlich?" ... Mit solchen und ähnlichen Fragen werden Christen häufig in der Gemeinde und auf der Straße konfrontiert. Kirchengeschichte will Antworten darauf geben und dadurch Orientierung vermitteln sowie Hilfen für darauf bezogene Gespräche bieten.

◊ Lernen können wir beispielsweise von den Missionsprinzipien der Christenheit im Frühmittelalter und im 18./19. Jahrhundert. Auch Luthers reformatorische Erkenntnis von der Rechtfertigung des Sünders ist wichtig für unsere Tage, ebenso Calvins Betonung der Ethik, Wesleys Evangelisation, Fliedners Diakonie usw. Kirchengeschichte kann so zum Ansporn für eigene Aktivitäten werden.

◊ Das Leben von Christen in der Vergangenheit kann und soll als Vorbild dienen. Wir werden herausgefordert, ihrer Bereitschaft, auf Gott zu hören, ihrer Korrekturfähigkeit, ihrer Hingabe oder ihrer Konsequenz nachzueifern. Negative Vorbilder können uns davor warnen, eigene Macht und eigenes Ansehen zu suchen, zu viele Kompromisse zu schließen oder Konflikte durch Gewalt zu lösen.

◊ Wenn wir sehen, wie Gott über Jahrhunderte hinweg in die Geschichte eingegriffen hat, Christen geführt und bewahrt, scheinbar aussichtslose Situationen verändert, Menschen erneuert und die Welt trotz aller Bedrohungen erhalten hat, dann stärkt das unser Vertrauen in die Macht, in die Liebe und in die Zuverlässigkeit Gottes. Gott ist derselbe damals und heute; so wie er vor Jahrhunderten helfend und tröstend eingegriffen hat, tut er es auch heute noch.

◊ Indem wir beobachten, wie Christen in anderen Zeiten und anderen Kulturen gelebt haben, müssen wir anerkennen, dass es unterschiedliche Möglichkeiten gibt, als ernsthafter Gläubiger zu leben. So gewinnen wir positiven Abstand zu unserer eigenen Tradition und Lebensweise, unserer Kleidung, unserer Musik, der Art und Weise Gottesdienst zu feiern, den Tag einzuteilen oder die Freizeit zu gestalten. Plötzlich fällt die Vielfalt möglicher Ausdrucksformen eines konsequent christlichen Lebens viel stärker ins Auge. Wenn wir bemerken, dass nicht jede unserer Überzeugungen und Handlungsweisen für Christen die einzig mögliche ist, dann können wir eher Menschen in ihrer Andersartigkeit akzeptieren und uns selbst in Fragen korrigieren lassen, die von unserer Zeit und Kultur geprägt sind, von denen wir bisher aber annahmen, dass sie unabdingbar zum Glauben gehören.

1

Tertullian

(150–220)

Argumente für den Glauben

Wer für die Wahrheit kämpft, braucht deshalb nicht zwangsläufig immer auf der richtigen Seite stehen. Das zumindest gilt wohl für den Verteidiger und Kritiker der frühen Christen, Tertullian. Der heißblütige Jurist aus Nordafrika ist ein Vorbild für christliche Apologeten bis heute.

Konsequente Christen imponieren

Tertullian

Quintus Septimius Florens Tertullianus wurde gegen 160 n. Chr. in Karthago nahe dem heutigen Tunis (Tunesien) geboren. Sein Vater war Offizier der Römischen Armee. Er erhielt eine solide Allgemeinbildung. Den sittlichen Ernst der Christen lehnte Tertullian als Genussmensch ab. Christliche Lehren schienen dem sehr auf Logik achtenden Mann nur wenig attraktiv. Nachdem Tertullian Rhetorik und Jura studiert hatte, lebte er einige Zeit in Rom, wo er als Anwalt praktizierte. Zeitlebens benutzte er eine juristisch prägnante und rhetorisch zugespitzte Sprache. Häufig finden sich in seinen Büchern Beispiele aus dem Militär und dem Rechtswesen. Er neigte weniger zu philosophischen Spekulationen als vielmehr zu konkreten Anwendungen und zur wirklichen Welt.

Trotz mancher Unklarheiten im Detail spricht vieles dafür, dass Tertullian im Alter von 30 Jahren durch den unerschütterlichen

Glauben der Märtyrer für das Christentum gewonnen wurde. Immer wieder kam es zu dieser Zeit im Römischen Reich zu offenen Christenverfolgungen und grausamen Hinrichtungen. Ohne Prozess und Rechtsanwalt wurden Christen damals gezwungen, vor dem Standbild des Kaisers ein Opfer zu bringen und ihn damit als Gott zu verehren. Oftmals genügte es, ein bisschen Weihrauch in die Räucherschale vor der Statue des Herrschers zu werfen. Wer sich weigerte, wurde gefoltert und kurzerhand hingerichtet. Die Standhaftigkeit, mit der viele Christen diese Ungerechtigkeiten ertrugen, beeindruckte Tertullian tief. Auch die bei Christen beobachteten Krankenheilungen und Dämonenaustreibungen imponierten ihm sehr. Außerdem überzeugte Tertullian der Inhalt des christlichen Glaubens: Ein Schöpfer des Universums, der selbst aktiv in die Weltgeschichte eingreift, der in Jesus Christus Mensch wird, Dämonen besiegt und jeden zu einer persönlichen Entscheidung herausruft, war ihm realer und glaubwürdiger als der abstrakte Gott der Philosophen[1].

Tertullian war sich seines stürmischen, heißblütigen, zuweilen sogar rücksichtslosen Charakters durchaus bewusst. So bedauerte er selbst seinen weitgehenden Mangel an Geduld. Trotzdem, oder vielleicht gerade deshalb, verfasste er eine Abhandlung über die Geduld. Dort heißt es dann auch: „Ich muss vor Gott dem Herrn bekennen, dass ich recht verwegen, wenn nicht anmaßend handle, wenn ich über die Geduld schreiben will, die zu üben ich doch außerstande bin […]." In seinen leidenschaftlichen Auseinandersetzungen verlor er jedoch nur selten den Kopf. Auch wenn er sich stark emotional engagierte, sogar persönlich werden konnte, blieben seine Argumente exakt und sachlich zutreffend.

Tertullian stand mit vielen der nordafrikanischen Gemeinden in persönlichem Kontakt und wurde Zeuge ihrer Verfolgung. Zuverlässig berichtete er über die rasche Ausbreitung des christlichen Glaubens in dieser Region: „Die Stadt, so schreit man, sei [mit Christen] erfüllt, in den kleinen Städten, auf den Inseln seien Christen. Man beklagt es als einen Nachteil, dass Leute jeden Geschlechts, jeden Alters und Standes, ja sogar Leute von Rang zu diesem [christlichen] Bekenntnis übergehen."

---

1 Tertullian gehörte vor seiner Bekehrung zur gebildeten Schicht, in der philosophische Konzepte von Gott dominierten.

Erfindung der Theologie

Im Jahr 197 kehrte Tertullian nach Karthago zurück und wurde Mitarbeiter (Presbyter) der örtlichen Gemeinde. In den folgenden Jahren verteidigte er die Christen mündlich und literarisch gegen die ungerechtfertigten Angriffe des römischen Staats, gegen die Philosophen und die Vertreter der römischen Religion. Außerdem setzte er sich intensiv mit der Bibel auseinander, übersetzte weite Teile des Neuen Testaments ins Lateinische und erfand 982 neue theologische Begriffe, oftmals abgeleitet aus Begriffen des römischen Rechts. Tertullian prägte beispielsweise den Begriff *Verdammung* (lat. *damnatio*), für die ewige Trennung des Menschen von Gott. Er erfand auch den Begriff *Trinität* (Dreieinigkeit) von Vater, Sohn und Heiligem Geist. Sie seien „drei Personen" (lat. *tres personae*) aber von „einer Substanz (lat. *una substantia*), eines Wesens und einer Macht". Christus „ist Gott und Mensch, eine Person, in der die zwei Substanzen nicht miteinander vermischt, sondern verbunden sind."

Ausführlich erläuterte Tertullian das Wesen der Trinität: „Im Vater wird auch der Sohn angerufen, denn es heißt: ‚Ich und der Vater sind eins' (Joh 10,30) […]." Zur Verdeutlichung der Dreieinigkeit benutzte Tertullian Bilder, die später immer wieder aufgegriffen wurden: Vater und Sohn verhalten sich wie Quelle und Fluss, wie Wurzel und Stamm, wie Sonne und Lichtstrahl. Jesus ist für ihn ganz Mensch und ganz Gott. „Wir sehen eine doppelte Beschaffenheit, nicht vermischt, aber verbunden in einer Person, Gott und dem Menschen Jesus." Gelegentlich stand die Menschlichkeit Jesu in Vordergrund, wie bei seinem Leiden oder seinem Hunger. Manchmal war seine Göttlichkeit dominierend, wie bei seinen Wundern.

Vehement votierte Tertullian für die dauerhafte Bestrafung unwilliger Sünder in einer ewigen Hölle. In seiner Schrift „Über die Auferstehung des Fleisches" wehrte er sich gegen Interpretationen, die von einer Auslöschung des Gottlosen oder von einer letztlichen Rettung aller Menschen (*Allversöhnung*) sprachen. „Diejenigen, die Gott anbeten, werden für immer bei Gott leben […], aber die Gotteslästerer und diejenigen, die sich Gott nicht von ganzen Herzen hingegeben haben, werden in gleicher Weise für immer im Feuer der Strafe sein."

Als erster formulierte Tertullian in mehreren Schriften systematisch den biblischen Heilsweg. Jeder Mensch sei sündig. Deshalb müsse er einmal vor dem göttlichen Gericht erscheinen. Dort würde er sicher verurteilt werden. Wer aber seine Sünden bereue, Buße tue, um Vergebung bitte und ein verändertes Leben mit Gott führen wolle, dem würde seine Schuld vergeben – Gott schaffe *Wiedergutmachung* (lat.

satisfaction). Durch die Gnade Gottes könne der Mensch sein Wesen wenigstens stückweise ändern.

Im Jahr 207 schloss sich Tertullian der sektiererischen Gruppe der *Montanisten*[2] an und kritisierte seitdem alle übrigen Christen wegen ihrer Lauheit und Inkonsequenz. Gegen Ende seines Lebens verließ er diese Sondergruppe und gründete eine eigene Kirche, die *Tertullianisten*.

Da von seinem Leben nur wenig überliefert wurde, ist Tertullian heute vor allem durch seine Schriften bekannt. Er hinterließ 31 Bücher. Neben Abhandlungen zum Wesen Gottes, zum Abendmahl und zur Taufe finden sich Schriften über das Alltagsleben der Christen und Argumente für die Wahrheit des christlichen Glaubens. Die meisten seiner Veröffentlichungen haben einen kämpferischen Ton. Selbst in seiner verbreiteten Auslegung des Vaterunsers („Vom Gebet") finden sich zahlreiche angriffige Formulierungen.

Ungerechte Christenprozesse

Septimius Severus, römischer Kaiser von 193 bis 211 n. Chr.

In seiner umfangreichen Verteidigungsschrift des christlichen Glaubens („*Apologeticum*") aus dem Jahr 197 beschrieb Tertullian die Vorwürfe, die gegen Christen erhoben wurden, und entkräftete sie. Gleich zu Beginn wirft er den römischen Richtern vor, es bei den Christenprozessen mit der Wahrheit nicht so genau zu nehmen: „Ihr Spitzen der römischen Regierung […] Wenn es euch nicht erlaubt ist, offen zu untersuchen und zu prüfen, was an der Sache der Christen Gewisses sei, wenn

2 Der Montanismus geht auf den ehemaligen Priester des Apollo, Montanus, zurück. Nachdem er sich zum christlichen Glauben bekehrt hatte, fühlte er sich als Sprachrohr des Parakleten berufen, den Jesus Christus angekündigt hatte (vgl. Joh 14,16). Zusammen mit den beiden Prophetinnen Priska und Maximilla gründete er gegen 160 in Ardabau in Phrygien (Kleinasien) seine eigene Kirche. Gott habe ihn berufen, auf das bald bevorstehende Weltende und das vorher stattfindende irdische Gericht Gottes hinzuweisen. Ernsthafte Christen sollten sich durch häufiges Fasten, die Reduzierung des Schlafs, den Verzicht auf Geschlechtsverkehr usw. auf die Wiederkunft Jesu Christi vorbereiten. Bis zum Tod des Montanus und seiner Prophetinnen (179) breitete sich die Gruppe rasch in Kleinasien und Nordafrika aus. Dann lösten sich die Montanisten-Gemeinden nach und nach auf. Einige ihrer Anhänger schlossen sich später den *Donatisten* an.

eure Würde bei diesem einen Rechtsfall zurückschreckt oder sich der Untersuchung schämt [...] so möge es der Wahrheit vergönnt sein, wenigstens auf dem Weg stummer Schriften an eure Ohren zu gelangen."

Bewusst wählte Tertullian den Begriff *Wahrheit*, der bei den Römern einen hohen Stellenwert einnahm. Aufgrund eigener Erfahrung beschrieb er die Wahrheit als „Fremdling auf Erden". Überall lauere die Ungerechtigkeit. Die Realität der Christenprozesse, in denen Gläubige zum Tod verurteilt wurden, ohne dass ihnen ein konkretes Verbrechen nachgewiesen werden konnte, trieb Tertullian zu der rhetorischen Frage: „Was ist ungerechter, als etwas zu hassen, was man gar nicht kennt?" Bei heidnischen Philosophen und Richtern diagnostizierte der Kirchenlehrer eine unredliche intellektuelle Bequemlichkeit: „Man gefällt sich darin, unwissend zu bleiben." Als studierter Rechtsanwalt analysierte Tertullian die Christenprozesse. Er stellte zahlreiche Unterschiede fest: Verbrecher wollen sich und ihre Tat gewöhnlich vor der Öffentlichkeit verstecken, Christen nicht. Verbrecher sollen durch Folter bewegt werden, ihre Tat zuzugeben, Christen sollen gezwungen werden, die ihnen zur Last gelegte Überzeugung zu leugnen. „Den Christen hält man für einen Menschen, der sämtlicher Verbrechen schuldig ist, für einen Feind der Götter, des Kaisers, der Gesetze, der Sitten, ja der ganzen Natur. Aber man zwingt ihn abzuleugnen, um ihn dann freizusprechen." Verbrechern wird ein Anwalt zugestanden, Christen nicht. Verbrecher müssen per Gesetz gesucht werden, selbst anonymen Anzeigen darf nachgegangen werden. Christen hingegen sollen auf kaiserliche Anordnung nicht aufgestöbert werden, solange sie nicht auffällig werden (*Reskript an Plinius*).

Die Märtyrerin Perpetua aus Karthago (gest. 203)

Detailliert setzte sich Tertullian in seinem *Apologeticum* mit den gegen die Gläubigen erhobenen Vorwürfen auseinander, die oftmals vollkommen aus der Luft gegriffen waren. Aufgrund einer Fehlinterpretation des Abendmahls – „Das ist mein Fleisch ... Das ist mein Blut ..." – wurden Christen häufig des geheimen, rituellen Kindermords und Kannibalismus angeklagt. Solche Morde sollten bei der großen Zahl der Christen leicht nachzuweisen sein, meinte Tertullian: „Welcher Ruhm für einen Gerichtspräsidenten, einen Christen ausfindig gemacht zu haben, der schon 100 Kinder gefressen hätte." Kein Fall von christlichem Kindermord konnte je glaubhaft nachgewiesen werden. Den Christen seien Menschenopfer streng verboten, aber in Nordafrika würden Kinder dem Saturn und in Gallien alte Menschen dem Merkur geopfert. Außerdem würden Christen keinesfalls kleine Kinder schlachten, wenn ihnen von Gott schon die allgemein akzeptierten Abtreibungen verboten seien. Bei dem Belonakult und den Gladiatorenspielen in Rom würden Menschenblut und -fleisch gegessen, Christen verzehrten nicht einmal Tierblut, wies der Apologet die Vorwürfe der Ankläger zurück.

Auch der oft geäußerte Vorwurf illegitimer Geschwisterehen zwischen Christen sei vollkommen aus der Luft gegriffen, argumentiert Tertullian. Zwar bezeichneten sich Christen gegenseitig als *Brüder* und *Schwestern*, sie seien aber nicht wirklich leiblich miteinander verwandt. In Rom und Makedonien hingegen würden kultische Prostitution, Blutschande und Inzest im Namen des Jupiters begangen, ohne dass jemand Protest erhebe. Christen sei sogar außerehelicher Geschlechtsverkehr verboten.

Ziemlich absurd sei es, wenn Christen quasi die Schuld an allen Naturkatastrophen und Unglücksfällen gegeben würde: „Wenn die Tiber-Überschwemmung bis an die Stadtmauer kommt, wenn die Nil-Überschwemmung nicht über die Felder steigt, wenn die Witterung nicht umschlagen will, wenn die Erde erbebt, wenn es eine Hungersnot oder eine Seuche gibt, sogleich schreit man: die Christen vor den Löwen." Dabei seien solche Vorwürfe doch vollkommen unsinnig. Jeder könne in den staatlichen Archiven nachlesen, dass Rom schon lange vor der Geburt Jesu von Katastrophen heimgesucht worden sei. Zwischenzeitlich gäbe es nach Tertullian sogar weniger Unglücksfälle, weil die Christen für das Land beteten. Es sei doch auch schwer verständlich, dass die vorgeblich so mächtigen römischen Götter nicht einmal in der Lage seien, ihre eigenen Anhänger zu schützen, die ebenfalls von den Naturkatastrophen betroffen würden. Diese seien vielmehr eine Strafe Gottes für die römische Abgötterei, wagte Tertullian zu argumentieren.

Staatstragend auch ohne Kaiserkult

Im *Apologeticum* verurteilte Tertullian den damals verbreiteten Kaiserkult. Er warf den Römern vor, ihren Kaiser mehr zu verehren als die Götter. Das sei auch durchaus klug, meinte er, denn der Herrscher lebe, die Götter hingegen seien tot. Christen, so Tertullian, würden den Kaiser durchaus achten und ehren. Ihn als Gott anbeten aber könnten sie nicht. „Für das Wohl der Kaisers rufen wir den ewigen, wahren und lebendigen Gott an. [...] Sie wissen, wer ihnen die Herrschaft gegeben hat. Sie wissen, wer ihnen das Leben gegeben hat – denn sie sind bloß Menschen. [...] [Der Kaiser] gehört dem, dem der Himmel, die Erde und alle Geschöpfe gehören. Von ihm ist er zum Kaiser gemacht worden, von dem er zum Menschen geschaffen wurde. [...] Wir bitten immer für alle, die herrschen [...] um gesicherte Herrschaft, um Sicherheit ihres Hauses [...] um ein tüchtiges Volk, um Frieden in der Welt, um alles, was die Menschen und der Kaiser wünschen."

Die Gebete der Gemeinde begründete Tertullian mit der Aufforderung Jesu, selbst für die Feinde Gottes und die Verfolger der Christen zu bitten (Mt 5,44). Außerdem würden Christen regelmäßig für eine göttliche Gnadenzeit beten (2Thes 2,7), weshalb der Untergang des Römischen Reiches und das Ende der Welt von Gott vorläufig noch aufgeschoben seien.

Obwohl man den Christen unterstellte, dumm, einfältig, staatsfeindlich und menschenverachtend zu sein, sind sie, nach Tertullian, eine der wichtigsten Stützen der Gesellschaft. Die Christen arbeiteten und lebten wie alle anderen Menschen auch. „Wir leben nicht ohne Gericht, ohne Markt, ohne Bäder, ohne Geschäfte, ohne Arbeitsplätze, ohne Wirtshäuser, ohne eure Markttage und die übrigen Handelsgeschäfte. Mit euch zusammen fahren wir zur See, dienen im Heer [...] Wir leben doch mit euch und von euch." Weitgehend lebten die Christen wie andere Menschen auch, allerdings würden sie kein Geld für die Tempel geben und sich von allem fern halten, was in der Bibel verboten wird.

Gottesdienst im 2. Jahrhundert

Im 39. Kapitel seiner Verteidigungsschrift beschreibt Tertullian das Gemeindeleben seiner Zeit: Im Mittelpunkt des Gottesdienstes standen damals das Studium der Bibel und das Gebet. „Wir kommen zur Betrachtung der göttlichen Schriften zusammen, wenn die Verhältnisse in der Gegenwart Ermahnung oder Erinnerung verlangen. Mit den heiligen Worten erhalten wir unseren Glauben, stärken die Hoffnung, festigen das Vertrauen." Gemeindeglieder, die unmoralisch lebten, wurden zurechtgewiesen: „Bei uns gibt es Ermahnungen, Strafen und göttliche Zucht. Mit großem Ernst wird Gericht gehalten, wie es bei denen geschieht, die sich darüber im Klaren sind, dass Gott sie ansieht." Wer sich nicht korrigieren lassen wollte, wurde vom Gemeindeleben ausgeschlossen. Erprobte und bewährte Älteste leiteten die Gemeinde. Im

Gegensatz zur Politik konnte man ein gemeindliches Amt nicht durch Bestechung bekommen, wie Tertullian hervorhebt. Die Christen nannten sich untereinander *Brüder*, womit sie die Intensität ihrer Beziehung zum Ausdruck bringen wollten. Regelmäßig wurden in der Gemeinde gemeinsame Mahlzeiten angeboten, sodass auch die Ärmeren genug zu essen bekamen.

Jeden Monat wurde in der Gemeinde eine freiwillige Spende eingesammelt. Das Geld kam vor allem notleidenden Christen zugute. „Davon wird nichts für Partys[3] und Fressgelage ausgegeben. Es wird verwendet zum Erhalt und Begräbnis der Armen, für elternlose Jungen und Mädchen, für Alte, die an das Haus gebunden sind, weiter für Schiffbrüchige, für die, die in den Bergwerken, auf den Verbannungsinseln oder im Gefängnis sind – sofern es der Sache Gottes wegen ist." Wenn ein anderer Christ sich in einer Notlage befand, teilten die anderen mit ihm, was sie hatten. „Weil wir in einem Geist verbunden sind, haben wir keine Bedenken beim gemeinsamen Gebrauch des Besitzes. Bei uns wird nichts getrennt – die Ehefrauen ausgenommen." In ihrer Umgebung wurden die Christen wegen ihrer ausgeprägten Anteilnahme und selbstlosen Hilfe bewundert.

Kinder brauchen keine Taufe

Tertullian hielt nichts von der sich damals durchsetzenden Praxis der Kindertaufe. Seiner Auffassung nach würden Kinder nicht durch das Taufwasser gerettet. „Die Kinder sollen [zur Taufe] kommen, wenn sie herangewachsen sind; sie sollen kommen, wenn sie gelernt haben, wenn sie belehrt wurden [...]", schrieb er in *De baptismo* (*Von der Taufe*). Die Voraussetzung für die Taufe bei Tertullian ist der bewusste Glaube und das wohlüberlegte Bekenntnis des Täuflings. Dieser müsse auch bereit sein, ein reines Leben nach den Maßstäben Gottes zu führen. Getauft werden wollen ohne die Bereitschaft, auch geistlich zu leben, hieße, „die Hand nach einer Ware ausstrecken und den Preis nicht bezahlen!" Tertullian beklagt für seine Zeit die Suche nach einer billigen

3 Das Zitat wurde dem heutigen Sprachgebrauch angepasst.

Gnade. „Denn seiner göttlichen Sündenvergebung sicher nimmt man sich lieber Zeit zum Sündigen als zur Unterweisung im Nichtsündigen." Tertullian ging davon aus, dass ernsthafte Christen nicht nur von Gott begnadigte, sondern auch moralisch bessere Menschen seien. Die Vergebung der Sünden sei ein Geschenk. Echte Reue aber zeige sich in einem veränderten Leben. „Ich leugne nicht, dass den Täuflingen das göttliche Geschenk, d.h. die Tilgung der Sünden, in jedem Fall sicher ist. Aber man muss sich doch Mühe geben, dahin zu gelangen."

Warnung vor „christlichen" Irrlehrern

In seiner *Prozesseinrede gegen die Irrlehrer* (*De praescriptione haereticorum*) warnt Tertullian vor den schmeichelnden Verführern, die die Gemeinde „mit Hilfe ihrer Tiefsinn behauptenden, allegorisierenden und umdeutenden Auslegung der Bibel" von Gott wegzögen. Gegen die gnostischen (esoterischen) Sondergruppen seiner Zeit setzte Tertullian ein einfaches Glaubensbekenntnis, mit dem man die echte von der falschen Lehre Jesu[4] unterscheiden könne: „Es gibt nur einen Gott und keinen anderen außer dem Schöpfer der Welt, welcher das Weltall aus dem Nichts erschaffen hat durch sein Wort, das zuerst vor allem ergangen ist. [...] Jesus Christus [...] verkündete ein neues Gesetz und eine neue Verheißung des Himmelreiches, er hat Zeichen getan; nachdem er ans Kreuz geschlagen wurde, ist er am dritten Tage wieder auferstanden; zum Himmel erhoben, sitzt er zur Rechten des Vaters [...]." Echter, rettender Glaube ist für Tertullian nicht nur eine Sache des Gefühls, sondern der Übereinstimmung mit den grundlegenden Aussagen der Bibel.

Christus mit Eselskopf – antikes Wandgraffiti zur Verspottung des Christentums

Tertullian warnte die Gemeinden davor, lange mit den Irrlehrern über den Sinn einzelner Bibelstellen zu diskutieren. Zumeist könne man diese Leute nicht wirklich belehren. Sie benutzten die Bibel ledig-

4 Gemeint sind *vorgeblich* von Jesus stammende Lehren.

lich, um ihre eigenen philosophischen Lebensentwürfe zu rechtfertigen. „Bei dem Bibelgezänk kommt weiter nichts heraus, als dass man sich eine Erschütterung des Magens oder des Gehirns zuzieht." Letztlich hätten die Irrlehrer kein Recht, die Bibel in ihrem Sinn zu interpretieren. Allein die christliche Kirche darf sich auf die Bibel berufen, falls sie noch im Einklang mit den Lehren der Apostel steht. „Wir sind mit den apostolischen Gemeinden in Gemeinschaft, was bei keinem einzigen der uns entgegenstehenden Lehrsysteme der Fall ist. Das ist das Zeugnis der Wahrheit." Sowohl Gemeinden als auch einzelne christliche Lehrer sollten sich auf eine ununterbrochene Traditionslinie bis zu Jesus Christus zurückführen können. Für Tertullian galt: „Waren die Lehrer rechtgläubig, sind es die Schüler zumeist auch." Der wahrhafte Christ müsse an den Lehren der Apostel festhalten, an dem, was von Jesus gesagt und glaubwürdig überliefert wurde. Der falsche Lehrer verändere die ursprünglichen Inhalte der Bibel in seinem eigenen Sinne.

Mode und Make-Up

Tertullian ärgerte sich darüber, dass viele Christinnen ebenso viel Wert auf ihre Kleidung und ihr Aussahen legten wie die heidnischen Frauen. In seinem Buch *Vom weiblichen Putz* (*De cultu feminarum*) forderte er die Frauen auf, „lieber in Trauer zu leben und das Äußere zu vernachlässigen, da jede Frau eine trauernde und büßende Eva in sich trägt." Schon Paulus habe davor gewarnt, dass Kleidung und Schmuck von der viel wichtigeren geistlichen Entwicklung ablenken könne (1Tim 2,9f). Häuslichkeit, Einfachheit, Fleiß zeichne eine Christin aus. Der Name *Hausfrau* ist ein Ehrenname. Statt Vergnügungen nachzugehen besuche sie den Gottesdienst oder einen Kranken. Ihre Kleidung sei einfach, nicht auffallend und anständig.

Allem Irdischen gegenüber zeigte sich Tertullian skeptisch, insbesondere gegenüber der Sexualität. Verwitweten Christen riet er, nicht wieder zu heiraten. Ledigen empfahl er, ganz auf die Ehe zu verzichten, da das von Jesus angekündigte Weltende bald bevorstünde. Deshalb sei es eigentlich auch besser, auf Kinder zu verzichten. Die kurze, verbleibende Zeit solle man im Dienst für Gott verbringen. Nebenher erwähnt er allerdings auch, dass damals die meisten Ältesten und Prediger verheiratet waren. (Erst in der mittelalterlichen Kirche wurde der totale Eheverzicht für Priester [*Zölibat*] durchgesetzt.)

Theater und Zirkus sind tabu

Ganz deutlich warnte Tertullian vor der billigen Unterhaltung seiner Zeit. Theater, Zirkus und Wagenrennen würden einem Christen auf Dauer eher schaden als ihm zu helfen, ein geistliches Leben zu führen, schrieb er in seinem Buch *Von den Schauspielen* (*De spectaculis*). „Sieh nur, wie aufgeregt das Volk schon in Raserei zu den Spielen kommt [...]." Jedes Schauspiel errege Gefühle wie Lust, Neid, Eifersucht. Man gehe ins Theater, damit irgendwelche Leidenschaften wachgerufen würden. Man freue sich an Betrug und Ehebruch. Bei den Wettkämpfen identifiziere man sich mit den Athleten. Schon zu Beginn höre man „die Flüche und Beschimpfungen ohne einen gerechten Anlass sowie Zeichen der Begeisterung ohne ein Verdienst der Liebe." Ironisch spottete Tertullian: „Wird der, der sich dort befindet, wo nichts ist, was Gott angehört, wohl während dieser Zeit an Gott denken? Vermutlich wird er, wenn er für einen Wagenlenker Partei ergreift, in seiner Seele den Frieden empfinden. Keuschheit wird er lernen, wenn er von Komödianten gefesselt wird [...] Während der süßlichen Gesänge des Schauspielers wird man wohl an einen Psalm denken [...]." Schließlich beklagte Tertullian: „Wie soll ich es nennen, wenn manche von der Gemeinde Gottes zur Gemeinde des Teufels eilen?" Er kritisierte, dass man „dieselben Hände,

Überreste einer altchristlichen Basilika in Nordafrika (El Kef)

die man zu Gott erhebt, nachher zum Lob eines Schauspielers abmüht" (vgl. Jak 3,10f). Statt nach schneller Vergnügung zu suchen, solle der Christ sich ernsthaft auf das Leben bei Gott vorbereiten: „Deine Zirkusspiele seien: Betrachte den Lauf der Welt, zähle die flüchtig dahineilenden Stunden, erwarte den Wendepunkt der Zeiten [...] erhebe dich bei der Posaune des Engels [...]." Dann malte er aus, wie alle Könige, Statthalter, Schauspieler und Wagenlenker einmal vor dem Gericht Gottes erscheinen müssen. Dann würde man zweifelsfrei erkennen, worauf es im Leben wirklich angekommen sei.

Weil viele Bischöfe und Gemeindeleiter aus Tertullians Sicht zu schnell und leichtfertig Sündenvergebung zugesprochen hätten, wandte er sich von der großen Kirche ab und schloss sich zeitweilig den sektiererischen, aber sittenstrengen Montanisten an, die auf das baldige Weltende warteten. In dieser Zeit verschärfte er seine Forderungen an die Gläubigen noch einmal. So stellte er beispielsweise die These auf, Sünden wie Ehebruch, Hurerei, Mord und Abfall vom Glauben seien unvergebbare Sünden. Wer so etwas tue, könne keine Vergebung mehr bei Gott erhoffen. Auch die mangelnde Bereitschaft, anderen Menschen ihre Schuld zu verzeihen, führe zur Weigerung Gottes, diesem Hartherzigen zu vergeben (Matthäus 6,12-15).

Christen können nicht jeden Beruf ausüben

Bestimmte Berufe hielt Tertullian mit einem konsequenten Glauben für unvereinbar. Ein Christ solle nicht Soldat sein, weil er nur Gott die absolute Treue schwören könne und weil Jesus zur grundsätzlichen Friedfertigkeit aufgerufen habe (Mt 5,9; 26,52). Eigentlich müssten Gläubige jeden Staatsdienst ablehnen, weil Beamte zwei Herren dienen müssten. Als Künstler zu arbeiten, sei problematisch, weil man dann auch Götzen- oder Kaiserbilder herstellen müsse, womit man gegen das erste Gebot verstoßen würde (2Mo 20,3). Lehrer seien staatlich verpflichtet, ihren Schülern heidnische Sagen und Werte zu vermitteln. Schauspieler müssten unmoralische Szenen spielen. Solche Berufe seien deshalb mit einem ernsthaften Christsein unvereinbar.

Christlicher Glaube ist absurd

Oft zitiert wird der berühmte Ausspruch Tertullians: „Ich glaube, weil es absurd ist." Tatsächlich formulierte er im *Liber de carne Christi* (*Buch über die Fleischwerdung Christi*) noch schärfer: „Gottes Sohn ist gekreuzigt ... sterblich ist Gottes Sohn; völlig glaubhaft ist das, weil es unpassend (abgeschmackt, töricht) ist. Der Leichnam ist auferstanden; das ist wahr, weil es unmöglich ist." Mit dieser Formulierung wollte Tertullian zum Ausdruck bringen, dass der christliche Glaube nicht erfunden sein kann. So etwas Unsinniges würde sich kein menschlicher Religionsgründer ausdenken. Außerdem wäre es durchaus naheliegend, dass Gottes Pläne für den Menschen weitgehend unverständlich seien, da Gottes Weisheit und Intelligenz die jedes Menschen weit übersteige. Aus der begrenzten irdischen Perspektive sei es zu erwarten, dass nicht alle Aussagen Gottes logisch klängen.

Auch wenn die übernatürlichen Einsichten Gottes für die irdische Wissenschaft nicht erfassbar seien, hielt Tertullian große Stücke auf das logische Denken. „Der Verstand ist etwas Göttliches, weil Gott der Schöpfer aller Dinge ist, weil er alles und jegliches mit Verstand versehen, eingerichtet und angeordnet hat. Er will alles mit Verstand behandelt sehen und erkannt wissen." Gewissheit über die Existenz Gottes, die Schuld des Menschen, die Realität des Todes und das Gericht Gottes könne jeder auch durch den Einsatz seiner Vernunft bekommen.

„Schau zurück und dann erinnere dich daran, dass du nur ein Mensch bist." (Tertullian)

Ausgewählte Literaturhinweise

Hanns Christof Brennecke: *Tertullian von Karthago*, in: Friedrich W. Graf (Hrsg.): Klassiker der Theologie, Bd.1, Verlag C.H. Beck, München 2005, S. 28-42

Gert Haendler: *Von Tertullian bis zu Ambrosius, Kirchengeschichte in Einzeldarstellungen I/3*, Evangelische Verlagsanstalt, Berlin 1978, S. 21-42

Susanne Hausammann: *Alte Kirche. Zur Geschichte und Theologie in den ersten vier Jahrhunderten*, Bd. 1: Frühchristliche Schriftsteller, Neukirchener Verlag, Neukirchen-Vluyn 2001, S. 220–250

Tertullian: *Ausgewählte Schriften ins Deutsche übersetzt*, 2 Bde., hrsg. von A.H. Kellner/G. Esser (Bibliothek der Kirchenväter, Bde. 7, 24), Kempten, München 1912–1915

Ansätze zum Weiterdenken

◊ Häufig werden Christenverfolgungen mit Unterstellungen und Missverständnissen begründet. Die gilt es aufzuklären.

◊ Es lohnt sich, den christlichen Glauben mit vernünftigen Argumenten zu verteidigen. Dabei kann auch die gelegentliche Scheinheiligkeit der Gegner zur Sprache kommen.

◊ Echte Christen sollten durch ihr Leben erkennbar sein. Sie verzichten auf manches, was nicht mit der Lehre der Bibel übereinstimmt. Sie machen manches, weil Jesus Christus es gefordert hat, auch wenn das nicht als ganz normal angesehen wird.

2

Wulfila

(311-383)

Die erste „deutsche" Bibel

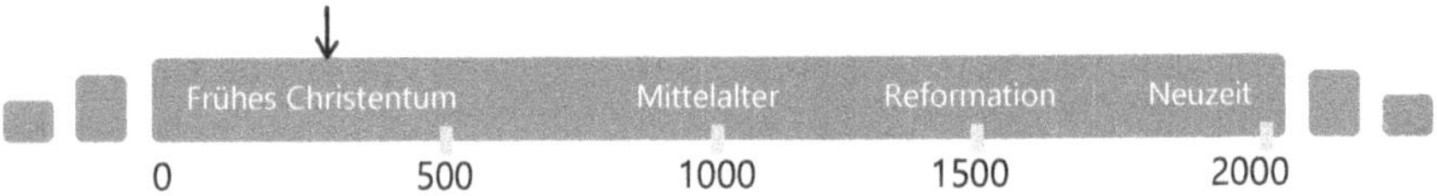

Viele halten Luther für den Verfasser der ersten deutschen Bibelübersetzung. In gewisser Weise trifft das zu. Mit seinem hervorragenden Sprachempfinden prägte er die hochdeutsche Sprache und schuf eine Bibelübersetzung, die fast 500 Jahre beherrschend bleiben sollte. Und doch übersetzte schon mehr als 1000 Jahre vorher Wulfila die Bibel ins Gotische, eine Art Urdeutsch.

Sklaven als Eltern

Das Leben und Denken Wulfilas wurde von verschiedenen Zeitgenossen (z. B. Auxentius von Dorostorum) und auch von später lebenden Historikern (z. B. Sozomenos) überliefert.

Wulfila (got.: „kleiner Wolf") wurde gegen 311 in Gothien (nördlich der unteren Donau) geboren. Seine christlichen Großeltern mütterlicherseits waren bei einem Raubzug der Goten durch Kleinasien (264) versklavt und verschleppt worden. In diesem Teil des Römischen Reiches (Galatien, Kappadozien) lebten damals zahlreiche Christen. Wulfilas Vater war Gote und stand dem christlichen Glauben zunächst kritisch gegenüber. Schon als Jugendlicher sah Wulfila seine Lebensaufgabe darin, den Glauben

Wulfila mit dem gotischen Alphabet

seiner Großeltern und Mutter auch unter seinen Landsleuten zu verbreiten. Dabei war er nicht der Erste. Wahrscheinlich wurde Wulfila von Bischof Theophilos aus Gothien geschult. Auch einige Gotenkrieger hatten sich nach einer verlorenen Schlacht gegen den christlichen Kaiser Konstantin dem Christentum zugewandt.

Missionar unter Goten

Wulfila predigte in griechischer, lateinischer und gotischer Sprache. Er verfasste zahlreiche theologische Stellungnahmen, Predigten und Auslegungen.

Einband zum Codex aureus

Obwohl die meisten Goten dem Christentum noch kritisch gegenüberstanden, genoss Wulfila unter ihnen ein hohes Ansehen. Wahrscheinlich aufgrund seiner hervorragenden Sprachkenntnisse und auch seines Glaubens wurde Wulfila in einer Gesandtschaft an den Hof Konstantins geschickt (337). Bei dieser Gelegenheit wurde er von Euseb von Nikomedien zum Bischof der in Gothien lebenden Christen geweiht. In den nächsten sieben Jahren betreute Wulfila die verstreut unter den überwiegend heidnischen Goten lebenden Christen. 344 kam es zu einer größeren Christenverfolgung. Manchen gotischen Führern gefiel der fremde Glaube nicht. Sie sahen darin die Religion ihrer römischen Feinde und fürchteten die Strafe ihrer eifersüchtigen Götter. Trotz Drohungen blieben die meisten Christen standhaft. Einige starben durch die Hand der Goten als Märtyrer für Gott. Andere flohen auf römisches Staatsgebiet in eine relative Sicherheit, unter ihnen Wulfila. Bei diesem „Exodus der Frommen" wurde er von den Christen mit Mose verglichen. Kaiser Konstantios wies ihnen ein Siedlungsgebiet in Mösien, südlich der Donau, zu. Später bildeten die Christen um Wulfila einen eigenen Volksstamm, die Kleingoten. Wulfila war nicht nur ihr religiöses Oberhaupt, sondern auch ein politischer Führer. Er erfand die gotischen Buchstaben und formte die gotische Sprache. In den nächsten überwiegend friedlichen Jahrzehnten wuchs die Bevölkerung deutlich. Die Kleingoten waren als ärmlich und unkriegerisch bekannt. Sie lebten vor allem von der Land- und Waldwirtschaft.

Die erste deutsche Bibel

Voraussetzung für die bedeutenden missionarischen Anstrengungen der Kleingoten war Wulfilas gotische Bibel, die erste Übersetzung in eine germanische Sprache. Mit der Bibel entwickelte Wulfila die gotische Schrift. Bis dahin gab es lediglich einige wenige Runen-Inschriften mit magischem Inhalt. Der heute in Uppsala verwahrte *Codex argenteus* ist eine prächtige Abschrift der Wulfila-Bibel, entstanden im Ostgotenreich Theoderichs um 500. Die Handschrift ist mit silbernen, teils mit goldenen Lettern auf purpurfarbenem Pergament geschrieben. Einiges deutet darauf hin, dass Wulfila das Alte Testament nicht vollständig übersetzt hatte. Insbesondere die kriegerischen Abschnitte aus den Könige-Büchern wollte er den kämpferischen Goten erst einmal vorenthalten, um ihre Gewaltbereitschaft nicht zusätzlich anzustacheln. Wulfila wollte sie zur Friedfertigkeit erziehen. Außer den Kleingoten erwiesen sich nämlich auch die übrigen Gotenstämme in der Völkerwanderung als recht kriegslustig, gewaltbereit und räuberisch.

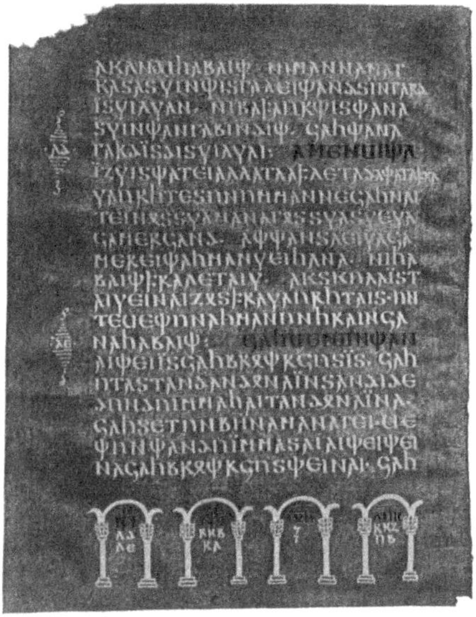

Seite aus dem Codex argentus (Mk 5,27-52)

Gotisches Christentum

Mit seiner Bibelübersetzung prägte Wulfila das theologische Denken der Goten: Das später von Luther mit *Heiland* übersetzte griechische Wort *Soter* gab Wulfila mit *Nasjands* wieder, was so viel meint wie *der zur Genesung* führende, der *Heilende*, der *Helfende*. Für den zentralen biblischen Begriff *Agape*, heute mit *Liebe* übersetzt, wählte er das Wort *Frijabwa*, was mit dem deutschen Wort *Freundschaft* verwandt ist. Viele Stellen, die sich auf den geistlichen Bruder, die Gemeinde oder die

Gotteskindschaft beziehen, übersetzte Wulfila mit *Sippe* (*Sibja*). Matthäus 5,24: „Versöhne dich mit deinem Bruder", heißt bei Wulfila: „Halte Frieden mit deiner Sippe." Wahrscheinlich spiegelt diese Interpretation die außerordentliche Bedeutung der Gruppe wider, zumal für die Kleingoten Volkszugehörigkeit und Christsein zusammenfielen. Wulfila entwickelte außerdem eine gotische Liturgie und einen eigenen kirchlichen Kalender. Es wurde auf Gotisch gebetet, gesungen und gepredigt. Goten sollten nicht den Eindruck bekommen, Römer werden zu müssen, wenn sie sich dem christlichen Glauben zuwandten. Die gotische Bibelübersetzung wurde bald auch in anderen germanischen Völkern gelesen. Der Anfang des Vaterunsers (Mt 6,9f) klingt auf Gotisch so: „atta unsar þu ïn himinam, weihnai namo þein […]." Ähnlichkeiten zum heutigen Hochdeutsch sind dabei unübersehbar.

Christenverfolgungen

Nachdem Wulfila sich mit seinen Anhängern unter römischen Schutz begeben hatte, verblieb nur noch eine kleine Gruppe von Christen unter den Goten. Geleitet wurde diese gotische Gemeinde von Bischof Goddas. Immer wieder wurden diese Christen verfolgt und zeitweilig auch getötet. Ein namentlich nicht bekannter gotischer Fürst wollte die Gläubigen demütigen, indem er ihre Prediger Sansalas und Sabas dazu zwingen wollte, an einem heidnischen Opferfest teilzunehmen, wodurch sie die germanischen Götter anerkannt hätten. Sabas ging auf keine Vermittlungsversuche und Kompromisse ein, weshalb er am 12. April 372 öffentlich ertränkt wurde.

Bekehrung der Westgoten

Die Behandlung gotischer Christen war abhängig von der jeweiligen Einschätzung ihrer politischen Bedeutung. Der angesehene Fürst Athanarich sah in den Gläubigen Verbündete der Römer, weshalb er hart gegen sie vorging. Sein Konkurrent Fritigern plädierte für ein gutes Verhältnis zu den Römern, weshalb er sich für eine freundliche Duldung der Christen aussprach. Unter dem Ansturm der Hunnen (ab 375) suchten auch die Westgoten Schutz auf römischem Territorium. Kaiser Valens teilte ihnen Siedlungsgebiete in Trazien und Mösien zu, dem heutigen Nord-Bulgarien. Hier öffneten sich auch die Westgoten für den christlichen Glauben ihrer Schutzherren und baten um gotischsprachige Missionare. In diesem Prozess spielte Wulfila eine nicht unbedeutende Rolle. Er setzte sich am Kaiserhof für die Aufnahme Fritigerns und seiner Goten ein. Wulfila bildete auch Lehrer aus, die den Westgoten den christlichen Glauben nahebringen sollten. Nach und nach missionierten sie auch unter anderen germanischen Stämmen. Ein Zeitzeuge berichtet: „Sie [die Kleingoten] haben sowohl den Ostgoten wie den Gepiden, ihren Verwandten, aus Liebe das Evangelium verkündet." Auch Westgoten, Langobarden, Burgunder, Bayern und Sachsen sollen mit der Wulfila-Bibel für den christlichen Glauben gewonnen worden sein. Die germanischen Christen ließen sich auch in anderen Teilen des Römischen Reiches nieder. In Konstantinopel beispielsweise wird ein Bischof Selenas erwähnt, der sich um die gotischen Christen in der Hauptstadt kümmerte.

Weil die Goten in ihrer neuen Heimat zu selbstständig agierten, plante Valens 378 eine militärische Strafaktion, bei deren erfolgloser Ausführung der Kaiser starb. Zu dieser Zeit war der christliche Glaube bei den Goten offensichtlich schon so sehr verwurzelt, dass sie ihn nicht mehr nur mit ihren römischen Gegnern assoziierten und deshalb ablehnten. Überhaupt verfügten die auf dem Balkan lebenden Goten über eine weitgehende religiöse und politische Autonomie, obwohl sie formal unter römischer Oberhoheit lebten. Als sie Jahre später Norditalien einnahmen und 410 sogar Rom eroberten, verschonten sie alle Kirchen und Klöster, weil sie sich zwischenzeitlich selbst als Christen verstanden. Die eigenständige Prägung gotisch-germanischer Glaubenspraxis stieß bei römischen Christen allerdings immer wieder auf Kritik. So äußerte der Mailänder Bischof Ambrosius sein Unverständnis darüber, dass die Goten mobile Karren als Kirchen benutzten und ihre Prediger in gotischer Tracht auftraten. Vielen erschien nur die römische Kleidung und Gottesdienstform als wirklich christlich. Um 400 zogen die germanischen Vandalen durch Süddeutschland und Frankreich nach Spanien und schließlich nach Nordafrika. Viele Römer waren vollkommen verblüfft, weil die gegen sie kämpfenden Soldaten der Vandalen Bibeln bei sich trugen und mit den Eroberten über theologische Fragen debattierten. Einige zitierten sogar während der Schlacht Bibelverse.

Streit um die Trinität

Die große theologische Frage jener Zeit war das Verhältnis zwischen Gottvater und Jesus Christus. Auf dem Konzil von Nicäa (325) hatte sich die Mehrheit der anwesenden Theologen auf die Formulierung geeinigt, Vater und Sohn seien wesenseins (*homousios*). Damit stellte man sich gegen den Ägypter Arius, der lediglich eine Ähnlichkeit zwischen Gott und seinem Sohn behauptet hatte. Da Wulfila den griechischen Begriff *homousios* in der Bibel nicht fand, neigte er dazu, ihn nicht zu gebrauchen und geriet dadurch in Konflikt mit der römischen Reichskirche. Nachdem Kaiser Theodosius 380 ein Edikt erließ, das alle

Christen auf die Formulierung *„wesensgleich"* festlegen wollte, reiste Wulfila nach Konstantinopel, um seine Bedenken vorzubringen. Zwar wurde er dort empfangen und auch angehört, dennoch blieb man bei dem gefassten Beschluss.

Anlässlich dieser Auseinandersetzungen brachte Wulfila noch einmal sein Glaubensbekenntnis zu Papier: „Ich, Wulfila, Bischof und Bekenner, habe immer so geglaubt [...], dass ein Gott ist, der Vater, allein ungezeugt und unsichtbar, und an seinen eingeborenen Sohn, unseren

Bischof Wulfila erklärt den Goten das Evangelium (Illustration: um 1900)

Herrn und Gott, Werkmeister und Bildner der gesamten Kreatur, der seinesgleichen nicht hat; also ist einer der Gottvater aller, welcher auch der Gott unseres Gottes ist; und an den Heiligen Geist [...], der weder Gott noch Herr ist, sondern der treue Diener Christi, ihm nicht gleich, sondern in allen Dingen dem Sohn untertan und gehorsam; und dass der Sohn in allen Dingen untertan und gehorsam ist seinem Gott, dem Vater [...]." Die Gottheit Jesu hielt Wulfila für biblisch, den Heiligen Geist aber betrachtete er nicht als Gott, sondern als „Diener Christi". Wulfila ging es darum, die Unterschiede zwischen Vater, Sohn und Heiligem Geist nicht zu verwischen. In seiner Kritik an der Gottheit des Heiligen Geistes weicht er vom großen Strom christlicher Theologie ab. Einen lupenreinen Arianismus vertrat Wulfila aber nicht, auch wenn das später von seinen Gegnern behauptet wurde. Wulfilas Sicht der Beziehung zwischen Vater, Sohn und Heiligem Geist bestimmte über Jahrhunderte hinweg den Glauben der christlichen Germanen. Erst unter der Mission des Bonifatius setzte sich die Theologie von Nicäa auch hier endgültig durch. Wulfila starb kurze Zeit nach diesen theologischen Auseinandersetzungen in Konstantinopel (383).

In der bayrischen Walhalla bei Donaust/Regensburg erinnert seit 1842 eine Gedenktafel an den ersten germanischen Bibelübersetzer. Die evangelische Kirche hat ihm als Gedenktag den 26. August gewidmet.

Ausgewählte Literaturhinweise

Wilhelm Bessell: *Ueber das Leben des Ulfilas und die Bekehrung der Gothen zum Christenthum*, Nabu Press, Charleston/USA 2010, (Nachdruck von 1923)

Gert Haendler: *Wulfila*, in: Martin Greschat (Hrsg.): *Gestalten der Kirchengeschichte*, Bd. 2, W. Kohlhammer Verlag, Stuttgart 1984, S. 63-74

Gerhard Hultsch: *Wulfila*. Der Bischof d. Germanen, in: Gotteszeugen, Teil: H. 47, Verlag „Junge Gemeinde", Stuttgart 1957

E. Stutz: *Das Neue Testament in gotischer Sprache*, in: Kurt Aland (Hrsg.): Die alten Übersetzungen des Neuen Testamentes, de Gruyter Verlag, Berlin 1972, S. 375-402

Ansätze zum Weiterdenken

◊ Um das Evangelium in einer anderen Kultur heimisch zu machen, braucht es die Bibel in der entsprechenden Sprache.

◊ Wer die Bibel übersetzt, prägt und interpretiert immer auch die Theologie.

◊ Die äußeren Formen, in denen der christliche Glaube ausgedrückt und ausgelebt wird, unterscheiden sich von Volk zu Volk.

3

Martin von Tours

(316-397)

Apostel Frankreichs

Martin von Tours (316-397) ist einer der „lebendigsten" Glaubensvorbilder aus längst vergangener Zeit. Geschichten aus seinem Leben werden vielerorts schon den kleinen Kindern erzählt. In Erinnerung an sein Leben ziehen in katholischen Regionen Kinder am Martinstag (11. November) mit selbstgebastelten Laternen singend von Haustür zu Haustür und erhalten von den Bewohnern Süßigkeiten. In evangelischen Landstrichen erinnert man sich mit dem gleichen Brauch an Martin Luthers Geburt, einen Tag zuvor. Benannt wurde der große Reformator nach dem „Apostel der Franzosen", jenem Martin von Tours. Bekannt ist dieser auch als Soldat der römischen Reiterei, als Asket, Mönch, Pastor, Bischof von Tours, Klostergründer und Glaubensverkündiger.

Der Biograph
Martins Lebensgeschichte wurde von Sulpicius Severus (363-420) verfasst, einem Freund und Anhänger des bekannten Bischofs. Nach seiner Bekehrung verschenkte Sulpicius einen Großteil seines Reichtums an die Armen und zog sich mit einigen Freunden zu einem äußerst einfachen Leben als Privat-Mönch aufs Land zurück. Der plötzliche Tod seiner Frau hatte den erfolgreichen Rechtsanwalt dazu bewogen, seine Karriere aufzugeben und sich ganz dem Dienst Gottes zu widmen. Dermaßen beeindruckt von seinen Begegnungen mit Martin von Tours verfasst Sulpicius 396 die Lebensgeschichte des Missionars der Gallier. Schnell wurde das Buch ein Bestseller, im ganzen Römischen Reich verkauft und gelesen.

Der Soldat

Geboren wurde Martin 316 in der Garnisonsstadt Sabria (heute Szombathély/Ungarn) als Sohn nichtchristlicher Eltern. Seine Jugend verbrachte er in Ticinum (Pavia). Bereits mit zehn begann er sich für den christlichen Glauben zu interessieren. Regelmäßig besuchte er Gottesdienste und diskutierte mit Christen. Als 18-Jähriger ließ er sich schließlich taufen. Sein Vater, selbst Berufsoffizier, drängte den Sohn zu einer militärischen Laufbahn. Bis zu seinem 40. Lebensjahr (356) diente Martin als Soldat der Garde unter den römischen Kaisern Konstantin und Julian. Während dieser Zeit soll er sich durch sein vorbildliches Leben ausgezeichnet haben. Von seinem Sold behielt er lediglich ein Minimum für sich. Das übrige Geld verteilte er unter Armen, Hungrigen und Kranken.

Martin v. Tours teilt seinen Mantel

Mitten im Winter traf Martin am Stadttor von Amiens (Nordfrankreich) einen armen Bettler, der ihn um ein Kleidungsstück bat, um sich vor dem Erfrieren zu schützen. Martin, der nur die Uniform am Leib trug, nahm kurzentschlossen sein Schwert, schnitt seinen Soldatenmantel in zwei Teile und gab einen davon dem Armen. Einige der Umstehenden lachten über den Offizier mit dem halben Mantel, andere schämten sich angesichts dieser praktizierten Nächstenliebe. In der folgenden Nacht träumte Martin von Jesus, der ihm mit seinem halben Mantel erschien und an die Worte erinnerte: „Was immer ihr einem Geringsten getan habt, das habt ihr mir getan" (Mt 25, 40).

Nach langjähriger Militärkarriere beteuerte Martin seinem Dienstherrn gegenüber: „Ich bin jetzt Soldat Christi und darf nicht kämpfen." Aufgrund dieser Weigerung, weiter mit der Waffe in der Hand zu töten, wurde Martin ins Gefängnis geworfen und vom aufgebrachten Julian verhört. Einen vollkommen unerwarteten Rückzug der zu bekämpfenden Barbaren deutete der Kaiser als Zeichen Gottes und ließ seinen frommen Offizier laufen.

Der Bischof

Hilarius von Poitiers gewann ihn zum Dienst für Gott. Zuerst unternahm Martin eine Pilgerreise nach Ungarn und Italien. Einige Zeit verbrachte er als Einsiedler auf der einsamen Insel Gallinaria an der Küste Genuas, um allein mit Gott zu sein. Dann schloss er sich in Südfrankreich einer Gruppe von Asketen an, die in Ligugé bei Poitiers das erste Kloster des Abendlandes gründeten.

Trotz des heftigen Widerstands einiger gallischer Würdenträger wurde Martin 370 zum Bischof von Tours geweiht. Ausgesucht hatte er sich diese Karriere nicht. Überhaupt beschreibt ihn sein Biograph als einen äußerst demütigen Mann, im Gegensatz zu zahlreichen seiner machthungrigen Kollegen inner- und außerhalb der Kirche. Ein Bürger namens Rusticus lockte Martin mit der Bitte nach Tours, er solle seiner kranken Frau helfen. Die zur Bischofswahl anwesenden Kirchenvertreter kritisierten, Martin sei schlecht gekleidet, hätte wirre Haare und sei auch sonst nicht sehr beeindruckend. Die Bevölkerung allerdings wollte ihn unbedingt als ihren neuen Bischof haben. Schließlich versteckte sich Martin in einem nahegelegenen Gänsestall, weil er die Verantwortung scheute. Doch die Tiere machten durch ihr lautes Geschnatter auf den Eindringling aufmerksam. Martin wurde entdeckt und erklärte sich einverstanden, das Amt zu übernehmen.

Auch weiterhin wollte er bescheiden bleiben. Zuerst wohnte er in einem kleinen Verschlag bei der Kirche von Tours, dann richtete er drei Kilometer vor der Stadt an der Loire ein kleines Privat-Kloster ein (Marmoutier), um mehr Ruhe und Besinnung zu finden. Die Mönche lebten in einzelnen Hütten oder Grotten, die in den Felsen geschlagen waren. Zum Gebet trafen sie sich in einer zentral gelegenen kleinen Kapelle. Einmal täglich unterbrachen sie ihr Fasten für eine gemeinsame Mahlzeit. Es gab keine festgelegte Hierarchie. Die Mönche lebten von Spenden, schrieben christliche Bücher ab und beteten. Von hier aus bereiste Martin mit einer Gruppe Gleichgesinnter ganz Gallien und warb für den christlichen Glauben. Dabei ging er nicht immer zimperlich vor. Er verwüstete keltische und germanische Heiligtümer, um an ihrer Stelle Kirchen und Klöster zu errichten.

Der Wundertäter[5]

Viele Gallier beeindruckten Martins Heilungen und Dämonenaustreibungen. In Poitiers soll einer seiner Mönchsbrüder schwer erkrankt und im Verlauf von drei Tagen verstorben sein. Martin verwies die trauernden Mönche aus dem Raum, legte sich in Erinnerung an Elia (vgl. 2Kö 4,31-35) auf den Leichnam und betete eindringlich für den Toten. Nach zwei Stunden begann der Mann zu blinzeln, dann erhob er sich von seinem Bett und lobte Gott. Im Jenseits sei er schon vor einen Richter geführt worden, der ihn gerade aufgrund seiner Sünden verurteilen wollte, da seien zwei Engel erschienen und hätten ihn zurück auf die Erde geschickt, berichtete der Mönch später. Der Mann lebte noch jahrelang und erzählte von seinen Erlebnissen. Wenig später kam Martin auf einer seiner Reisen an das Landgut eines Lupizinus, wo die Menschen über einen Diener trauerten, der sich kurz zuvor erhängt hatte. Hier verfuhr Martin ähnlich. Erneut erhörte Gott sein Gebet und rief den Mann ins Leben zurück.

Oft war auch die Predigt Bischof Martins von außergewöhnlichen Ereignissen begleitet. In der Nähe von Tours verehrten die Menschen innig das vorgebliche Grab eines christlichen Märtyrers. Zuerst versuchte Martin durch Gespräche und Nachforschungen zu erfahren, welche Person hier bestattet war. Als er auf diese Art nicht weiterkam, bat er Gott um Hilfe. Daraufhin erschien ihm schattenhaft der Verstorbene und gestand, er sei eigentlich ein Räuber gewesen, den man aufgrund seiner Verbrechen hingerichtet habe. Daraufhin zerstörte Martin den betreffenden Altar.

Nachdem Martin während einer anderen Missionsreise durch Zentralfrankreich den heidnischen Tempel eines Dorfes zerstört hatte, wollte er auch noch die nahe dabei stehende Kiefer fällen, die den Göttern geweiht war. Seine Gegner forderten nun, der Mönch solle sich in die

5 Aus heutiger Sicht und im Blick auf die Frage nach dem Wahrheitsgehalt von frühchristlichen und mittelalterlichen Mirakelerzählungen ist die Grenze zwischen echter Historizität und legendarischer Ausschmückung einer Vita kaum mehr festzustellen. Jedenfalls unterstreichen sie die Bedeutung der vorgestellten Person und stehen vielleicht in irgendeinem Zusammenhang mit Umständen, die auf ein außergewöhnliches Wirken Gottes durch diese Person hinweisen. Ob sich solche Wunderberichte – an die biblische Tradition anknüpfend – einfach als „Gepflogenheit" eingebürgert haben, kann man berechtigterweise vermuten, aber auch nicht von vorneherein unterstellen.

Fallrichtung des schief gewachsenen Baumes stellen. Sollte er überleben, würden sie die Macht des christlichen Gottes akzeptieren. Martin erklärte sich einverstanden. Die ihn begleitenden Gläubigen zitterten und erwarteten seinen Tod. Ganz wie vorherzusehen neigte die Kiefer sich zuerst in Martins Richtung, wurde dann im Fall plötzlich aufgehalten und schwang in die entgegengesetzte Richtung, sodass die erwartungsvoll wartenden Heiden fast erschlagen wurden. Nach diesem Wunder bekehrten sich nahezu alle, die dabeistanden und alles mitangesehen hatten.

St. Martin in Tours

Der Fürsprecher

Ein andermal setzte sich Martin für die leidende Bevölkerung ein. Der wegen seiner Grausamkeit bekannte Richter Claudius Avitianus wollte Gallien inspizieren. Bei seinem Einzug in die Stadt Turonen folgten dem Tross zahlreiche Gefangene, die Avitianus am nächsten Tag foltern lassen wollte. In der stürmisch-kalten Nacht legte sich Martin vor die Tür des Palastes. Mehrfach erschien dem Richter im Traum ein Engel mit den Worten: „Wie kannst du schlafen, wenn ein Diener Gottes vor deiner Schwelle liegt?" Eingeschüchtert ließ er schließlich den Bischof holen und entschied sich auf dessen Zureden hin, gnädig die Gefangenen freizulassen.

Nur selten und ungern suchte Martin den kaiserlichen Hof in Trier auf. Zumeist ging es dann um kirchenpolitische Fragen im Zusammenhang mit Intrigen von Bischöfen. Persönliche Einladungen zu einem Besuch bei Kaiser Maximus schlug er gewöhnlich aus. Politik und insbesondere Machtgehabe innerhalb der Kirche waren ihm zutiefst zuwider. Einmal fühlte er sich aber gedrängt, in eine solche Auseinandersetzung einzugreifen. Nachdem der spanische Asketen-Bischof Priscillian und seine Anhänger auf Betreiben etablierter Theologen in Saragossa (380) verurteilt worden waren, versuchte man ihn 383 beim Kaiser in Trier auch noch wegen Zauberei anzuklagen. Der Asket forderte den Verzicht auf Fleisch, Wein und Ehe sowie die Gleichberechtigung von Männern und Frauen in der Kirche und das intensive persönliche Studium des Neuen Testaments. Wenn auch etwas eigensinnig, kann man ihn wohl nicht als Irrlehrer bezeichnen. Nach zweijährigem Tauziehen wurde Priscillian trotz intensiver Fürsprache Martins im Jahr 385 hingerichtet. Immerhin verhinderte Martins Intervention in Trier eine weitreichendere Verfolgung aller Gleichgesinnten des Asketen, wie sie von seinen Gegnern gefordert wurde.

Während eines Besuchs der Dorfgemeinde von Candes, wo er zwischen streitenden Pfarrern vermittelte, starb Martin 81-jährig am 8. November 397. Sein Vertrauen in das übernatürliche Eingreifen Gottes fordert bis heute heraus.

Ausgewählte Literaturhinweise

Andreas Drouve: *Der heilige Martin. Patron der Armen – Vorbild der Nächstenliebe*, Lahn-Verlag, Kevelaer 2011

Martin Drumm (Hrsg.): *Martin von Tours – Ein Lebensbericht von Sulpicius Severus*, Schwabenverlag, Ostfildern 2014

Louis Goosen: *Martin von Tours*, in: Martin Greschat (Hrsg.): Gestalten der Kirchengeschichte, Bd. 2, W. Kohlhammer Verlag, Stuttgart 1984, S. 87-99

Roman Mensing: *Martin von Tours*, Patmos Verlag, Düsseldorf 2004

Ansätze zum Weiterdenken

◊ Wer Menschen, die sich in schweren sozialen Notlagen befinden, wirklich helfen will, muss auch bereit sein, auf eigene Lebensqualität und Karrierepläne zu verzichten.

◊ Gott beruft in geistliche Positionen. Man sollte sich weder nach ihnen drängen, noch der Berufung Gottes ausweichen.

◊ In scheinbar aussichtslosen Situationen kann Gott auch heute noch übernatürlich eingreifen, wenn er will.

4

Hieronymus
(347–420)

Bibelübersetzer und Israelspezialist

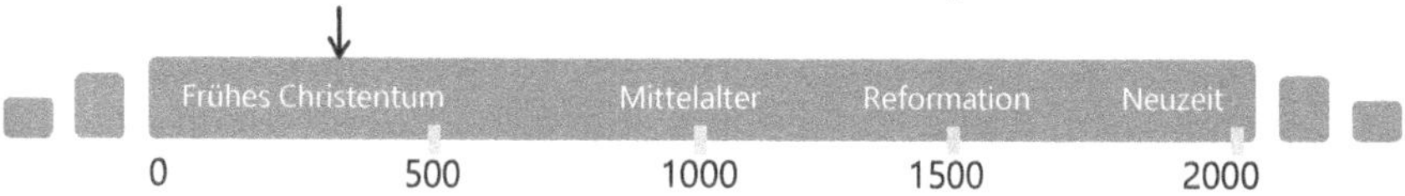

Eusebius Sophronius Hieronymus ist bis in die Gegenwart als einer der wichtigsten Bibelübersetzer aller Zeiten in Erinnerung geblieben. Seine lateinische *Vulgata* war über Jahrhunderte hinweg die *„Normalbibel"* europäischer Christen. Im Kreuzgang der römisch-katholischen Katharinenkirche in Bethlehem ist heute die Statue des Hieronymus zu bewundern, dessen Grab sich in einer Höhle unterhalb der Gebäude befindet. Hier lebte er jahrzehntelang in einem kleinen Privat-Kloster fernab der Welt und doch durch Briefe und Literatur mit aller Welt verbunden. Auf Abbildungen ist er meist mit Totenschädel und Löwe zu sehen. Der Schädel, der wohl tatsächlich auf seinem Schreibtisch stand, sollte den Bibelübersetzer stets an seine Sterblichkeit erinnern. Der Löwe entstammt einer Anekdote: Demnach kam eines Tages ein verletzter Löwe nach Bethlehem ins Kloster. Alle Mönche flohen verständlicherweise vor Angst. Nur Hieronymus nahm sich des Tieres an und zog ihm einen Dorn aus der Tatze. Aus Dankbarkeit soll die Raubkatze friedlich, als eine Art Wachhund, bei ihrem Wohltäter geblieben sein.

Vorbereitung

Geboren wurde Hieronymus irgendwann zwischen 331 und 347 in einem längst verschwundenen Städtchen Namens Stridon an der Grenze zwischen Dalmatien und Pannonien im heutigen Kroatien. Seine Eltern waren wohlhabend und schickten den Sohn als Teenager nach einer Grundausbildung zum Studium nach Rom, ins Zentrum der damaligen Welt. Wie in jener Zeit üblich widmete er sich zuerst dem lateinischen und teilweise auch griechischen Sprachstudium, ehe er sich der Rhetorik zuwandte. In dieser Zeit schloss er intensive Freundschaften mit Rufinus und Pammachius, die später zu bedeutenden christlichen Schriftstellern werden sollten. Nach Beendigung seines Studiums zog Hieronymus nach Trier an die Residenz Kaiser Valentinians, wo er eine Karriere als höherer Beamter anstrebte. Als daraus nichts wurde, hielt er sich eine Zeitlang bei Freunden in der Heimat und in Norditalien auf, bevor er 372 über Athen nach Antiochien reiste. Hier befiel ihn ein hohes Fieber und er träumte vom göttlichen Gericht. In diesem Traum wurde sein Bekenntnis zum christlichen Glauben zurückgewiesen. Er sei doch weit eher ein Jünger Ciceros, dessen Schriften er mehr schätze als die der Bibel. „Denn wo dein Schatz ist, dort ist auch dein Herz." Beeindruckt von dieser „*Vision*" schwor sich Hieronymus, zukünftig keine weltlichen, sondern nur noch christliche Schriften zu lesen. Anderen erlaubte er auch weiterhin die Lektüre klassischer Literatur, sofern sie den Betreffenden nicht vom Glauben abbringe. Für ihn aber waren die heidnischen Dichter eine Versuchung und eine Konkurrenz zum Wort Gottes. Als Folge seines Entschlusses zog sich Hieronymus 374 als Eremit in die Chalcidische Wüste nahe von Antiochien zurück. Hier in der Einsamkeit perfektionierte er sein Griechisch und widmete sich dem Studium der Bibel.

Arbeit an der Bibel

379 begab sich Hieronymus nach Konstantinopel, um das Zentrum der östlichen Theologie kennenzulernen. Hier begann er mit der Übersetzung wichtiger griechischer Schriften ins Lateinische, womit er sie den westeuropäischen Christen zugänglich machte. Er begann mit der Weltchronik des Eusebius von Caesarea und einigen Homilien von Origenes. Zurück in Rom arbeitete er ab 382 im Auftrag von Papst Damsus an einer Standardisierung der Übersetzungen des Neuen Testaments. Damals konkurrierten zahlreiche, teilweise auch verfälschende „Übersetzungen" miteinander. Außerdem hielt Hieronymus Vorlesungen über die Heilige Schrift und fungierte als geistlicher Betreuer einiger wohlhabender römischer Frauen. Diese Damen aus der besseren Gesellschaft hatten

Hieronymus (Fresko aus dem Jahr 1480)

ihren privilegierten Stand aufgegeben, um in Zurückgezogenheit arm und fromm zu leben. Am engsten war die Beziehung zu den Witwen Marcella, Paula und deren Tochter Eustochium.

Seine öffentliche Stellungnahme zur extremen Askese als vorbildlicher Form des christlichen Glaubens brachte Hieronymus einige einflussreiche Feinde. Nach dem Tod seines mächtigen Auftraggebers (384), Papst Damasus, nahm die neidische Kritik an seiner Revision der lateinischen Bibel dermaßen zu, dass sich Hieronymus gezwungen sah, Rom mit einigen Gleichgesinnten Richtung Palästina zu verlassen. Dort angekommen besuchten sie die biblischen Stätten des Heiligen Landes und die wichtigen Orte des ägyptischen Mönchtums, ehe sie sich in Bethlehem niederließen. In der Nähe der Geburtskirche eröffnete er ein Frauenkloster, in dem unter anderen Paula und Eustochium lebten. In einiger Entfernung befand sich das Männerkloster, in dem Hieronymus selbst wohnte. Regelmäßig predigte er hier den Mönchsbrüdern, vertiefte seine Hebräisch-Kenntnisse, besuchte die damals größte christliche Bibliothek in Caesarea am Meer und arbeitete emsig an seinen literarischen Projekten. Er begann mit einer langen Reihe von sprachlich-historischen Bibelauslegungen, die bis weit ins Mittelalter hinein als theologische Standardlektüre betrachtet wurden. Zuerst veröffentlichte er Kommentare zu den neutestamentlichen Briefen *Philemon*, *Galater*, *Epheser* und *Titus*.

Eine neue Bibelübersetzung

Nach der Vervollständigung seiner Hebräisch-Kenntnisse machte sich Hieronymus an die Übersetzung und Kommentierung der alttestamentlichen Schriften, beginnend mit dem Buch *Prediger*. Als Arbeitsmaterial für weniger kundige Theologen gab Hieronymus ein Buch mit Erklärungen der Bedeutung hebräischer Eigennamen (*De nominibus Hebraicis*) sowie eine Schrift über geographische Hintergründe Palästinas (*De situ et nominibus locorum Hebraicorum*) heraus. Seine nächsten größeren Werke waren ein Kommentar zu ausgewählten Passagen der *Genesis* und eine Neuübersetzung der *Psalmen* aus dem hebräischen Grundtext. Trotz der zu erwartenden Kritik arbeitete Hieronymus bis 405 an einer Übersetzung des ganzen Alten Testaments aus dem Hebräischen. Dabei wollte er möglichst wortgenau arbeiten. Denn „selbst in der Reihenfolge der Wörter liegt ein Geheimnis". Natürlich sei es nötig, Stilfiguren anzupassen und Worte zu wählen, die möglichst den griechischen und hebräischen Originalen entsprächen, auch wenn das nie hundertprozentig gelinge. Mit seinem erstaunlichen Sprachgefühl erschuf Hieronymus eine epochemachende lateinische Bibelübersetzung. Zuerst allerdings wurde Hieronymus' Bibel von zahlreichen Traditionalisten abgelehnt und als überflüssige Neuerung und Affront gegen die älteren und etablierten Ausgaben angesehen. Später wurde seine *Vulgata* („*Die Volkstümliche*") selbst zu einer Bibelausgabe, die im Westen bis in die Zeit Luthers als unanfechtbar und unüberbietbar galt.

Diese literarische Großtat war dem Einsiedler aus Bethlehem nicht genug. Nebenher arbeitete er um 390 an den werbenden Biographien zweier Mönche: „*Vita Malchi*" (*Leben des Malchus*) und „*Vita Hilarionis*" (*Leben des Hilarion von Gaza*), die sich durch ihre radikal asketische Frömmigkeit auszeichneten. Im Jahre 399 gab Hieronymus eine Kurzvorstellung 135 bedeutender christlicher Schriftsteller der damaligen Welt mit ihren Werken heraus („*De viris illustribus*").

Streit um Origenes

In den 90er-Jahren wurde Hieronymus in die Auseinandersetzungen um Origenes verwickelt. Immer lauter wurde die Kritik an dessen weitgehender Allegorisierung von Bibelstellen, an seiner Lehre der Existenz menschlicher Seelen vor ihrem Erdendasein (Präexistenz) und an seiner Meinung, schlussendlich würde selbst der Teufel bei Gott im Himmel sein (Apoktastasis). Sein Freund Rufinus machte sich für Origenes stark. Hieronymus stimmte den Kritikern zu. In der oft persönlich und polemisch geführten Auseinandersetzung kritisierte Hieronymus scharf die lateinische Übersetzung von Origenes' Hauptwerk „*De principiis*" (*Von den Anfängen*) durch Rufinus. Dieser habe bei seiner Arbeit bewusst alle problematischen Passagen über die Reinkarnation oder die Präexistenz ausgelassen, um seinen Autor rechtgläubiger erscheinen zu lassen, bemängelte Hieronymus. Auf diese Weise verfälsche Rufinus das Werk des Alexandriners. Hieronymus betonte, er schätze zwar die Bibelauslegungen des Origenes, nicht aber dessen Ausführungen zur systematischen Theologie. Dieser 15-jährige Streit brachte die ehemaligen Freunde endgültig auseinander. Noch bei Rufinus' Tod wetterte Hieronymus: „Der Skorpion liegt zerschmettert auf dem Boden von Sizilien [...] die hundertköpfige Schlange hat mit ihrem Zischen gegen uns aufgehört." Überhaupt ging der Choleriker immer wieder mit bitterem Sarkasmus und beißendem Spott gegen seine Gegner vor, die er gelegentlich auch als „bellende Hunde" oder „geifernde Köter" titulieren konnte.

Wörtliche Bibelauslegung

Nacheinander veröffentlichte Hieronymus nun Kommentare über die meisten alttestamentlichen Bücher der Bibel. Dabei berücksichtigte er den Großteil der damals zugänglichen jüdischen und christlichen Auslegungen. Im Gegensatz zu zahlreichen Zeitgenossen ging er vom Literalsinn der Schriften aus. So meinte er, Jona sei wörtlich im Bauch des Fisches gewesen und habe tatsächlich in Ninive gepredigt. In den Visionen Jesajas sah er zuverlässige Aussagen über die reale Zukunft der Menschheit. Jesajas Vorhersagen über den Immanuel und dessen Erlösungswerk hielt Hieronymus für den Schlüssel der ganzen menschlichen Heilsgeschichte. Überhaupt legte Hieronymus außerordentlich großen Wert darauf, die Bibel möglichst wortgenau zu übersetzen und auszulegen. Für ihn war sie buchstäblich Gottes irrtumsloses Wort, auch in ihren historischen Aussagen.

Hieronymus (Stich von Albrecht Dürer, 1514)

Letzte Kämpfe

Nach der Eroberung Roms durch die barbarischen Goten im Jahr 410 flüchteten zahlreiche Christen bis nach Palästina. Hieronymus war erschüttert: „Meine Stimme versagt. Schluchzer unterbrechen meine Worte, während ich dabei bin zu diktieren. Sie ist erobert, die Stadt, die einmal die Herrin der ganzen Welt war." Viele Hilfesuchende wurden vorläufig in Hieronymus' Kloster aufgenommen und verköstigt.

In einer späten literarischen Auseinandersetzung wandte sich Hieronymus gegen Pelagius. Der lehrte, der Mensch sei aus eigener Kraft fähig, sündlos und gerecht zu leben. Dem entgegnete Hieronymus, jeder Mensch sei von der Sünde beeinflusst und abhängig von der

Offenbarung Gottes und der Kraft des Heiligen Geistes im Kampf gegen die Sünde. Während der Auseinandersetzungen griffen pelagianisch gesinnte Mönche Hieronymus' Kloster in Jerusalem an und setzten das Gebäude in Brand.

Hieronymus fühlte sich zunehmend einsam. Mit manchen seiner Freunde hatte er sich im Laufe der Zeit überworfen, andere waren gestorben. In Briefen beklagte er sich über sein nachlassendes Sehvermögen und äußerte die Befürchtung, ganz zu erblinden. In seinen letzten Jahren wurde Hieronymus von allerlei Krankheiten gequält. Gefördert durch einen entsagungsreichen Lebensstil litt er zunehmend an Augenschmerzen, Magenproblemen und Fieberanfällen. Zusehends ließ seine Schaffenskraft nach. Im September 419 starb er in Betlehem. Seine Bibelübersetzung, die Bibelkommentare und die Werke zu hebräischen Namen und Ortsbezeichnungen überdauerten Jahrhunderte.

Ausgewählte Literaturhinweise

G. J. M. Bartelink: *Hieronymus*, in: Martin Greschat (Hrsg.): Gestalten der Kirchengeschichte, Bd. 2, W. Kohlhammer Verlag, Stuttgart 1984, S. 145-165

Hans von Campenhausen: *Lateinische Kirchenväter,* W. Kohlhammer Verlag, Stuttgart 1960, S. 109-150

Alfons Fürst: *Hieronymus. Askese und Wissenschaft in der Spätantike*, Herder Verlag, Freiburg 2003

Georg Grützmacher: *Hieronymus, eine biographische Studie zur alten Kirchengeschichte.* Leipzig 1901–1908, Neudruck, Scientia Verlag, Aalen 1986

Ansätze zum Weiterdenken

◊ Die Beherrschung der Grundsprachen Hebräisch und Griechisch sowie gründliche Kenntnisse der zeitgenössischen Kultur und Geografie sind immens wichtig für die korrekte Übersetzung der Bibel.

◊ Eine allegorische Auslegung der Bibel steht immer in der Gefahr, eigene Gedanken in die Bibel hineinzulesen. Am ehesten entspricht dem Wort Gottes eine möglichst wörtliche Interpretation.

◊ Auch wer das Richtige tut, wird gelegentlich von Konkurrenten und Neidern angegriffen. Eine Berufung durch Gott bewahrt nicht immer vor Konflikten und Krisen.

5

Augustinus von Hippo
(354-430)

Von der Prädestination bis zum Reich Gottes

Kaum jemand beeinflusste die Kirchengeschichte intensiver als der Politiker, Lebemann, Philosoph und Mönch Augustinus. Er erlebte eine radikale Hinwendung zu Gott. Er rang um das richtige Verständnis von Sünde und Vergebung, freiem Willen des Menschen und Erwählung Gottes, sowie der Spannung zwischen Gott und Welt. Augustinus lebte in Luxus und in Armut, mal dachte er groß von sich und mal war er sich seiner Begrenztheit überdeutlich bewusst.

Zeitgenössische Quellen beschreiben Augustinus als kurzgewachsenen, mageren Mann, der zeitlebens etwas kränklich war. Über viele Jahre begleitete ihn ein schmerzhaftes Lungenleiden. Außerdem war er besonders kälteempfindlich. Von seiner Persönlichkeit her war er feinbesaitet, manchmal empfindlich und leicht erregbar. Er verfügte über eine lebendige Vorstellungskraft und einen scharfen Intellekt. Theologisch argumentierte er sehr strikt und dogmatisch. Im persönlichen Umgang war er offensichtlich sympathisch und Menschen zugewandt.

Der Sünder

Augustinus wurde 354 im nordafrikanischen *Tagaste* (heute *Souk Ahras*/ Algerien) geboren. Seine Mutter war eine gläubige Christin. Lebenslang betete sie intensiv für ihren Sohn. Sein Vater hielt es mit der römischen Religion und führte ansonsten ein moralisch lockeres Leben mit zahlreichen Seitensprüngen. Abgesehen von Vertretern der römischen Religion lebten damals in Nordafrika katholische und *donatistische*[6] Christen

6 Die Donatisten entstanden 311 nach der Wahl des Bischofs von Karthago (einem heutigen Vorort von Tunis in Tunesien). Einer der an der Weihe beteiligten Bischöfe galt als Verräter, da er in der vorangegangenen Christenverfolgung

sowie *Manichäer*[7]. Mit zwölf Jahren kam Augustinus nach Madaura (heute M'Daourouch/Algerien) in die Schule. Mit siebzehn setzte er seine Ausbildung in Karthago fort. Damals galt die Stadt als Hochburg des Vergnügens und der Unmoral. Später erinnerte sich Augustinus an die Mahnungen seiner Mutter: Sie „beschwor mich, dass ich nicht der Unzucht verfalle und vor allem keines anderen Frau verführen möge. Doch solche Mahnungen hielt ich für weibisch und hätte mich geschämt, sie zu befolgen. [...] Ich wusste es nicht besser, lief mit Blindheit geschlagen den abschüssigen Pfad und hätte mich vor meinen Altersgenossen geschämt, wäre ich weniger schändlich gewesen als sie. [...] [Gelegentlich] behauptete ich sogar, etwas getan zu haben, was ich nicht getan hatte, aus Angst, man würde größere Unschuld verachten und größere Keuschheit lächerlich finden."

Abgesehen von seinen Vergnügungen war Augustinus ein fleißiger Student. Besonders intensiv widmete er sich dem Latein, der Rhetorik, der Mathematik, der Musik und der Philosophie. Begeistert war er von Plato, den er als „Halbgott" bezeichnete. Dessen Hochachtung des Geistes und seine Abwertung alles Materiellen und Körperlichen prägten Augustinus lebenslang. Nach Abschluss seines Studiums begann Augustinus, in Tagaste Grammatik und in Karthago Rhetorik zu lehren.

Freunde und Familie versuchten den 16-Jährigen zu verheiraten. Augustinus allerdings wollte nicht die Verpflichtungen einer Ehe eingehen und lebte stattdessen mit einer Konkubine zusammen. Tatsächlich reduzierte Augustinus in dieser Zeit sein ausschweifendes Leben und seine zahlreichen Frauenbekanntschaften. Bis 385 war er seiner Konkubine relativ treu. 372 bekam das Paar einen Sohn, den sie Adeo-

---

Abschriften der Bibel an die Gegner ausgehändigt hatte. Eine Opposition unter der Führung des Primas von Numidien erklärte die Weihe für ungültig und exkommunizierte den Bischof. Donatisten behaupteten, die Gültigkeit der Sakramente hänge von der Heiligkeit der Person ab, die sie vollziehe. Benannt wurden die Gruppe nach Bischof Donatus, einem ihrer Hauptvertreter.

7 Der Manichäismus geht auf den persischen Weisen Mani (216-276) zurück. Mani bezeichnete sich selbst als den nach Buddha und Jesus ‚letzten Propheten'. Er mischte Elemente aus dem Parsismus, dem Christentum und der Gnosis. Seinem Weltbild zufolge ist das Universum in das Reich des Guten und das Reich des Bösen aufgespalten. In jedem Menschen tobt ein Kampf zwischen Licht und Finsternis. Wer sich an den Lehren Manis orientiere, gehöre zum Reich des Lichts. Mit dem Wissen über die „wahren" Hintergründe der Welt könne die menschliche Seele erfolgreich versuchen, ihre Begierden zu überwinden und ins Reich Gottes emporzusteigen. Echte Manichäer lebten streng zölibatär und vegetarisch, sie tranken keinen Alkohol, arbeiteten nicht und widmeten sich ausschließlich dem Gebet.

datus (Gottesgeschenk) nannten. Als der Junge 389 starb, traf das Augustinus tief.

Augustinus (mittelalterliche Darstellung)

Der Sucher

Augustinus' um 400 abgefassten *Bekenntnisse* (*Confessiones*) sind die erste und berühmteste aller Autobiographien. Darin beschreibt er sehr einfühlsam und mit Gebeten angereichert seine Lebensgeschichte von einem vergnügungshungrigen, jungen Mann zum überzeugten Christen. Am bekanntesten wurden seine einleitenden Worte: „Groß bist du Herr, und hoch zu loben: Groß ist deine Kraft, und deine Weisheit ist unermesslich [...] Und loben will dich der Mensch, ein kleiner Teil deiner Schöpfung. Du zeigst uns auf, dass dich zu loben Freude macht; denn du hast uns zu dir hin geschaffen, und unser Herz bleibt unruhig, bis es Ruhe findet in dir." Auf verschiedenartige Weise beschreibt Augustinus sein jahrelanges Suchen nach Gott: „Auch Himmel und Erde und alles, was darinnen ist, siehe, es ruft mir zu von allen Seiten, dass ich dich lieben soll." Allerdings dürfe die Schöpfung auch nicht mit Gott in eins gesetzt werden. „Ich fragte den Himmel, die Sonne, den Mond und die Sterne, und sie sagten: Auch wir sind's nicht, der Gott, den du suchst. [...] Sie aber riefen mit gewaltiger Stimme: Er hat uns geschaffen! Bietet sich nicht allen, die klare Sinne haben, der gleiche Anblick?"

Die Lektüre von Ciceros *Hortensius* brachte Augustinus zum Nachdenken: „Meine Erwartungen schienen mir auf einmal verächtlich; und mit unvorstellbarer Glut des Herzens verlangte ich nach der unsterblichen Weisheit, und ich machte mich auf, zu dir zurückzukehren." Auf dem Weg zu Gott schlug Augustinus allerdings noch einige Umwege ein.

Mehrere Jahre sympathisierte Augustinus mit dem Manichäismus (373-382). Ihm imponierte dessen strikt in Gut und Böse aufgeteiltes Weltbild, dessen hohe Moral und sein philosophischer Anspruch. Seine Mutter Monika war entsetzt. Der örtliche Geistliche, den sie um Rat fragte, antwortete: „Geh nach Hause. So wahr du lebst, ein Sohn solcher Tränen kann unmöglich verlorengehen."

Hippo Regius, antike Küstenstadt im heutigen östl. Algerien (historische Darstellung)

Mit 29 Jahren zog Augustinus nach Rom, um seine Karriere weiter voranzutreiben (383). Seine Mutter Monika kannte Augustinus' ungefestigten Lebenswandel. Da sie fürchtete, ihr Sohn würde sterben, ehe er sich Gott zugewandt habe, wollte sie ihn nach Rom begleiten. Augustinus versprach, sie mitzunehmen, stahl sich dann jedoch davon, während sie noch in einer Kapelle der Hafenstadt betete. Ein Jahr lang unterrichtete Augustinus in Rom. Hier öffnete er sich für Plotin und den *Neuplatonismus*[8]. Nachdem Augustinus von einigen Studenten um seinen Lohn betrogen worden war, ging er nach Mailand. Hier arbeitete er unter anderem als staatlicher Redner (Regierungssprecher), der bei

8 Neuplatonisten glaubten an einen höchsten, unbeschreiblichen, rein geistigen Gott, aus dem in vielen Stufen niedrigere Götter, Geister und schließlich auch die materielle Welt herausgeflossen seien (*Emanation*). Aus dem „Göttlichen" seien auch die Zeit und die Weltseele entstanden. Der Mensch müsse sich von der niedrigsten materiellen Ebene bis in die rein geistige hinaufdenken.

wichtigen Anlässen, Jubiläen und Geburtstagen offizielle Ansprachen zu halten hatte.

In Mailand traf Augustinus wieder auf seine Mutter Monika, die ihn überredete, sich die Predigten des berühmten Ambrosius anzuhören. Tatsächlich imponierten die Ansprachen und der Gesang der Gemeinde Augustinus sehr. „Unwissend wurde ich zu ihm von dir geführt, um wissend von ihm zu dir geführt zu werden. Jener Gottesmann nahm mich väterlich auf und kümmerte sich seelsorgerlich um mich. [...] Indem ich mein Herz öffnete, um mich daran zu freuen, wie gut er formulierte, nahm ich zugleich stufenweise auch die Wahrheiten auf, über die er sprach."

Im Alter von nunmehr 32 Jahren verlobte sich Augustinus mit einer Zehnjährigen aus einer reichen Familie. Seine enttäuschte Konkubine schickte er zurück nach Nordafrika. Schon nach wenigen Wochen bemerkte Augustinus, wie schwer es ihm fiel, ohne Frau zu leben, und er nahm sich eine neue Freundin. „Gib mir Keuschheit", betete er damals, „aber noch nicht jetzt!"

Seine beruflichen Erfolge erfüllten Augustinus zwischenzeitlich nicht mehr. Während der Vorbereitung einer Festrede beobachtete er einen betrunkenen Obdachlosen, der ganz zufrieden zu sein schien: „Besaß jener Bettler auch nicht die wahre Freude, so suchte ich in meinem Ehrgeiz eine noch weit falschere. Jener war gewiss sorglos, ich aber war voller Sorgen." Wenig später hörte er interessiert auf den Bericht über einen christlichen Mönch, der einsam und hungernd, doch glücklich in seiner Beziehung zu Gott lebte. „Ungebildete Leute stehen auf und reißen das Himmelreich an sich, und wir mit unserem Wissen treiben uns ohne Empfindung in Fleisch und Blut herum."

Der Bekehrte

Ambrosius von Mailand empfahl Augustinus, intensiv in der Bibel zu lesen und dabei den Rat des Paulus zu berücksichtigen: „Der Buchstabe tötet, aber der Geist macht lebendig" (2Kor 3,6). Dieser Zugang ermöglichte Augustinus, manches zu verstehen, was ihm bisher unlogisch erschienen war, und die Bibel gelegentlich eher symbolisch auszulegen. Mit dem Denken des Paulus konnte Augustinus sich gut identifizieren. Als er eines Tages mit seinem Freund Alypius im Garten saß, hörte Augustinus eine Kinderstimme, die immerzu rief: „Nimm und lies!" Diese Aufforderung empfand er als Reden Gottes. Er öffnete seine Bibel und stieß auf Römer 13,13f.: „Lasst uns ehrbar leben wie am Tage, nicht in Fressen und Saufen, nicht in Unzucht und Ausschweifung, nicht in Hader und Eifersucht; sondern zieht an den Herrn Jesus Christus und

Augustinus lehrt seine Mitbrüder
(mittelalterliche Darstellung)

sorgt für den Leib nicht so, dass ihr den Begierden verfallt." Hier fühlte sich Augustinus in seinem bisherigen Lebensstil unmittelbar angesprochen. In den nächsten Wochen entdeckte Augustinus durch seine Beziehung zu Jesus Christus etwas, das er in der Philosophie bisher vergeblich gesucht hatte: Er fühlte sich von Gott angenommen und verstanden. Nachdem Augustinus seine verstandesmäßige Skepsis aufgegeben und sich Gott gegenüber geöffnet hatte, erfuhr er seelischen Frieden und bekam die Kraft für ein verändertes, moralisches Leben.

Am Ostersonntag des Jahres 387 wurden Augustinus mit Alypius und Adeodatus, seinem 15-jährigen Sohn, in Gegenwart seiner Mutter Monika von Ambrosius getauft. Ansehen, Vergnügungen und materieller Besitz bedeuteten Augustinus plötzlich nichts mehr. Mit einigen Freunden zog er zurück nach Nordafrika, verkaufte sein Erbe und verschenkte den Erlös an die Armen (Mt 19,21). Dann zog er mit einigen Gleichgesinnten in ein einsames Haus bei Tagaste (388). Hier lebten sie wie Mönche, in Armut, Ehelosigkeit, geistiger Arbeit und Gebet. Später forderte Augustinus auch andere auf, ihren Besitz für die Sache Gottes einzusetzen: „Die Reichtümer bekommen Bedeutung für den Himmel, indem man sie weggibt. [...] Es ist für jeden Menschen schwierig, dieses Leben ohne Sünde zu führen. Verteilt euren Besitz unter die Bedürftigen, meine Brüder: Schafft euch einen Schatz, der auch noch im Himmel von Bedeutung ist." In gewisser Weise führt sich der Augustiner-Orden auf dieses erste Kloster des Westens zurück. Rund 1100 Jahre später trat der Reformator Martin Luther in Deutschland den Augustinern bei.

Der Bischof

Im Jahr 389 bat Valerius, der alternde Bischof des nahegelegenen Hippo (heute Annaba/Algerien), Augustinus um Hilfe bei der Gemeindearbeit. Nach seiner Priesterweihe predigte Augustinus häufig in der 40 000-Einwohner-Stadt. Seine Beredsamkeit faszinierte viele Zuhörer, auch wenn ihn viele nicht verstanden. Er konnte so eindringlich reden, dass seine Zuhörer ganz davon ergriffen wurden. Es wird berichtet, dass sich viele Gemeindeglieder bei den Ermahnungen des Kirchenvaters so heftig aus Betroffenheit an die Brust schlugen, dass es in der ganzen Kirche zu hören war.

Fortunatus, Leiter der örtlichen Manichäer, dominierte zu dieser Zeit die religiösen Diskussionen in Hippo. Augustinus wurde von Katholiken und Donatisten gebeten, mit ihm zu diskutieren. Nach einer zweitägigen heftigen Debatte in den Sosiusthermen verließ der unterlegene Fortunatus die Stadt (392).

Bald darauf wählte die Gemeinde von Hippo Augustinus einstimmig zum Nachfolger des greisen Bischofs. Erst nach anfänglichem Sträuben willigte Augustinus schließlich ein und blieb für die nächsten 34 Jahre Bischof der Stadt. Mit einigen Mönchen, die ihn in seiner Arbeit unterstützen sollten, zog er in das Haus des Bischofs. Man lebte auch hier wie im Kloster: ehelos, besitzlos, vegetarisch, still. Augustinus wusste, dass er in der neuen Verantwortung auf die Hilfe seiner geistlichen Brüder angewiesen war. „Die Wahrheit gehört weder mir noch diesem oder jenem, sondern uns allen, die du zu ihrer Gemeinschaft berufst; und du warnst uns vor dem Wunsch, sie für uns allein zu nehmen."

Der Kämpfer

Kurz nach seinem Amtsantritt entbrannte eine heftige Auseinandersetzung mit den Donatisten, die sich als die einzig legitime Kirche betrachteten. Nach einigen beleidigenden verbalen Angriffen kam es bald zu Gewalt. Mehrere nordafrikanische Gemeindeleiter wurden überfallen, auch auf Augustinus wurde ein Mordanschlag versucht. Auf einem von Kaiser Honorius nach Karthago einberufenen Konzil (411) bemühte man sich, den Streit zu schlichten. Nachdem die Position der Donatisten als überzogen zurückgewiesen worden war, sollten sie ihre Sondergemeinden auflösen. Viele Donatisten wehrten sich mit Gewalt gegen diesen Beschluss. In Hippo wurde dabei unter anderem der Priester Restitutus getötet. Angesichts dieser Situation gab Augustinus seine bisherige Position auf, Andersgläubige dürften nur mit Vernunft überzeugt werden. Er forderte vom Staat, notfalls auch mit Gewalt für Ordnung zu sorgen und gegen die Donatisten vorzugehen. Augustinus hatte dabei nicht so sehr die Sicherstellung der öffentlichen Ordnung und des politischen Friedens im Blick. Vielmehr ging es ihm darum, dass die von der Kirche zu Recht korrigierten Lehrauffassungen nicht gewaltsam aufrecht erhalten wurden. Anderenfalls könnten Gläubige durch die falschen Lehren geistlichen Schaden davontragen, vielleicht sogar bis in die Ewigkeit. Daher sollten Donatisten auch staatliche Strafen und Zurechtweisungen in Kauf nehmen, um nicht „wegen mangelnden Zwangs" am Ende verdammt zu sein. Gleichzeitig lehnte Augustinus die Todesstrafe gegen Irrlehrer aber vehement ab.

Augustinus' Hauptkontrahent bei der Frage nach dem Guten und Göttlichen im Menschen war der britische Mönch Pelagius (354-420). Vor den plündernden Goten floh Pelagius 410 nach Karthago, wo er in direkten theologischen Konflikt mit Augustinus geriet. Nach Augustinus ist jeder Mensch durch die Erbsünde belastet, unfähig Gott zu erkennen und das Gute zu tun. Pelagius sah die Sache optimistischer:

Der Mensch befinde sich sozusagen auf neutralem Terrain. Mit seinem freien Willen könne er das Gute erkennen und auch tun. Er sei nicht allein auf die freie und souveräne Gnade Gottes angewiesen, sondern trage mit seinen guten Werken zur Erlösung bei. Der getaufte Christ sei wieder in den sündlosen Urzustand des Paradieses versetzt. Gottes Gebote und das Vorbild biblischer Personen könnten ihm helfen, sich richtig und sogar sündlos zu verhalten. Die Erkenntnis und der Wille des Menschen seien nicht durch den Sündenfall korrumpiert, lehrte Pelagius. „Du kannst, weil du willst", war seine Devise. Grundsätzlich sei es dem Christen möglich, sündlos zu leben.

Aus Augustinus' Sicht verkannte Pelagius die Absolutheit der Trennung zwischen Gott und Mensch. Nach dem Sündenfall hätten alle Menschen eine angeborene Tendenz zum Bösen. Selbst in den mit guter Absicht geplanten Taten seien noch Reste von falscher Motivation zu finden. Erlösung und Sündenvergebung gingen ganz allein auf die Gnade Gottes zurück. Allein Gott offenbare sich dem Menschen und erwähle ihn (Prädestination). Zwar solle der Christ sich bemühen, nach den Geboten Gottes zu leben. Dadurch könne er sich aber weder den Himmel noch die Vergebung seiner Schuld verdienen. Augustinus rief verschiedene kirchliche Instanzen an, um über die Lehre des Pelagius zu entscheiden. Auch warnte er öffentlich vor seinem Kontrahenten. Die kirchliche Beurteilung fiel nicht einheitlich aus. Auf einem Treffen kirchlicher Theologen im Jahr 415 wurde Pelagius' Theologie als rechtgläubig beurteilt. Die Synoden von Karthago und Mileve jedoch verurteilten Pelagius (416). Anfang 417 erfolgte die Exkommunikation durch den römischen Bischof Innozenz I. Papst Zosimus erklärte den Mönch wiederum für unschuldig. Auf dem Konzil von Ephesus wurde die Auffassung, der Mensch könne ohne Gottes Gnade gut sein, endgültig als Irrlehre verurteilt (431).

Augustinus kritisierte auch einige Traditionen in der etablierten Kirche. So wandte er sich gegen die damals verbreitete Verehrung religiöser Bilder, den Märtyrerkult und die Heiligenverehrung. „Wir wollen die Heiligen nicht als Götter behandeln; wir wollen nicht die Heiden nachahmen, die die Toten verehren. Wir wollen ihnen keine Tempel bauen und keine Altäre errichten [...]."

Der Theologe

Fast täglich war Augustinus literarisch tätig. Immer wieder wandten sich Christen aus nah und fern mit den verschiedensten Fragen an ihn. Durch die 230 von ihm verfassten Schriften kann man heute erfahren, was Christen im 4./5. Jahrhundert bewegte. Augustinus ging beispielsweise der Frage nach, ob Frauen im Jenseits ihr Geschlecht behalten, ob

Verstümmelte im Himmel aussehen würden wie auf der Erde und ob die Wiederkunft Jesu nahe bevorstünde. Mehrfach legte er das Glaubensbekenntnis aus und verfasste eine Anleitung für den Unterricht Neubekehrter. Vermittelt werden sollten dabei vor allem die Grundzüge der Heilsgeschichte. Auch zahlreiche Predigten von Augustinus wurden niedergeschrieben und verbreitet, rund 500 sind heute bekannt. In den Jahren 414-416 veröffentlichte Augustinus zwei ausführliche Auslegungsreihen, eine über das Johannesevangelium und eine über die Psalmen. In ihnen drückt er sich eher einfach aus, um von allen Gemeindegliedern verstanden zu werden. Immer wieder kam Augustinus in seinen Ansprachen auch zu symbolischen und allegorischen Deutungen.

Besonders bemühte sich Augustinus, die Lehren der Bibel, die er als einzige Stütze der Ordnung und Orientierung in einer unmoralischen und verwirrten Zeit ansah, mit Vernunft zu erklären und zu begründen.

In seinem Buch *Von der christlichen Wissenschaft* (*De doctrina christiana*) entwarf Augustinus die Grundzüge einer über Jahrhunderte gängigen Hermeneutik (Lehre vom richtigen Verständnis der Bibel) und Homiletik (Predigtlehre).

15 Jahre schrieb Augustinus an seiner Abhandlung *De Trinitate* über die Dreieinigkeit. Da ihm klar war, dass diese Lehre für viele Menschen unvernünftig klang, versuchte er die Trinität durch zahlreiche Analogien und Vergleiche deutlich zu machen: in der Dreiheit von Geist, Selbsterkenntnis und Selbstliebe; in der von Gedächtnis, innerer Schau und Wille; sowie der Gemeinschaft von Mann, Frau und Kind. Nebenher erklärt Augustinus in diesem Buch das Wesen der Wunder, der Wahrheit und der Wissenschaft sowie einige andere theologischen Grundsatzfragen.

Intensiv setzte sich Augustinus in seinen Schriften auch mit dem scheinbar unüberwindlichen Gegensatz zwischen freiem Willen des Menschen und Vorherwissen bzw. -bestimmung Gottes (*Prädestination*) auseinander: Wie kann der Mensch frei sein, wenn Gott alles voraussieht, was passiert? Warum erschafft Gott Seelen, die er für die ewige Verdammnis vorherbestimmt? In seiner Abhandlung *De libero arbitrio* (*Über den freien Willen*) hebt Augustinus die Bedeutung des menschlichen Willens hervor. Gott habe jedem Menschen die Möglichkeit gegeben, sich für das Gute oder für das Böse zu entscheiden. Das Böse entstehe durch die Abwendung vom guten Willen Gottes. In Anlehnung an Paulus formuliert Augustinus später die Erbsündenlehre. Durch die Sünde Adams seien alle Menschen zum Schlechten beeinflusst. Nur durch die Gnade Gottes könne man diese negative Tendenz durchbrechen, die übernatürliche Wahrheit erkennen und Gutes tun (Mt 11,27). Trotzdem sei der Mensch für sein Handeln verantwortlich. Die ihm gewährte Willensfreiheit sei eine notwendige Begleiterscheinung seines Menschseins und seiner freien Persönlichkeit. Gott wisse diese Entscheidungen lediglich im Voraus, bestimme sie aber nicht, so Augustinus.

Bei seiner reichhaltigen Korrespondenz und seinen zahlreichen schriftlichen Stellungnahmen wurde Augustinus von persönlichen Sekretären unterstützt. Trotzdem fühlte er sich von den vielfältigen Aufgaben gelegentlich überfordert: „Ich breche unter der Last zusammen; aber eben an der Stelle, wo sie mich niederdrückt, werde ich auch wieder aufgerichtet, weil ich mich geliebt weiß."

Der Philosoph

Als gebildeter Mann seiner Zeit investierte Augustinus viel Mühe darin, den christlichen Glauben mit dem Verstand zu erklären. Seinen Gesprächspartnern wollte er zeigen, dass die Bibel nicht unlogisch oder dumm sei. Allerdings machte er immer wieder deutlich, dass Gott für alle menschlichen Erklärungsversuche letztlich zu komplex ist. Einem Freund riet er: „Ereifere dich nicht beim Disput über diejenigen Dinge, welche du doch nicht begreifst, oder über diejenigen, welche in der Bibel scheinbar widerspruchsvoll und unvereinbar sind. Warte demütig auf den Tag, wo du sie verstehen wirst." Nach Augustinus ermöglicht erst das Vertrauen auf Gott das Verständnis seiner Offenbarungen. „Suche also nicht zu verstehen, um zu glauben, sondern glaube, um zu verstehen."

Letztlich habe eine Aussage Gottes in der Bibel eine höhere Glaubwürdigkeit als die eigene, scheinlogische Erklärung. „Die Autorität der Schrift ist größer als alle Anstrengungen des menschlichen Geistes." Um Gott zu verstehen, genüge es aber nicht, seine Aussagen lediglich intellektuell zu bejahen. Man brauche dafür auch ein reines Herz und den Willen, das zu tun, was die Bibel fordere, so Augustinus. Das ganze Leben, nicht nur der Verstand spiele beim Christsein eine entscheidende Rolle. „Lass mich Vater dich suchen […] und nichts anderes lass auf meiner Suche mir begegnen statt dir."

Man solle sich Gott auch nicht zu menschlich vorstellen, forderte Augustinus. Gott sei vollkommen andersartig als der Mensch. Die Bibel benutze lediglich Vergleiche mit irdischen Eigenschaften, weil Menschen sich nichts anderes vorstellen könnten. Der wahre Gott sei wahrscheinlich geschlechtslos, alterslos und körperlos. Am ehesten könne man Gott durch die harmonische, systematische und kunstvolle Schöpfung erkennen.

In der Diskussion mit Philosophen seiner Zeit formulierte Augustinus schon die Erkenntnisse des viel später lebenden Descartes (1596–1650): *„Ich denke, also bin ich!"* (*Cogito, ergo sum*). Intellektuellen, die behaupteten, der Mensch könne gar nichts sicher wissen, entgegnete Augustinus: „Wer zweifelt denn, dass er lebt und denkt? Wenn er aber zweifelt, muss er auch leben, um zweifeln zu können." Augustinus nahm in gewisser Weise auch schon Immanuel Kants (1724–1804) These vorweg, die Seele sei die am unmittelbarsten bekannte Wirklichkeit. Denn der Geist könne nicht von der Materie abgeleitet werden, da die Materie nur durch den Geist bekannt sei.

Mehrere Jahre (413-426) arbeitete Augustinus an seinem Buch *Der Gottesstaat* (*Civitas Dei*). Ausgangspunkt waren für Augustinus tausende Flüchtlinge, die nach der Eroberung Roms durch den gotischen König Alarich in Nordafrika Zuflucht suchten. Die Anhänger der römisch-griechischen Religion schrieben den Christen die Schuld für die Zerstörung der Stadt zu. Die Götter hätten sich gerächt, weil man sie vernachlässigt habe. Augustinus entgegnete, Rom sei nicht wegen der Christen, sondern wegen seiner fortgesetzten Unmoral von Gott bestraft worden. Zum Beweis zitierte er schamlose Passagen damaliger Dichter und Beispiele für tolerierte Sittenlosigkeit im pluralistischen Rom. Augustinus fühlte sich auch darin bestätigt, dass die Goten christliche Kirchen verschont hatten, nicht jedoch die heidnischen Tempel. Außerdem entwickelte Augustinus im *Gottesstaat* seine Geschichtsphilosophie. Demnach gäbe es zwei Reiche, das Reich Gottes, zu deren Bürgern die wahren Gläubigen gehören, und das Reich der Welt, zu dem alle Bewohner eines Staates zählen. Das Reich Gottes würde durch die Maßstäbe der Bibel bestimmt und bis in Ewigkeit existieren. Zwar sei Gott auch Herr über das Reich der Welt, den irdischen Staat. Doch gäbe es hier auch einen starken Einfluss der Sünde und des Teufels, zumal zu diesem Reich auch alle ungläubigen Menschen gehörten. In der Realität würden sich natürlich beide Reiche mischen und gegenseitig beeinflussen, weil weltliche Herrscher durch die Führung Gottes auch weise Gesetze erlassen könnten und weil andererseits die organisierte, katholische Kirche auch weltlich-politische Interessen verfolge. – Im *Gottesstaat* bespricht Augustinus aber auch noch andere theologische Themen, vom Sündenfall bis zum Jüngsten Gericht.

Der Alte

Im Alter hatte Augustinus immer stärker unter seinen körperlichen Einschränkungen zu leiden. „Geistig geht es mir gut, […] aber der Körper ist ans Bett gefesselt. Ich kann wegen meiner Hämorrhoiden weder gehen noch stehen noch sitzen. […] Aber auch so […] geht es mir gut, da mein Zustand im Willen Gottes liegt."

Als die Vandalen unter Geiserich Nordafrika überrannten, rief Augustinus die Christen auf, standhaft auszuhalten und zu beten. Drei

Monate hielt Augustinus im belagerten Hippo mit der hungernden Bevölkerung aus, bis er im Alter von 76 Jahren starb (430). Augustinus hinterließ kein Testament, da er nichts besaß, was zu vererben gewesen wäre. Auf sein Grab ließ er schreiben: „Was beschwert das Herz des Christen? Dass er ein Wanderer ist und sich nach seiner Heimat sehnt!"

Augustinus würde heute dem modernen Rationalismus mit seiner stolzen Überheblichkeit misstrauen. Das ständige Streben nach Wohlstand, Gesundheit und Anerkennung sei der Versuch, ein irdisches Paradies zu schaffen, und müsse letztlich scheitern. Augustinus schätzte den Verstand, hielt ihn aber für untauglich, die wirklich wichtigen Lebensfragen zu beantworten. Echte innere Ruhe und Frieden könne der Mensch nur bei Gott finden. Der Weg dahin führe über das begründete Vertrauen auf Jesus Christus, seine Gnade und seine Aussagen zur übernatürlichen Welt. Wer in Gott ruhe, brauche auch bei irdischem Leiden und Scheitern nicht zu verzweifeln.

Ausgewählte Literaturhinweise

Gert Haendler: *Die abendländische Kirche im Zeitalter der Völkerwanderung*, Kirchengeschichte in Einzeldarstellungen I/5, Evangelische Verlagsanstalt, Berlin 1980, S. 41-65

Johan Bouman: *Augustinus. Lebensweg und Theologie*, Brunnen Verlag, Gießen 1987

Yvette Duval: *Afrika: Aurelius und Augustinus*, in: Norbert Brox u.a. Hrsg.: Die Geschichte des Christentums, Bd.2: Das Entstehen der einen Christenheit, S. 918-937

Augustinus: *Bekenntnisse*, übersetzt und herausgegeben von Kurt Flasch, Reclam Verlag, Ditzingen/Stuttgart 1989

Ansätze zum Weiterdenken

◊ Immer wieder antwortet Gott auf die intensiven und ausdauernden Gebete der Eltern für den Glauben ihrer Kinder.

◊ Erfolg, Begabung, Reichtum und Philosophie können das innerliche Vakuum eines Menschen nicht dauerhaft ausfüllen. Seine geistliche Heimat und echte Ruhe findet der Mensch erst bei Gott.

◊ Die Vergebung der Schuld und der Zugang zum Himmel gehen allein auf die Aktivität Gottes zurück. Der Mensch in seiner geistlichen Verwirrung kann dazu nichts beitragen.

◊ Gott regiert über die Staaten und über die Gemeinde, über den Verstand und den Glauben, auch wenn Menschen sein Handeln und Denken nicht immer wirklich verstehen.

6

Benedikt von Nursia

(480–547)

Christliches Mönchtum

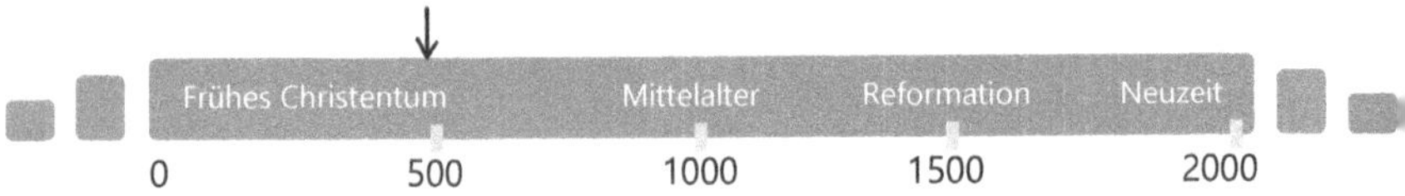

„Bete und arbeite" war für mehr als 1000 Jahre der Inbegriff eines sinnerfüllten Lebens. Billige Vergnügungen wie Tanz, Alkohol und Sex empfanden solche, die sich ihnen hingaben, schon bald als leer und unbefriedigend. Reichtum und Macht waren schwer zu erringen und noch schwerer zu behalten. Nie meinte man, genug davon zu haben. Häufig machten sie einsam und perspektivlos. „Bete und arbeite" war die Alternative, die Mönche einem rein auf das Äußere ausgerichteten Lebensstil gegenüberstellten. Das Gebet sollte dem Menschen immer wieder seine Abhängigkeit von Gott vor Augen führen, von dem alles her kommt und auf den alles letztendlich zuläuft. In der innigen Verbindung zu Gott fand der Mönch Ruhe und Kraft, er bekam eine Perspektive über die täglichen irdischen Probleme hinaus und er hatte Anteil an der Weisheit und Ewigkeit Gottes. Arbeit war für ihn sowohl das Studium der Bibel als auch das praktische Leben, in dem er sich und die Menschen aus seinem Umfeld mit allem Notwendigen versorgte. Diese Arbeit kostete Anstrengung und war das konkrete Übungsfeld für die von Gott erfahrene Perspektive. Benedikt von Nursia war der erste, der das „Bete-und-Arbeite-Prinzip" ausformulierte.

Frühe Sehnsucht nach Gott

Benedikt (lat. – „der Gesegnete") wurde um 480 bei Nursia (heute Norcia bei Perugia) als Sohn eines reichen Landbesitzers geboren. Seine Zwillingsschwester Scholastika trat später ebenfalls als Klostergründerin hervor.

Im Jahr 500 kam er zum Studium nach Rom. Die Stadt war zu Benedikts Zeit nur noch ein Schatten ihrer einstigen Größe und Pracht. Die große Bedeutung der Tiberstadt als Mittelpunkt der Welt war bereits

Vergangenheit. Der römische Kaiser residierte zwischenzeitlich in Konstantinopel. Politische Agitationen führten 498 zur Einsetzung zweier Päpste (Symmachus und Laurentius), die bis 506 um ihren Einfluss stritten. Auch das trug nicht gerade zum Ansehen der offiziellen Kirchenvertreter bei.

Benedikt von Nursia

Schon während seiner Studienzeit war Benedikt auf der Suche nach Gott. Zunächst nahm er noch an den studentischen Vergnügungen teil. Nach seiner Bekehrung erschien ihm ein solcher Lebensstil aber gänzlich unpassend, um Gott näher zu kommen. Aus Angst, in einem solch oberflächlichen Leben den Blick auf das Wesentliche und seine Verbindung zu Gott zu verlieren, brach er sein Studium ab, obwohl ihn die Wissenschaften durchaus interessierten. Benedikts Leitspruch seit dieser Zeit lautete: „Soli Deo placere cupiens" (lat. – „ich wünsche nur Gott zu gefallen").

Erste Experimente als Mönch

In den folgenden Jahren suchte Benedikt Gottes Nähe in verschiedenen mönchischen Lebensformen. Zuerst schloss er sich einer freien Asketen-Gemeinschaft bei Enfide (Affile) an. Dann zog er sich in eine Höhle bei Subiaco zurück, wo er drei Jahre wie die orientalischen Einsiedler in vollkommener Abgeschiedenheit lebte. Täglich ließ ihm der Mönch eines benachbarten Klosters an einem Seil ein Brot herab. Das war sein einziger Kontakt zur Außenwelt. Wie andere Einsiedler fühlte er sich in dieser totalen Einsamkeit besonders intensiv den Versuchungen des Teufels ausgesetzt. So erschien ihm beispielsweise in einer Vision eine schöne Frau, um ihn sexuell zu verführen. Ein andermal zerschlug der Satan die Glocke, mit der Benedikt seinen Brüdern Signale gab. In Erinnerung an diesen Aufenthalt des Mönchs-Vaters wurde hier im 12. Jahrhundert das Kloster San Benedetto, auch Sacro Speco (ital. – „heilige Höhle") genannt, gegründet. Mit den Jahren empfand Benedikt die mönchische Einsamkeit immer stärker als frommen Egoismus.

Als er von einer Gruppe junger Gottessucher ins nahe gelegene Kloster bei Vicovaro gerufen wurde, sagte er zu. Die kleine Gemeinschaft lebte ohne feste Struktur und gemeinsame Ordnung. Indem Benedikt ihren gemeinsamen Alltag organisierte, wurde er unversehens zum Gründer des westlichen Mönchtums. Sein Ziel war es, im Kloster die Gemeinschaft der Kirche im Kleinen zu verwirklichen. Das mönchische Leben sollte stärker auf Gott und auf den Nächsten ausgerichtet werden. Benedikts Reformbemühungen stießen jedoch nicht nur auf Beifall. Einige verärgerte Mönche versuchten sogar, ihren unliebsamen Abt mit vergiftetem Wein umzubringen. Daraufhin verließ Benedikt Vicovaro.

Wieder zurück in Subiaco gründete Benedikt in einem Gebäude der örtlichen Nerovilla das Kloster San Clemente sowie zwölf weitere kleine Klöster. Er teilte die Mönche in Gruppen auf, die jeweils von einem geistlichen Vater, dem Abt, geleitet wurden. Er selbst kümmerte sich um die Schulung der jungen und der besonders begabten Brüder. Nach Intrigen des neidischen Priesters Fiorenzo und verbalen Angriffen des Bischofs von Tivoli verließ Benedikt die Region. Zuvor hatte man erneut versucht, ihn zu töten, diesmal mit vergiftetem Brot.

Modellkloster auf dem Monte Cassino

529 zog Benedikt mit einigen Freunden in die 80 Kilometer entfernten Berge über Casinum. Auf dem Monte Cassino gründete Benedikt das Mutterkloster aller Benediktiner und entwarf eine weltoffene Form des Mönchtums, das nicht nur auf die eigene Heiligkeit fixiert war. Den vorher an dieser Stelle befindlichen Apollo-Tempel ließ er abreißen. Bei der Bevölkerung, die Benedikt in Krisenzeiten tatkräftig unterstützte, stand er in hohem Ansehen. Er ließ Nahrung an die Armen verteilen, pflegte die Kranken und betete für die Sterbenden. Es wird auch von vereinzelten Heilungen und Totenauferweckungen berichtet.

„Ein andermal war in dieser Gegend Kampaniens eine Hungersnot ausgebrochen. Großer Mangel an Lebensmitteln bedrängte alle; auch im Kloster Benedikts fehlte bereits der Weizen. Fast alle Brote waren schon verzehrt, so dass für die Mahlzeit der Brüder nur noch fünf vorhanden waren. Da nun der ehrwürdige Vater sah, wie niedergedrückt die Brüder waren, suchte er sie wegen ihres Kleinmutes durch sanften Tadel zurechtzuweisen und durch eine Verheißung aufzurichten: ‚Warum seid ihr traurig, weil ihr kein Brot habt? Heute gibt es zwar nur wenig, morgen jedoch werdet ihr im Überfluss haben.' Am folgenden Tag fand man 200 Scheffel Mehl in zwei Säcken vor der Pforte des Klosters. Bis heute weiß niemand, durch wen der allmächtige Gott sie hatte bringen lassen. Als die Brüder das sahen, dankten sie Gott. So lernten sie aus der Erfahrung der Fülle, in der Not nicht zu zweifeln."

Die Klosterabtei von Monte Cassino

Hilfreiche Regeln für christliche Gemeinschaften

Unter Berücksichtigung der Aussagen der Evangelien formulierte Benedikt gegen 540 seine Kloster-Regeln. Dabei verzettelte er sich nicht in unzähligen Einzelverordnungen, sondern konzentrierte sich auf grundsätzliche Fragen des Zusammenlebens. Sicher ist das einer der Gründe, warum sein Konzept über Jahrhunderte hinweg trotz aller kulturellen Veränderungen Menschen faszinierte und praktiziert worden ist.

Immer ging es Benedikt weit eher um die innerliche Beziehung des Mönchs zu Gott als um restriktive äußere Regeln. Einem Asketen, der sich mit einer Kette gebunden hatte, empfahl er: „Wenn du ein Diener Gottes bist, kette dich nicht an Eisen, sondern an Christus." Äußere Strenge, die häufig von älteren Christen überbewertet wird, tritt bei Benedikt hinter die Bindung an Jesus Christus zurück, dem Herrn aller Gesetze. Natürlich förderte er keine Anarchie. Gesetze waren für ihn jedoch auch kein Selbstzweck.

Benedikts Regel war nicht gedacht, den Mönch zu einer Art Elitechrist zu machen. Seine Ordnungen sollten jedem Gläubigen helfen, das Leben zu ordnen und besser auf Gott auszurichten.

Ehrfurcht vor Gott und allem, was er geschaffen hat, ist eine der Grundforderungen Benedikts. Der Christ soll von einem Bewusstsein der Gegenwart des liebenden und heiligen Gottes durchdrungen sein. Dann kann er in allem, was ihn umgibt, Zeichen seiner Macht und Liebe erkennen. Diese Erkenntnis bewahrt den Mönch vor Einseitigkeit im Denken und Leben und vor falscher Überheblichkeit.

Immer wieder hob Benedikt hervor, dass die Anweisungen seiner Mönchs-Ordnung anhand der Bibel überprüft werden müssten. Wichtigste Voraussetzung eines Abts sei dann auch die Vertrautheit mit der Heiligen Schrift, der „ganz geraden Richtschnur für das ganze menschliche Leben". Im Gottesdienst und in der privaten Andacht der Mönche stand bei Benedikt das Studium der Bibel im Mittelpunkt. Im Zusammenleben der Jerusalemer Urgemeinde sah Benedikt ein Vorbild der Mönchsgemeinschaft: Man studierte die Schriften, betete viel, übte Liebe untereinander und besaß alles gemeinsam.

Außerdem soll nach Benedikt jeder Christ, insbesondere der Mönch, lernen, zu hören und zu gehorchen: „Höre, mein Sohn, auf die Weisungen des Meisters und neige das Ohr deines Herzens." Ihr Leben lang sollen Christen darauf aus sein, weiterzukommen und Neues zu lernen. Mönche sollen stets bereit sein, sich etwas sagen zu lassen. Benedikt wusste aus eigener Erfahrung, wie sehr Menschen dahin tendieren, ihre eigene Sichtweise der Dinge für absolut anzusehen. Gehorsam und die Bereitschaft, sich einer höheren Autorität unterzuordnen, waren Benedikt wichtig.

Gehorsam ist eine entscheidende Eigenschaft des Mönchs, weil darin eine vollkommene Liebeshingabe an Jesus Christus zum Ausdruck kommt. Der Bruder soll „dem Eigenwillen" entsagen, „um so Christus, dem wahren König, zu dienen". Es gilt, „durch die Mühe des Gehorsams zu dem zurückzukehren, von dem [Adam und seine Nachkommen] durch die Trägheit des Ungehorsams abgewichen" sind. Religiöser Gehorsam setzt immer die Freiheit zu einer selbstbestimmten Entscheidung und die absolute Liebe zu Gott voraus.

Nicht kirchlicher Herrscher, sondern geistlicher Vater

Der Abt, zumeist ein älterer, erfahrener Mönch, sollte nicht nur geistlicher Vater sein, sondern auch Richter. Besonders häufig wurden Mönche wegen Stolz, Ungehorsam und Murren zur Ordnung gerufen. Zumeist genügte ein Gespräch unter vier Augen. In schwereren Fällen wurde der Betroffene vor der ganzen Mönchsgemeinschaft zurechtgewiesen. Half auch das nicht, konnte der Übeltäter vom gemeinsamen Gebet oder vom Essen ausgeschlossen werden. Gelegentlich bekamen Schuldige auch die Rute zu spüren. In jedem Fall sollte für den Bruder gebetet werden. Über den Abt heißt es im zweiten Kapitel der Regel:

◊ „Er vertritt im Kloster die Stelle Christi … Deshalb darf der Abt nur lehren und bestimmen, was der Weisung des Herrn entspricht. Sein Befehl und seine Lehre sollen … die Herzen seiner Jünger durchdringen. …

◊ Der Abt denke immer daran, dass in gleicher Weise über seine Lehre und über den Gehorsam seiner Jünger beim erschreckenden Gericht Gottes entschieden wird. …

◊ Der Abt bevorzuge im Kloster keinen wegen seines Ansehens. … Denn ob Sklave oder Freier, in Christus sind wir alle eins …

◊ Wenn der Abt lehrt, halte er sich immer an das Beispiel des Apostels, der sagt: „Tadle, ermutige, weise streng zurecht" (2Tim 4,2). Das bedeutet für ihn: Er lasse sich vom Gespür für den rechten Augenblick leiten und verbinde Strenge mit gutem Zureden. …

◊ Er muss wissen, welch schwierige und mühevolle Aufgabe er auf sich nimmt: Menschen zu führen und der Eigenart vieler zu dienen. Muss er doch dem einen mit gewinnenden, dem anderen mit tadelnden, dem dritten mit überzeugenden Worten begegnen. …"

Liebe, Gebet und Bibel

Außerdem fordert Benedikt Mönche zur Besonnenheit auf. Nur so ist es möglich, einen Ausgleich zu finden zwischen einem christlichen Vollkommenheitsideal und den Schwächen der menschlichen Natur, zwischen „der Strenge des Meisters und der Güte des Vaters". Alles soll „maßvoll und vernünftig" geschehen. Mönche sollten sich vor Einseitigkeiten hüten und lernen, zwischen Wesentlichem und Unwesentlichem zu unterscheiden.

Im siebten Kapitel seiner Regel widmet sich Benedikt der Demut. Vorbild der Mönche ist Jesus Christus, der sich in seiner Menschwerdung selbst erniedrigte und demütigte. Nur wenn der Mönch nicht mehr um seine Anerkennung kämpft, sondern sich ganz seiner Grenzen und Schlechtigkeit bewusst ist, kann er den vollen Umfang der Gnade Gottes begreifen.

Von besonderer Bedeutung ist die Liebe. Nur wer sich ganz von der Liebe Jesu Christi erfüllen lässt, ist zu einem selbstlosen Leben befähigt. Das höchste Ziel des ganzen Lebens ist die Liebe zu Jesus Christus. Weil ein Mönch Jesus liebt, kann er dem Abt, seinen Brüdern, den Kranken und Gästen vorbehaltlos dienen.

Neben dem Studium der Bibel soll die Beziehung zu Gott vor allem durchs Gebet gepflegt werden. In acht über den Tag verteilt festgelegten Zeiten wurde nach Benedikts Regel rund 3,5 Stunden gebetet. Dabei standen die Mönche und sangen in einfachen Melodien Bibelverse und Kirchenlieder. Jede Woche wurden so alle 150 Psalmen durchgebetet.

Den Gottesdienst nennt Benedikt *Opus Dei* (lat. – „Werk Gottes"). Der Gottesdienst ist eine Bemühung für Gott, ein manchmal mühevoller, aber auch frohmachender Dienst, Gott zu loben, zu verkünden und zu ehren. „Nichts darf dem *Opus Dei* vorgezogen werden." Der auf Gott ausgerichtete Gottesdienst ist wichtiger als das Studium oder die praktische Arbeit. Der Mönch soll so leben, dass er durch das, was er sagt und tut, Gott verherrlicht, auch das ist Gottesdienst.

Bete und arbeite

„Ora et labora" (lat. – „bete und arbeite") oder, wie es bei Benedikt häufiger heißt, „lese und arbeite" lautet die Zusammenfassung mönchischen Lebens. Es soll einen maßvollen Ausgleich geben zwischen körperlicher und geistiger Arbeit. Neben dem persönlichen Studium und den öffentlichen Lesungen, neben der privaten Andacht und den gemeinsamen Gottesdiensten, die in kleinen Abschnitten über den ganzen Tag verteilt sind, soll der Mönch sich auch ganz alltäglicher Arbeit widmen: Landwirtschaft, Krankenpflege, Bau, Kochen usw. Obwohl heute einige Zeitgenossen gläubige Menschen für dumm und bildungsfeindlich halten, wäre nichts weiter von Benedikts Idealen des Mönchtums entfernt. Er forderte eine umfassende Bildung der Brüder. Wahrscheinlich deshalb waren die Klöster über 1000 Jahre hinweg die Bewahrer und Träger von Bildung und Wissenschaft.

Zweimal täglich kamen die Mönche zum Essen zusammen. Es gab Brot, gekochte Mehlspeisen, Gemüse, Obst, Fisch und 1/3 Liter Wein. Fleisch war für Benediktiner tabu. Da die Mönche besonderen Wert auf vegetarische Ernährung legten, führten sie viele Früchte und Obstsorten erstmals nach Nordeuropa ein, was sich bis heute in den überwiegend lateinischen Namen widerspiegelt (z. B. Pflaume, Kirsche, Pfirsich, Quitte). Geschlafen wurde gewöhnlich in den einfachen Kutten und in gemeinsamen Schlafsälen. Auch das sollte helfen, niemanden besonders hervorzuheben und sich in die Gruppe der Brüder zu integrieren.

Benedikt starb in seinem Kloster auf dem Monte Cassino am Gründonnerstag des Jahres 547, dem 21. März, während er am Altar der Klosterkirche betete. Zu dieser Zeit war seine Regel schon von anderen Klöstern übernommen worden. 30 Jahre später wurde Monte Cassino von den Langobarden zerstört (577). Die geflohenen Mönche fanden in einem Kloster bei Rom Zuflucht.

Spinello Arretino, Der Tod des hl. Benedikt

Benedikts Schüler

Papst Gregor der Große war der erste, der in seinen Dialogen (593/94) ein Lebensbild Benedikts verfasste. Nach dieser Beschreibung zeichnete sich Benedikt als geisterfüllter Leiter aus.

Im 8. Jahrhundert verbreitete Bonifatius Benedikts Mönchsregel in Frankenreich. Zu den geistlichen Zentren der damaligen Zeit wurden unter anderen Echternach, Fulda, Aniane, Werden, Corvey, Luxeuil, St. Gallen und Reichenau gezählt. Karl der Große erhoffte sich von der Förderung der Klöster das Aufblühen von Kultur und Bildung. Keine altchristliche Schrift, neben der Bibel, hatte solchen Einfluss und wurde dermaßen häufig vervielfältigt wie die Mönchs-Regel Benedikts. Sie hat Ähnlichkeiten mit der sogenannten „Magisterregel".

Benediktiner-Klöster hatten im frühen Mittelalter einen bedeutenden Anteil an der Ausbreitung des christlichen Glaubens in Nordeuropa. Beispielsweise von Corvey aus gingen Mönche bis zu den Dänen, Schweden, Slaven und Sachsen. Sie warben – oftmals unter Einsatz ihres Lebens – mit Predigten, Seelsorge, Bildung, Krankenpflege und Gebeten für den christlichen Glauben. In der Zeit der Reformation schlossen sich viele Benediktiner den Lehren Luthers an. Nach einer inneren Erneuerung im 17. Jahrhundert konzentrierte sich der Orden insbesondere auf Seelsorge und Schulen.

Bis heute sind die Benediktiner bekannt für ihr Engagement in Bildung (z. B. Stift Melk, Stift Admont, Stift Kremsmünster, Kloster Einsiedeln), Jugendarbeit, Landwirtschaft und Mission (z. B. Benediktinerkongregation von St. Ottilien).

Zu den bekannten Benediktinern gehören: Gregor der Große, Willibrord, Bonifatius, Beda Venerabilis, Anselm von Canterbury, Hildegard von Bingen, Gertrud die Große, Dom Perignon und weitere.

Ausgewählte Literaturhinweise

Adalbert de Vogüé: *Benedikt von Nursia: Ein Lebensbild*, Verlag Neue Stadt, Oberpframmern 2006

Gregor der Grosse: *Der hl. Benedikt: Buch II der Dialoge.* Lat. /Dt.1995, hrsg. von Bernardus M. Lambert, EOS Verlag, St. Ottilien 1995

K. Suso Frank: *Benedikt von Nursia*, in: Martin Greschat (Hrsg.): Gestalten der Kirchengeschichte, Bd. 3, W. Kohlhammer Verlag, Stuttgart 1983, S. 35-46

Salzburger Äbtekonferenz (Hrsg.): *Die Regel des heiligen Benedikt*, 17. verbesserte Neuauflage Beuroner Kunstverlag, Beuron 2006

Ansätze zum Weiterdenken

◊ Der Wunsch, „nur Gott zu gefallen", ist weit erfüllender als die endlose Suche nach schnellem Vergnügen, gesellschaftlicher Anerkennung oder umfassendem Wissen.

◊ Auch Christen sind Menschen mit unterschiedlichen Persönlichkeiten und Interessen sowie einer gehörigen Portion Egoismus. Deshalb können Regeln auch in einer engen Gemeinschaft von Christen eine große Hilfe sein.

◊ Gehorsam ist nicht nur Kindern und Jugendlichen zu empfehlen. Wenn Christen sich geistlicher Autorität, insbesondere Gott, unterstellen, können sie Fehler vermeiden und lernen, über ihre eigene, begrenzte Sicht der Dinge hinauszuwachsen.

◊ „Bete und arbeite!" Dieses Lebensmotto steht für eine gesunde Ausgewogenheit zwischen theologischem Wissen und praktischem Handeln, zwischen der Beschäftigung mit Gott und der Zuwendung zum Menschen.

7

Anselm von Canterbury
(1033–1109)

Ich glaube, um denken zu können

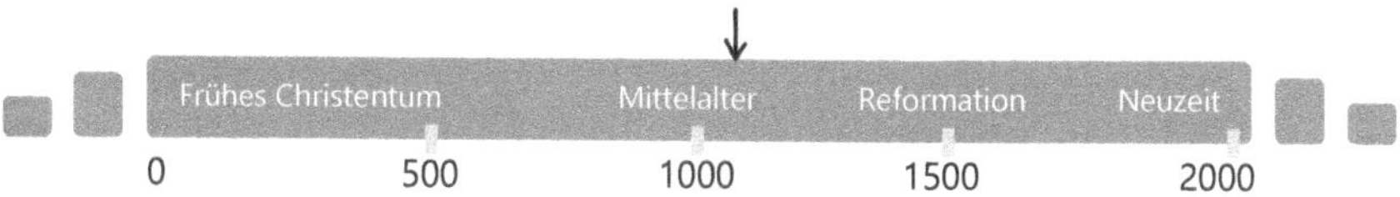

Schon seit eh und je bemühen sich Menschen, Gott durch Denken und Forschen auf die Spur zu kommen. Einige stehen Gott negativ gegenüber und wollen jede Möglichkeit seiner Existenz ausschließen. Andere gehen davon aus, dass es ihn gibt, und wünschen sich eine verstandesmäßige Bestätigung. Anselm von Canterbury ging es darum, die von Gott geoffenbarten Wahrheiten mit Argumenten der Philosophie zu untermauern.

Berufung im Traum

Anselm wurde 1033 nicht in Canterbury/England geboren, wie sein Name nahelegt, sondern in Aosta/Piemont (heute Italien). Seine Eltern waren Adlige, sein Vater Gundulf stammte aus der Lombardei und seine Mutter Ermenberga aus Aosta. Anselms Vater neigte einerseits zu Verschwendung und „weltlichen Vergnügungen". Andererseits war er für Freigiebigkeit und Wohltätigkeit bekannt. Dessen unbesorgter Umgang mit materiellen Gütern prägte Anselm in der Jugend. Relativ früh verlor der Junge seine Mutter.

Anselm wuchs in einer religiösen Umgebung auf. Schon bald beschäftigte er sich mit Gott und dem Sinn des Lebens. Ein Traum aus seiner Kindheit blieb ihm lebenslang in Erinnerung: Anselm machte sich in seinem Traum auf den Weg zum Palast Gottes, des Himmelskönigs, den er in den Bergen der Alpen vermutete. Am Wegesrand sah er die Diener des Königs, die ihre Arbeit nur sehr nachlässig erledigten. Anselm nahm sich vor, dem König davon zu berichten. Als er schließlich im Palast des Königs (Gottes) ankam, wurde er von dem einzig verbliebenen Angestellten zum Thronsaal gebracht. Alle anderen Diener waren unterwegs, um auf den Feldern zu arbeiten. Der König nahm sich

Zeit für den Jungen und beauftragte Anselm, für ihn tätig zu werden. Anselm wurde dann hell leuchtendes Brot vorgesetzt, an dem er sich satt aß, bevor er dann vom König Abschied nahm. Beeindruckt von der Intensität des Traums fühlte sich Anselm von Gott zum Dienst in der Kirche berufen. Mit 15 Jahren wollte er gegen den Willen des Vaters in ein örtliches Kloster eintreten.

Leiter eines Klosters

Nach einer schweren Auseinandersetzung mit seinem Vater verließ Anselm seine Heimatstadt Aosta 1059 Richtung Frankreich. Zuerst wurde er von Verwandten in Burgund aufgenommen. Nachdem er einige Zeit herumgereist war, ließ Anselm sich im neugegründeten Kloster Le Bec/ Normandie nieder. Insbesondere Lanfranc (1010–1089), der gebildete und weithin bekannte Abt des Klosters, zog ihn hierhin. Anselm wurde 1076 Prior und 1078 Nachfolger Lanfranc als Abt von Le Bec. Als Lehrer der jungen Mönche setzte er im strengen Bildungswesen des Klosters neue Akzente: Schüler sollen nicht nur im Kopf, sondern auch im Herzen verändert werden. Erstes Ziel sei ein gottgefälliges Leben, nicht das größtmögliche Wissen. Anselm forderte mehr Geduld und liebendes Interesse des Erziehers als Disziplin und Zucht. Schüler müssten ein Bewusstsein der eigenen Verantwortung und Freiheit entwickeln. Kritische Rückfragen der Studenten sollten besprochen und nicht einfach als störend zurückgewiesen werden. Die jungen Mönche liebten ihren Professor und forderten ihn auf, den Inhalt seines Unterrichts schriftlich niederzulegen.

Anselm als Lehrer

Beweis der Existenz Gottes

So verfasste Anselm in Le Bec neben seiner Verwaltungs- und Lehrtätigkeit zwei seiner wichtigsten Bücher: *Monologion* (1076) und *Proslogion* (1077/78). In den *Selbstgesprächen* (*Monologion*) entwickelte Anselm seine Gedanken von Gott als höchstem aller Wesen. Detailliert verdeutlicht er die biblischen Eigenschaften Gottes mit Gründen der Vernunft. Außerdem lag es ihm daran, die Trinität mit verstandesmäßigen Argumenten zu belegen. Wie Anselm zu Beginn seines *Proslogion* schreibt, soll sein Buch neugierig fragenden Studenten logische Antworten liefern: „Einige Brüder baten mich oft und eifrig, einiges, was ich ihnen über die Betrachtung der Wesenheit der Gottheit [...] im Gespräch vorgetragen hatte, [...] für eine Betrachtung aufschreiben. [...] ihrem Wunsch entsprechend [...] sollte gar nichts mit dem Ansehen der Schrift glaubhaft gemacht werden." Alles sollte in Form einer Diskussion verfasst werden, der jeder leicht folgen könne. „Sie wünschten auch, dass ich auch den einfältigen und nahezu albernen Einwänden, die mir begegneten, zu entgegnen nicht verschmähte."

Das *Proslogion* ist die Fortsetzung von Anselms Gedanken über das Wesen Gottes. Auch nach Jahrhunderten in Erinnerung geblieben ist daraus der sogenannte *ontologische Gottesbeweis*.

In den 26 Kapiteln seines *Proslogion* geht es um das Wesen Gottes: Gott ist so, wie wir ihn denken und glauben können, und gleichzeitig noch viel mehr. Gott ist ewig, unbegrenzt und unendlich. Er wohnt in einem unerreichbaren und unzugänglichen Licht. Gott ist unbegreiflich. Gott ist, was er ist und der er ist. Er hat sich als Vater, Sohn und Heiliger Geist bekannt gemacht. Durch Jesus Christus können Menschen in die Gegenwart Gottes treten. Anselm beginnt und beendet sein Werk mit einem persönlichen Gebet.

Die Frage nach Gott beschäftigte Anselm nicht nur akademisch, sondern auch ganz persönlich. Er nimmt seine Leser mit auf seine drängende Suche nach Gewissheit. „Ich beschwöre dich, Herr, hungrig begann ich dich zu suchen, lass mich nicht hungrig von dir weggehen." Manchmal ahnte Anselm schon die intellektuelle Gewissheit der Existenz Gottes. Dann wieder schien es ihm unmöglich, denkerisch klar zu belegen, dass es einen Gott gibt. Auch wenn er im Glauben nie an der Existenz Gottes zweifelte, erfasste ihn eine tiefe Freude, als er schließlich den *ontologischen Gottesbeweis* entdeckte.

Anselms Gesprächspartner im *Proslogion* ist nicht so sehr der moderne Atheist, der einen unbezweifelbaren wissenschaftlichen Beweis fordert, sondern der Christ seiner Tage. Vorstellen müsste man sich eher einen nachdenklichen Mönch im Kloster Le Bec, der fest an

Gott glaubt, Gott aber gerne durch seinen Verstand loben will. Für viele mittelalterliche Denker war das ein wesentlicher Antrieb ihrer Arbeit. Indem sie die Welt mit dem Verstand erforschten und erklärten, legten sie die Größe und Herrlichkeit Gottes offen, der dieses komplexe System entworfen hatte.

Nach Anselms Auffassung kann der Mensch mit seinem begrenzten Verstand Gott nur sehr eingeschränkt begreifen. Gott geht weit über die Kapazität menschlichen Denkens hinaus. Und doch ist es möglich, zumindest eine intellektuelle Gewissheit seiner Existenz zu bekommen. Selbst wer an Gott zweifelt, muss nach Anselm eine gewisse Vorstellung von ihm haben. Denn woran man zweifelt, dem kommt dadurch ein gewisser Grad an Wahrscheinlichkeit zu. Nach längerem Überlegen kommt Anselm zu einer Formulierung, die der Unfassbarkeit Gottes gerecht werden soll (*ontologischer Gottesbeweis / = Beweis Gottes aus der Eigenschaft des Seins*). Demnach ist Gott das, „über das hinaus nichts Größeres (Vollkommeneres) gedacht werden kann". Definitionsgemäß gebraucht jeder Mensch den Begriff „*Gott*" für ein absolutes, vollkommenes Wesen. Umschreibungen wie „allmächtig", „allwissend" oder „ewig" bringen die Vollkommenheit Gottes teilweise zum Ausdruck. Nach Anselm wäre ein Gott, dem die Eigenschaft der Existenz zukommt, der also wirklich existiert, vollkommener als einer, der nur in den Gedanken lebt. Weil Gott aber das Wesen sein soll, „über das hinaus nichts Vollkommeneres gedacht werden kann", muss Gott also auch existieren. Anderenfalls wäre ja ein noch perfekteres Wesen (*Gott*) denkbar.

Realist und doch kein Realist

Nicht alle ließen sich von Anselms Gottesbeweis überzeugen. Zu seinen Kritikern gehörten der Mönch Gaunilo von Marmoutier (11. Jahrhundert), Thomas von Aquin (1225–1274) und der Philosoph Immanuel Kant (1724–1804). Immer wieder wurde bemängelt, dass ein Gegenstand nicht schon deshalb existiere, weil man ihn sich vorstellen und ihn genau definieren könne. So wäre es beispielsweise möglich, sich eine perfekte Insel mit idealen Lebensbedingungen vorzustellen. Die vollständige Beschreibung dieser Insel sage aber noch nichts darüber aus, ob sie wirklich existiere.

Im Hintergrund dieser Kritik steht der sogenannte *Universalienstreit* des Mittelalters: Wem kommt die höhere Wirklichkeit zu, den Allgemeinbegriffen (*Universalien*) oder den konkreten Einzeldingen. Auf Plato beriefen sich die Realisten, für die den Begriffen und Ideen der höchste Grad von Realität zukam. Die von Menschen beobachteten

Gegenstände seien vorläufig, veränderlich und zufällig. Unveränderlich und ewig seien allein die reinen Ideen. Heute würde man wahrscheinlich die damaligen *Nominalisten* als Realisten bezeichnen. Sie gingen davon aus, dass lediglich die handfesten, beobachtbaren Gegenstände real wären. Begriffe könne man frei erfinden und verändern. Sie seien weit unsicherer als die konkreten Objekte. Vom damaligen *Realismus* ausgehend ist Anselms Argumentation durchaus stimmig: Einem vollständig und zutreffend beschriebenen Begriff muss demnach auch eine entsprechende Wirklichkeit gegenüberstehen. Einem materialistisch denkenden Menschen der Moderne erscheinen Anselms Überlegungen natürlich wenig überzeugend.

Argumente für den Glauben

Menschen des frühen Mittelalters orientierten sich gerne an festen Wahrheiten, die durch allgemein akzeptierte Autoritäten gesichert waren. Im religiösen Bereich genoss natürlich die Bibel höchste Prorität. Neben ihr galten die Aussagen anerkannter Kirchenväter als Grundlage aller Argumentationen. In der Wissenschaft berief man sich beispielsweise auf Aristoteles. Anselm wollte sich nicht allein mit festen dogmatischen Glaubenssätzen begnügen, sondern lud seine Leser ein, mit den Mitteln ihres Verstandes die Wahrheiten des Glaubens zu erfassen. Damit konzipierte er ein neues Verhältnis von Wissen und Glauben. Das Denken sollte zu einer eigenständigen Stütze des Glaubens werden. Er wollte keine Wahrheit neben der Bibel formulieren, sondern die biblische Wahrheit durch logische Argumente bestätigen. „Die Vernunft ist das Höchste im Menschen […] Sie macht die Gottebenbildlichkeit aus; diese fortzuentwickeln durch Erkenntnis und Liebe ist die Bestimmung des Menschen."

Manchen Zeitgenossen schien Anselms intellektuelle Argumentation für den Glauben risikoreich. Wie sein Lehrer Lanfranc argwöhnten sie eine Abwertung der Bibel oder der theologischen Autoritäten. Anselm erwiderte ihnen, in seinen ganzen Schriften fände sich nichts, was nicht auch durch die Bibel und die Kirchenväter belegt werden könne. „Wer zur Einsicht fähig ist, soll sie genießen; wer nicht fähig ist, soll verehren, was er nicht versteht." Die Wahrheit des christlichen Glaubens war für Anselm eine ausgemachte Sache. Es sei vollkommen ausreichend, Gottes biblischer Offenbarung blind zu vertrauen. Für besonders verstandesbegabte Menschen gäbe es die Möglichkeit diese biblischen Wahrheiten zu untermauern. Wahrer würden die biblischen Aussagen aber durch begrenzte, menschliche Vernunft-Argumente nicht.

Erst glauben – dann denken

Von seinem ersten Biographen Eadmer wissen wir, dass insbesondere junge Leute sich Anselm anschlossen, weil er ihre Fragen ernst nahm und ihrem Bedürfnis nachkam, Glaubenssätze mit einsichtigen Argumenten zu erklären und so verständlicher zu machen.

Anselms berühmte Formulierung *„Credo, ut intelligam"* (*„Ich glaube, um zu erkennen"*) bringt die beiden Seiten seiner Konzeption auf den Punkt.

A. Grundlage aller Erkenntnis war für Anselm der Glaube, das Vertrauen auf die Zuverlässigkeit biblischer Wahrheiten. Im Einklang mit der modernen Erkenntnistheorie war sich Anselm darüber im Klaren, dass es voraussetzungsloses Wissen nicht geben kann. Alles Denken und alle wissenschaftliche Forschung setzen immer schon ein konkretes Weltbild und zahlreiche unbeweisbaren Paradigmen (eine Gesamtheit von Techniken, Modellen und Werten) voraus. Nach Anselm müsse jeder Philosoph und jeder Wissenschaftler immer zuerst etwas über die von ihm untersuchte Sache annehmen (glauben), um dann Aussagen über sie machen zu können. Solch prinzipielle Denkvoraussetzungen können sich so anhören: „Das beobachtete Objekt existiert in der Realität", „Meine Sinne geben mir ein zutreffendes Bild von dem, was ich untersuche" usw. Die besten und vielversprechendsten Denkvoraussetzungen sind für Anselm die Mitteilungen Gottes in der Bibel. Auf ihrer Grundlage könne der Mensch zuverlässig forschen.

B. Abgesehen von der Begrenztheit des Denkens will Anselm mit seiner Formulierung zum Ausdruck bringen, dass der Glaube nicht End- sondern Anfangspunkt des Forschens ist. Der Mensch hat von Gott seinen Verstand geschenkt bekommen, um ihn bestmöglich zu gebrauchen. Deshalb verpflichte der Glaube zum intellektuellen Arbeiten.

Trotz seiner Betonung des selbstständigen Denkens kann Anselm kaum als moderner Aufklärer verstanden werden. Zwar spielten Argumente des Verstandes für ihn eine wichtige Rolle. Gleichzeitig wies er aber auch deutlich auf die Grenzen des Denkens hin, forderte seine Schüler zu Disziplin und Gehorsam auf und war sich absolut sicher, dass der Glaube eine wichtige Voraussetzung für das richtige Denken ist.

In seiner Schrift *De veritate* (Über die Wahrheit) analysiert Anselm den Begriff *„wahr"* und was Menschen darunter verstehen (1085). Bei echter Wahrheit müssten nach Anselm die logische Erklärung und die gute Lebensführung übereinstimmen. Wahrheit, die nur im Kopf existiere, sei letztlich keine wirkliche Wahrheit. – Auch dieses Verständnis von Wahrheit geht deutlich über die Aufklärung hinaus.

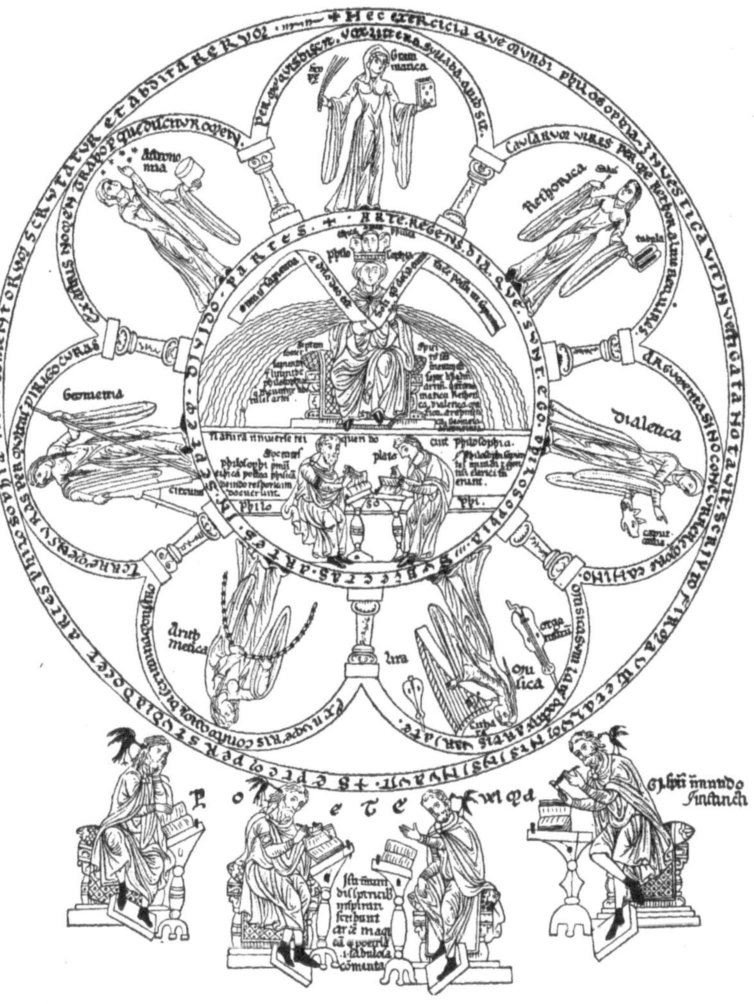

Die Philosophie mit den sieben freien Künsten

Zwischen Staat und Kirche

1093 wurde Anselm unter König Wilhelm II. Rufus (1056–1100) als Nachfolger seines Lehrers Lanfranc zum Erzbischof von Canterbury berufen. In seinem Amt wurde er immer wieder in die politischen Auseinandersetzungen zwischen König und Papst hineingezogen. Wilhelm II. betrachte sich als reales Oberhaupt der englischen Kirche. Er beanspruchte für sich das Recht, eigene Gefolgsleute als Bischöfe, Äbte und die höheren Prälaten einzusetzen. Wilhelm weigerte sich außerdem, Papst Urban II. anzuerkennen, und untersagte jede weitere Reform der Kirche. 1097 musste Anselm England verlassen, weil er die Position des Königs offen kritisierte.

Warum Gott Mensch wurde

Während seiner Verbannung vollendete Anselm 1098 in der Nähe von Capua/Italien sein Hauptwerk *Cur deus homo?* (Warum wurde Gott Mensch?). Mit diesem Buch wollte er für seine Zeitgenossen verständlich erklären, warum Jesus Christus auf die Erde kommen, sterben und auferstehen musste. In seiner *Satisfaktionstheorie* vertritt Anselm die Auffassung, dass die Sünde der Menschen so umfassend sei, dass nur eine frei geleistete Genugtuung (Sühne, Buße) von unendlichem Wert Gottes Ehre wiederherstellen könne. Dabei hatte Anselm offensichtlich das Bild eines mittelalterlichen Herrschers vor Augen, der durch einen seiner Untertanen schwer beleidigt wurde. Die dadurch verursachte Schuld konnte nur durch eine angemessene Kompensation neutralisiert werden. Je nach Größe des Vergehens erstreckte sich die Wiedergutmachung von einer Geldzahlung bis zum Tod des Betreffenden. Der Mensch sei Gott Ehre, Dank und Gehorsam schuldig. Da aber die Menschen Gott nicht gebührend ehren und gehorchen, würden sie schuldig an ihm. Der Mensch habe Gott als Genugtuung nichts Angemessenes anzubieten, das seinen Ungehorsam und seine Beleidigungen aufwiegen könnte. Der Gott-Mensch Jesus Christus aber sei vollkommen sündlos. Sein Leben sei unendlich wertvoll. Freiwillig bot er sich Gott als Genugtuung für die Schuld der

Anselm von Canterbury auf einem englischen Glasfenster des 19. Jahrhunderts

Menschen an. Gott akzeptierte das Opfer, wodurch die Menschen wieder zurück in seine Gegenwart gelangen können. Vor dem Hintergrund der mittelalterlichen Ständegesellschaft bot Anselms *Satisfaktionstheorie* ein durchaus verständliches und passendes Bild der von Gott geplanten Erlösung.

Anselm griff auch auf einen Vergleich mit dem mittelalterlichen Lehnswesen zurück: Gott als Lehnsherr müsse den Menschen verurteilen, weil er sich nicht an das gültige Recht gehalten habe. Gleichzeit sei er aber verpflichtet, seinen irdischen Vasallen vor Gefahr zu schützen. Also verurteile er den schuldigen Menschen, akzeptiere aber gleichzeitig den Tod Jesu Christi als angemessene Wiedergutmachung dieser Schuld, sodass der menschliche Sünder frei ausgehe.

Keine Unterwerfung um jeden Preis

Abgesehen von seiner literarischen Tätigkeit setzte sich Anselm in Italien für eine weitere Reform der Kirche ein. Anselm kritisierte die weit verbreitete Unmoral vieler Priester, die mit Konkubinen zusammenlebten, weil sie nicht offiziell heiraten wollten. Vor allem aber engagierte er sich für die konsequente Befreiung der Kirche aus ihrer staatlichen Bevormundung. In Bezug auf die weltlichen Herrscher sei die Kirche eine „freie Braut“ und keine „hörige Magd“.

Die letzten Jahre seiner Verbannung verbrachte Anselm in Lyon/ Frankreich. Nach der Ermordung Wilhelms II. wurde Anselm von dessen Bruder und Nachfolger, Heinrich I., nach England zurück gerufen (1100).

Doch auch der neue König wollte nicht darauf verzichten, ohne Zustimmung aus Rom nach eigenen Vorstellungen neue Bischöfe einzusetzen (*Investiturstreit*). Daraufhin wandte sich Anselm gegen Heinrich I., weshalb er erneut ins Exil geschickt wurde (1103–1106). Erst nachdem der König und der neue Papst Paschalis II. sich verständigt hatten, konnte Anselm seine Amtsgeschäfte fortsetzen. Zwei Jahre, nachdem er nach England zurückkehren konnte, starb Anselm 1109 mit 76 Jahren nach längerer Krankheit. In der prächtigen Kathedrale von Canterbury fand er sein Grab.

Ausgewählte Literaturhinweise

Anselm von Canterbury: *Über die Wahrheit. De veritate*, hrsg. von Markus Enders, Philosophische Bibliothek, Band 535, Meiner Verlag, Hamburg 2001

K. Kienzler: *Gott ist größer. Studien zu Anselm von Canterbury* (Bonner dogmatische Schriften 27), Echter Verlag, Würzburg 1997

Martin Anton Schmidt: *Anselm von Canterbury*, in: Martin Greschat (Hrsg.): Gestalten der Kirchengeschichte, Bd. 3, W. Kohlhammer Verlag, Stuttgart 1983, S. 123-147

Stolz: *Anselm von Canterbury. Sein Leben, seine Bedeutung, seine Hauptwerke*, Kösel-Pustet, München 1937

Ansätze zum Weiterdenken

◊ Gott ist das, „über das hinaus nichts Vollkommeneres gedacht werden kann". Weil ein Wesen, das existiert, vollkommener ist als eines, das man sich nur vorstellt, muss es Gott geben.

◊ Wissen und Wissenschaft sind nie neutral. Sie gehen immer schon von irgendwelchen Voraussetzungen und Annahmen aus. Insofern muss immer erst etwas geglaubt werden, ehe man Wissen erfassen kann.

◊ Das Engagement für Gott kann zu Konflikten mit dem Staat führen. Manchmal muss der Christ sich entscheiden, welcher Macht er sich stärker verpflichtet fühlt. Kritik am Staat kann schnell auch zu persönlichen Nachteilen führen.

◊ Nur Gott allein ist in der Lage, für die unendlich große Schuld des Menschen zu bezahlen. Nichts, was der Mensch tut oder besitzt, genügt, um seine Sünde Gott gegenüber aufzuwiegen.

8

Petrus Waldus

(1140-1218)

Freikirche im Mittelalter

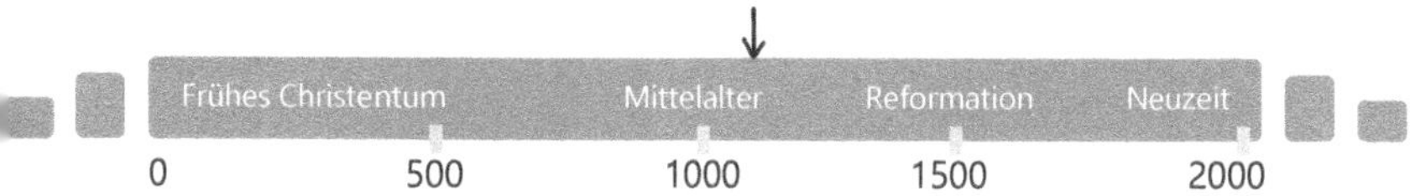

Viele Kirchen sind hierarchisch organisiert. Einige besonders qualifizierte Leute an der Spitze der Organisation interpretieren den Willen Gottes und sagen, wie man als Gläubiger zu leben hat. In Zeiten, in denen Religion für die Menschen eine wichtige Rolle spielt, wollen sich viele damit nicht zufrieden geben. Sie suchen nach einem direkten, persönlicheren Kontakt zu Gott. In der Vergangenheit begann das häufig mit dem Wunsch, die Bibel selbst lesen zu können. Ein sonst eher unbekannter französischer Kaufmann steht hier für Tausende, die sich im Hochmittelalter auf die Suche nach Gott begaben.

Mehr Mitsprache

Im 12. Jahrhundert fand in Europa ein gesellschaftlicher und wirtschaftlicher Umbruch statt. In den wachsenden Städten emanzipierten sich die Bürger und entwickelten ein neues Selbstbewusstsein. Sie wollten aktiver am religiösen Leben teilnehmen. Die Kirche aber war tief in das feudale Herrschaftssystem verstrickt. Viele Kleriker waren reich und mehr an irdischen Gütern interessiert als am geistlichen Wohl ihrer Gemeindeglieder. Oftmals vernachlässigten sie Predigt, Diakonie und Seelsorge. Ihr Ansehen in der Bevölkerung hatte stark gelitten. Von den hohen Kirchenfürsten waren allerlei berechtigte Gerüchte im Umlauf. Bestechung, Mord und Amtsmissbrauch waren erschreckend weit verbreitet.

Sinnkrise trotz Wohlstand

In Lyon wurde 1140 Petrus Waldus (auch Waldes, oder französisch Pierre de Vaux) als Kind einer wohlhabenden Familie geboren. Über seine Jugend gibt es keine zuverlässigen Daten. Als erfolgreicher Kaufmann erwarb er sich Ansehen und Reichtum. Schließlich heiratete er und hatte mehrere Töchter. Zunehmend empfand er jedoch eine innere Leere und die Sehnsucht, ein Leben für Gott zu führen. Verschärft wurde die innere Krise durch den plötzlichen Tod eines angesehenen, befreundeten Nachbarn. Immer dringlicher suchte Waldus nach dem Sinn des ihm verbleibenden Lebens.

Schlechte Ernten führten 1176 im Süden Frankreichs zu einer Hungersnot. Die Lebensmittelpreise stiegen und schon bald konnten sich einfache Menschen selbst die Grundnahrungsmittel nicht mehr leisten. Zwischenzeitlich bedeuteten Waldus sein Hab und Gut nicht mehr viel. Mit seinem Vermögen speiste er die Armen der Stadt, um sie durch den Winter zu bringen. Dann verließ er Haus und Familie, um in Lyon und Umgebung durch Predigten auf Gott hinzuweisen. Seinen Lebensunterhalt bestritt er mit Betteln, bis ihn der Bischof anwies, nur noch von seiner Frau Gaben anzunehmen.

Eine eigene Bibel

In den Jahren seines geistlichen Umbruchs beauftrage Waldus die Theologen Stephan von Anse und Bernhard Ydros mit der Übersetzung einzelner Bibelteile und wichtiger Schriften der Kirchenväter ins Provenzalische. Da er wie die meisten seiner Zeitgenossen kein Latein sprach, sah Waldus nur diese Möglichkeit, sich selbst näher mit der Bibel zu beschäftigen. Besonders beeindruckten ihn die Bergpredigt und die Aussendungsreden Jesu: „Die Ernte ist groß, aber es gibt nur wenige Arbeiter. Bittet den Herrn der Ernte, dass er mehr Arbeiter sende" (Matthäus 9,37f.). Da die offiziellen Kirchenvertreter diesem Auftrag nach Waldus' Wahrnehmung nicht nachkamen, wollte er selbst predigen und die Menschen zu Gott führen, auch wenn es dadurch zu Konflikten mit den Priestern kommen würde. Um dieser Berufung ungehindert nachgehen zu können, machte sich Waldus frei von allen materiellen Zwängen und lebte in Armut und Heimatlosigkeit, ganz im Vertrauen auf die Versorgung Gottes (*via apostolica*). Er wollte sich ausschließlich dem Studium der Bibel, dem Gebet und der Predigt widmen.

Bescheidene Gerichtsprediger

In den Jahren 1177–78 sammelte sich um Waldus eine Gruppe Gleichgesinnter, die er mit Hilfe seiner provenzalischen Bibelübersetzung unterwies. Schon bald durchzogen diese Männer immer zu zweit – wie die Apostel (vgl. Matthäus 10), die ganze Gegend, um das Volk zur Umkehr aufzurufen. Ihre Zuhörer waren beeindruckt. Gewöhnt an verweltlichte und uninteressierte Priester erschienen ihnen diese überzeugten und hingegebenen Wanderprediger wie Heilige. Die *Waldenser*, wie man sie bald nannte, trugen lange, einfache Wollgewänder und sandalenartige Schuhe. Sie selbst nannten sich *pauperes Christi*, die Armen Christi, weil sie wie Jesus ohne allen irdischen Besitz leben wollten. Aufgrund ihrer Anspruchslosigkeit wurden sie auch die *Armen von Lyon* genannt.

Oft sprachen die waldensischen Prediger über das kommende Gericht Gottes und forderten ihre Zuhörer heraus, jetzt ihre Schuld zu bereuen und nach den Ordnungen Gottes zu leben. Petrus Waldus erstrebte keine Karriere oder Macht. Nachdem er die Bibel gelesen und verstanden hatte, fühlte er sich von Gott berufen, sein Wissen mit anderen zu teilen: „Wem viel anvertraut ist, von dem wird auch viel gefordert" (Lukas 12,48). Nach seinem Verständnis wäre er sogar schuldig an der Verurteilung seiner Mitbürger, wenn er sie nicht rechtzeitig vor dem Gericht Gottes warnen würde (vgl. Hesekiel 3,12-21). In einer Zeit, in der sich die Menschen der Nähe Gottes besonders bewusst waren, stießen die Waldenser mit ihren Ermahnungen auf offene Ohren.

Figur des Petrus Waldus auf dem Lutherdenkmal in Worms (1868)

Waldus plante keine kirchliche Revolution. Ihm ging es eher um eine echte Einsicht in die eigene Schuld und um ein konsequentes Christenleben: mehr Gebet, mehr Stille, mehr Predigten, mehr Nächstenliebe …

Konflikte mit der Amtskirche

Waldus' Engagement und seine Konsequenz forderten die bequem lebenden Priester Lyons unangenehm heraus. Ihr politisches Machtdenken und ihre geistliche Hilflosigkeit hinderte sie daran, motivierte Christen wie Waldus in das Gemeindeleben zu integrieren. Stattdessen verboten viele Kirchenleute diesen Laienpredigern den Mund. Zum einen fürchtete man um den eigenen Einfluss, zum anderen fühlte man sich durch die Authentizität der Waldenser herausgefordert. Formal beriefen sich viele Priester auf das Kirchenrecht, das eine offizielle Predigtgenehmigung vorsah. Als ihm auch der Bischof von Lyon dieses Papier verweigerte, reiste Waldus eigens nach Rom, wo ihm eine Audienz beim Papst eingeräumt wurde. Nach einer ausführlichen Überprüfung ihrer Rechtgläubigkeit wurde die Gemeinschaft von Alexander III. anerkannt und erhielt das Predigtrecht. Trotzdem aber sollten sie sich jedem örtlichen Kleriker unterordnen und nur mit dessen Einverständnis sprechen. Fast schien es, als ob für die Kirchenleitung Kompetenzen und Privilegien ihrer Amtsträger wichtiger waren als Überzeugung und Berufung einfacher Gläubiger.

Im Vatikan war man skeptisch gegenüber ethisch strengen Laienpredigern, insbesondere seitdem sich die Katharer[9] immer weiter im Süden Frankreichs ausbreiteten. Diese Gruppe ging mit der Kirche scharf ins Gericht. Offen kritisierten sie das unmoralische Treiben vieler Priester sowie das Machtstreben und den Reichtum der Bischöfe. Sie bezeichneten die Kirche als die von Gott abgefallene *Hure Babylon* aus der Offenbarung des Johannes.

1180 kam Kardinal Heinrich von Albano nach Lyon, um über das Vorgehen gegen die Katharer und über die Rechtgläubigkeit der Waldenser zu entscheiden. Waldus äußerte sich kritisch zu den Lehren der Katharer und sagte sich von einigen zweifelhaften Gruppen los, die sich zu Unrecht auf ihn berufen hatten. Wieder wurden die Gemeinschaft und ihr Leben in apostolischer Armut kirchlich anerkannt. Eine allgemeine Predigterlaubnis aber blieb auch diesmal aus.

Gott steht über dem Papst

In den Dörfern und Gemeinden gaben sich die Kleriker als kleine Päpste. Obwohl ihre Lehre von der Kirche nicht beanstandet worden war, verweigerten sie den Waldensern das Wort. Weil diese sich aber von Gott berufen fühlten, predigten sie trotzdem. Wie zu erwarten,

9 Katharer (Griechisch – *die Reinen*) waren die größte mittelalterliche Sekte. Ihre Lehren wurden von der antiken *Gnosis* und dem *Manichäismus* beeinflusst. In ihrem dualistischen Weltbild stehen sich ein rein geistlicher Gott und eine materielle, von Luzifer bestimmte Welt unversöhnlich gegenüber. Die irdische Welt zählt zum Bereich des Bösen. Menschen können nur durch Buße und Askese wieder in den göttlichen Bereich gelangen. Die Konsequenten unter ihren Anhängern wurden *die Vollkommenen* genannt. Sie weigerten sich, mit den Händen zu arbeiten, aßen vegetarisch, tranken keinen Alkohol, verzichteten auf Geschlechtsverkehr und übermäßigen Besitz. Alle Mitglieder erhielten eine feierliche Geistestaufe. Die Sekte wurde von der katholischen Inquisition verfolgt und schließlich aufgelöst.

verschärfte sich der Konflikt daraufhin zusehends. Einen vom Lyoner Bischof verordneten Kontrolleur lehnte Waldus ab. Er wollte nicht vom Kirchenrecht eingeschränkt und reglementiert werden. Mit Berufung auf die Bibel argumentierte er, auch die Apostel hätten keinen Leiter gehabt außer Christus. Zum ersten Mal im Mittelalter unterschied Waldus zwischen Christus und dem Klerus der römisch-katholischen Kirche. Indirekt wurden damit die kirchliche Hierarchie und der katholische Alleinvertretungsanspruch in Frage gestellt. Jeder Christ könne und solle, so Waldus, jedem anderen das Evangelium erklären und ihm damit zum Heil verhelfen. Solche Ideen wurden als Bedrohung und Affront verstanden. Freie Predigten ohne kirchliche Autorisierung wollte man keinesfalls zulassen. Schließlich erteilte der Bischof von Lyon den Waldensern ein Predigtverbot.

Zwar lehnte Waldus noch nicht die katholische Kirche an sich ab, wie es die Reformatoren 300 Jahre später tun würden, aber er verweigerte kirchlichen Geboten den Gehorsam, wenn diese im Widerspruch zur Bibel standen. Das Verbot, das Evangelium zu predigen, war für Waldus eine solche illegitime Anordnung, an die er sich nicht gebunden fühlte. Erzbischof Jean Bellesmains exkommunizierte die Waldenser daraufhin und vertrieb sie aus Lyon (1182). Waldus und seinen Laienpredigern imponierte das nur wenig. Sie sahen sich weiterhin im Auftrag Gottes. „Man muss Gott mehr gehorchen als den Menschen" (Apostelgeschichte 5,29). In der Bevölkerung waren sie aufgrund ihres vorbildlichen Lebens und Predigens häufig angesehener als die örtlichen Priester.

Für die katholische Kirche war es tragisch, dass die fromme Erneuerungsbewegung der Waldenser immer stärker in die Separation gedrängt wurde. Aber es galt, die kirchliche Autorität zu schützen. Deshalb verurteilte Papst Lucius III. auf dem Konvent in Verona die Waldus-Bewegung als Irrlehre, die verfolgt werden müsse. Waldus aber konnte diesen Beschluss nicht nachvollziehen, schließlich berief er sich doch nur auf Jesus Christus und die Bibel. In der kirchlichen Verurteilung sah er einen Amtsmissbrauch des Papstes. Selbst hochgebildete und angesehene Theologen unterstützten die Waldenser und bestätigten deren Rechtgläubigkeit. Da es hier jedoch um Kirchenpolitik ging, half das nur wenig.

Waldensisches Gemeindeleben

Trotz aller amtlichen Behinderungen konnten sich Waldensergruppen in den Provinzen Narbonne und Languedoc sowie in Metz, im deutschen Grenzgebiet und in der italienischen Lombardei etablieren. In

Südfrankreich versuchte man mit einigem Erfolg, die Anhänger der sektiererischen Katharer zur Umkehr zu bewegen. Zum Gottesdienst traf man sich in den Häusern der Mitglieder. Abgesehen von Predigt und Gebet feierte man zusammen das Abendmahl, nahm die Beichte ab und salbte die Kranken. Obwohl diese durch Laien ausgeführten Handlungen nach katholischer Lehre unwirksam sein sollten, war den Waldensern die Würdigkeit ihres Predigers wichtiger als dessen amtliche Anerkennung.

Gelesen wurde aus Kopien der von Waldus in Auftrag gegebenen Bibelübersetzung und aus Schriften der Kirchenväter Ambrosius, Augustinus und Chrysostomos. Gemeinsame Mahlzeiten sollte es auch den Armen ermöglichen, satt zu werden. Gelegentlich bauten Waldenser ein Zimmer an ihrem Haus an, in dem Alte und Kranke aufgenommen werden konnten.

In Schulen wurden zukünftige Reise-Prediger ausgebildet, die sich zum Gehorsam Gott gegenüber sowie zu Keuschheit und Armut verpflichten mussten. Im Laufe der Zeit schlossen sich auch entlaufene Mönche, unzufriedene Priester und Studenten den Waldensern an. Gelegentlich sind auch predigende Schwestern überliefert.

In Norditalien ließen sich die Waldenser von anderer Reformbewegungen inspirieren. Von den *Arnoldisten*[10] übernahm man die strikte Ablehnung katholischer Ämter. Wie die *Humiliaten*[11] lebten viele lombardische Waldenser in Kommunen mit gemeinsamen Eigentum. Seinen Lebensunterhalt bestritt man durch einfache Handarbeit. Waldus lehnte diese Neuerungen ab. Da er einen unwiderruflichen Bruch mit der katholischen Kirche befürchtete, trennte er sich 1205 von den Lombarden. Ein Teil der Waldenser arrangierte sich 1210 mit Papst Innozenz III. und wurde zu den *pauperes catholici* innerhalb der offiziellen Kirche. So bildeten sie für den Katholizismus keine Gefahr mehr. Indirekt bereiteten sie die

---

10 *Arnoldisten* nannte man die Anhänger des Arnold von Brescia (1090–1155). Er forderte eine umfassende Reform der Kirche. Unter anderem wollte er alle Priester, auch die Bischöfe, zu Ehe- und Besitzlosigkeit verpflichten. Die katholische Kirche sollte alle politischen Ambitionen aufgeben. Bevor er hingerichtet wurde, gründete Arnold in Rom eine christliche Kommune, die von den Spenden frommer Pilger lebte.

11 Die *Humiliaten* entstanden 1178 unter lombardischen Textilarbeitern. Viele der durch wirtschaftliche Veränderungen verarmten Handwerker trafen sich zum gemeinsamen Gebet. Sie hofften auf das Eingreifen Gottes. Dreimal in der Woche fasteten sie und verpflichteten sich zu gegenseitiger Unterstützung. Mit der Zeit entstanden aus diesen spontanen Zusammenkünften zwei Orden, die von der katholischen Kirche anerkannt wurden (*Begarden* und *Beginen*). Sie verpflichteten sich zu einem Leben in Armut und zu sozialer Hilfeleistung.

kirchliche Integration der Franziskaner und Dominikaner vor, die ähnlich wie die Waldenser Armut und Predigt forderten.

Zeiten der Verfolgung

Allen Waldensern, die sich nicht bereitwillig der katholischen Hierarchie unterordneten, erklärte Innozenz den Krieg. Viele Prediger wurden im Rahmen der Albigenserkriege[12] (seit 1209) verfolgt und gefangen. Soldaten berichteten: „Dort fanden wir 7 Häretiker von der sogenannten Sekte der Waldenser [...] Unsere Leute ergriffen und verbrannten sie mit großer Freude." Ihre Überzeugung, im Auftrag Gottes zu predigen, gab den Waldensern die Kraft, Unterdrückung und Tod zu ertragen. Um das Risiko einer Entdeckung gering zu halten, verkleideten sich Prediger als Handwerker oder reisende Händler und hielten ihre Bibelstunden in geheimen Verstecken ab.

Waldus besuchte und organisierte in diesen Jahren insbesondere die französischen Waldenser-Gemeinden. In überregional stattfindenden Versammlungen der Predigtbrüder wurden Fragen von allgemeiner Bedeutung besprochen und entschieden. An der Spitze der sich entwickelnden Waldenser-Kirche standen zwei, für jeweils ein Jahr gewählte Rektoren. Durch die zeitliche Befristung sollte die Entstehung einer ähnlich absoluten Hierarchie verhindert werden, wie sie die kritisierten Katholiken hatten.

Waldenserwappen: „Das Licht leuchtet in der Finsternis"

Als Folge ihrer langjährigen Auseinandersetzungen mit der katholischen Kirche lehnten die Waldenser nun auch die Lehre vom Fegefeuer, die Heiligenverehrung, den Ablass, die Todesstrafe, die Kindertaufe und die Vermischung von geistlichen und weltlichen Verantwortungsbereichen ab. Von vielen Historikern werden die Waldenser aufgrund ihrer Theologie als Vorläufer der Reformation betrachtet.

Auch wenn Waldus' Todesdatum nicht sicher ermittelt werden kann, spricht einiges dafür, dass er im Anschluss an eine Predigtreise durch Böhmen gegen 1218 starb.

---

12 Die Kirche der *Albigenser* entstand 1150 in Südfrankreich. Sie übernahm viele Lehren der Katharer. Ihr Zentrum lag in Albi. Trotz einer gewissen Unterstützung durch den lokalen Adel wurden die Albigenser in einem 20-jährigen Krieg fast vollkommen vernichtet (1209–1229).

Waldenser heute

Nach weiteren Verfolgungen zogen sich die Waldenser in die Westalpen an der Grenze zwischen Savoyen und Piemont zurück. Schon vor der Reformation gelangten einige Gruppen nach Österreich, Ungarn, Schwaben und Bayern. Im Rahmen der katholischen Gegenreformation flohen im 16. und 17. Jahrhundert viele Familien auf evangelisches Gebiet nach Südwestdeutschland und Hessen. Infolge einer Auswanderungswelle (1880–1914) kamen 13.300 Waldenser nach Argentinien und Uruguay. Zu der bis heute existierenden Waldenserkirche zählen sich rund 100 000 Christen. Die Hälfte von ihnen lebt in Italien. Mit der offiziellen Anerkennung ging für die *Chiesa Evangelica Vald* 1848 eine fast 700-jährige Verfolgungszeit zu Ende. Die 1855 gegründete *Waldensische Theologische Fakultät* befindet sich in Rom. Das traditionelle Wappen der Waldenser zeigt einen Leuchter mit der Umschrift *Lux lucet in tenebris* („Das Licht leuchtet in der Finsternis").

Waldenserkirche in Rom (Piazza Cavour)

Ausgewählte Literaturhinweise

Gabriel Audisio: *Die Waldenser. Die Geschichte einer religiösen Bewegung*, Bechtermünz Verlag, Augsburg 2001

Manfred Fischer: *Petrus Waldus*, in: Kurt Fassmann u.a. (Hrsg.): Die Großen. Leben und Leistung der sechshundert bedeutendsten Persönlichkeiten der Welt, Bd. III/2, Kindler Verlag, Zürich 1976, S. 512-525

M. Schneider: *Europäisches Waldensertum im 13. und 14. Jahrhundert. Gemeinschaftsform – Frömmigkeit – Sozialer Hintergrund*, De Gruyter Verlag, Berlin/New York 1981

Valdo Vinay: *Waldes*, in: Martin Greschat (Hrsg.): Gestalten der Kirchengeschichte, Bd. 3, W. Kohlhammer Verlag, Stuttgart 1983, S. 238-248

Ansätze zum Weiterdenken

◊ Jesus Christus lebte freiwillig in Armut, ebenso seine Nachfolger, die Apostel. Die Sorge um den materiellen Besitz steht immer in der Gefahr, christliche Institutionen von ihren eigentlichen Aufgaben abzulenken.

◊ Etablierte kirchliche Institutionen tendieren immer wieder dazu, Glauben zu reglementieren und unter Kontrolle zu bringen. Das kann zu Denkzwängen und Unterdrückung führen.

◊ Kirchen und Gemeinden brauchen in regelmäßigen Abständen eine grundlegende Infragestellung und Erneuerung, die auch unangenehme Defizite benennt.

◊ Um über den Glauben zu reden, braucht es in erster Linie kein akademisches Studium oder spezielle Weihen, sondern die Kenntnis der Bibel und die Bereitschaft, sich an ihr zu orientieren. Auch kirchliche Laien können das Wort Gottes verstehen und weitergeben.

9

Franz von Assisi

(1181–1226)

Christliche Nächstenliebe und Armut

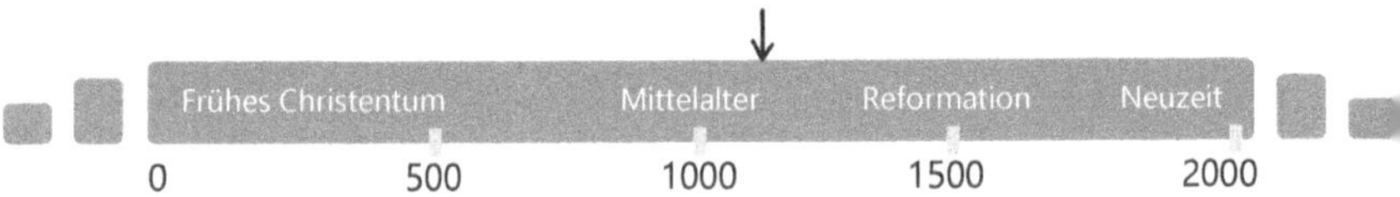

Ein junger Mann zieht sich auf offener Straße splitternackt aus. Seine Kleidungsstücke schleudert er seinem verärgerten Vater entgegen. Dann hüllt er sich in ein schlichtes Sackgewand und geht davon. Das würde auch heute noch Aufsehen erregen. So ähnlich wird ein zentraler Wendepunkt im Leben des Franz von Assisi gelegentlich beschrieben, obwohl die Angelegenheit in Wirklichkeit wohl etwas friedlicher abgelaufen sein dürfte.

Franziskus ist der Amtsname des neuen Papstes (seit 2013). Benannt hat sich Jorge Mario Bergoglio nach dem bekannten Ordensgründer Franz von Assisi. Fast ist es schon Ironie, dass jemand, der Macht und Reichtum ablehnte wie kaum ein anderer, zum Namensgeber für einen der einflussreichsten Männer der Welt geworden ist.

Vergnügungssüchtige Jugend

In gewisser Weise war Franz von Assisi ein Aussteiger, keiner, der genervt gegen die ganze Gesellschaft polemisierte, eher einer, der unter der Oberflächlichkeit seiner Mitmenschen litt. Er begriff, dass Konsum, Luxus und Anerkennung allein das Leben nicht erfüllen können. Die bloße Konzentration aufs Diesseits ergab für Franziskus keinen Lebenssinn.

1181 wurde Franz unter dem Namen Giovanni Battista als Sohn des wohlhabenden Tuchhändlers Pietro Bernardone und seiner Frau Pica in Assisi/Umbrien geboren. Später gab ihm sein Vater, der sich während seiner Geburt auf Dienstreise in Frankreich befunden hatte, den Namen Francesco/Franz („kleiner Franzose", „Französchen").

Mehrfach wechselte Assisi im Mittelalter den Besitzer. Als Franz zur Welt kam, wurde die Stadt von einer deutschen Garnison unter dem schwäbischen Ritter Konrad von Irslingen kontrolliert. Wenig später kam Assisi unter die Herrschaft Papst Innozenz' III. (1160–1216). Im Laufe des 11. Jahrhunderts hatte Assisi ein starkes Bevölkerungswachstum und einen wirtschaftlichen Aufschwung erlebt. Das selbstbewusste Bürgertum strebte nach politischer Macht und Lebensgenuss.

Franz von Assisi
(Fresko im Sacro Speco in Subiaco)

Im Gegensatz zu den meisten Jugendlichen seiner Zeit erhielt Franz eine gute Ausbildung. Neben den praktischen Erfahrungen im Geschäft seines Vaters besuchte er die Schule der Pfarrei San Giorgio, wo er Lesen, Schreiben, Rechnen und Latein lernte. Während seiner Jugend arbeitete Franz, wie auch seine Brüder, im väterlichen Textilgeschäft. Auf Handelsreisen kam er in die Zentren französischer Tuchherstellung. Zeit und Geld standen ihm reichlich zur Verfügung. Unter seinen gleichaltrigen Freunden stach er durch Fantasie, Temperament, Humor und Freigiebigkeit hervor. Während einer kriegerischen Auseinandersetzung mit dem benachbarten Perugia wurde Franz gefangengenommen und für mehr als ein Jahr in den Kerker der Stadt gesperrt. Erst nach Zahlung eines stattlichen Lösegeldes konnte er wieder nach Hause zurückkehren. Noch aber waren seine Träume vom ruhmreichen Ritterdasein nicht ganz ausgeträumt. Als Walter III. von Brienne 1205 im Auftrag des Papstes einen Kriegszug nach Apulien in Süditalien vorbereitete, schloss sich ihm auch Franz an. Auf dem Weg ins Kampfgebiet meinte er die Stimme Gottes zu hören, der ihn vor die Wahl stellte, entweder einem irdischen Herrn zu dienen oder dem himmlischen. Franz entschied sich für Gott und kehrte zurück nach Assisi.

Berufung und Bescheidenheit

Seit dieser Zeit zog sich Franz immer häufiger zum Beten in die Einsamkeit einer Felsenhöhle zurück. Er begann, Kranke und Arme zu besuchen und zu beschenken. 1206 reiste er in den geliehenen Kleidern eines Bettlers auf eine Wallfahrt nach Rom. Er wollte erfahren, wie man sich ohne irdischen Besitz und als Obdachloser fühlt.

Die zunehmende Vernachlässigung seines Äußeren und die Besuche bei den Ausgestoßenen führten recht bald zu öffentlichem Spott und riefen den erbitterten Widerstand des Vaters hervor. Der hatte mit seinem ältesten Sohn große Pläne und wollte es nicht dulden, dass Franz Waren aus seinem Geschäft als Almosen verschenkte.

Im späteren Rückblick schrieb Franz über diese Zeit: „So hat der Herr mich, den Bruder Franziskus, zu einem Leben der Buße berufen. Als ich noch in Sünden war, empfand ich es bereits bitter, Aussätzige zu sehen. Und dann hat der Herr mich unter sie geführt, und ich habe ihnen Barmherzigkeit erwiesen. Nachdem ich von ihnen ging, erschien es mir nicht mehr bitter, sondern süß. Dann überlegte ich eine Weile und verließ meine bisherige Welt." Franz erlebte eine Bekehrung und wollte seine Lebensziele und Lebensformen radikal ändern.

Die Begegnungen mit Aussätzigen und anderen unheilbar Kranken veränderten Franz' Leben. Diese Menschen waren vom Rest der Gesellschaft isoliert und wurden von allen anderen gemieden, weil die Menschen fürchteten, sich bei ihnen anzustecken.

Sein Vater griff schließlich zur Gewalt, um seinen Sohn „zur Vernunft zu bringen". Franz floh aus seinem Elternhaus in die baufällige Kirche S. Damiano, an deren Reparatur er schon eine Weile arbeitete. Das zum Wiederaufbau dieser und zweier weiterer Kapellen benötigte Kapital hatte er aus dem elterlichen Geschäft genommen. Franz' Vater wollte ihn per Gerichtsbeschluss zwingen, wieder nach Hause zu kommen und ein geregeltes Leben zu führen (1207). Franz aber stellte sich unter den Schutz der Kirche. Um die vollkommene Trennung zu seinem alten Leben deutlich zu machen, zog er alle seine Kleider aus und übergab sie auf dem Marktplatz seinem Vater. „Bis heute habe ich dich meinen Vater genannt auf dieser Erde; von nun an will ich sagen: ‚Vater, der du bist im Himmel.'" Vom Bischof bekam Franz stattdessen eine einfache Kutte geschenkt.

Predigt und tätige Nächstenliebe

Franz von Assisi kümmerte sich nun noch intensiver um Arme und Aussätzige. Das war für ihn ein Ausdruck glaubwürdiger Nächstenliebe. „Glücklich der Mensch, der seinen Nächsten trägt in seiner ganzen Gebrechlichkeit, wie er sich wünscht, von jenem getragen zu werden in seiner eigenen Schwäche." Dabei schlief er zumeist im Freien, in Höhlen oder Ruinen und aß, was man ihm schenkte. Nach der Aufforderung Jesu aus dem Matthäusevangelium: „Geht aber und predigt [...] Umsonst habt ihr's empfangen, umsonst gebt es auch. Ihr sollt weder Gold noch Silber noch Kupfer in euren Gürteln haben, auch keine Reisetasche, auch nicht zwei Hemden, keine Schuhe und keinen Wanderstock" (Matthäus 10,8-10) wollte Franz nur noch ein paar einfache Kleider sowie einen Strick um den Bauch besitzen und auf alles andere verzichten, selbst auf eine Tasche und auf Schuhe – auf Geld sowieso. Später verbot Franz seinen Brüdern sogar, Geld auch nur zu berühren, um nicht in Versuchung zu geraten, sich an materiellen Besitz zu binden.

Bernardo di Quintavalle, ein reicher Adeliger aus Assisi, und Pietro Catanii, ein Rechtsgelehrter, waren die ersten, die sich Franz anschlossen. Zunächst lebten die *Brüder* in einer einfachen Hütte in Rivotorto, wenige Kilometer von Assisi entfernt. Nachdem sie der Besitzer des Hauses nicht mehr dort wohnen lassen wollte, übergab ihnen der Abt der Benediktinerabtei am Monte Subasio das Kirchlein Portiuncula (lateinisch für „kleiner Flecken Land", verbreiteter Name der Kapelle Santa Maria degli Angeli) als Wohnstätte (1208).

Assisi mit Kloster (links)

In diesen Jahren begann Franz zu predigen. Unter freiem Himmel sprach er vor allem über Buße und Frieden. Die Menschen sollten Gott gegenüber ihre Schuld einsehen und ihn um Vergebung bitten. Sie sollten sich abwenden von einem rein materialistischen, genussorientierten Leben, das ihnen nur eine Illusion von Sinn und Erfüllung geben könne. Dann würden sie echten Frieden erleben, Frieden mit Gott und Frieden untereinander. „Großes haben wir versprochen, noch Größeres ist uns verheißen. Lasst uns jenes halten, dieses erhoffen. Kurz ist die Lust der Welt, ewig die Pein, geringfügig das Leiden, unendlich die

Herrlichkeit." Schon bald schlossen sich ihm andere junge Männer aus der Region an, die von ihrem bisherigen Leben genug hatten und sich von Franz' konsequentem Vorbild angesprochen fühlten.

Authentisches Leben fordert heraus

Franz von Assisi verstand es, den Menschen anschaulich und mitreißend von Gott zu erzählen. Als Schwalben seine Predigt störten, wandte er sich an die Vögel, um sie zu überzeugen, für die Dauer seiner Rede zu schweigen. Zu Weihnachten 1223 arrangierte Franz bei Greccio einen Stall mit Ochs und Esel, Maria und Joseph. Im Entzücken über die Menschwerdung Gottes sah er im Heu der Krippe das Jesuskind liegen. Für seine Begleiter erfand er poetische Spitznamen: Den sanften Bruder Leo nannte er *„Lämmlein Gottes"* und einen faulen Gefährten *„Bruder Drohne"*. Während seiner Wanderungen sang er selbstgedichtete Loblieder auf Gott und seine Schöpfung, zuweilen begleitet durch ein pantomimisches Geigenspiel.

Gelegentlich wandte Franz sich mit seinen Worten auch an die Tiere und Pflanzen, die er als Geschöpfe desselben Gottes betrachtete, der auch den Menschen gemacht hatte. „Alle Gebilde der Schöpfung sind Kinder des einen Vaters und daher Brüder." Der Christ solle sorgsam und nicht eigensüchtig mit der Natur umgehen, die lediglich eine Leihgabe Gottes an ihn sei, kein Eigentum. „Gott, du bist voll Liebe und Güte, der du die Welt so schön gemacht hast, und alle Kreatur, die geht und fliegt, angewiesen hast, dass sie deinen Ruhm verkünde, ich danke dir bis an mein Ende, dass du mich unter sie gestellt hast."

Franz von Assisi spricht mit den Vögeln

Die Bibel spielte in Franz' Leben eine besondere Rolle. Teile davon lernte er auswendig. Hier suchte er die Maßstäbe für sein Handeln und für seinen Orden. In der Bibel hatte Franz den Eindruck, Gott zu begegnen und seinen Willen zu erfahren. „Die Heilige Schrift lesen, heißt, von Christus Rat holen."

Ein Orden entsteht

Weil sie wegen ihrer außergewöhnlichen Lebensweise immer wieder die öffentliche Aufmerksamkeit auf sich zogen und in Sekten-Verdacht gerieten, bemühte sich Franz um eine kirchliche Anerkennung seiner Gruppe. Mit zwölf Gefährten ging er deshalb 1210 nach Rom. Der Kirchenleitung waren Franz von Assisis Ideen zu wenig greifbar und zu wenig organisiert. Man drängte ihn, sich mit seinen Freunden einem bestehenden Kloster anzuschließen. Doch Franz wollte gerade keine festen Hierarchien und keine steinernen Klöster. Da er sich nicht gegen die Kirche und ihre Lehren stellte, wurde seine Lebensform in frommer Armut schließlich von Papst Innozenz III. anerkannt (1215). Franz erhielt außerdem das Recht, überall Buße und Umkehr predigen zu dürfen.

Irgendwie war die Kirchenleitung auch froh über Franz von Assisis Armuts- und Buß-Bewegung. Der moralische Zustand der katholischen Kirche war damals bedenklich schlecht und das wussten auch viele ihrer Mitglieder. Deshalb hatten sich schon vor Franz zahlreiche Protestbewegungen organisiert, die Rom Machtmissbrauch, Geldgier und Irrlehre vorwarfen. Einige von ihnen, wie die Katharer und Albigenser, mischten den christlichen Glauben mit gnostisch-esoterischen Auffassungen von zwei Göttern, der schlechten Materie, Reinkarnation usw. Diese Gruppen wurden von der katholischen Kirche schwer verfolgt. Doch der Unmut in der Bevölkerung blieb. In der Legalisierung der *Franziskaner* sah man ein Ventil für die Unzufriedenen. Hier konnten kritische Christen offiziell anerkannt ihre Sicht vom Glauben in Armut und Hingabe ausleben.

Es wurde entschieden, dass die *Franziskaner* im Gegensatz zu anderen Orden keine Geschenke annehmen sollten, es sei denn, sie hätten wirklich nichts mehr zu essen. Franz von Assisi schrieb: „Wenn wir irgendwelche Besitztümer hätten, wären uns Waffen nötig, um uns zu verteidigen. Denn daraus entstehen Rechtsstreite und Zänkereien, und dadurch wird die Gottes- und Nächstenliebe gewöhnlich vielfach verhindert. Und deshalb wollen wir in dieser Welt kein zeitliches Gut besitzen." So sollte der Orden vor Trägheit und den Versuchungen des Besitzes bewahrt werden.

Die Gemeinschaft, die sich nun *fratres minores* (lat.: *die minderen Brüder*) nannte, wuchs rasch. „Keiner werde ‚Erster' genannt. Alle sollen einfach ‚mindere Brüder' heißen." Schon lange wohnten nicht mehr alle am selben Ort, sodass man sich einmal im Jahr zu Pfingsten auf dem *Kapitel* traf, um theologische Fragen zu diskutieren und wichtige Entscheidungen zu treffen.

Nachdem sich auch immer mehr junge Frauen dieser geistlichen Armutsbewegung anschließen wollten, gründete Franz eine parallele Frauenvereinigung unter der Leitung von Klara aus Assisi (*Klarissen*, auch *Seraphischer Orden* genannt, lat. *Ordo Sanctae Clarae*, Ordenskürzel OSC).

Leitungsstrukturen

Obwohl Franz vehement gegen feste Strukturen und Ämter argumentierte, ließ er sich eines Besseren überzeugen, als während seines Orientaufenthalts unter den Brüdern in Italien Streit ausbrach. Doch schon der Titel franziskanischer Leiter als *Diener* und *Knecht* (lat.: *minister et servus*) sollten diese an Demut und Bescheidenheit erinnern.

Franz wollte sich nicht mit der Leitung des Ordens beschweren, lieber zog er sich stattdessen betend in die Einöde zurück und predigte da, wo er Menschen begegnete. Als offiziellen Repräsentanten der *Franziskaner* setzte er seinen langjährigen Mitarbeiter Petrus Catani (1180–1221) ein. Obwohl Franz schon bei eigenen Hütten und Büchern die Gefahr sah, doch wieder unnötigen Besitz anzusammeln, erlaubte er seinen Brüdern schließlich, primitive Häuser zu errichten und fromme Schriften, vor allem die Bibel, zu studieren. Allerdings ermahnte er sie auch eindringlich vor intellektuellem Stolz, Ruhmsucht und materieller Gier. In der 1223 beschlossenen Ordensregel wurden dann Franz' Forderungen von absoluter Armut, Heiligung und Wanderpredigt etwas gelockert. Außerdem wurden nun auch eine Kleiderordnung und Aufnahmeregeln beschlossen. Franz wäre gerne bei seiner informellen, überwiegend aus Bibelversen bestehenden Ordensregel geblieben, die allerdings ließ viele konkrete Fragen zum Alltag in der Mönchsgemeinschaft unbeantwortet.

Weltmission

Immer stärker rückte für Franz die Aufforderung Jesu zur Weltmission in den Vordergrund (Matthäus 28,16-20). Auch andere Menschen in nichtchristlichen Ländern müssten von der Liebe Gottes erfahren. Im Herbst 1212 versuchte Franz ein erstes Mal in den Orient zu reisen. Nachdem sein Schiff gestrandet war, kehrte er wieder in seine Heimat zurück. Im Jahr darauf machte sich Franz zu Fuß auf den Weg nach Marokko, um den Muslimen das Evangelium zu predigen. Doch wegen einer schweren Erkrankung musste er in Spanien umkehren. Seit 1217 wurden auch andere *Brüder* auf dem Pfingst-Konvent des Ordens als Missionare ausgesandt: Bruder Elias ging nach Syrien, Bruder Aegidius nach Tunis, Bruder Pacificus nach Frankreich usw. Franz reiste 1219 über Akkon nach Ägypten und sprach bei der Stadt Damiette vor Sultan al-Malik al-Kamil und seinen Soldaten über den christlichen

Glauben. Mit seiner Aktion verfolgte er drei Ziele: Erstens wollte er den Sultan zum Christentum bekehren, zweitens, wenn nötig, als Märtyrer sterben und drittens Frieden schaffen. Der Sultan war beeindruckt und schenkte Franz ein kostbares Signalhorn. Ansonsten hinterließ dieser Missionsversuch aber keine nachhaltigen Spuren.

Zeitgleich führte die offizielle Kirche einen blutigen Kreuzzug gegen die *irrgläubigen* Katharer und Albigenser in Südfrankreich. Kreuzritter kämpften im Nahen Osten mit dem Schwert in der Hand für den *richtigen* Glauben. Mit so etwas wollte der Mann aus Assisi nichts zu tun haben. Zwar hielt er die Lehre der Katharer und auch die der Muslime für falsch, doch wollte er sie nicht mit Gewalt zu Gott bringen. „Herr Gott im Himmel und auf Erden / lass mich dein Friedenswerkzeug werden. / Wo Hass, da lass mich Liebe spenden / Streit lass mich durch Verzeihen enden. / Wo Zwietracht, lass mich Eintracht bringen, / lass Irrtum mich durch Wahrheit zwingen. / Wo Zweifel herrscht, lass Glaub erstehen, / lass Finsternis im Licht zergehen; / dass, wie man es auch dreh' und wende, / die Traurigkeit in Freude ende."

Beeindruckende Persönlichkeit

Überzeugt hatte Franz von Assisi vor allem durch seine Persönlichkeit. „Seine Kleidung war schmutzig, seine Person unansehnlich und sein Gesicht unschön", berichtet sein Zeitgenosse Thomas von Spalato. „Aber Gott verlieh seinen Worten so große Wirkung, dass viele Adelsfamilien, unter denen die Raserei der alten Feindschaften mit viel Blutvergießen gewütet hatte, zum Frieden zurückgeführt wurden." Thomas von Celano ergänzt: „Er war ein außerordentlich redegewandter Mann mit fröhlichem Antlitz und gütigem Gesichtsausdruck, frei von Feigheit, ohne jede Überheblichkeit."

Auch wenn er in Armut und Demut wie Jesus Christus zu leben versuchte, achtete er darauf, sich nicht über diejenigen zu erheben, die im Überfluss schwelgten: „Ich warne und ermahne die Brüder, jene Menschen nicht zu verachten noch zu verurteilen, die weiche und farbenfrohe Kleider tragen und auserlesene Speisen und Getränke genießen, vielmehr soll sich jeder selbst verurteilen und verachten."

Aus Franz' Sicht war die Welt mit ihren Vergnügungen nicht schlecht, aber sie konnte die Menschen zu Hochmut und Oberflächlichkeit verführen. Deshalb mied er viele irdische Genüsse und vermischte sein Essen gelegentlich mit Asche oder kaltem Wasser. Es ging Franz nicht darum, andere zu verurteilen oder die Welt schlecht zu machen, sondern sich selbst zu erkennen und die eigenen Defizite mit Gottes Kraft zu bewältigen.

Das Ende

Franz von Assisis Gesundheit war nicht nur durch eine Augenkrankheit, die er sich im Orient zugezogen hatte, äußerst angeschlagen. Er fastete auch 40 Tage in der Einsamkeit und dichtete 1224, von Schmerzen und Mäusen geplagt, den *Sonnengesang*, seinen wohl bekanntesten Text: „[…] Höchster, allmächtiger, guter Herr, / dein sind der Lobpreis, die Herrlichkeit und Ehre und jeglicher Segen. / Dir allein, Höchster, gebühren sie, / und kein Mensch ist würdig, dich zu nennen. / Gelobt seist du, mein Herr, mit allen deinen Geschöpfen, / zumal dem Herrn Bruder Sonne; / er ist der Tag, und du spendest uns das Licht durch ihn. / Und schön ist er und strahlend in großem Glanz, / dein Sinnbild, o Höchster. […]"

Der Tod des heiligen Franziskus

Doch auch in dieser schwierigen Lebensphase von Schmerzen und geistlichen Angriffen hielt Franz an seinem Vertrauen auf Gott unbeirrbar fest. „O Herr, in deinem Arm bin ich sicher. Wenn du mich hältst, habe ich nichts zu fürchten. Ich weiß nichts von der Zukunft, aber ich vertraue auf dich." Zwei Jahre später starb Franz von Assisi fast blind in der Portiuncula-Kapelle, wo sein Orden Jahre zuvor begonnen hatte. An seiner Leiche entdeckte man angeblich die fünf Wundmahle Jesu (*stigmata*) in Händen, Füßen und der Seite. Vollkommen außergewöhnlich wurde Franz bereits zwei Jahre nach seinem Tod in die Reihe der katholischen Heiligen aufgenommen (1228).

Nachwirkungen

Manches bleibt wohl immer geheimnisvoll an dem Mann aus Assisi. Es ist ganz erstaunlich, dass gerade ein Mensch, der nicht bekannt und verehrt werden wollte, dann doch zu einem der berühmtesten Männer der letzten 1000 Jahre wurde.

Über Jahrhunderte hinweg engagierten sich Franziskaner insbesondere für die Armen und Leidenden. Sie lebten und arbeiteten vor allem in oder am Rande der Städte. Neben praktischer Hilfe und Seelsorge sollten sie sich vor allem der Predigt des Evangeliums von der Vergebung der Sünden durch Jesus Christus widmen. Bescheiden und selbstgenügsam sollten sie als christliche Vorbilder (*Imitatio Christi*) wie die Jünger Jesu (*vita apostolica*) leben. Aus ihrer Mitte entstanden weitere katholische Orden, z. B. die *Franziskaner-Barfüßer*, die *Rekollekten* und die *Kapuziner*. Ihre Kirchen sind eher schlicht, ohne große Kunstschätze. Bekannte Franziskaner der Vergangenheit sind der im KZ Auschwitz ermordete Priester Maximilian Kolbe (1894–1941), der Kirchenlehrer Antonius von Padua (1195–1231) und der scholastische Theologe Johannes Duns Scotus (1266–1308).

Bis heute sind die *Franziskaner* oder auch *Orden der Minderen Brüder* (OFM, lat. *ordo fratrum minorum*) mit 14 000 Mitgliedern nach den Benediktinern und den Jesuiten der drittgrößte und einer der einflussreichsten Mönchs-Orden der katholischen Kirche, auch wenn dessen Angehörige nicht mehr ganz so leben wie ihr Gründer. Dazu kommen weltweit rund 650 000 Mitglieder in katholischen Laienbewegungen, die sich zu den Franziskanern zählen. In Deutschland gibt es 360 Mönche, die in der *Deutschen Franziskanerprovinz von der heiligen Elisabeth* zusammengeschlossen sind. Ihren Lebensunterhalt verdienen die Franziskaner als Priester, als Pädagogen oder in sozialen und handwerklichen Berufen. Zu erkennen sind sie am weißen Strick um ihre meist braune Kutte. Die drei Knoten stehen für die Gelübde Armut, Ehelosigkeit und Gehorsam.

Herausforderungen

Einige Aspekte seines Lebens wirken im 21. Jahrhundert irgendwie seltsam, beispielsweise seine Askese, sein Hang zu Meditation und Mystizismus, seine intensive Verehrung Marias und seine Stigmata. In anderer Hinsicht kann Franz von Assisi bis heute zum Nachdenken anregen und Impulse geben: 1. Franz stand einer intellektualistischen, wissenschaftlichen Theologie distanziert gegenüber. Sie war ihm zu theoretisch und weltfremd. Stattdessen predigte und lebte er ein praktisches Christsein, das auch echte Opferbereitschaft mit einschloss. 2. Franz hielt nicht viel von Macht und Geld, weder bei sich noch bei anderen. Er kritisierte die ständige Suche nach Besitz und Vergnügung nicht, weil er die „High Society" insgeheim beneidete. Eher bemitleidete er die Menschen, deren Gedanken sich einzig damit beschäftigten, was sie anzogen, aßen, tranken und wohin sie reisten. 3. Franz war ganz anders, unbefriedigt vom „normalen Leben". Er verließ alles für Jesus Christus, um konsequent nach dessen Vorbild zu leben. Im positiven Sinn wagte er einen radikalen Neuanfang, bei dem er alles hinter sich ließ, was ihm bisher als wertvoll und wichtig erschienen war.

Ausgewählte Literaturhinweise

G. K. Chesterton: *Thomas von Aquin/Franz von Assisi*, Nova & Vetera, Bonn 2003

Lothar Hardick OFM, Engelbert Grau OFM: *Die Schriften des Heiligen Franziskus von Assisi.* 10. Aufl., Verlag Butzon & Bercker, Kevelaer 2001

Ulrich Köpf: *Franz von Assisi*, in: Martin Greschat (Hrsg.): Gestalten der Kirchengeschichte, Bd. 3, W. Kohlhammer Verlag, Stuttgart 1983, S. 282-302

G. Wendelborn: *Franziskus von Assisi. Eine historische Darstellung*, Wien/Köln/Graz 1982

Ansätze zum Weiterdenken

◊ Einer Berufung Gottes zu folgen, führt immer zu einem erfüllten, nicht aber unbedingt zu einem leichten Leben. Gelegentlich versuchen gerade Freunde und die Familie, vom Gehorsam Gott gegenüber abzuhalten, wenn das irdisch gesehen mit dem Verlust von Ansehen und Prestige verbunden ist.

◊ Reichtum kann von einer konsequenten christlichen Nachfolge ablenken. Auch Jesus Christus führte sein irdisches Leben nur mit leichtem Gepäck. Materiell bescheiden lebende Christen kommen den Bedürftigen näher und werden von ihnen zumeist eher als glaubwürdig angesehen.

◊ Geistliche Erneuerung fand zumeist neben der offiziellen Kirche statt oder an ihrem Rande. Fest strukturierte Kirchenorganisationen fühlen sich oft durch begeisterte, nicht kontrollierbare Frömmigkeit bedroht.

◊ Echte Christen setzen sich ein für die absolute Wahrheit der Bibel im Unterschied zu anderen Religionen, immer aber mit Liebe und Freundlichkeit. Auch wenn andere zu Hass oder dem *Kampf der Kulturen* aufrufen, sehen Christen im Andersgläubigen den von Gott geliebten Menschen.

10

Jan Hus
(1369–1415)

Glauben auf Tschechisch

Im 14. Jahrhundert war die Katholische Kirche an einem vorläufigen moralischen Tiefpunkt angelangt. Drei Päpste wetteiferten um ihren politischen und wirtschaftlichen Einfluss in Westeuropa. Keiner von ihnen zeichnete sich durch besondere Frömmigkeit oder Glaubwürdigkeit aus.

Jugend und Studium

Im Jahr 1369 wurde Jan (Johann) Hus als Sohn einer armen tschechischen Bauernfamilie in Husinec, am Böhmerwald, nahe den Moldauquellen, geboren. Seine Kindheit liegt weitgehend im Dunkeln. Jedoch scheint der jugendliche Jan lernbegierig gewesen zu sein. Seine Eltern ließen ihn zum Studium nach Prag ziehen, wo er sich mit kleinen kirchlichen Hilfsdiensten den Lebensunterhalt verdiente. Nur wenige Jahre zuvor war Prag durch Kaiser Karl IV (1316–1378) zur Residenz- und Universitätsstadt ausgebaut worden. Die Hauptstadt des Königreichs Böhmen zog tausende Juden und Deutsche an. Italienische Künstler und bedeutende Kaufleute bevölkerten die Neustadt und den Hof. Die hohen Kirchenvertreter genossen mit dem Adel Reichtum und Vergnügungen. Die einfachen Priester und Pfarrer kritisierten das Treiben der Kirchenleitung mit scharfen Worten und forderten Bescheidenheit, Askese und Nächstenliebe sowie eine Rückbesinnung auf die neutestamentliche Urgemeinde.

Ohne Auffälligkeiten durchlief Hus seine Studienzeit. 1393 schloss er das Grundstudium mit dem Bachelor (*Baccalaureus*) der freien Künste ab. Ein Jahr darauf war er Bachelor der Theologie. 1396 wurde er Magister der freien Künste. 1401 war er bereits Dekan der Philosophischen Fakultät und ein Jahr später Rektor der Prager Universität.

Zu diesem Zeitpunkt konnte man Hus als fromm bezeichnen, wie die meisten seiner Zeitgenossen. Er nahm an Prozessionen teil, investierte viel Geld in den kirchlichen Ablass, die Lossprechung von der jenseitigen Sündenstrafe, und besuchte regelmäßig die Messe. Durch sein Studium stieß er immer häufiger auf die Schriften des umstrittenen englischen Reformators John Wyclif (1330–1384), der sich massiv gegen kirchlichen Ämtermissbrauch, gegen Vermischung von Glaube und Politik sowie gegen Reliquienverehrung geäußert hatte. Außerdem förderte Wyclif das Lesen der Bibel in der eigenen Muttersprache und die größere Bedeutung der einfachen Gläubigen.

Deutliche Kirchenkritik

Nachdem Hus 1402 zum Priester geweiht worden war, begann er mit seiner Tätigkeit als Prediger in der Prager Bethlehems-Kapelle. Hier sprach er jeden Sonntag vor rund 3000 Gottesdienstbesuchern in Tschechisch, damals eine Seltenheit. Die Zuhörer schätzten seine unbedingte Wahrheitsliebe und die Bereitschaft, sich gegebenfalls korrigieren zu lassen. Hus forderte die Erneuerung der Kirche, die Reinheit des Glaubens und die Betonung des Evangeliums. Deutlich kritisierte er den Reichtum der Kirche, die mehr als ein Drittel des Bodens besaß und selbst noch bei der Vergabe der Gnadenmittel (Taufe, Beichte, Abendmahl, Ablass, Begräbnis) Geld einforderte. Statt auf Macht und Besitz sollte sie sich stärker auf ihre geistlichen Aufgaben konzentrieren. Jesus hätte seine Jünger nicht zur irdischen Herrschaft berufen, argumentierte Hus: „Umsonst habt ihr's empfangen, umsonst gebt es auch!" (Matthäus 10,8). Von den gewinnsüchtigen Ablass-Händlern, den Bettelmönchen, sprach Hus als einem „offen am Tag liegenden Übel", sie plünderten „durch vorgebliche Wunder" und „lügenhafte Vorspiegelungen" das niedere Volk aus. Eine Untersuchungskommission, an der auch Hus beteiligt war, setzte sich kritisch mit ominösen Auswüchsen der Reliquien-Verehrung aus-

Bethlehemskapelle in Prag
(1786 abgetragen)

einander. In Wilsnack an der Prignitz beispielsweise wurden vorgebliche Wunderheilungen durch das angebliche Blut Christi als Schwindel entlarvt. Hus meinte, ein Christ könne auch ohne spektakuläre Wunder auskommen. Stattdessen solle er sich stärker an die Heilige Schrift binden, der einzig zuverlässigen Grundlage des Glaubens. Unangenehm deutlich geißelte Hus Prunksucht, sexuelle Ausschweifung, Bestechlichkeit und Erbschleicherei unter den Kirchenvertretern. Mit dem Wegfallen des kirchlichen Reichtums würden auch die halbgläubigen und unmoralischen *Pfaffen* verschwinden. Obwohl Predigen damals nur den ordinierten Geistlichen erlaubt war, warb Hus für das Recht frommer Laien, öffentlich das Evangelium zu lehren.

Streit um Wyclif

An der Universität mehrte sich insbesondere unter den deutschen Professoren die Kritik an Wyclifs Thesen und Hus' Predigten. Der seit 1403 amtierende tschechische Erzbischof Zbinko von Hasenburg hingegen stellte sich hinter den Reformprediger. Auf Druck König Wenzels IV. von Böhmen (1361–1419) verbot der Prager Erzbischof 1406 die Schriften Wyclifs und forderte deren Auslieferung.

Jan Hus - Porträt aus dem 16. Jahrhundert

Obwohl die Deutschen einen Großteil der Dozenten und Studierenden stellten, ordnete Wenzel 1409 an, dass die Entscheidungsmehrheit an der Universität künftig bei den Tschechen liegen solle. Dahinter stand sicher auch Wenzels politischer Profilierungsversuch gegenüber seinem Bruder, dem deutschen König. Hus begrüßte diese Entscheidung, nicht weil er die Deutschen ablehnte, wie hervorgehoben wird, sondern weil die tschechischen Theologen Wyclifs Lehren offener gegenüberstanden. Immer stärker verband sich allerdings der tschechische Nationalismus mit den Reformforderungen Wyclifs. Ein großer Teil der Deutschen verließ daraufhin Prag und ließ sich in Leipzig und Wien nieder. Hus' Gegner im tschechischen Klerus verbündeten sich mit dem in Pisa ernannten Papst Alexander V., der damals mit zwei weiteren Päpsten in Rom und Avignon um das höchste Kirchenamt rivalisierte. Eine unter dem Druck dieses Papstes eingesetzte Expertenkommission verurteilte Wyclifs Schriften. Rund 200 wertvolle konfiszierte Handschriften wurden unter dem Geläut der Prager Kirchenglocken verbrannt. Währenddessen demonstrierten Studenten auf den Straßen und sangen Spottlieder auf den Papst und die korrupte Kirche. Trotz offiziellen Verbots verbreiteten einige Prediger und Adlige offen die Lehren und Schriften Wyclifs. Der sich als Schlichter präsentierende König forderte das Ende der Proteste, aber auch eine Schadenersatzzahlung des Bischofs für die vernichteten Schriftstücke. Johannes XXIII., der neue zwischenzeitlich in Pisa gewählte Papst, bestätigte die Verurteilung von Wyclif und Hus.

Hus' Theologie

Angeheizt wurde die angespannte Stimmung durch einen neuen Ablassaufruf des Papstes, mit dem dieser seinen geplanten Kriegszug gegen König Ladislaus von Neapel finanzieren wollte. Das rief neue Kritik hervor. Aus reiner Machtgier sollte mit Kirchengeld ein Kriegszug gegen einen christlichen Herrscher geführt werden. Hus forderte eine öffentlich Diskussion an der Universität und kritisierte das Vorgehen der Kirche scharf: Ein Papst dürfe im Namen der Kirche nie zum Schwert greifen, am allerwenigsten aber um weltlicher Herrschaft oder irdischer Schätze willen, sagte doch schon Christus zu Petrus: „Stecke dein Schwert in die Scheide!" (Lukas 22,49). Demonstrativ veranstaltete Wok von Waldstein, ein Sympathisant Hus', einen Protestumzug durch die Stadt. Auf einem Wagen kutschierten Prostituierte mit päpstlichen Ablass-Aufforderungen um den Hals bis vor die Residenz des Erzbischofs. Dort wurden die kirchlichen Dokumente öffentlich verbrannt. Hus' Gegner ermordeten daraufhin drei an der Demonstration beteiligte Männer und drohten die Bethlehemskapelle niederzureißen. Um die Gemüter wieder zu beruhigen, verließ Hus Prag für einige Wochen. In dieser Zeit veröffentlichte er wichtige Grundlagen zur Schaffung der tschechischen Schriftsprache und setzte seine Arbeiten an einer tschechischen Bibelübersetzung fort.

Theologisch hatte sich Hus immer weiter von der offiziellen katholischen Theologie jener Tage entfernt. Die Dogmen und Kirchenlehren sollten der Heiligen Schrift als einzig sicherer Quelle des Glaubens untergeordnet werden. Wichtiger als die machtvolle, sichtbare Kirchen-Organisation sei die unsichtbare Gemeinde, die durch den Heiligen Geist geleitet würde. Nicht der Papst, sondern Jesus Christus bilde die unveränderliche Grundlage der Kirche.

Hus forderte, nichts zu glauben, zu behaupten und zu predigen, was nicht durch die Aussagen der Bibel begründbar sei. Die Schrift müsse akzeptiert werden, wie Gott sie gegeben habe. Sie sei der Zugang zum Himmelreich. „Die Bibel ist ganz wahr und hinreichend zur Seligkeit des Menschengeschlechts [...] der Spiegel, durch den wir unser ganzes Leben regulieren müssen [...] das Maß, nach dem jeder geistliche Richter zu richten und zu messen habe [...] alle religiöse Wahrheit ist in der Schrift enthalten [...]."

Das Konzil von Konstanz

Der 1411 gewählte römisch-deutsche König Sigismund (1368–1437) hatte den Ehrgeiz, als großer Reformer in die Kirchengeschichte einzugehen. Die Vorwürfe gegen Papst Johannes XXIII. waren zwischenzeitlich immer unhaltbarer: Im ersten Jahr seiner Herrschaft soll er an die zweihundert verheiratete Frauen, Witwen, Jungfrauen und Nonnen verführt und immense Summen für Feste, Luxus und Prunk verschwendet haben. Aus diesem Grund setzte sich Sigismund für ein allgemeines Konzil ein, dass die Hussitenfrage und den Streit dreier konkurrierender Päpste schlichten sollte. Schließlich wurde die Kirchenversammlung für das Jahr 1414 nach Konstanz einberufen. Im Einverständnis mit König Wenzel wurde Hus vor das Konzil nach Konstanz geladen.

Konzilsgebäube in Konstanz (historische Aufnahme)

Auf Hus' Wunsch hin garantierten sowohl Sigismund als auch Wenzel Freiheit und Sicherheit des Magisters während seines Aufenthalts in Konstanz. Hus traute diesen königlichen Zusagen nur bedingt. Bevor er Prag verließ, setzte er sein Testament auf und schrieb an einen Bekannten, er sei notfalls auch bereit, für die biblische Wahrheit zu sterben. Am 11. Oktober 1414 reiste Hus mit 50 Begleitern nach Konstanz. In die Konzilsstadt waren mehr als 100 000 Fremde gereist, 33 Kardinäle, 57 Erzbischöfe, 228 Bischöfe, zahlreiche Mönche, Professoren, Priester und Adelige mit ihren Dienern und Soldaten. Obwohl seine Feinde in aller Öffentlichkeit gegen ihn polemisierten, wurde Hus zum Schweigen aufgefordert. Unter dem Vorwand, er hätte fliehen wollen, wurde Hus am 28. November mit Waffengewalt vor das Konzil geführt und nach einer ersten Anhörung in das Gefängnis des nahegelegenen Dominikanerklosters gesteckt. Der vehemente Hinweis auf die königlichen Sicherheitsgarantien brachte nichts. Als König Sigismund am 24. Dezember in Konstanz ankam, rief er die verantwortlichen Kardinäle zu sich, weil sie Hus gegen seine Zusage gefangengesetzt hatten. Nachdem diese drohten, das Konzil abzubrechen, gab der König klein bei. Ihm war das Konzil wichtiger als sein Versprechen an den mutmaßlichen Ketzer.

Jan Hus vor dem Konzil in Konstanz (Gemälde von C. F. Lessing)

Die Anklage

Einige Zeit später wurde Hus ein Schriftstück mit 42 Anklagepunkten überreicht, auf das er mit einer Entgegnung antwortete. Dabei widerlegte er die ihm vorgeworfenen „Irrlehren" mit Zitaten aus der Bibel und den Schriften der Kirchenväter. Einige Vorwürfe waren lediglich beabsichtigte Verzerrungen seiner Aussagen. Unter anderem warf man Hus vor, er wolle der Gemeinde beim Abendmahl Brot und Wein anbieten – nicht mehr nur Wein, wie bisher üblich. Auch fordere er, dass Herrschern nur dann gehorcht werden müsse, wenn diese im

Einklang mit der biblischen Lehre stünden. Andernorts habe er geäußert, dass die Urgemeinde auch ganz gut ohne Papst ausgekommen sei usw. Darin sah man eine gefährliche Infragestellung der bisherigen Gesellschaftsordnung.

Johannes XXIII. war nur am Rande an Hus interessiert. Vielmehr musste er damit rechnen, vom Konzil abgesetzt zu werden, was schlussendlich auch geschah. Die Petition von 250 tschechischen Adligen im Januar 1415 gegen die unrechtmäßige Gefangennahme von Hus brachte genauso wenig wie die Erinnerung Wenzels an seinen Bruder Sigismund, sich doch bitte an seine Zusagen zu halten. Der deutsche König hatte sich längst entschieden, Hus zu opfern, um das Konzil nicht zu gefährden und das Problem der drei konkurrierenden Päpste zu lösen. Am 4. Mai verurteilte das Konzil Hus' theologisches Vorbild Wyclif als Ketzer.

Jan Hus vor dem Scheiterhaufen (Oelgemälde von C. F. Lessing)

Verurteilung und Tod

Am 5. Juni 1415 begann der eigentliche Prozess gegen Hus im Konstanzer Franziskanerkloster. Man legte ihm einige seiner Schriften vor und forderte ihn auf, seine „Irrlehren" zu widerrufen. Hus wollte mit den Konzilstheologen diskutieren. Gerne sei er bereit, sich anhand der Bibel und der Kirchenväter korrigieren zu lassen. Auf unwürdige Art schrie man ihn einfach nieder, ohne auf seine Argumente einzugehen. Im weiteren Verlauf der Verhandlungen drängte man ihn immer wieder, klein beizugeben und einfach seine Irrtümer einzugestehen. Dann könne man ihn vielleicht gnädig laufen lassen. Hus jedoch wollte sich auf keine falschen Kompromisse einlassen, die ihm früher oder später doch neue Anklagen eingebracht hätten. Hus macht sich keine Illusionen. Längst war ihm klar, dass man ihn verurteilen würde. Er rechnete damit, dass nach ihm andere kommen würden, die gegen den Verfall der Kirche auftreten und den „Antichristen" in die Schranken weisen würden. Am 6. Juli verurteilte man ihn publikumswirksam im Dom von Konstanz. Noch einmal versuchte er seine Position zu erklären. Als das ergebnislos blieb, versank er im Gebet und suchte für die bevorstehende Hinrichtung Kraft bei Gott. Während er von den versammelten Kirchenvertretern verwünscht wurde, betete er laut für seine Gegner. Man setzte ihm eine mit zwei Teufeln bemalte Papierkrone auf den Kopf. Das Priestergewand wurde ihm ausgezogen. Außerhalb der Stadt wurde er ganz entkleidet, an einen Pfahl gebunden, mit Holz und Stroh umgeben und angezündet. Bis ihm die Flammen ins Gesicht schlugen, sang Hus christliche Lieder. Um jede Erinnerung an ihn auszulöschen, wurde seine Asche eingesammelt und in den Rhein geschüttet.

Krieg gegen Hussiten

Hus' Anhänger in Böhmen waren nicht eingeschüchtert, wie die Kirchenleitung in Konstanz erhofft hatte, sondern entsetzt und verbittert. Die Hussiten (auch *Bethlehemiten* genannt, nach der *Bethlehemskapelle* in der Hus regelmäßig predigte) waren nicht länger bereit, mit der katholischen Obrigkeit zu verhandeln.

452 böhmische Adlige schlossen sich zusammen und sandten im September 1415 einen feierlichen Protest an das Konstanzer Konzil. Man nahm sich vor, die freie Predigt zu verteidigen und den Papst nur insoweit anzuerkennen, wie er mit der Bibel übereinstimmte. Aufgrund der Einschränkungen ihrer Religionsausübung trafen sich tausende Hussiten zum Gottesdienst in freier Natur. Höhepunkt bildete die *Große Versammlung*, die am 22. Juli 1419 mit der Abschlusspredigt vor 42 000 Anhängern auf dem *Tábor* (eigentlich: *Burkovák*) bei Nemějice endete.

König Wenzel versuchte, die Hussiten zu unterdrücken und sie aus staatlichen und kirchlichen Ämtern zu entfernen. Das führte zum Bürgerkrieg. 1420 begann Papst Martin V. einen Kreuzzug zur Unterwerfung der Hussiten. Die Heere von Papst und deutschem Kaiser kämpften bis 1436 wenig erfolgreich gegen die Aufständischen. Die Hussiten rangen um ihre nationale und religiöse Unabhängigkeit. Erst durch die Aufspaltung der Bewegung gewannen die katholischen Heere die Oberhand. Reste der Hussiten vereinigten sich später als *Böhmische Brüder* mit den deutschen Lutheranern.

Im Gedenken an den tschechischen Reformator Jan Hus wurden in Konstanz (1862) und Wien (1915) Denkmäler eingerichtet, die an seine Leistungen und seinen ungerechtfertigten Tod erinnern. In der Tschechoslowakei wurde sein Todestag, der 6. Juli, zum Staatsfeiertag ernannt (1925).

Pfalzgraf Johann im Kampf gegen die Hussiten (Ausschnitt)

Ausgewählte Literaturhinweise

Karel Hruza: *Die Verbrennung von Jan Hus auf dem Konstanzer Konzil 1415*, in: Georg Scheibelreiter (Hrsg.): Höhepunkte des Mittelalters, Primus Verlag, Darmstadt 2004

P. von Mladoniowitz: *Hus in Konstanz*, übersetzt, eingeleitet und erklärt von J.Bujnoch, Graz/Wien/Köln 1963

Ferdinand Seibt: *Jan Hus*, in: Martin Greschat (Hrsg.): Gestalten der Kirchengeschichte, Bd. 4, W. Kohlhammer Verlag, Stuttgart 1983, S. 251-266

Pavel Soukup: *Jan Hus. Prediger – Reformator – Märtyrer* (Urban-Taschenbücher) W. Kohlhammer Verlag, Stuttgart 2014

Ansätze zum Weiterdenken

◊ Immer wieder wurden in der Kirchengeschichte Glauben und Politik miteinander vermischt, zumeist mit negativen Auswirkungen. Hus vermengte seine berechtigte Kritik an der damaligen Amtskirche mit nationalen Bestrebungen. Seinen Gegnern war die religiöse Einheit wichtiger als die ehrliche Beurteilung von Hus' Thesen.

◊ Auch wer sich im Recht wähnt, wie die Hussiten, besitzt noch lange nicht die Legitimation, mit Gewalt gegen seine Gegner vorzugehen.

◊ Gelegentlich gebraucht Gott politische bzw. gesellschaftliche Entwicklungen in einem Land, um in seinem Sinn ins Geschehen einzugreifen. Gott ist eben auch Herr der Geschichte.

11

Martin Luther
(1483–1546)

Gnade, Bibel, Glaube und „Christus allein"

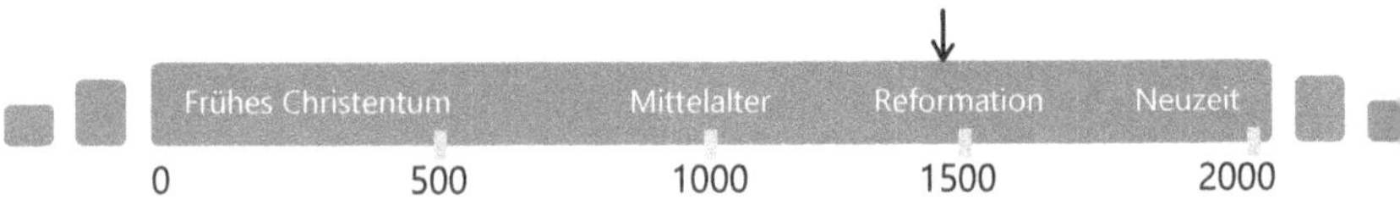

Wie alle ganz Großen der Weltgeschichte wurde auch Martin Luther zur Projektionsfläche für den jeweils herrschenden Zeitgeist. Zu jeder Zeit und von fast jeder gesellschaftlichen Gruppe wurde und wird Luther in Beschlag genommen. Jeder will den bekannten Reformator auf seiner Seite und interpretiert ihn als Anhänger der eigenen Sache. So entstanden: Luther der Aufklärer, Luther der Nationalist, Luther der Menschenrechtler, Luther der Sozialist, Luther der Kapitalist, Luther der Frauenbefreier … und zahlreiche weitere fantasievolle Varianten des Mönchs aus Wittenberg. Luther war eine markante, eigenwillige und vielschichtige Person auf der Grenze zur Neuzeit. Irgendwie war er noch ganz ein Mensch des Mittelalters, der alles im Bezug auf Gott dachte und lebte. Andererseits legte er das Fundament für die Moderne mit ihrem Individualismus und Subjektivismus, mit ihrer Trennung zwischen Gott und Welt. Mit Luther endete die konfessionelle Einheit Westeuropas. Mit Luther entstand die hochdeutsche Sprache. Mit Luther verlor der deutsche Zentralismus weiter an Bedeutung. Mit Luther begannen moderne Meinungsfreiheit und Demokratie. Der Mann aus Wittenberg beeinflusst unzählige Menschen bis heute.

Aufstrebende Familie aus Mansfeld

Martin Luther wurde am 10. November 1483 in Eisleben in der damaligen Grafschaft Mansfeld geboren. Sein Vater Hans Luther war im Kupferbergbau tätig und sollte später ein angesehener Industrieller werden. Seine Mutter Margarete musste mitarbeiten, um die neun Kinder ernähren zu können. Die Luthers besuchten die Kirche, fielen aber nicht durch besonderes religiöses Engagement auf. Gelegentliche Gewalt gehörte zur Erziehung, wie Luther später in seinen *Tischreden* berichtete.

So erinnerte er sich, dass ihn seine Mutter einmal blutig schlug, weil er eine Nuss gestohlen hatte. Auch von seinem Vater sei er geprügelt worden. Davon abgesehen hatte Luther eine gute Beziehung zu seinen Eltern, wie spätere Briefe dokumentieren. Um sozial aufsteigen zu können, herrschte eiserne Sparsamkeit im Haus Luther.

Erfolgreicher Student in Erfurt

Nachdem die Familie ins benachbarte Mansfeld umgezogen war, wurde der junge Martin zunächst in der dortigen Stadtschule, später in der Schule in Magdeburg und Eisenach unterrichtet. Eine lebendige Frömmigkeit, die ihn beeindruckte, erlebte Luther in Eisenach bei der Patrizierfamilie Cotta, bei der er zeitweise wohnte, im Haus Schalbe und bei den Mönchen des örtlichen Barfüßer-Klosters. Das Bewusstwerden der Größe Gottes, der eigenen Endlichkeit und Sündhaftigkeit sowie des ewigen Gerichts standen im Mittelpunkt der religiösen Überlegungen. Gedanken an das Fegefeuer, den Ablass, an Wallfahrten und Heilige dominierten den Glauben der meisten Menschen. Jahre später sollte Luther als Schutzgefangener auf die Wartburg oberhalb von Eisenach zurückkehren. Nach der elfjährigen Schulzeit ging er zum Studium an die Universität Erfurt. Das philosophische Grundstudium beinhaltete Logik, Physik, Moralphilosophie und Metaphysik. In Einklang mit dem Wunsch des Vaters begann Luther daraufhin mit dem Jurastudium, gleichzeitig unterrichtete er Philosophie in Erfurt. Zum frühestmöglichen Zeitpunkt schloss er mit dem *Baccalaureus* und dem *Magister Artium* als Zweitbester seines Jahrganges ab.

Mönch sucht gnädigen Gott

Die erste Wende im Leben Luthers war durch ein plötzliches Gewitter bestimmt, das ihn auf dem Weg von den Eltern nach Erfurt im Juli 1505 überraschte. In der Nähe des Ortes Stotternheim schlug ein Blitz direkt neben ihm ein. Mit einem Mal stand ihm die Gefahr des plötzlichen Todes ganz deutlich vor Augen. Angesichts des dann drohenden Jüngsten Gerichts wollte er sein Leben mit Gott in Ordnung bringen. Luther rief die heilige

Luther als Augustinermönch

Anna um Hilfe an und versprach, ein Mönch zu werden. Gegen den Willen seiner Eltern trat er kurze Zeit später in das Augustiner- Eremiten-Kloster von Erfurt ein, das als besonders streng und ernsthaft galt. Damit schien seine akademische Laufbahn beendet. Damals bekam er zum ersten Mal eine Bibel in die Hand, in der er eifrig las. 1507 wurde er feierlich zum Priester geweiht. Er gelobte Armut, Gehorsam und Keuschheit. Das Leben im Kloster war nach strengen Regeln geordnet, sieben Mal täglich traf man sich zum Gebet. Andauernde Buße und Meditation sollten zur Heiligung führen. Der Aufenthalt im Kloster war für Luther keine aufgezwungene Pflicht, sondern Ausdruck einer totalen Hingabe an Gott.

Ehemaliges Augustinerkloster in Erfurt (histor. Darstellung)

Da sich Luther stets als unwürdig betrachtete, ging er außergewöhnlich häufig zur Beichte, fastete und betete ganze Nächte vor dem Altar der Klosterkirche. Er suchte nach der „Gerechtigkeit, die vor Gott gilt". „Wenn jemand durch Möncherei je in den Himmel gekommen ist, dann müsste ich dorthin gelangt sein", schrieb er später über seine Zeit im Kloster. Ständig hatte er den Eindruck, den kirchlichen Regeln nicht genügend zu entsprechen. Außerdem quälten ihn Gedanken an die Prädestination (Erwählung Gottes). So beschlich ihn immer wieder die Angst, trotz all seiner Bemühungen von Gott verworfen zu sein. „In solchen Augenblicken erscheint Gott in seinem schrecklichen Zorn [...] Da gibt es kein Entrinnen, keinen Trost, nicht drinnen noch draußen, sondern nichts als Anklage aller." Luther entwickelte geradezu einen Hass auf Gott, der seine eigene Gerechtigkeit als Maßstab nehme, um begrenzte, irdische Menschen danach zu beurteilen. „Ich konnte den gerechten, die Sünder strafenden Gott nicht lieben, im Gegenteil, ich hasste ihn sogar. Wenn ich auch als Mönch untadelig lebte, fühlte ich mich vor Gott doch als Sünder, und mein Gewissen quälte mich sehr. Ich wagte nicht zu hoffen, dass ich Gott durch meine Genugtuung versöhnen könnte."

Enttäuschende Wallfahrt nach Rom

Auf Anweisung seines Ordensvorgesetzten durfte Luther ab 1507 Theologie in Erfurt studieren, später dann in Wittenberg, wo er auch zum Doktor promovierte. Gleichzeitig gab er bereits Vorlesungen an den Artisten-Fakultäten beider Hochschulen. In dieser Zeit setzte er sich mit der Scholastik, mit Augustinus und der mittelalterlichen Mystik auseinander. Die innere Gewissheit von der Erlösung in Christus wurde Luther von seinem Generalvikar Johannes von Staupitz nahegebracht, der den jungen Mönch in manchen Glaubenskämpfen begleitete. Als die klösterliche Strenge des Ordens in Gefahr stand, wurde Luther im Herbst 1510 als Vertrauensmann der protestierenden Klöster nach Rom geschickt. Zu diesem Zeitpunkt war er unter den Augustiner-Eremiten allgemein geachtet und als Autorität anerkannt. Abgesehen von seinen Verhandlungen war die Reise nach Rom für Luther eine Wallfahrt: So besuchte er die entsprechenden Kirchen, beichtete mehrfach und kaufte Ablässe. Der offensichtliche Verfall der katholischen Kirche erschreckte den deutschen Mönch. Er bekam mit, wie oberflächlich Messen gelesen wurden, wie Geistliche bedenkenlos kirchliche Ordnungen überschritten. Außerdem hörte er Gerüchte von wilden Festen, Gewalt und Glücksspiel im Vatikan. Diese Eindrücke vom Abfall der römischen Kirche begleiteten Luther für den Rest seines Lebens.

Wittenberg im 16. Jahrhundert

Beliebter Professor in Wittenberg

Landesherr Friedrich der Weise (1463–1525) hatte sich nach dem Bau einer Residenz entschieden, in dem 2000 Einwohner zählenden Wittenberg eine Universität zu gründen, die wesentlich durch Gelder finanziert wurde, die aus dem Ablasshandel stammten (1502). Nach seiner Promotion 1512 begann Luther hier mit Vorlesungen über biblische Bücher. In den ersten Jahren konzentrierte er sich auf die Auslegung der Psalmen, wobei er ganz traditionell auf den mehrfachen Schriftsinn jeder Bibelstelle zurückgriff.

Auch in Wittenberg wurden Luther kirchliche Leitungsämter übertragen. Kurz nach seiner Berufung an die Universität wurde er zum Subprior und Klosterprediger ernannt. 1515 wurde er Distriktsvikar seines Ordens und hatte nun die Aufsichtspflicht über elf Klöster in Meißen und Thüringen.

Da Luther seit dem Reichstag von Worms (1521) beständig unter kirchlichem und staatlichem Bann lebte, konzentrierte sich seine Tätigkeit weitgehend auf Wittenberg. Abgesehen von zahlreichen Stellungnahmen zu aktuellen theologischen Fragen betätigte sich Luther vor allem als Bibelausleger an der Universität und auf der Kanzel der Stadtkirche. Einigen Texten widmete er ganz besondere Aufmerksamkeit. So besprach er in seinen Vorlesungen von 1535 bis 1545 ausschließlich das 1. Buch Mose.

Begnadigter Sünder im Turm

Den entscheidenden Durchbruch zum reformatorischen Denken hat Luther später selbst beschrieben. Beim Nachdenken über Römer 1,17 – „Darin [im Evangelium] wird die Gerechtigkeit offenbart, die vor Gott gilt, welche kommt aus Glauben in Glauben; wie geschrieben steht: Der Gerechte wird aus Glauben leben" – erfuhr Luther die innere Befreiung vom Zwang, aus eigener Kraft Gottes Ansprüchen genügen zu müssen. Wie die meisten Theologen seiner Zeit ging auch Luther davon aus, dass Gott in *„aktiver Gerechtigkeit"* jede Sünde des Menschen verurteilen und bestrafen würde. Nur der total Sündlose könne demnach zu Gott kommen. Dann wurde Luther klar, dass Paulus an dieser Stelle von der *„passiven Gerechtigkeit"* spricht, „welche der Gerechte als durch Gottes Gabe erlebt". Die Gerechtigkeit Gottes sei ein Geschenk an den Menschen, den er allein aus Gnaden gerecht mache. Tagelang hatte Luther über diesen Bibeltext nachgegrübelt. Jetzt fühlte er sich „wie ganz und gar neu geboren" und „durch offene Tore trat ich in das Paradies selbst ein". Nachdem er die ganze Bibel durchgegangen war, sah er sich überall bestätigt. Auch die Schriften des Augustinus bestärkten Luther in der neuen Erkenntnis von der Rechtfertigung aus Glauben. „Mit so großem Hass, wie ich zuvor das Wort *Gerechtigkeit Gottes* gehasst hatte, mit so großer Liebe hielt ich jetzt dieses Wort als das allerliebste hoch. So ist mir diese Stelle des Paulus in der Tat die Pforte des Paradieses gewesen." Diese theologische Erkenntnis Luthers aus dem Jahr 1518 wurde später als *Turmerlebnis* bezeichnet, weil Luther in dieser Zeit ein beheizbares Arbeitszimmer im Turm des Wittenberger Klosters nutzte.

Auch wenn seine Thesen von den Kollegen benachbarter Universitäten kritisch betrachtet wurden, schlossen sich ihm in Wittenberg Philipp Melanchthon (1497–1560), Nikolaus von Amsdorff (1483–1565) und Andreas Bodenstein/Karlstadt (1486–1541) an.

Luther, Friedrich der Weise und Melanchton
(Gemälde von Lucas Cranach)

Ablass-Prediger erregt Widerspruch

Überregionale Bedeutung bekam Luther durch die Auseinandersetzungen um den Ablasshandel. Schon lange war der Ablass in der katholischen Kirche fest etabliert. Demnach seien die Vergebung der Sünden und die Rettung des Menschen zwar grundsätzlich kostenlose Geschenke Gottes, als Zeichen seiner echten Reue aber solle der Christ zumindest versuchen, die Folgen seiner Schuld zu neutralisieren. Der Dieb solle den materiellen Schaden ausgleichen, der Lügner die Wahrheit verbreiten. Außerdem solle man Gott gegenüber seine Reue durch Gebete, Fasten oder Geldspenden deutlich machen. Zwar hatte ein Kirchenmitglied nach katholischer Auffassung ein generelles Anrecht auf den Himmel, doch vorher würden bestimmte Sünden im Fegefeuer bestraft, danach könnte der Mensch gereinigt zu Gott kommen. Die Länge der Leiden im Fegefeuer würde durch die Menge unvergebener Sünden bestimmt. Durch Bußleistungen (Wallfahrten, Gebete usw.) und durch Geldzahlungen an die Kirche (Ablass) könne die Zeit im Fegefeuer verkürzt werden.

Der wohl berühmteste und erfolgreichste Ablassprediger Deutschlands war der damalige Dominikanermönch Johann Tetzel (1460–1519).

1514 und 1516 organisierte er seine Ablass-Tournee auf Magdeburger Gebiet. Mit dem eingenommenen Geld sollten die Türkenkriege und der Bau der Peterskirche finanziert werden. Tatsächlich ging nur die Hälfte des Geldes nach Rom. Die andere Hälfte teilten sich der Ablassprediger und Erzbischof Albrecht von Brandenburg, der damit seine Schulden bei den Fuggern zurückzahlte, die ihm den Kauf seines Amtes ermöglicht hatten. Tetzel bot den Menschen sogar Ablassbriefe für zukünftige Sünden an, die sie noch gar nicht getan hatten. Mit seinem Werbeslogan „Wenn das Geld im Kasten klingt, die Seele aus dem Fegefeuer springt" verdrängte er den Gedanken von Buße und Reue fast vollständig. Luther ärgerte sich über diese Vorgehensweise Tetzels, die bei seinen Gemeindegliedern den Eindruck erweckte, sie könnten sich von der Strafe Gottes freikaufen. Daraufhin verfasste Luther seine

Tetzel auf dem Esel (Spottblatt)

95 Thesen und schlug sie an die Tür der Schlosskirche von Wittenberg, um dadurch eine akademische Diskussion in Gang zu bringen. „Ein jeder Christ, der wahre Reue und Leid über seine Sünden hat, hat völlige Vergebung von Strafe und Schuld, die ihm auch ohne Ablassbrief gehört. Ein jeder wahrhaftige Christ [...] ist teilhaftig aller Güter Christi [...] aus Gottes Geschenk, auch ohne Ablassbriefe."

Die lateinisch abgefassten Thesen wurden von seinen Studenten ins Deutsche übersetzt, gedruckt und innerhalb kürzester Zeit in ganz Deutschland verbreitet. Luther sah sich nicht als Revolutionär. Noch wollte er lediglich an die Kirchenfürsten appellieren, um diese offensichtlichen Missstände abzustellen. So schrieb er beispielsweise an seinen geistlichen Vorgesetzten Albrecht von Mainz (1490–1545), um ihn über die Fehlentwicklungen im Ablasshandel aufzuklären. Luther sah sich als treuen Anhänger der Kirche und des Papsttums. Später schrieb er über diese Jahre, er sei „ein Mönch und ein ganz unsinniger Papist" gewesen, „trunken, ja beinahe ertrunken in den Lehren des Papstes". Im Juni 1518 wandte sich Luther an Papst Leo X., um ihn über seine 95 Thesen urteilen zu lassen. „Mache lebendig, töte, widerrufe, billige, missbillige, wie es dir gefällt; deine Stimme werde ich als Stimme Christi anerkennen, der in dir regiert und redet." Die römische Kirchenleitung ließ sich aber auf keinerlei theologische Diskussion ein, sondern eröffnete stattdessen einen Ketzer-Prozess gegen Luther und forderte seine Auslieferung an den Vatikan.

Papst hasst seinen Kritiker

Im April 1518 sollte sich Luther in Heidelberg vor dem Generalkapitel der Augustiner-Eremiten verteidigen. Er vertrat seine Lehren und den Grundsatz, dass der Mensch allein aus dem Glauben gerecht werde. Seine Vorgesetzten nahmen keine Stellung gegen ihn ein. Er konnte sogar Johannes Brenz (1499–1570), den späteren Reformator in Schwaben, und Martin Bucer (1491–1551) für sich gewinnen, der bald darauf als Reformator in Straßburg, Ulm und Köln auftrat.

1519 versucht Luther, seine Forderungen in einer öffentlichen Diskussion gegen den renommierten Professor Johannes Eck (1486–1543) zu verteidigen. Die *Leipziger Disputation* ging unentschieden aus, weil Luther zwar zeigen konnte, dass katholische Traditionen wie der Ablass nicht durch die Bibel gestützt werden, Eck aber nachwies, dass eben diese Praktiken im Einklang mit der katholischen Lehrtradition standen. Nebenher bezweifelte Luther hier schon die Irrtumslosigkeit von Papst und Konzilien. Immer stärker kam Luther zur Einsicht, dass die Missbräuche der Kirche von ihrer Spitze ausgingen: „Ich weiß nicht, ob nicht etwa der Papst der Antichrist ist oder sein Apostel. So abscheulich wird durch seine Dekrete Christus entstellt und gekreuzigt."

Weil Luthers Landesherr, Kurfürst Friedrich der Weise, einer der Kandidaten für die Nachfolge des kranken Kaisers Maximilian war, hielt sich der Papst noch zurück. Man schickte lediglich den päpstlichen Legaten Cajetan, um Luther zu verhören. Nachdem Karl V. durch Bestechung deutscher Kaiser geworden war (1519) stellte der Vatikan die Interessen Friedrich des Weisen zurück und fertigte gegen Luther die Bannandrohungsbulle *Exsurge Domine* aus (1520).

Bestseller zur Theologie der Reformation

Luther wandte sich 1520 an die höheren Bevölkerungsschichten, um die Reformation voranzutreiben. In seiner Schrift *An den christlichen Adel deutscher Nation. Von des christlichen Standes Besserung* forderte er Bürger und Adel dazu auf, die Reformation zu ihrer Sache zu machen. Luther wandte sich hier gegen die Überhöhung des Priesterstandes und plädierte für das allgemeine Priestertum aller Gläubigen. Außerdem bezweifelte er die weltliche Macht des Papstes und seine alleinige Autorität in der Schriftauslegung. Die Fürsten sollten ihrer Verantwortung vor Gott nachkommen und dem wahren Evangelium zum Durchbruch verhelfen. Außerdem sollten sie ein Konzil einberufen, das dann über die drängenden Fragen der Kirche entscheiden würde (das Investiturrecht, die weltliche Macht des Papstes, Wallfahrten, Zölibat, Fasten und geistliche Strafen). Neu ist Luthers Gedanke, dass nicht die Kirchenleitung, sondern fromme Laien über geistliche Wahrheit entscheiden sollen.

Gegen die Sakramentslehre der Kirche wandte sich Luther im gleichen Jahr in seiner Schrift *Von der babylonischen Gefangenschaft der Kirche*. Wie einst die alttestamentlichen Juden in Babylon gefangen waren, so würden nun die wahren Christen vom antichristlichen Papsttum in geistlichen Ketten gehalten. In seinem Buch kritisiert Luther die Idee der *Transsubstantiation* (Brot und Wein werden angeblich bei der

Einsegnung des Abendmahls zu Fleisch und Blut Jesu) und forderte den *Laienkelch* (die Gemeinde bekommt beim Herrenmahl nicht nur das Brot, sondern auch den Wein). Abgesehen von Abendmahl, Taufe und Buße gäbe es nach Luther überhaupt keine Sakramente (heilswirksame Handlungen). Sakramente seien auch nicht als gute Werke des Menschen zu verstehen. Sie seien unverdiente Geschenke und Heilszusagen Gottes.

In seiner Schrift *Von der Freiheit eines Christenmenschen* (1520) hebt Luther die Unabhängigkeit des einzelnen Christen in seiner Beziehung zu Gott hervor. In Glaubensfragen sei er weder der kirchlichen noch der weltlichen Autorität gänzlich unterworfen. Die Liebe zu Gott aber verpflichte den Christen, dem Staat zu gehorchen und sich um den Nächsten zu kümmern. „Ein Christenmensch ist innerlich und seinem Glauben zufolge ein freier Herr über alle Dinge und niemandem untertan." Es gilt aber auch: „Ein Christenmensch ist äußerlich und in seinen Werken ein dienstbarer Knecht aller Dinge und jedermann untertan." Freiheit versteht Luther hier nicht politisch oder sozial, sondern religiös.

Todesurteil in Worms

Am 10. Dezember 1520 verbrannte Luther öffentlich die Bannandrohungsbulle des Papstes mit anderen römischen Kirchenbüchern vor dem Elstertor in Wittenberg. Aus Luthers Sicht hatte sich das Papsttum an die Stelle Christi gesetzt, den Glauben und die Kirche geschädigt und an die Stelle des Wortes Gottes menschliche Gesetze gestellt. Obwohl er für einzelne Päpste auch positive Worte fand, sammelte er seine Vorwürfe gegen die katholische Kirchenleitung insgesamt später noch einmal in seinem Buch *Wider das Papsttum zu Rom, vom Teufel gestiftet* (1545). Nach Ablauf einer 60-tägigen Frist wurde Luther vom Papst offiziell mit dem Bann belegt. Das beinhaltete aus katholischer Sicht nicht nur den Kirchenausschluss, sondern auch die ewige Verdammnis. Friedrich der Weise weigerte sich weiterhin, Luther auszuliefern, und bestand auf einer Anhörung des Theologen vor einem ordentlichen Reichstag auf deutschem Territorium.

Zu einem dramatischen Höhepunkt der Auseinandersetzung zwischen Papst und Luther kam es dann auf dem Reichstag zu Worms (1521). Obwohl er unter dem Schutz des Kaisers nach Worms reiste, war Luther wohl bekannt, dass man den tschechischen Reformator Jan Hus nur 100 Jahre zuvor trotz zugesicherter Immunität auf dem Konzil von Konstanz festgenommen und verbrannt hatte. Doch wollte Luther seiner Verantwortung nicht ausweichen und vor den führenden Vertretern des Reiches zu seinen Überzeugungen stehen. „Und wenn so viel

Teufel in Worms wären als Ziegeln auf den Dächern, ich wollte doch wohl hineinkommen."

Um den immer mehr ausufernden Streit zu schlichten, wollte Karl V. Luther in Worms noch eine Gelegenheit zum öffentlichen Widerruf geben (17./18. April 1521). An eine theologische Grundsatzdiskussion, wie Luther sie sich wünschte, war dabei nicht gedacht. Das Urteil über Luthers Schriften war längst gefallen. So forderte man ihn vor den versammelten Würdenträgern lediglich auf, zu widerrufen. Nach einem Tag Bedenkzeit stellte er sich mutig zu dem, was Gott ihm durch die Bibel gezeigt hatte. „Es sei denn, dass ich durch Zeugnisse der [Heiligen] Schrift oder einleuchtende Gründe überwunden werde, – denn ich glaube weder dem Papst noch den Konzilien allein, weil es offensichtlich ist, dass sie öfters geirrt und sich selbst widersprochen haben –, so bin ich überzeugt durch die heiligen Schriften, [welche] von mir angeführt [worden sind], und mein Gewissen ist gefangen in Gottes Wort. Deshalb kann und will ich nichts widerrufen, denn gegen das Gewissen zu handeln, ist beschwerlich, unheilsam und gefährlich. Ich kann nicht anders. Hier stehe ich. Gott helfe mir! Amen!"

Luther in Worms

Der Kaiser bestätigte daraufhin die Ketzerverurteilung und appellierte an die Landesherren, sich nun endgültig von dem Reformator zu distanzieren. Außerdem wurde Luther unter die Reichsacht gestellt. Alle bürgerlichen Rechte wurden ihm entzogen. Es war strengstens verboten, seine Schriften zu drucken, zu verkaufen oder zu lesen. Weil der Beschluss aber nicht von allen deutschen Fürsten mitgetragen wurde, hatte der Kaiser Probleme, konsequent gegen Luther und seine Anhänger vorzugehen. Außerdem war Karl V. bei seinen Kämpfen mit Frankreich (bis 1544) und mit den Türken (bis 1541) auf die tatkräftige Unterstützung der evangelisch gesinnten Landesfürsten angewiesen, weshalb er eine endgültige Klärung der Religionsfrage immer weiter verschob. In zähen Verhandlungen drängte der Kaiser vergeblich darauf, die Beschlüsse von Worms umzusetzen. Auf dem ersten Reichstag in Speyer (1526) wurde beschlossen, dass jeder Fürst es mit der Religion so halten sollte, wie er es vor Kaiser und Gott verantworten könne. Auf dem zweiten Reichstag zu Speyer (1529) sollte dieses Zugeständnis gekippt werden, wogegen die evangelischen Fürsten protestierten, weshalb die Kirchen der Reformation seitdem auch Protestanten genannt werden.

Genialer Bibelübersetzer auf der Wartburg

Auf dem Rückweg von Worms wurde Luthers Wagen von Reitern überfallen, der Mönch wurde verschleppt. Die Öffentlichkeit wusste nichts über den Verbleib Luthers und rechnete mit seinem sicheren Tod und dem Ende der Reformation.

In Wirklichkeit war Luther im Auftrag Friedrich des Weisen in Sicherheit gebracht worden. Von Mai 1521 bis März 1522 lebte Luther nun verkleidet als Junker Jörg auf der Wartburg bei Eisenach. Dort übersetzte er innerhalb weniger Wochen das Neue Testament aus der lateinischen *Vulgata* und der griechischen Ausgabe des Humanisten Erasmus von Rotterdam. Luthers Werk wurde schon im September 1522 verlegt (*Septemberbibel*) und erlebte innerhalb von wenigen Jahren eine Massenauflage. Der besondere Wert der Übersetzung lag in seiner sprachschöpferischen Gestaltung. Luther hat dadurch wesentlich zur Entwick-

Luther als „Junker Jörg"

lung der deutschen Sprache beigetragen. „Man muss nicht die Buchstaben in der lateinischen Sprache fragen, wie man Deutsch reden soll [...] sondern, man muss die Mutter im Hause, die Kinder auf der Straße, den einfachen Mann auf dem Markt fragen, und ihnen auf das Maul sehen, wie sie reden, und danach dolmetschen, so verstehen sie es und merken, dass man Deutsch mit ihnen redet." Luther erfand Worte, formulierte bis heute gängige Redewendungen und drückte sich ungemein verständlich aus. Außerdem brachte er den einfachen Menschen die Heilige Schrift nahe und gab ihnen die Möglichkeit, selbständig die Lehren der Reformation nachzuprüfen.

Die Wartburg – Stahlstich von 1847

Zwischen Revolution und Reformation

Inzwischen wurde die Reformation in Wittenberg von hitzigen Köpfen übernommen, die alles möglichst sofort verändern wollten und damit den politischen Freiraum gefährdeten, den der Landesherr ihnen bot. Professor Karlstadt trieb die Reformen des Klosterwesens und der Messe voran. Im November 1521 verließen 13 Mönche das Wittenberger Augustinerkloster unter tumultartigen Umständen. Priester traten in den Ehestand, Mönche heirateten Nonnen, unter ihnen Luthers enger Mitarbeiter Justus Jonas (1493–1555). Zu Weihnachten führte Karlstadt das evangelische Abendmahl ein, d.h. die Gläubigen bekamen auch den Wein zu trinken. Priester, die in der Stadtkirche eine katholische Messe abhalten wollten, wurden von einer Volksmenge gewaltsam vertrieben. Propheten aus Zwickau brachten mit ihren vorgeblichen Offenbarungen und sozialrevolutionären Thesen weitere Unruhe in die Stadt. Es gab Tumulte unter Studenten. Herzog Georg drohte, gegen die kirchlichen Revolutionäre vorzugehen und alle Neuerungen verbieten zu lassen. Als die Radikalen im Februar 1522 dazu übergingen, Bilder, Statuen und Schmuck aus den Kirchen zu reißen und als Abgötter zu verbrennen, kam Luther zurück nach Wittenberg. Mit eindrücklichen Predigten rief er eine Woche lang zur Mäßigung und Geduld gegenüber den Schwachen auf, die sich gegen die Einführung neuer Gesetze wehrten. Er setzte die lateinische Messe und die Messgewänder wieder ein. Karlstadt schwenkte auf Luthers Kurs um und die Zwickauer Propheten mussten die Stadt verlassen.

Luthers stufenweise Einführung des evangelischen Gottesdienstes und die Reform der kirchlichen Praxis zogen sich über mehrere Jahre hin (bis 1525), um möglichst niemanden in der Gemeinde zu überfordern. Auf der einen Seite war Luther nach wie vor stark vom Katholizismus geprägt und änderte nur, was theologisch unbedingt notwendig war. Auf der anderen Seite arbeitete er an dem pietistischen Ideal einer Kerngemeinde von echten, engagierten Christen, die Gott aus innerer Überzeugung folgen und deshalb weder staatliche noch kirchliche Gesetze bräuchten. In seiner *Vorrede zur deutschen Messe* (1526) forderte Luther neben dem traditionellen Gottesdienst private Versammlungen der wahrhaft Gläubigen: „[…] diejenigen, die mit Ernst Christen sein wollen und das Evangelium mit der Tat und dem Munde bekennen, müssen […] sich in Gruppen versammeln zum Gebet, Lesen, zu taufen, das Sakrament zu empfangen und andere christliche Werke zu üben. In dieser Gruppe kann man die, welche sich nicht christlich verhielten, kennen, strafen, bessern, ausstoßen oder in den Bann tun […] Hier kann man auch Spenden sammeln, die freiwillig gegeben und nach dem Vorbild des Paulus ausgeteilte werden (2. Korinther 9,1). Hier bedarf es nicht vieler und großer Gesänge. Hier kann man auch Taufe und Sakrament auf eine kurze feine Weise halten und alles aufs Wort und Gebet und auf die Liebe richten. […] In Kürze: wenn man die Menschen und Personen hätte, die mit Ernst Christen zu sein begehrten, die Ordnungen und Regeln dafür wären schnell gemacht."

Zeitweilig kritisierte Luther das ganze katholische Sakramentsverständnis, einschließlich der Kindertaufe. Demnach könne nur der persönliche Glaube und keine äußere, kirchliche Handlung dem Menschen Sündenvergebung geben und ihn zum Christen machen. „Taufe hilft niemand, ist auch niemand zu geben, es sei denn, er glaube für sich selbst. Ohne eigenen Glauben ist niemand zu taufen. Der Glaube muss vor oder je in der Taufe vorhanden sein [...] da wir nun nicht beweisen können, dass die jungen Kinder selbst glauben und eigenen Glauben haben, da ist es mein Rat […], dass man sofort damit aufhöre, je eher desto besser und taufe kein Kind mehr, damit wir nicht die hochgelobte Majestät Gottes mit solchen Betrügereien und Gaukelwerk [...] spotten und lästern."

Schmerzhafte Trennung von ehemaligen Weggefährten

In den 20er-Jahren des 16. Jahrhunderts trennte sich Luther von den Schwärmern, den Sozialrevolutionären, den Schweizer Reformatoren und den Humanisten.

In seiner Schrift *Wider die himmlischen Propheten, von den Bildern und Sakramenten* (1525) kritisierte Luther die charismatischen Spiritualisten seiner Zeit. Er wirft ihnen vor, dass sie sich zwar immer wieder auf den Heiligen Geist beriefen, nicht aber wirklich auf ihn hörten. Bei den Schwärmern sollte der Geist durch Offenbarungen und innerliche Gefühle sprechen. Die Stimme Gottes würde am lautesten in den einfachen, ungebildeten Menschen sprechen, behaupteten sie. Eigene Gedanken und Wünsche würden leichtfertig als Reden Gottes interpretiert, meinte Luther. Das Wirken des Heiligen Geistes durch Ordnungen, Gemeinde und Bibel aber würde vollkommen vernachlässigt. Wichtige christliche Lehren wie die von Sünde und Vergebung klammerten die Spiritualisten weitgehend aus. Stattdessen konzentrierten sie sich auf neue, spekulative Interpretationen der Bibel und auf menschliche, gelegentlich sogar teuflische Prophetien, die ihnen genau das sagten, was sie gerne hören wollten. Zeitweilig waren die falschen Propheten auch unter den ersten Täufern (Mennoniten) zu finden, weshalb sich Luther von ihnen distanzierte.

Christliche Sozialrevolutionäre wie Thomas Münzer (1489–1525) arbeiteten an einer Umwälzung der ganzen Gesellschaft, die sie vorwiegend aus dem Alten Testament ableiteten. Mit Berufung auf die Zehn Gebote forderte Münzer die Abschaffung aller Bilder in der Kirche. Die Fürsten betrachtete er als Feinde Gottes, gegen die man, wie im Alten Israel, mit dem Schwert in der Hand zu Felde ziehen müsse. Luther distanzierte sich von dieser Sichtweise. Er unterschied deutlich zwischen dem Alten und dem Neuen Testament. Viele Gebote würden nur für Israel gelten, nicht aber für die Gemeinde, die durch Jesus Christus unter dem Neuen Bund stehe. Nicht Kampf, sondern Liebe und Glaube sollten das Verhalten der Christen bestimmen. Münzer dachte aber nicht nur an Gewalt. Er versuchte, seine Vorstellungen einer gerechten Gesellschaftsordnung umzusetzen: Privilegien wurden aufgehoben, Klöster aufgelöst, Räume für Obdachlose geschaffen, eine Armenspeisung eingerichtet. Er erstrebte die „Gemeinschaft aller Güter, die gleiche Verpflichtung aller zur Arbeit und die Abschaffung aller Obrigkeit".

Die Forderungen nach Gleichberechtigung, sozialer Gerechtigkeit und der Vorbereitung auf das nahe Reich Gottes begünstigte die blutigen Bauernkriege in Süddeutschland und Thüringen (1524/25). Missernten, hohe Abgaben und rechtliche Unterdrückung der Bauern führten zur gewaltsamen Erhebung der Landbevölkerung. Nachdem Bauern Schlösser und Burgen geplündert und deren Bewohner abgeschlachtet hatten, zogen die Heere der Fürsten mit aller Brutalität gegen die Aufständischen. Tausende von Bauern wurden getötet, Münzer ließ man 1525 hinrichten. Luther hatte sich deutlich von den Aufständischen distanziert, weil sie die von Gott gegebene Gesellschaftsordnung missachteten und im Namen Gottes mordeten und plünderten. In seiner Schrift *Wider die räuberischen und mörderischen Rotten der Bauern* (1525) rechtfertigte er das militärische Vorgehen der Fürsten gegen die Aufständischen. Politischer Aufruhr war Luthers Sache nicht, aber er fühlte sich solidarisch mit den Unterdrückten. „Ich halte es stets […] mit denjenigen, die unter dem Aufruhr leiden, wie ungerecht sie auch seien, und stelle mich gegen diejenigen, die Aufruhr machen, wie gerecht ihre Sache auch immer ist."

Thomas Münzer

Obwohl viele Humanisten anfänglich Luthers Reformbemühungen der Kirche aktiv unterstützten, traten die Differenzen später deutlich zutage. Für den philosophisch orientierten Erasmus von Rotterdam (1466–1536) war Luthers pessimistische Sicht des Menschen nicht akzeptabel. Er veröffentlichte seine Kritik an der reformatorischen Rechtfertigungstheologie 1524 unter dem Titel *Diatribe de libero arbitrio* (*Abhandlung über den freien Willen*). Erasmus betrachtete den menschlichen Willen als nicht gefallen. Er sei frei, auf Gott zu hören und ihm zu antworten. Der Mensch könne aus sich heraus Gott erkennen und Sünde meiden. Luther antwortete im folgenden Jahr mit seiner Schrift *De servo arbitrio* (*Vom unfreien Willen*), in der er den freien Willen nur auf den Bereich alltäglicher Entscheidungen, nicht aber auf religiöse Dinge anwenden wollte. Der Mensch sei eben nicht frei, sich für Gott zu entscheiden, sondern völlig unter der Sünde gefangen. Alle geistliche Einsicht und Erlösung müsse deshalb von Gott ausgehen. Wenn das Heil vom Menschen abhinge, würde er es angesichts der übermächtigen Kraft des Bösen nie erlangen. Weil es aber ganz von Gott ausgehe, könne der Christ sicher sein, „dass kein Teufel, keine Widrigkeit ihn überwältigen oder ihn aus Gottes Hand reißen können". Erasmus ging es um den Menschen mit seinen natürlichen Fähigkeiten, Luther dagegen betonte die Größe Gottes und seine Gnade, die sich in der Wiedergeburt zeige.

Die unterschiedliche Interpretation der Sakramente führte schließlich zu einer Trennung zwischen Luther und dem Schweizer Reformator Huldrych Zwingli (1484–1531). Zwingli verstand die Formulierung „Das ist mein Fleisch, das ist mein Blut" (Matthäus 26,26-28) bildlich. Für ihn war das Abendmahl ein Symbol, eine Erinnerung an den Tod Jesu Christi. Aus Luthers Sicht war das zu wenig. Zwar distanzierte er sich von der katholischen Transsubstantiationslehre (Brot und Wein sind tatsächlich Jesu Fleisch und Blut), meinte aber, dass Jesus Christus für den, der daran glaubt, im Abendmahl leibhaftig gegenwärtig sei (Realpräsenz). Auch in der Taufe sah er nicht nur ein Zeichen, sondern ging davon aus, dass Gott in dieser kirchlichen Handlung am Menschen Heil bewirke. Als ein engagierter Schriftwechsel über diese Frage und das *Marburger Religionsgespräch* (1529) keine Einigung brachten, trennten sich die Wege der Schweizer und der Wittenberger Reformatoren.

Wo die Liebe hinfällt

Nach Auflösung des Wittenberger Klosters wohnte Luther als Junggeselle allein mit Prior Brisger im Haus. Immer wieder hatte Luther die erzwungene Ehelosigkeit der Priester (Zölibat) als unbiblisch kritisiert. Am 13. Juni 1525 heiratete er die ehemalige Nonne Katharina von Bora (1499–1552). Die selbstbewusste Katharina stammte aus sächsischem Landadel, wurde im Kloster Brehna erzogen und war seit 1515 Nonne im Zisterzienserinnenkloster Marienthron bei Grimma. Luthers Schriften löste bei einigen Nonnen ein Umdenken in Bezug auf katholische Traditionen aus. Die Frauen baten Luther um Hilfe bei ihrer Flucht aus dem Kloster, worauf dieser ihnen zu Ostern 1523 einen Wagen schickte, in dem Katharina und acht ihrer Ordensschwestern, hinter Heringsfässern versteckt, entkamen. Weil sie fürchteten, von ihren Familien verstoßen zu werden, brachte Luther sie in Wittenberg unter und vermittelte ihnen passende Ehemänner. – Nach seiner Hochzeit schrieb Luther: „Ich hoffe, es sollen die Engel lachen und alle Teufel weinen." Katholische Theologen warfen Luther Unmoral vor und prognostizierten, dass aus dieser Ehe zwischen einem ausgetretenen Mönch und einer entlaufenen Nonne der Antichrist geboren würde. Obwohl Katharina und Martin ihre Beziehung eher aus Vernunft denn aus Liebe begannen, führten sie eine sehr harmonische Ehe, aus der sechs Kinder hervorgingen. Kurfürst Johann der Beständige schenkte dem Paar das leerstehende Augustinerkloster in Wittenberg als Wohnhaus. Katharina bewirtschaftete die umfangreichen Ländereien, betrieb Viehzucht und eine Bierbrauerei, um ihre Familie, Studenten und Gäste zu verköstigen. In Zeiten der Pest führte sie zudem ein Hospiz, in dem sie mit anderen Frauen Kranke pflegte.

Bildnis Luthers mit seiner Frau (Gemälde von Lucas Cranach)

Erfolge trotz Widerspruch

Das moderate Vorgehen Luthers führte zu einer beständigen Ausbreitung der Reformation. 1524/25 wandten sich die Städte Straßburg, Nürnberg, Konstanz, Ulm und Bremen dem evangelischen Glauben zu.

Die Situation im Deutschen Reich verschärfte sich 1526 wieder. Die katholischen Landesherren von Sachsen, Brandenburg, Braunschweig und Mainz schlossen sich im *Bündnis von Dessau* zusammen, um die Reformation zu bekämpfen. Die evangelischen Fürstentümer Kursachsen und Hessen bildeten dagegen das *Bündnis von Gotha*. Politische Auseinandersetzungen mit dem Papst und die Bedrohung Wiens durch die türkische Armee (1529) verhinderten vorläufig weitere Konfrontationen.

1530 lud Kaiser Karl V. die deutschen Fürsten nach Augsburg, um die anstehenden Religionsfragen zu klären. Auf diplomatische Weise wollte er hier den Einfluss der Evangelischen zurückdrängen. Für die Verhandlungen mit dem Kaiser verfasste Philipp Melanchthon die *Confessio Augustana* (CA) als reformatorisches Glaubensbekenntnis. Kaiserliche Theologen bezweifelten die Rechtgläubigkeit dieser Schrift, woraufhin Melanchton mit einer *Apologie* (Verteidigung) der *Confessio Augustana* antwortete. Schlussendlich bestand der Kaiser auf dem in Worms ausgesprochenen Schutz katholischer Traditionen und Besitzungen. Trotzdem forderte Luther seine Anhänger auf, Frieden zu wahren, auch wenn er seine Befürchtung eines künftigen Krieges zum Ausdruck brachte. Aufgrund außenpolitischer Spannungen wurde eine endgültige Lösung im *Nürnberger Anstand* von 1532 noch einmal aufgeschoben (Waffenstillstand).

Trotz aller politischen und militärischen Bedrohungen breitete sich die Reformation gerade in diesen Jahren weiter aus: Württemberg (1534), Sachsen-Anhalt, Pommern, Nassau, Mecklenburg, Pfalz Neuburg, Braunschweig, Brandenburg und das Herzogtum Sachsen (1539) wurden evangelisch. Selbst in den katholischen Fürstentümern von Magdeburg, Halberstadt, Köln, Münster und Osnabrück gewann der neue Glaube die Überhand.

Luthers Theologie kurzgefasst

Luthers Theologie wird immer wieder zutreffend auf die vier *soli* (lat. *allein*) konzentriert: 1. *sola gratia*: Allein durch die Gnade Gottes wird der glaubende Mensch errettet, nicht durch seine guten Werke. 2. *sola fide*: Allein durch den Glauben wird der Mensch gerechtfertigt, nicht durch Erkenntnis, Sakramente oder Leistung. 3. *sola scriptura*: Allein die Schrift ist die Grundlage des christlichen Glaubens, nicht die kirchliche Tradition oder die päpstliche Autorität. 4. *solus Christus*: Allein die Person, das Wirken und die Lehre Jesu Christi können Grundlage für den Glauben und die Errettung des Menschen sein, nicht Heilige, die katholische Kirche oder Priester.

Nach Luthers Auffassung könnte jeder Bibeltext auf Jesus Christus hin ausgelegt werden. Außerdem sollte jede Predigt *Gesetz und Evangelium* enthalten. Einerseits würden dem Zuhörer im Gesetz die Gerechtigkeit Gottes und seine eigene Unzulänglichkeit vor Augen geführt. Mit dem Evangelium würde ihm der Ausweg aus seiner hoffnungslosen Lage gezeigt. Jesus Christus starb für die Menschen, damit alle, die Gott um Vergebung ihrer Sünden bitten, von ihrer Schuld befreit werden könnten. In zahlreichen Bildern der Reformationszeit wurden *Gesetz und Evangelium* einander gegenübergestellt. Auf der einen Seite waren der Sündenfall, die Gesetzgebung am Sinai und das ewige Gericht abgebildet. Auf der anderen Seite waren Jesu Tod am Kreuz, seine Auferstehung und die himmlische Herrlichkeit zu sehen.

Reformator als Antisemit?
Luthers oft diskutierte Stellung zum Judentum durchlief eine radikale Wandlung. Im Gegensatz zum damals vorherrschenden Antisemitismus sprach sich Luther in seiner Frühzeit für eine Akzeptanz der Juden und für einen regen theologischen Austausch aus, so beispielsweise in seiner Schrift *Dass Jesus Christus ein geborener Jude sei* (1523). Da Luther von der baldigen Wiederkunft Jesu ausging, erwartete er die in der Bibel angekündigte Bekehrung zahlreicher Juden vor diesem Ereignis. In erster Linie würden Juden durch katholische Unmoral und Irrlehre abgehalten, Christen zu werden, meinte Luther. Als sich diese Hoffnung nicht erfüllte, stimmte er gegen Ende seines Lebens in die damals weit verbreitete Kritik und Diffamierung der Juden ein, so beispielsweise in der später von den Nationalsozialisten benutzten Schrift *Von den Juden und ihren Lügen* (1542).

Nach dem Ende
Luther starb in Eisleben am 18. Februar 1546 nach einer mühevoll erreichten Einigung unter den zerstrittenen Mansfelder Grafen (wahrscheinlich an *Angina pectoris*). Sein Leichnam wurde nach Wittenberg überführt und am 22. Februar in der Schlosskirche beigesetzt.

Mit Luthers Reformation wurde die Grundlage gelegt für die Wiederentdeckung der Bibel, für Religionsfreiheit, für eine Individualisierung des Glaubens, für die hochdeutsche Sprache, für eine breit angelegte Bildung der Bevölkerung und vieles mehr.

Luthers Sterbehaus in Eisleben

Ausgewählte Literaturhinweise

Kurt Aland: *Martin Luther*, in: Kurt Fassmann u.a. (Hrsg.): Die Großen. Leben und Leistung der sechshundert bedeutendsten Persönlichkeiten der Welt, Bd. IV/2, Kindler Verlag, Zürich 1976, S. 814-847
Martin Brecht: *Martin Luther*, 3 Bde., 3. durchges. Aufl., Calwer Verlag, Stuttgart 1990
Dietrich Korsch: *Martin Luther*, in: Friedrich W. Graf (Hrsg.): Klassiker der Theologie, Bd.1, Verlag C.H. Beck, München 2005, S. 241-254
Martin Luther: *Ausgewählte Schriften*, 6 Bde., hrsg. von K. Bornkamm/G. Ebeling, Insel Verlag, Frankfurt 1982

Ansätze zum Weiterdenken

◊ Gott kann in brenzligen, sogar in scheinbar aussichtslosen Situationen bewahren. Manchmal nutzt er diese sogar zur Umsetzung seiner Pläne.

◊ In schwierigen Lebenslagen und Situationen, in denen ein Christ wegen seines Glaubens unter Druck gesetzt wird, ist man gut beraten, auf sein von Gott geprägtes Gewissen zu hören, statt sich mit falschen Kompromissen zufrieden zu geben.

◊ Auch große Glaubenshelden sind normale Menschen mit ihren Stärken und Schwächen. Gelegentlich kämpfen sie nicht nur mit ihren theologischen Gegnern, sondern auch in ihrer Ehe, mit ihrem Charakter oder mit ihren Freunden.

◊ Fehlentwicklungen in der Theologie können nicht nur Aspekte sein, die man weglässt, sondern auch Dinge, die man fälschlicherweise zum Inhalt der Bibel hinzufügt: kirchliche Gebote neben der Bibel, Werke neben der Gnade, Heilige neben Jesus Christus usw.

◊ Alleiniger Maßstab evangelischen Glaubens soll die Bibel als vollkommene Offenbarung Gottes sein. Kirchliche Lehren und gemeindliche Praxis müssen sich daran messen lassen.

◊ Der Mensch wird allein aus Gnade von Gott vor dem ewigen Tod errettet, wenn dieser seine Schuld einsieht und sich auf den stellvertretenden Tod Jesu Christi beruft. Seine eigenen Bemühungen (Werke) genügen nie, um einen Menschen vor Gott gerecht zu machen und ihm ein Anrecht auf den Himmel zu geben.

12

Huldrych (Ulrich) Zwingli
(1484–1531)

Reformation in der Schweiz

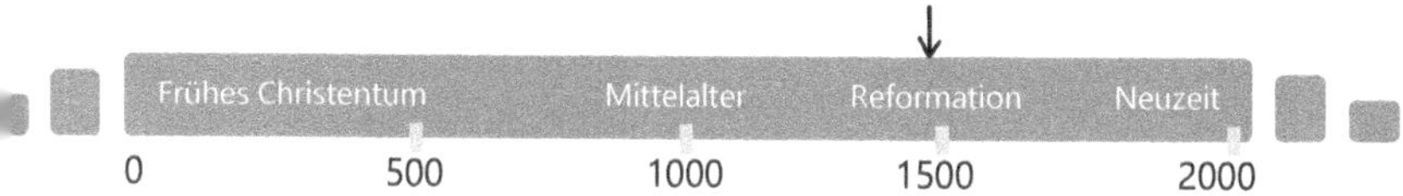

An Martin Luther denken wahrscheinlich die meisten Menschen, wenn das Gespräch auf die Reformation kommt. Zweifellos ist er der prominenteste Vertreter dieser kirchlichen Erneuerungsbewegung des 16. Jahrhunderts. Doch in den verschiedenen Regionen Europas kämpften noch zahlreiche andere Personen für dieselben Ideen. In der deutschsprachigen Schweiz erinnert man sich hier insbesondere an den Reformator Zürichs, Huldrych Zwingli.

Europa befand sich im Spätmittelalter in einer tiefgreifenden Krise. Das Vertrauen in die etablierten Autoritäten war erschüttert, insbesondere das in die katholische Kirche. Ämterkauf, Korruption und Unmoral waren weit verbreitet und allgemein bekannt. Zeitweilig kämpften mehrere Päpste gleichzeitig um die Macht und missbrauchten ihr geistliches Amt für militärische oder finanzielle Vorteile. In der Folge machten sich in der einfachen Bevölkerung Skeptizismus und Aberglaube breit.

Der Humanist

Huldrych Zwingli wurde 1484 in Wildhaus im Toggenburg/Schweiz als Sohn eines wohlhabenden Bergbauern geboren. Die Familie hatte noch neun andere Kinder. Bereits mit fünf Jahren verließ er die Familie und zog zu seinem Onkel, dem Dekan Bartholomäus Zwingli, nach Weesen. Zehnjährig besucht er zuerst die Lateinschule in Basel, dann in Bern. Anschließend wurde Zwingli Novize in einem Dominikanerkloster. Dort fiel er als guter Sänger und Musiker auf. Aufgrund seiner schulischen Begabung schickte ihn sein Onkel Bartholomäus an die Universitäten von Wien und Paris. In Basel schloss er schließlich sein

Studium mit dem Titel des *Magister Artium*[13] ab (1506). In dieser Zeit wurde Zwingli in Konstanz zum Priester der katholischen Kirche geweiht und als Stadtpfarrer nach Glarus berufen. Noch befand er sich weitgehend im Einklang mit katholischer Tradition und Theologie. Unter anderem organisierte er die Überführung eines angeblichen Splitters vom Kreuz Christi in die örtliche Kreuzkapelle. Von Glarus aus unternahm er eine Wallfahrt nach Aachen und zog zweimal als Feldprediger mit dem Schweizer Militär nach Italien (Schlacht von Marignano 1515). Die dabei beobachteten Grausamkeiten des Krieges ließen Zwingli zum Pazifisten werden, der Gewalt nur als letztes Mittel akzeptieren wollte.

Zwingli (Gemälde von H. Asper)

Nebenher verbesserte er seine Griechisch- und Lateinisch-Kenntnisse, um die historischen Quellen der Theologie und Philosophie in Originalsprachen lesen zu können. Doch auch zur Bibel, die Zwingli nun intensiver auf Griechisch zu lesen begann, bekam er eine neue Beziehung: „[…] du musst […] die Meinung Gottes rein aus seinem einfältigen Wort lernen. Da begann ich, Gott um sein Licht zu bitten, und die Schrift fing an, mir klar zu werden, obwohl ich sie nur las." Außerdem stand Zwingli damals mit zahlreichen anderen Gelehrten in regem brieflichem Kontakt und organisierte die Gründung einer örtlichen Lateinschule.

Zwingli, der sich zu dieser Zeit (1516) noch zur politischen Partei des Papstes hielt, zog sich vor den mit Frankreich verbündeten Eidgenossen in den bedeutenden Wallfahrtsort Einsiedeln zurück. In der Funktion als Leutpriester[14] war er für Predigt und Seelsorge an der einfachen

---

13 *Magister Artium* war im Mittelalter ein akademischer Grad, den ein Student erreichte, wenn er erfolgreich das Studium der *sieben freien Künste* (*artes liberales*) abgeschlossen hatte (Grammatik, Rhetorik, Dialektik, Arithmetik, Geometrie, Musik und Astronomie).

14 Als *Leutpriester* bezeichnete man einen Geistlichen, der als Seelsorger oder Prediger direkt mit den Leuten seiner Gemeinde Kontakt hatte, im Gegensatz zu reinen Akademikern oder Personen, die nur einen geistlichen Titel trugen.

Bevölkerung zuständig. Geprägt durch das Motto der Humanisten[15] „zurück zu den Quellen" setzte sich Zwingli hier noch intensiver mit dem griechischen Grundtext des Neuen Testaments auseinander. Da ihm die Deutung der Bibel allein aus dem Blickwinkel kirchlicher Dogmatik unzureichend erschien, ging er dazu über, Bibeltexte mit thematisch ähnlichen Stellen zu vergleichen und dadurch besser zu verstehen. Angeregt durch die Schriften des Kirchenvaters Augustinus übernahm Zwingli die paulinische Lehre von der Sündigkeit jedes Menschen und der Erlösung allein durch den stellvertretenden Tod Jesu Christi.

Der Neuerer

1519 wurde Zwingli auf Wunsch der Zünfte als Leutpriester an die Hauptkirche Zürichs, das Großmünster, berufen. Aus Prestigegründen entschied man sich für den ehrgeizigen und gebildeten Priester, der bereits von sich reden gemacht hatte. Von Anfang an setzte er sich über die kirchlich verordnete Perikopenordnung[16] hinweg und legte stattdessen die biblischen Bücher der Reihe nach aus, beginnend mit dem Matthäusevangelium. So wollte Zwingli seinen Zuhörern die Bibel im Zusammenhang vorstellen und auch wenig beachtete Stellen mit einbeziehen. Überhaupt wurde ihm die Bibel zum entscheidenden Maßstab für Theologie und Gemeindepraxis. In den folgenden Jahren wandte sich Zwingli gegen die Verehrung von Bildern, Reliquien und Heiligen sowie das Zölibat und die katholische Interpretation des Abendmahls, weil sie nicht aus der Bibel heraus begründet werden konnten.

Während im Laufe einer Pestepidemie 2500 von 7000 Einwohnern Zürichs starben (Sommer 1519), kümmerte sich Zwingli hingebungsvoll um Infizierte und ihre Angehörigen. Auch er selbst erkrankte so schwer, dass bereits Gerüchte von seinem Tod die Runde machten. Vertreter päpstlicher Politik wie der Walliser Kardinal Matthäus Schiner versuchten, Zwingli durch Überredungen und medizinische Hilfsangebote von seinen Sympathien für die Ideen der Reformation abzubringen. Schließlich erholte sich Zwingli trotz abenteuerlicher medizinischer Therapien wieder. Noch mehr als ein Jahr lang litt er allerdings unter Fieber, Schwächeanfällen und Gedächtnisverlust.

---

15 Im Gegensatz zum stark auf die Autoritäten Kirche und Bibel ausgerichteten Mittelalter stellten die Renaissance-Humanisten den Menschen und eine idealisierte Antike in den Mittelpunkt ihrer Überlegungen. Menschliche Einsicht und irdische Interessen wurden zu Ausgangs- und Zielpunkten des Forschens.

16 Die Perikopenordnung ist eine von der Kirche verabschiedete Liste von Bibeltexten, die am jeweiligen Sonntag des Kirchenjahres in der Gemeinde vorzulesen sind.

Zwinglis Unmut über die katholische Kirche seiner Tage entzündete sich nicht nur an unmittelbar geistlichen Fragen. Unter anderem stellte er sich gegen das sogenannte *Reislaufen*. Schon im 15. Jahrhundert war es üblich geworden, Schweizer Ratsherren eine „*Pension*" für das Recht zu zahlen, Söldner (*Reiser* oder auch *Reisläufer* genannt)[17] in der betreffenden Region *anzuwerben*. Schweizer kämpften damals auf allen Schlachtfeldern Europas. Zwingli kritisierte, dass sie „für Geld Leute totschlugen" und dabei größtenteils körperlich und seelisch verkamen. Unter dem Einfluss der Predigten Zwinglis verboten die Ratsherren Zürichs Pensionen für die Rekrutierung Schweizer Soldaten und kündigten deren Soldverträge.

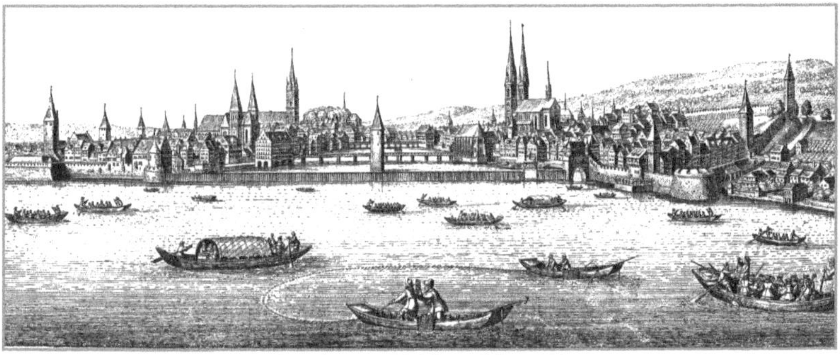

Ansicht von Zürich im Jahr 1642

Zwinglis Forderung, der Bibel und nicht so sehr menschlichen und kirchlichen Konzepten zu vertrauen, führte vor Ostern 1522 zu einem demonstrativen Brechen der katholischen Fastengebote. Besonders das *Wurstessen* in der Werkstatt des bekannten Buchdruckers Christoph Froschauer (1490–1564) führte zu kontroversen Diskussionen. Mit seiner Schrift *Von Erkiesen und Freiheit der Speisen* sprach sich Zwingli deutlich gegen die kirchlichen Fastenvorschriften aus.

Zwinglis Äußerungen erregten den Zorn Papst Hadrians VI., der ihm Kanzelverbot erteilte und den Rat der Stadt Zürich aufforderte, den Priester als Ketzer zu ächten. Um diese Fragen katholischer Traditionen öffentlich zu klären, kam es im Januar 1523 zur *Ersten Zürcher Disputation*. In seinen *67 Schlussreden* (Thesen) überzeugte Zwingli die Bürgerschaft, nun eigenständig mit der Bibel als Argumentationsgrundlage über Fragen des Glaubens zu entscheiden. Man wollte

17 Das Mittelalter nannte gewappnete Dienstleute oder berittene Begleitpersonen *Reisige*, abgeleitet von „reisen", „Reise" im Sinne von Kriegsfahrt.

sich nicht mehr widerspruchslos kirchlicher Autorität beugen. Zwinglis Reformvorschläge wurden einstimmig angenommen: Heiligenbilder, Klöster, Beichte, Firmung, Prozessionen und Krankensalbungen wurden eingeschränkt oder abgeschafft. Im Anschluss an die *Zweite Zürcher Disputation* (Herbst 1523) wurden die Pfarrer verpflichtet, nur noch entsprechend biblischer (evangelischer) Lehre zu predigen. Den einzelnen Gemeinden und den Laien wurden mehr Rechte zugesprochen. Stiftungen, mit denen Seelenmessen für Verstorbene[18] finanziert worden waren, sollten nun den Schulen und der Unterstützung von Armen zugutekommen.

Anstelle kunstsinniger, katholischer Messen wurden nüchterne, reformierte Wortgottesdienste organisiert (1525). Zeitweilig verzichtete man sogar auf jede Kirchenmusik. Das Abendmahl wurde als Erinnerungsfeier nur noch viermal jährlich gehalten. Im Gegensatz zur katholischen Variante wurde nun allen Gemeindegliedern Brot und Wein gereicht.

Zwingli plädierte auch für die Entfernung des vielfältigen Bilderschmucks aus den damaligen Kirchen. Bilder, Statuen und Schnitzereien würden eher von der Predigt und der Ausrichtung auf Gott ablenken, befürchtete er. „Der äußerliche Kirchenschmuck ist nichts als ein Beschiss", formulierte Zwingli. Letztlich sollte der Kirchenraum nur noch mit Bibelsprüchen verziert werden. Allerdings müsse man diesbezüglich behutsam vorgehen, um niemanden zu verschrecken. Obwohl sich Zwingli deutlich gegen den Bilderschmuck der Kirche aussprach, weil er deren religiösen Missbrauch fürchtete, war er außerhalb der Gottesdiensträume durchaus ein Freund der Kunst. Er selbst hörte nicht nur gerne Musik, sondern beherrschte neun verschiedene Instrumente. Kunst könne der Christ genießen und sich daran freuen, nur solle er sie nicht als Abbild des Heiligen benutzen, so Zwingli. „Ich erkenne an: Malerei und Bildhauerei sind Gaben Gottes."

In einem neu gegründeten Seminar, der *Prophezey*, wurde die Bibel nach und nach von den Pfarrern der Stadt übersetzt und erklärt. 1525 erschien mit Zwinglis *Von der wahren und falschen Religion* (*Commentarius de vera et felsa religione)* die erste, umfassende Dogmatik der Reformation. In enger Zusammenarbeit mit Leo Jud übersetzte Zwingli

18 Wohlhabende Bürger spendeten Geld an die Kirche oder hinterließen es in ihrem Testament. Im Gegenzug verpflichteten sich katholische Priester, Messen zugunsten des Spenders oder der von ihm benannten Personen durchzuführen. In diesen Messen wurde Gott um Gnade für den Spender gebeten. Außerdem galten Messen als geistliche Verdienste, die dem Spender vor Gott gutgeschrieben werden und dadurch seine Zeit im Fegefeuer verkürzen sollten.

zwischen 1524 und 1529 die Bibel in die eidgenössische Kanzleisprache (*Zürcher Bibel*). Veröffentlicht wurde sie bei dem befreundeten Buchdrucker Christoph Froschauer.

Der Mensch

Zwingli „war nach Leibesform eine schöne, tapfere Person, mittelgroß, sein Angesicht freundlich und rotfarb [rötliche Haare], nach dem Gemüt in geistlichen und weltlichen Händeln klug, vorsichtig und kompromissbereit", so beschrieb ihn sein Zeitgenosse Johannes Kessler. Zwinglis Mitarbeiter und Nachfolger Heinrich Bullinger (1504–1575) ergänzte: „Zwingli war im Essen und Trinken sehr mäßig [...] nicht schwermütig, sondern eines freien, fröhlichen Gemüts [...] er nutzte die Musik zur Erlabung und Ergötzung der beschwerten Seele." Zwingli liebte Gemeinschaft, insbesondere schätzte er anregende Gespräche und pflegte einen geregelten Tagesablauf: Frühmorgens bis gegen zehn widmete er sich den Büchern, dem Studium der Bibel, seinen Vorlesungen und neuen literarischen Projekten. Bis zwei Uhr aß er zu Mittag, empfing Gäste und Ratsuchende und traf sich mit Freunden zum Wandern. Am Nachmittag schlossen sich weitere Sitzungen und Studien an. Nach dem Abendessen ging er noch einmal spazieren und schrieb dann bis gegen Mitternacht an Briefen und Gutachten. Trotz seiner guten Gesundheit litt Zwingli an Nierensteinen und nahm deshalb medizinische Hilfe in Anspruch.

Zwinglis außerordentliches Erinnerungsvermögen half ihm in seiner ausgedehnten Arbeit. Die Paulusbriefe hatte er auf Griechisch auswendig gelernt. Große Teile des übrigen Alten und Neuen Testaments konnte er in Diskussionen und Briefen frei zitieren. Auch die Schriften von Augustinus, Hieronymus und anderen Kirchenvätern waren Zwingli bestens vertraut. Bei den damals beliebten Autoren der Antike wie Homer, Plato und Seneca kannte sich der humanistisch gebildete Zwingli ebenfalls aus.

Freunden und Mitarbeitern gegenüber war Zwingli verschlossen, was seine eigenen Probleme und Glaubenszweifel betraf. Kaum einmal sprach er über seine Gefühle oder andere persönliche Angelegenheiten. In Diskussionen reagierte er gelegentlich aufbrausend, angriffslustig oder spöttisch. Zumeist beruhigte er sich aber schnell wieder und suchte den Ausgleich. War er von einer Sache überzeugt, konnte Zwingli auch schroff und undiplomatisch sein. So griff er die Profiteure des Soldatenhandels (*Reislaufen*) aufs Schärfste an und forderte, allerdings erfolglos, deren Hinrichtung, falls sie nicht von ihren Geschäften abließen.

Gerade da, wo Zwingli sich zu unverhältnismäßig scharfen Äußerungen hinreißen ließ und das später bereute, zeigt sich, dass auch dieser eher humanistisch-intellektuell geprägte Reformator geistliche Kämpfe und Anfechtungen zu durchleiden hatte. „Und nach langer Selbstprüfung, ob ich wohl recht und von Herzen verziehen hätte, fand ich durch Gottes Gnade immerhin ein fröhlich verzeihendes Gemüt. [...] Auf diese Weise machte ich die Erfahrung, dass Gott an mir nicht so handeln dürfe, wie ich an meinem Feind. [...] Herr, ich bin ein gefangener Mann! Vergib, Herr vergib!"

Zwingli-Zimmer im Pfarrhaus in der Keidgasse, Zürich

Der Ehemann und Vater

Wie auch viele andere Priester seiner Zeit hatte Zwingli Probleme mit der katholischen Forderung des Zölibats. Obwohl er sich vornahm, „keine Frau zu berühren", bekannte er später beschämt, dass er sowohl als Pfarrer in Glarus als auch in Einsiedeln sexuellen Kontakt mit dem anderen Geschlecht gehabt habe. Vage sprach Zwingli von einer Beziehung zu einer Baderstochter[19], von einer Schwangerschaft und von den Versuchen, seine sexuellen Gefühle durch intensives Studieren zu

19 *Bader* (auch *Stübner*) ist eine alte Berufsbezeichnung für den Betreiber einer Badestube. Für die einfache Bevölkerung arbeiteten die Bader als Ärzte. Sie operierten, zogen Zähne und halfen bei der Körperpflege.

verdrängen. Später forderte Zwingli ein Ende der erzwungenen Ehelosigkeit für Priester (*Zölibat*), weil in der Bibel so etwas nicht angeordnet werde (1524). „Ein jeder Pfarrer, der nicht keusch lebt oder aber eine Ehefrau nimmt, ist ein falscher Hirte."[20] Zwingli selbst heiratete 1522 in einer kirchlich akzeptierten, *heimlichen Ehe* die Witwe Anna Reinhart. Die Ehe scheint für damalige Verhältnisse recht glücklich gewesen zu sein. Zwingli widmete sich engagiert sowohl den Kindern seiner Frau (Margarethe, Agathe und Gerold) als auch den gemeinsamen Nachkommen (Regula, Wilhelm, Huldrych jr. und Anna). Beide Söhne studierten nach dem Vorbild ihres Vaters Theologie.

Der Täufer-Gegner

Nur die rasch anwachsende Gruppe von Reformations-Anhängern in Zürich und anderen Schweizer Städten verhinderte vorerst eine gewaltsame Niederschlagung der Bewegung durch die katholischen Eidgenossen. Trotzdem wurden auch in der Schweiz evangelische Christen hingerichtet.

Unter den Anhängern Zwinglis bildete sich immer stärker eine Fraktion heraus, der die Vorgehensweise des Reformators nicht konsequent genug erschien. Angesichts des bald zu erwartenden Weltendes lehnte diese Gruppe jede Vermischung von Staat und Gemeinde vehement ab. Die wahrhaft Frommen sollten sich zusammenschließen und von der übrigen Welt distanzieren. Zum Zeichen ihrer bewussten Hinwendung zu Gott sollten sie sich taufen lassen. Mit dieser *Glaubenstaufe* positionierten sie sich gegen eine sakramental verstandene Kindertaufe. Zwingli aber konnte in seinen Predigten die Mehrheit der Bürger davon überzeugen, dass sich Gott schon der Kinder der Frommen annähme und ihnen in der Taufe seine Gnade zuspräche.

Da sich die *Täufer* weigerten, ihre Kinder taufen zu lassen und sich stattdessen erneut als Erwachsene tauften, ging der Zürcher Rat massiv gegen sie vor. Nachdem Gespräche nicht fruchteten, wurden sie des Landes verwiesen. Sollten sie diesem Beschluss nicht Folge leisten, drohte man ihnen die Hinrichtung an. In der *Wiedertaufe* sah man eine grundsätzliche Infragestellung kirchlicher und staatlicher Autorität, und damit eine nachhaltige Beschädigung der öffentlichen Ordnung. Auf Beschluss des Stadtparlaments wurde mit Felix Manz 1527 ein erster von zahlreichen anderen *Wiedertäufern* durch Ertränken in der Limmat hingerichtet. Viele, die sich durch Flucht einer Festnahme

20 Damit spricht sich Zwingli gegen das damals unter katholischen Priestern weit verbreitete Konkubinat aus. Entweder heiraten oder wirklich ledig leben, wollte er sagen.

entziehen konnten, wurden andernorts von Katholiken, Lutheranern und Reformierten verhaftet, verurteilt und getötet. Mehrere Tausend *Wiedertäufer* starben in der Reformationszeit aufgrund ihres Glaubens. Später wurden sie nach einem ihrer Prediger *Mennoniten* genannt.

Der Reformations-Kämpfer

In den 1520er-Jahren vertiefte sich der Konflikt zwischen Zwingli und Luther. Insbesondere bei der richtigen Deutung des Abendmahls kamen die Reformatoren auf keinen gemeinsamen Nenner. Sah Luther im Abendmahl das direkte Heilshandeln Gottes für den Glaubenden, verstand es Zwingli lediglich als Ausdruck christlicher Gemeinschaft und als Erinnerung an den stellvertretenden Opfertod Jesu Christi. Abgesehen vom Verständnis des Abendmahls einigten sich Reformierte (z. B. Zwingli) und Lutheraner bei einem Zusammentreffen in Marburg (1529) weitgehend (*Marburger Artikel*). Zu einer engeren Zusammenarbeit konnte man sich aber dennoch nicht entscheiden. Die Reformation in Deutschland und in der Schweiz verlief während der folgenden Jahrzehnte in jeweils eigenen Bahnen.

Heinrich Bullinger, Zwinglis Nachfolger

Unter Zürcher Beteiligung konnte sich die Reformation sowohl in Bern (1528) als auch in Genf etablieren. Ebenso setzte sich die evangelische Lehre in St. Gallen, Basel, Schaffhausen, Biel und Mülhausen durch. Dabei scheuten die Zürcher auch nicht vor einer militärischen Unterstützung reformierter Gruppen in den jeweiligen Städten zurück. Als „*Berater*" war auch Zwingli indirekt an solchen Beschlüssen beteiligt.

In den folgenden Jahren (1526–1531) kam es zu einer sich immer weiter zuspitzenden Konfrontation zwischen katholischen und reformierten Regionen der Schweiz. Dem *Sonderbund* der altgläubigen (katholischen) Orte stand auf reformierter Seite das *Christliche Burgrecht* gegenüber. Schließlich suchten die Katholiken bei König Ferdinand von Österreich und Kaiser Karl V. Unterstützung, während die Reformierten an einem Bündnis mit Frankreich, Ungarn, Venedig und Hessen arbeiteten. An den sich aus diesen Konflikten ergebenden, kriegerischen Auseinandersetzungen nahm Zwingli als Feldprediger teil. In der

Schlacht bei Kappel am Albis nahe von Zürich wurden die reformierten Truppen überraschend geschlagen (1531). Hier verlor auch Zwingli das Leben. Um die Züricher zu demütigen, wurde sein Leichnam gevierteilt und verbrannt. Der daraufhin geschlossene *Zweite Kappler Landfriede* führte zur Lähmung der Reformierten und einer Welle der Rekatholisierung insbesondere in den Regionen um St. Gallen und im Aargau.

Zwinglis Nachfolger in Zürich, sein langjähriger Mitarbeiter Heinrich Bullinger (1504–1575), festigte die Reformation und schuf mit dem Zweiten Helvetischen Bekenntnis eine bis heute prägende Erklärung aller Reformierten der Schweiz. Zwinglis Schriften wurden schon zu seinen Lebzeiten viel gelesen und wirkten noch über Jahrhunderte hinaus nach. Auch die Zürcher Bibelübersetzung und die Auslegungsreihe *Prophezy* gehen auf seine Initiative zurück.

Ausgewählte Literaturhinweise

Kurt Aland: *Huldrych Zwingli*, in: Kurt Fassmann u.a. Hrsg.: Die Großen. Leben und Leistung der sechshundert bedeutendsten Persönlichkeiten der Welt, Bd. IV/2, Kindler Verlag, Zürich 1976, S. 848-861

Ulrich Gäbler: *Huldrych Zwingli*: Leben und Werk, 3. erg. Aufl, TVZ Theologischer Verlag, Zürich 2004

Joachim Rogge: *Anfänge der Reformation. Der junge Luther. Der junge Zwingli*, Kirchengeschichte in Einzeldarstellungen II/3 + 4, Evangelische Verlagsanstalt, Berlin 1983, S. 225-301

Ulrike Strerath-Bolz: Ulrich Zwingli: *Wie der Schweizer Bauernsohn zum Reformator wurde*, Wichern Verlag, Berlin 2013

Ansätze zum Weiterdenken

◊ Wer sich in seinem Leben organisiert und sich realistische Ziele setzt, kann mehr erreichen.

◊ Der echte Glaube hinterlässt immer auch Spuren im Reden und Verhalten eines Christen sowie in der Gesellschaft, in der er lebt. Beispielsweise können soziale Ungerechtigkeiten benannt und verändert werden.

◊ Falsch eingesetzte Musik oder Bilder stehen in der Gefahr, statt auf Gott hinzuweisen und die Aussagen der Bibel zu illustrieren, vom Glauben abzulenken oder ihn umzuprägen.

◊ Wer einige wichtige Lehren der Bibel korrekt verstanden hat, muss noch nicht bei allen seinen theologischen Aussagen und Meinungen richtig liegen.

13

Paul Gerhardt

(1607–1676)

Fürst der Kirchenlieder

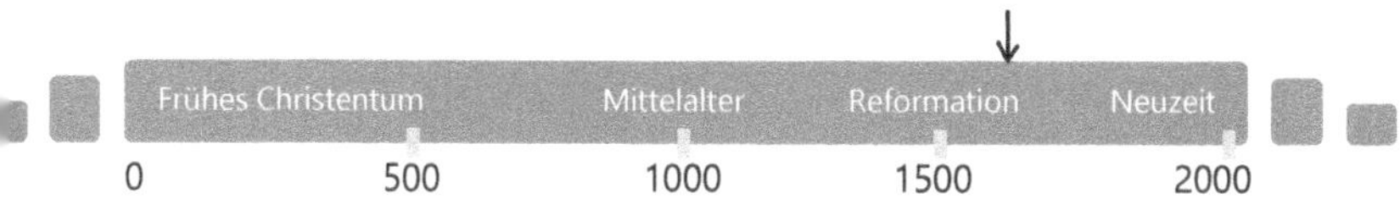

Zumindest ein Dichter evangelischer Kirchenlieder ist vielen Christen auch nach Jahrhunderten noch in Erinnerung: Paul Gerhardt. Zahlreiche Menschen, auch bedeutende Theologen, haben seine Lieder gesungen und sind dadurch im Glauben ermutigt worden. Dietrich Bonhoeffer schreibt aus dem Gefängnis an seine Eltern, wie sehr ihm die auswendig gelernten Lieder Gerhardts Mut und Zuversicht vermittelten. Seinem Freund Eberhard Bethge gegenüber berichtete er 1943:

> „In den ersten zwölf Tagen, in denen ich hier als Schwerverbrecher abgesondert und behandelt wurde […] hat sich Paul Gerhardt in ungeahnter Weise bewährt […] ich bin in diesen Tagen vor allen schweren Anfechtungen bewahrt worden."

26 Lieder mit 289 Strophen finden sich im aktuellen Evangelischen Gesangbuch. Mehr wurde von keinem Liederdichter beigetragen.

Die Familie

Paul Gerhardt wurde am 12. März 1607 in Gräfenhainichen, nahe der Lutherstadt Wittenberg geboren. Sein Vater Christian war Landbesitzer, Gastwirt und zeitweilig Bürgermeister des kleinen Ortes. Seine Mutter Dorothea stammte aus einer evangelischen Pfarrerfamilie. Die ländliche Umgebung mit ihrer vielfältigen Natur hat den jungen Paul tief beeindruckt und Spuren in seinen Liedern hinterlassen. In der kirchlichen Schule des Ortes wurden dem Jungen Lesen und Schreiben, Glaubensinhalte und Musik nahegebracht. Mit zwölf Jahren verlor Paul seinen Vater. Zwei Jahre später starb auch die Mutter.

Als Schüler und Student

Mit 15 Jahren kam Gerhardt auf die berühmte sächsische Fürstenschule nach Grimma (1622). Die Erziehung in dem ehemaligen Augustinerkloster war streng. Die Zimmer waren unbeheizt, die Schüler trugen einfache Kutten. Der Tagesablauf begann um fünf Uhr früh. Dann wechselten sich Gebetszeiten, Andachten, Unterricht, Wiederholungsstunden und praktische Arbeit miteinander ab. Besonders wichtig wurden die „reine lutherische Lehre" und die Beherrschung des Lateinischen genommen. Damals war Latein die Grundlage jeder höheren Bildung. Fast alle wissenschaftlichen Bücher und universitären Vorlesungen in ganz Europa bedienten sich des Latein. Kontakte der Schüler außerhalb des Klosters wurden als unwillkommene Ablenkung verstanden und waren deshalb verboten. Einmal in der Woche gab es einen gemeinsamen Spaziergang.

Paul Gerhardt

Als Durchschnittsschüler schloss der Dichter die Schule 1627 ab, um an der Wittenberger Universität ein Studium der Theologie zu beginnen. Auch hier verstand man sich als „Hort der reinen lutherischen Lehre". Besonders grenzten sich die Professoren gegen die katholische und die durch Calvin geprägte reformierte Kirche ab. Neben dieser *lutherischen Orthodoxie* (= Rechtgläubigkeit) betonten einige Lehrer den praktisch gelebten Glauben und empfahlen Erbauungsbücher von Johann Arndt (1555–1621), beispielsweise dessen *Vier Bücher vom wahren Christentum*. Durch August Buchner, den Professor für Rhetorik und Poetik, wurde Gerhardt in das praktische Handwerk des Dichtens eingeführt. Warum der Liederdichter ganze 15 Jahre an der Universität Wittenberg studierte, bleibt unbekannt. Während dieser Zeit verdiente er sein Geld als Erzieher und Kinderbetreuer.

Mehrfach wurde Gerhardt in diesen Jahren mit der Brutalität des Dreißigjährigen Krieges (1618–1648) konfrontiert. 1631 besuchte der

Schwedenkönig Gustav Adolf als siegreicher evangelischer Feldherr Wittenberg. An Ostern 1637 plünderten schwedische Truppen Gerhardts Heimatdorf Gräfenhainichen und steckten die Häuser in Brand. Auch sein Elternhaus wurde dabei zerstört. Wenig später starben sein Bruder Christian und Tausende anderer Bürger an der Pest. Die Bilder von Krieg, Zerstörung und tödlicher Krankheit blieben Gerhardt lebenslang in Erinnerung und tauchen auch in seinen Liedern immer wieder auf.

Reiterei aus der Zeit des Dreißigährigen Krieges

Erste Kirchenlieder

Nach Beendigung seines Studiums zog Paul Gerhardt als Erzieher und Privatlehrer im Hause des Kammergerichtsadvokaten Andreas Berthold nach Berlin. Zu diesem Zeitpunkt hielt er sich noch für unfähig und unwürdig, die Verantwortung eines Pfarramts zu tragen. Nahezu nichts unternahm Gerhardt, um seine Karriere voranzutreiben. Weder trat er einem Literaturbund bei, noch veröffentlichte er seine Lieder oder suchte nach einer Pfarrstelle. In Berlin lernte er Johann Crüger (1598–1662) kennen, den Kantor an der St. Nikolai Kirche. Dieser hatte schon 1640 erfolgreich ein geistliches Gesangbuch herausgegeben. Die vollkommen überarbeitete Neuauflage erschien 1647 unter dem Titel: *Praxis Pietatis Melica. Das ist Übung der Gottseligkeit in christlichen und trostreichen Gesängen*. Der Kantor überzeugte Gerhardt, hier achtzehn seiner Dichtungen zu veröffentlichen, darunter die Lieder „Wach auf mein Herz und singe" sowie „Nun ruhen alle Wälder".

Karriere als Pfarrer

1651 schließlich wurde Paul Gerhardt mit 44 Jahren in Berlin als Pfarrer ordiniert und dann im 20 Kilometer entfernten Mittenwalde als Probst angestellt. Hier betreute er die 700 Seelen des Dorfes und beaufsichtigte weitere elf Pfarr- und Schulstellen der Umgebung. Zwar war wenige Jahre zuvor der *Dreißigjährige Krieg* mit dem *Westfälischen Frieden* zum Abschluss gekommen (1648), doch die Spuren dieser zerstörerischen Zeit waren noch immer unübersehbar. In vielen Landstrichen waren bis zu 50 Prozent der Bevölkerung durch den Krieg und die sich anschließenden Hungersnöte ums Leben gekommen. Weitere Menschen starben in den folgenden Jahren an der Pest und anderen Seuchen. Felder lagen brach, der Handel war weitgehend zusammengebrochen, Häuserruinen erinnerten noch an die brutale Vergangenheit. Die Bevölkerung war sittlich verroht und geistig verwildert. Glaube und Religion hatten für viele einen negativen Zug bekommen. Mit großem Elan machte sich Gerhardt daran, seine weitgehend brachliegende Gemeinde wieder aufzubauen. Viel Zeit investierte er in Predigten, Gottesdienste, Unterricht, Seelsorge und Hausbesuche. 1655 heiratete er die ihm längst vertraute Anna Maria Berthold (1622–1668) aus Berlin. Ihre erste Tochter, Maria Elisabeth, starb bereits in ihrem ersten Lebensjahr. Auch drei weitere Kinder Gerhardts verloren sehr früh ihr Leben.

Mit 50 Jahren wurde Gerhard als dritter Pastor an die Berliner Hauptkirche St. Nikolai berufen (1657). Eng arbeitete er hier mit dem sorbischstämmigen Kirchenmusiker Johann Crüger (1598–1662) zusammen, in dessen Gesangbuch Gerhardt schon verschiedene Lieder veröffentlicht hatte. Mit diesem Pfarramt mitten in Berlin kam Gerhardt zu Ansehen und bescheidenem Wohlstand. In seiner Arbeit konzentrierte er sich auf den Katechismus-Unterricht und die Stärkung des geistlichen Lebens.

Der Liederdichter

Sicher trug der große Erfolg von Crügers Gesangbuch nicht unwesentlich zur raschen Verbreitung von Gerhardts Liedern bei. Die 29. Auflage erschien 1702 mit einem Vorwort des einflussreichen Pietisten Philipp Jakob Spener in Berlin. In der 45. Auflage von 1736 umfasste das Buch bereits 1316 Lieder und wurde auch von den Frommen im Land gerne benutzt. Paul Gerhardt steuerte dazu 95 seiner Dichtungen bei. Auch Crügers Nachfolger als Kantor, Johann Georg Ebeling, förderte die Verbreitung der Kirchenlieder Paul Gerhardts. 1666 und 1667 gab er zehn Hefte mit je zwölf Liedsätzen Gerhardts heraus, darunter auch einige neue oder erweiterte Kompositionen wie „Du meine Seele singe" und

„Die güldne Sonne". Der bescheidene Gerhard unternahm nichts, um sich in den Vordergrund zu spielen oder seine Lieder zu bewerben.

Paul Gerhardt beim Dichten des Liedes „Wie soll ich dich empfangen"

In seinen Dichtungen zeigt sich Paul Gerhardt sehr vielfältig und kreativ. Themen, Versmaß und Strophenbau variieren stark. Mit starken Ausdrücken und bunten Bildern hielt sich der Dichter zurück, was sicher dazu beitrug, dass auch spätere Generationen sich mit seinen Texten identifizieren konnten. Nach dem Muster alttestamentlicher Psalmen dichtete Gerhardt häufig mit Doppellungen. In seinen Liedern redet Gerhardt als Tröster und Seelsorger. Wichtig waren ihm die Bibel, die lutherischen Lehren, die Heilstaten Gottes, sein Handeln in Natur und Menschenleben sowie der Blick auf die himmlische Ewigkeit. Einige Lieder können dem Kirchenjahr zugeordnet werden. Er dichtete allein sieben Weihnachtslieder (z. B. „Fröhlich soll mein Herze springen" und „Ich steh an deiner Krippen hier"). Immer wieder fasst Paul Gerhardt in seinen Dichtungen Bibeltexte zusammen. Allein 26 Lieder beziehen sich direkt auf biblische Psalmen, vor allem mit der Bitte um Führung und Frieden (z. B. „Du meine Seele singe"). Die Bedeutung des Todes Jesu Christi am Kreuz besingt Gerhardt in „O Haupt voll Blut und Wunden".

Das Leiden des Christen nimmt Gerhardt ernst. In seinen Liedern geht er auf Einwände und Gegenreden ein, diskutiert und argumentiert. Schlussendlich verweist er auf Gottes Hilfe und Trost, spart dabei aber auch nicht mit Kritik an einem falschen Selbstmitleid:

> „Schwing dich auf zu deinem Gott, / du betrübte Seele!
> Warum liegst du, Gott zum Spott, / in der Schwermutshöhle?
> Merkst du nicht des Satans List? / Er will durch sein Kämpfen
> Dein Trost, den Jesus Christ / dir erworben, dämpfen."

Besonders fühlte sich Paul Gerhardt zeitlebens der Bibel als authentischer und zuverlässiger Offenbarung Gottes verpflichtet. Geistreiche und modische Literatur mag unterhalten und amüsieren, solange es dem Menschen gut geht. Im Leiden und an den Grenzen des Lebens aber hilft nur das Wort Gottes. So dichtete er in einem Lied:

> „Weltskribenten und Poeten / haben ihren Glanz und Schein,
> mögen auch zu lesen sein, / wenn wir leben außer Nöten;
> in dem Unglück, Kreuz und Übel / ist nichts Bessers als die Bibel […]
>
> Gottes Wort, das ists vor allen, / so uns, wenn das Herz erschrickt,
> wie ein kühler Tau erquickt, / dass wir nicht zu Boden fallen.
> Wenn die ganze Welt verzagt, / steht und siegt, was Gott gesagt. […]
>
> Darum liebt, ihr lieben Herzen, / Gottes Schriften, die gewiss
> In der Herzensfinsternis / besser sind als alle Kerzen;
> hier sind Strahlen, hier ist Licht, / das durch aller Herzleid bricht."

Kämpfer für den wahren lutherischen Glauben

Zu einer nicht gesuchten Konfrontation mit dem brandenburgischen Kurfürsten kam es 1666. Schon 1613 war der Herrscher mit seiner Familie von der lutherischen zur reformierten Kirche übergetreten. Auch der Zuzug verfolgter französischer Hugenotten, reformierter Niederländer, österreichischer Juden, Waldenser und Mennoniten führte zu Spannungen mit der dominierenden lutherischen Kirche. Daraufhin erließ der Große Kurfürst 1662 ein Toleranzedikt. Darin forderte er reformierte und lutherische Pfarrer zu Frieden und gegenseitiger Akzeptanz auf. In den sich anschließenden Diskussionen meldete sich auch Paul Gerhardt mit einem schafsinnigen Gutachten zu Wort. Dabei trat er für die *„Wahrheit"* des Luthertums und die Trennung von Staat und Kirche ein.

Mit einem zweiten Edikt erhöhte Friedrich Wilhelm den Druck. Alle Pfarrer sollten sich schriftlich verpflichten, strittige Lehren zu meiden und typisch konfessionelle Gottesdienstformen anzupassen. Die meisten Pastoren Brandenburgs unterschrieben. Einige wechselten in lutherische Kirchen anderer deutscher Länder. Paul Gerhardt weigerte sich. Aus seiner Sicht standen hier das Gewissen und die Verpflichtung zu Gott staatlichen Forderungen gegenüber. Für ihn ging die lutherische Lehre auf die Bibel zurück und war deshalb nicht einfach verhandelbar. Nachdem Gerhardt daraufhin aus dem Dienst entlassen wurde, formierte sich der Protest. Vertreter der Bürgerschaft und der Zünfte forderten die Wiedereinsetzung ihres geschätzten Pastors. Nach fast einem Jahr erklärte sich der Kurfürst mit einer Sonderregelung für Gerhardt einverstanden. In seinem Fall wurde auf die geforderte Unterschrift verzichtet. Paul Gerhardt gab sich damit aber nicht zufrieden. Er bat um die Beibehaltung der umstrittenen Konkordienformel[21] im Gottesdienst. Er meinte, vor Gottes Gericht für die „wahre lutherische Lehre" verantwortlich zu sein. Das ging dem Kurfürsten zu weit. Er suspendierte Gerhardt und ließ seine Stelle anderweitig besetzen. Gerhardt war zutiefst verunsichert, obwohl er weiterhin seinen

Die Nikolaikirche in Berlin

21 Eine 1577 verfasste lutherische Bekenntnisschrift in 12 Artikeln, die eine Annäherung zwischen Lutheranern und Reformierten unmöglich machte.

Lohn bezog und in seiner Dienstwohnung bleiben durfte. 1668 starb seine Frau an Tuberkulose. Von den fünf Kindern der Familie war nur noch der sechsjährige Paul Friedrich am Leben.

1669, Gerhardt war inzwischen 62 Jahre alt, trat er eine Pfarrstelle in Lüben in der Niederlausitz an. Hier arbeitete Gerhardt unauffällig, erschöpft und amtsmüde. Am 27. Mai 1676 starb er im Alter von 69 Jahren.

Ausgewählte Literaturhinweise

Petra Bahr: *Paul Gerhardt – „Geh aus mein Herz...": Leben und Wirkung*, Herder Verlag, Freiburg 2007

Paul Gerhardt: *Wach auf, mein Herz, und singe: vollständige Ausgabe seiner Lieder und Gedichte*, hrsg. von Eberhard von Cranach-Sichart, R. Brockhaus Verlag, Wuppertal 2004

Klaus Kühnel, *Paul Gerhardt. Sein Leben und seine Zeit*, Drei Kastanien Verlag, Wittenberg 2007

Martin Rößler: *Liedermacher im Gesangbuch. Liedgeschichte in Lebensbildern*, Calwer Verlag, Stuttgart 2001, S. 423-469

Ansätze zum Weiterdenken

◊ Gerade zurückhaltende Personen brauchen häufig länger, ehe sie ihre von Gott gegebene Berufung erkennen und umsetzen. Mancher ist schon Mitte 40, ehe er seine Lebensaufgabe angeht.

◊ Gelegentlich mutet Gott auch Gläubigen schwere Erfahrungen zu. Paul Gerhard versetzte das Leiden in die Lage, tief und glaubwürdig von Gottes Führung, Weisheit und Trost dichten und singen zu können.

◊ Beim Gemeindegesang sollte es in erster Linie nicht um individuelles Vergnügen oder persönlichen Musikgeschmack gehen, sondern um biblische Lehre, seelsorgerlichen Zuspruch und Lob Gottes.

14

Blaise Pascal

(1623–1662)

Das Denken des Herzens

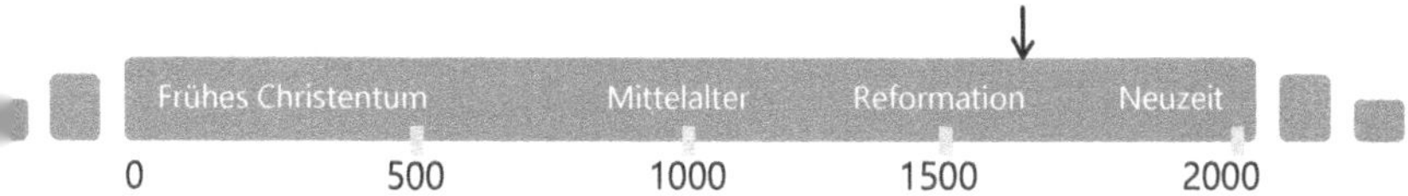

Als Spitzenwissenschaftler seiner Epoche setzte Blaise Pascal sich argumentativ überzeugend und in Einklang mit seinem Leben für den christlichen Glauben ein. In einer Zeit des Aufblühens der Wissenschaften, in der dem Verstand des Menschen alles zugetraut wurde, warnte Pascal vor den unerwünschten Nebenwirkungen reiner Fortschrittsgläubigkeit und führte seiner Umwelt die offensichtlichen Grenzen des menschlichen Verstandes plastisch vor Augen.

Pascals argumentativer Gegner war der Rationalismus, der bis in die Gegenwart zur prägenden Kraft des wissenschaftlichen Fortschrittsdenkens geworden ist. Pascal erkannte und kritisierte eine Aufklärung, die lediglich auf den Fähigkeiten menschlichen Denkens aufbaute.

Archimedes von Paris

Der *Archimedes von Paris*, wie Pascal gelegentlich genannt wurde, ist bis heute als Wissenschaftler und Techniker, als Mathematiker, Physiker und Ingenieur, als Logiker, Philosoph und Vordenker der künstlichen Intelligenz weltbekannt. Nach ihm wurde die Computersprache *Pascal* benannt, mit der physikalischen Einheit Pascal (Pa) werden heute Druck und Spannung angegeben.[22] Zentral für seine Weltsicht waren prinzipielle Überlegungen, die Gott und den Menschen betreffen: Wer oder was ist Gott? Wer oder was ist der Mensch? Was ist der Mensch vor Gott? Wie ist seine Stellung in der Welt zu begreifen?

Pascals Gedanken haben Naturwissenschaft und Philosophie bis in die Gegenwart beeinflusst. Friedrich Nietzsche (1844–1900) sah in

22 Ein Pascal ist der Druck, den eine Kraft von einem Newton auf eine Fläche von einem Quadratmeter ausübt. $1\ Pa = 1\ kg \cdot m^{-1} \cdot s^{-2} = 1\ N/m^2$

Pascal einen intellektuell ebenbürtigen Gegner, als er schrieb: „Pascal, den ich beinahe liebe, weil er mich unendlich belehrt hat: der einzig logische Christ."

Das Wunderkind

Am 19. Juni 1623 wurde Blaise Pascal in Clermont-Ferrand/Frankreich geboren. Er hatte zwei Schwestern, die drei Jahre ältere Gilberte (die später seine erste Biographin wurde) sowie die zwei Jahre jüngere Jacqueline. Sein Vater Étienne Pascal hatte in Paris Jura studiert und dann das Amt des zweiten Vorsitzenden Richters am Obersten Steuergerichtshof der Auvergne gekauft. Die Mutter, Antoinette Begon, kam aus einer wohlhabenden Kaufmannsfamilie. Nachdem sie 1626 gestorben war, siedelte sein Vater mit den drei Kindern nach Paris um. Pascal war gerade drei Jahre alt.

Der Vater unterrichtete seine Kinder nach den Erziehungsmethoden Michel de Montaignes (1533–1592). Blaise Pascal entwickelte sich zu einem mathematischen *Wunderkind*, obwohl er aus pädagogischen Gründen anfangs ausschließlich in den alten Sprachen unterwiesen wurde.

Blaise Pascal

Sein Vater hielt ihn erst weitgehend fern von Zahlen und Formeln, um seine sprachlichen Studien nicht zu beeinträchtigen. Trotzdem beschäftigte sich Pascal eifrig mit mathematischen und anderen naturwissenschaftlichen Problemen. Mit elf Jahren verfasste er eine kurze Abhandlung über Schallerregung in schwingenden Körpern.

Sein Naturtalent zeigte sich unter anderem darin, dass Pascal bereits als Kind die ersten 32 Sätze der Euklidischen Geometrie selbstständig herleitete. Früh wurde er in die *Académie Mersenne*, die Vorgängerin der *Académie des sciences*, aufgenommen und lernte dort den schon damals berühmten Philosophen und Mathematiker René Descartes (1596–1650) kennen.

Bereits mit 18 Jahren quälten Pascal ständige Nervenschmerzen. Später gab er an, keinen Tag schmerzfrei verbracht zu haben. 1647 wurde er von einer Lähmung betroffen, die ihn zwang, sich fortan mit Krücken fortzubewegen. Ständig litt Pascal unter teils unerträglichen Schmerzen in Kopf und Bauch. Um die ständig kalten Beine und Füße zu erwärmen, trug er jahrelang mit Alkohol getränkte Strümpfe.

Jansenismus

Nachdem sich Pascals Vater 1646 eine Oberschenkel-Luxation (Verrenkung) zugezogen hatte, wurde er von den Brüdern Deschamps, die mehrere Monate in seinem Haus lebten, wieder gesund gepflegt. Die beiden sprachen offen von ihrem Glauben und überzeugten zunächst den nachdenklichen Blaise. Gilberte berichtete von „einem Anlass, der ihn nötigte, fromme Schriften zu lesen und dabei erleuchtete Gott ihn, zu verstehen, dass die christliche Religion uns verpflichtet, einzig für Gott zu leben und kein anderes Ziel zu haben als ihn." Später bekehrten sich auch Pascals Vater, die beiden Schwestern und ihr Schwager Périer. Die ganze Familie kam in Verbindung mit dem Kloster *Port Royal des Champs* und dem dort gelebten *Jansenismus*.

Die Klosteranlage Port Royal des Champs (1710)

Dieses Ordenshaus war von einem theologischen Konflikt jener Zeit geprägt: Entgegen damaliger katholischer Lehre vertrat der niederländische Theologieprofessor Cornelius Jansen (1585–1638) die Überzeugung, dass der Mensch allein aus Glauben ohne Zutun seiner Werke gerettet werde. Zwar freue sich Gott über die guten Werke des Menschen, doch schließlich bestimme er allein durch seinen gnädigen Willen, wer errettet würde und wer nicht. Im Gegensatz zu den französischen Jesuiten jener Zeit ging Jansen davon aus, dass der Mensch seinen freien Willen durch den Sündenfall verloren habe. Deshalb dürfe auch das logische Denken nicht überbewertet werden. Der Verstand sei dem vertrauenden, von Zweifeln freien Glauben weit unterlegen, wenn es um die Erkenntnis Gottes gehe. Ähnlich wie im zeitgleich in Deutschland auftretenden Pietismus wurden die Sakramente (Abendmahl, Taufe usw.) in ihrer Bedeutung einer persönlichen Beziehung zu Gott untergeordnet. Diese Lehren wurden 1653 vom Vatikan durch die päpstliche Bulle *Cum occasione* verurteilt. In dem nördlich von Paris gelegenen Kloster *Port Royal* wurden Jansens Thesen aber begierig aufgenommen. Hier fand Pascal eine geistliche Heimat und erlebte seine Bekehrung.

Abhandlung über Kegelschnitte

Um nicht mehr an seine Zahnschmerzen denken zu müssen, löste Pascal eines Nachts so nebenher ein mathematisches Problem, an dem sich Generationen von Mathematikern die Zähne ausgebissen hatten. 1640 wurde sein erstes Werk, die *Abhandlung über Kegelschnitte,* gedruckt. Diese mathematische Meisterleistung machte Pascal mit 16 Jahren in der wissenschaftlichen Welt schlagartig bekannt. Descartes, der dieses Manuskript las, schrieb es dem Vater zu, weil er nicht glauben wollte, dass ein Jugendlicher dazu in der Lage wäre.

Die Pascaline

Mit 19 Jahren erfand Pascal die *Pascaline*, eine Rechenmaschine, die mathematische Operationen mechanisch ausführen konnte. Damit wollte er seinem Vater ein praktisches Instrument für dessen Steuerkalkulationen zur Verfügung stellen. Pascal fragte sich, ob man die endlosen Additionen nicht durch einen Mechanismus vereinfachen könnte. In wochenlanger Arbeit konstruierte und baute er einen Apparat mit einem komplizierten System von Ziffernwalzen und Zählwerken. Damit konnte Pascal bis zu achtstellige Summen korrekt addieren. So entstand die erste Rechenmaschine der Geschichte. Jahrelang arbeitete der junge Mann an Verbesserungen der Mechanik, bis er im Jahr 1645 die erste fehlerfrei funktionierende Rechenmaschine der Öffentlichkeit vorstellen konnte. Mathematische Theorie sollte unbedingt mit Lebenspraxis zu tun haben – dies muss programmatisch für Pascals Leben verstanden werden. Im Laufe der nächsten Jahre konnte er mehr als 50 dieser *königlich patentierten* Rechenmaschinen an die französischen Finanzbehörden verkaufen. Das Gerät versetzte Wissenschaftler aus ganz Europa ins Staunen.

Pascaline aus dem Jahr 1652 (Musée des arts et métiers, Foto: © 2005 David Monniaux)

Neuorientierung der Physik

Pascal steuerte aber nicht nur Einzelergebnisse zur wissenschaftlichen Forschung bei, sondern er war auch an einer prinzipiellen Neuorientierung der Physik beteiligt. Er kritisierte bloße Autoritätsgläubigkeit und hob die Bedeutung des Experiments für die Naturwissenschaft hervor. Damit wurde er zum Wegbereiter modernen wissenschaftlichen Arbeitens. Anhand eigener Untersuchungen räumte er beispielsweise mit überkommenen Vorstellungen vom Blutkreislauf auf.

Darüber hinaus war Pascal ebenfalls am technischen Einsatz seiner wissenschaftlichen Erkenntnisse interessiert. Mit seinen Versuchen der luftleeren Röhren entwickelte er ein Konzept des hydrostatischen Gleichgewichts, das er zur Konstruktion einer hydraulischen Presse einsetzte.

1646 kam es in Paris zu einem denkwürdigen Treffen mit dem bekannten Philosophen René Descartes, der begierig war, das junge Talent genauer kennenzulernen. Allerdings entzweiten sich die beiden genialen Wissenschaftler über die Frage nach einem luftleeren Raum.

Angst vor dem Vakuum

Die sogenannte „Angst (der Natur) vor dem Nichts" (lat.: *horror vacui*) beschäftigte seit der Antike die Köpfe der Gelehrten. Konkret hieß das: Wird der Weltraum von einem Stoffäther ausgefüllt oder gibt es zwischen den Sternen einen absoluten leeren Raum?

Hinter dieser Frage verbarg sich Dynamit. Wäre nämlich der Raum zwischen den Planeten mit gas-ähnlichem Stoff (Äther) gefüllt, dann könnten sich die Himmelskörper aufgrund des ständigen Energieverlusts durch Reibung nicht auf ihren Umlaufbahnen um die Sonne halten. Wenn aber der Weltraum völlig leer wäre, wenn dort ein Nichts, ein Vakuum herrschte, wo sollte dann Gott wohnen? Die Angst vor dem Vakuum war mehr als eine rein wissenschaftliche Frage. Sie berührte das Fundament der Religion.

Der italienische Physiker Evangelista Torricelli (1608–1647), Erfinder des Quecksilberbarometers, hatte 1643 behauptet, die Existenz der Atmosphäre entdeckt zu haben. Es fehlte aber noch der schlüssige Beweis. Blaise Pascal wollte die Lufthülle auf experimentellem Wege überzeugend nachweisen. Sollte Torricelli Recht haben, musste der Luftdruck mit zunehmender Höhe durch das geringer gewordene Gewicht der darüber liegenden Luftschicht sinken. Zuerst führte er Messungen in seinem Zimmer durch, dann an der Fassade eines mehrstöckigen Hauses, schließlich auf der Spitze eines Turmes. Doch die Höhenunterschiede waren zu gering, als dass man eine Veränderung des Luftdrucks am Stand einer Quecksilbersäule hätte ablesen können. Auf einem hohen Berg, so seine Überlegung, müsste der Druckunterschied aber deutlich messbar sein.

Das Barometer-Experiment

So kam es am 9. September 1648 zu dem berühmten Experiment auf dem *Puy de Dime*, der höchsten Erhebung der Auvergne. Pascal fühlte sich selber zu schwach, den Berg zu besteigen. Chronische Verdauungsbeschwerden, peinigende Kopfschmerzen und Schlaflosigkeit hatten seine Gesundheit untergraben. So bat er seinen Schwager Florin Perier, einen geübten Bergsteiger, die Messung zu übernehmen. An mehreren umgebauten *Torricell´schen Röhren* markierte Perier den Stand der Quecksilbersäule am Fuß des Berges, auf halber Höhe und schließlich auf dem Gipfel des 1465 Meter hohen *Puy de Dime*. Ergebnis: Die Natur hegt keinen Widerwillen gegen das Leere! Tatsächlich, die Quecksilbersäulen

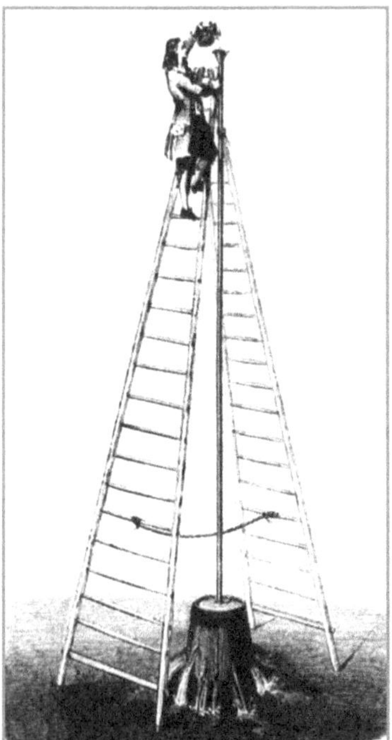

Illustration des Barometer-Experiments

waren auf dem Berggipfel 8 cm niedriger als im Tal. Mit diesem Experiment, einem der wichtigsten in der Geschichte der Physik, beendete Pascal die jahrhundertalte Diskussion um die „Angst der Natur vor dem Leeren". Er hatte nun den Nachweis geliefert: Die Erde ist von einer Lufthülle umgeben, im Weltall hingegen ist die Leere, das Vakuum. Pascals Experiment wurde europaweit als endgültiger Beweis für das Prinzip und die Zuverlässigkeit des Barometers begrüßt.

Der Lebemann

In den Jahren 1648 bis 1654 ging es Pascal gesundheitlich besser. Damit begann seine sogenannte *weltliche Periode*. Er bezog eine luxuriös ausgestattete Wohnung, hielt sich einen Stab von Bediensteten und fuhr in einer vier- bis sechsspännigen Kutsche durch Paris. Er traf sich vor allem mit seinen neuen, religionskritischen Freunden. Im Herbst reiste Pascal nach Clermont. Es wird berichtet, dass er sich „dauernd in der Gesellschaft einer schönen gelehrten Dame befand". Angeregt durch einen befreundeten Glücksspieler, der nicht begreifen konnte, warum er beim Spiel so oft verlor, untersuchte Pascal die Gesetzmäßigkeiten des Münzenwurfes: Zahl oder Wappen? Ab 1648 beschäftigte er sich mit der Berechnung von Gewinnmöglichkeiten. Zusammen mit Pierre de Fermat (1607–1665) formulierte Pascal die Grundlagen der Wahrscheinlichkeitsrechnung. Bis heute werden die von ihm festgehaltenen Prinzipien beispielsweise in den Krankheits- und Sterbetafeln der Versicherungsgesellschaften erfolgreich angewendet.

Unfall an der Seine

Jacqueline, die von der Leichtlebigkeit ihrer Bruders hörte, ermahnte ihn zu mehr Ernsthaftigkeit und betete intensiv für seine Bekehrung. Als Pascal eines Tages über den *Pont de Neuilly* kutschierte, scheuten die Pferde und sprangen über die Brüstung in die Seine. Glücklicherweise riss das Geschirr, sodass zwar die Pferde abstürzten, die Kutsche aber am Brückengeländer hängen blieb. Nachdem sich die Freunde aus dem Wagen befreien konnten und erkannten, wie nahe sie einem tödlichen Unfall gewesen waren, fiel der sensible Philosoph in Ohnmacht und blieb bewusstlos liegen. Diese Rettung interpretierte er als Zeichen Gottes. Pascal begann, regelmäßig die Gottesdienste in *Port Royal* zu besuchen, und veränderte seinen Lebenswandel radikal. In dieser Zeit erlebte er eine Offenbarung Gottes, die ihn zum Glauben führte. Seine Gottesbegegnung hielt Pascal auf einem Pergament fest, das er als beständige Erinnerung immer bei sich trug. Erst bei seinem Tod entdeckte man das sogenannte *Mémorial*, eingenäht in seine Weste:

„Gott Abrahams, Gott Isaaks, Gott Jakobs, nicht der Philosophen und Gelehrten.
Gewissheit, Gewissheit, Empfinden. Freude, Friede.
Gott Jesu Christi.
Deum meum et Deum vestrum.
(lateinisches Zitat aus Joh 20,17)
‚Dein Gott wird mein Gott sein' – Ruth.
Vergessen von der Welt und von allem, außer Gott.
Nur auf den Wegen, die das Evangelium lehrt, ist er zu finden.
Größe der menschlichen Seele.
‚Gerechter Vater, die Welt kennt dich nicht; ich aber kenne dich.'
Freude, Freude, Freude und Tränen der Freude.
Ich habe mich von ihm getrennt.
Dereliquerunt me fontem aquae vivae.
(lateinisch: Sie verließen mich, den Quell lebendigen Wassers)
‚Mein Gott, warum hast du mich verlassen.'
Möge ich nicht auf ewig von ihm geschieden sein.
‚Das ist aber das ewige Leben, dass sie dich, der du allein wahrer Gott bist, und den du gesandt hast, Jesum Christum, erkennen.'
Jesus Christus!
Jesus Christus!
Ich habe mich von ihm getrennt, ich habe ihn geflohen, mich losgesagt von ihm, ihn gekreuzigt.
Möge ich nie von ihm geschieden sein."

Nach seiner zweiten Bekehrung unterwarf sich Pascal extremen Kasteiungen. Er enthielt sich angenehmer Speisen, unterdrückte die Gefühle natürlichster Zuneigung und verteilte großzügige Almosen. Immer stärker wurde der Glaube zum Ausgangspunkt seines Lebens und Denkens. „Ohne Jesus Christus wissen wir weder, was unser Leben, noch was unser Tod ist, noch was Gott ist, noch was wir selber sind." – Im folgenden Jahr ging Pascal häufig nach *Port Royal*, hielt aber auch die Kontakte außerhalb aufrecht, insbesondere zu seinem Freund Artus Gouffier Herzog von Roannez (1627–1696), der sich durch Pascal zum christlichen Glauben bekehrte.

Die *Lettres provinciales*

Die theologische Konzeption von *Port Royal* wurde damals insbesondere von den Jesuiten bekämpft. Mit seinen gut recherchierten und genial formulierten *Lettres provinciales* (*Briefen aus der Provinz*)[23] stellte Pascal die Jesuiten in aller Öffentlichkeit bloß. Zwischen dem 23. Januar 1656 und dem 24. März 1657 verfasste er unter dem Pseudonym Louis de Montalte 18 Briefe, in denen er auf humoristische Art und Weise die kasuistische Moraltheologie[24] aufs Korn nahm. Insbesondere kritisierte er die Tendenz jesuitischer Beichtväter, opportunistisch Sünden und unmoralisches Verhalten schönzureden (Probabilismus).

Für Pascal ist der Christ ein gerechter Sünder, der, auch wenn er Gott wohlgefällig sein will, sündigt, weil er handelt. Damit widerspricht er den Jesuiten, die meinten, der Mensch sei im Stande der andauernden Gnade, er sündige zwar manchmal, was aber dem Prinzip keinen Abbruch tue. Für jede Sünde gebe es eine passende Entschuldigung, die das Versagen entschuldbar macht. Letztlich geht es Pascal darum, die so möglich scheinende Überlistung Gottes und seines Gerichtes abzuweisen. Seine *Provinzial-Briefe* entwickelten sich in kürzester Zeit zu Beststellern, die das Denken vieler Leser über Sünde und göttliche Vergebung grundlegend änderten.

Pariser Omnibuslinie

Pascals Idee eines öffentlichen Verkehrsmittels sollte den Armen der Stadt Paris zugute kommen. Noch im Januar 1662 erhielt er ein Patent auf ein gemeinnütziges Transportunternehmen, den *carosses à cinq sols* (franz.: *Fünfgroschenkutschen*), der ersten Pariser Omnibuslinie. Zu diesem Zwecke hatte Pascal an belebten Plätzen und Straßenkreuzungen umfassende Verkehrsbeobachtungen angestellt und ausgewertet. Damit wurde er indirekt zum Gründungsvater der Pariser *Metro*.

Krankheit und Leiden

Pascals Gesundheitszustand verschlechterte sich in den Jahren 1659–1660 zunehmend. Während dieser Zeit schrieb er sein *Gebet um den rechten Gebrauch der Krankheit*. Um wieder zu Kräften zu kommen, begab er sich 1660 zu seiner Schwester Gilberte nach Bien-Assis bei Clermont. Seine Entkräftung ließ nun keine Arbeit mehr zu. In den letzten Jahren seines Lebens war Pascal fest entschlossen, den ihm von Gott geschenkten Glauben in praktischen Taten sichtbar werden zu lassen.

---

23 Originaltitel: *Provinciales, ou Lettres de Louis de Montalte à un provincial de ses amis et aux R. R. PP. Jésuites sur la morale et la politique de ces pères.*

24 Katholoische Sittenlehre, die bis in Einzelne durch ein System von Geboten das Verhalten bestimmt.

Er spendete viel und nahm 1662 eine arme Familie bei sich auf. Als eines der Kinder tödliche Pocken bekam, warf er die Familie nicht etwa aus dem Haus, sondern überließ die ganze Wohnung jener Familie und zog zu seiner Schwester.

Während seiner Krankheitszeit fasste Pascal den Gedanken, „Krankheit sei der natürliche Zustand des Christen". Manchmal begrüßte er seine Schmerzen sogar als Ablenkung von Versuchung. „Eine Stunde der Schmerzen lehrt uns mehr als alle Philosophen zusammen." – Am 19. August 1662 starb Pascal mit nur 39 Jahren an Hirnblutung. Wie von ihm gewünscht erhielt er ein Armenbegräbnis. Fast die Hälfte seines Vermögens vermachte Pascal den Armen.

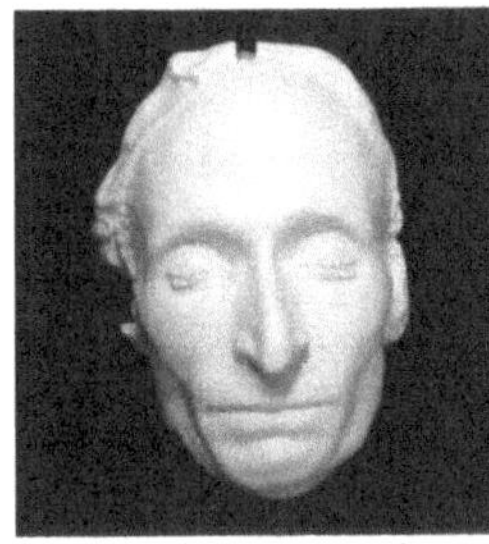

Pascals Totenmaske

Les Pensées – Gedanken

Unter dem Titel *Pensées sur la religion* veröffentlichten Freunde 1670 aus dem Nachlass Pascals dessen Gedanken zur Verteidigung des Christentums gegen Rationalisten und Skeptiker. Es waren lediglich Vorarbeiten zu einer Schrift, die Pascal auf Grund seiner Krankheit nur bruchstückhaft hatte ausführen können.

In den *Pensées* legt Pascal die Schwächen des Materialismus bloß, entwickelt ein nach christlichen Maßstäben realistisches Menschenbild und argumentiert mit logischen Argumenten für den biblischen Glauben.

Die Widersprüchlichkeit des Menschen

„Was für eine Schimäre[25] ist der Mensch! Eine Überraschung, ein Ungeheuer, ein Chaos, ein Widerspruch, ein Wunder! Richter über alle Dinge, närrisches Maß alles Irdischen; Gefäß der Wahrheit und Kloake voll Irrtum und Zweifel; die Herrlichkeit und der Auswurf des Universums. Wer soll diese Verwirrung entwirren?"

Doch nicht nur bezüglich seiner Mischung aus Geist und Körper, sondern auch in Hinsicht auf sein moralisches Wesen ist der Mensch für Pascal widersprüchlich und zerrissen. Alle Schlechtigkeit scheine in ihm verborgen zu liegen. „Der Mensch ist nichts als Maske, Lüge, Heuchelei vor sich und anderen zugleich." Und welche bodenlose unersättliche Eitelkeit präge den Menschen, der immer auf sein Ansehen bei den

25 Ein Mischwesen aus der griechischen Mythologie, welches aus dem Kopf eines Löwen, dem Leib einer Ziege und dem Schwanz einer Schlange besteht.

anderen bedacht scheint. „Wir würden nie über das Meer reisen, ohne die Hoffnung, später davon erzählen zu können [...] Mit Freuden lassen wir das Leben, vorausgesetzt, dass die Leute davon reden [...] Sogar Philosophen wünschen sich Bewunderer." Trotzdem sei der Mensch auch zu Großem fähig. Er könne seine Schlechtigkeit beherrschen und nach dem Ideal selbstloser Liebe leben. Doch gelte: „Zwar ist der Mensch weder Engel noch Tier, doch das Unglück will es, dass, wer einen Engel aus ihm machen will, ein Tier aus ihm macht."

Die Grenzen des Menschen

„Lasst den Menschen die ganze Natur in ihrer vollen, erhabenen Majestät sehen; lasst ihn über die ihn umgebenden niedrigen Dinge hinausblicken; lass ihn jenes glänzende Licht betrachten, das als ewige Leuchte das All erhellt [die Sonne]: lass ihn die Erde nur als Punkt erscheinen gegenüber der gewaltigen Umlaufbahn, auf der sie kreist; und lass ihn staunen darüber, dass dieser unermessliche Umkreis selbst nur ein Fleckchen ist im Vergleich zu der Bahn aller sich am Firmament bewegenden Gestirne. [...] Diese ganze sichtbare Welt ist nur eine verschwindend kleine Spur des Ganzen der Natur. Kein Gedanke misst sie aus [...] Sie ist eine unendliche Sphäre, deren Mitte überall und deren Peripherie nirgends ist. Es ist eines der deutlichsten Merkmale der Allmacht Gottes, dass unsere Einbildungskraft vor diesem Gedanken versagt."

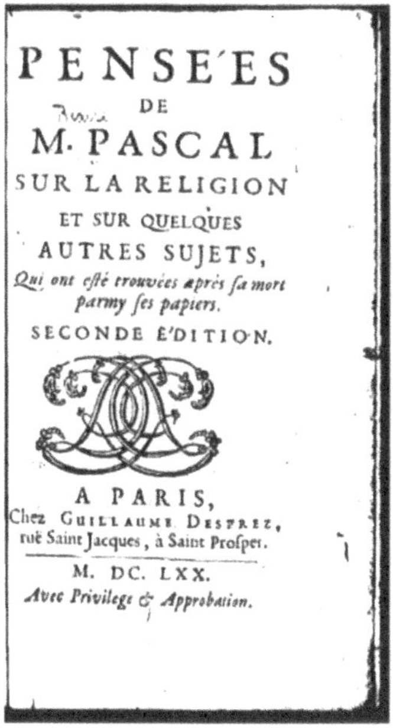
PENSÉES
DE
M. PASCAL
SUR LA RELIGION
ET SUR QUELQUES
AUTRES SUJETS,
Qui ont esté trouvées aprés sa mort parmy ses papiers.
SECONDE ÉDITION.
A PARIS,
Chez GUILLAUME DESPREZ, ruë Saint Jacques, à Saint Prosper.
M. DC. LXX.
Avec Privilege & Approbation.

Pascals „Gedanken" in einer Edition von 1760

Im Vergleich zum unendlich Großen existiert auch das unendlich Kleine. „Anfang und Ende der Dinge werden dem Menschen immer ein Geheimnis bleiben. Er ist ebenso unfähig, das Nichts zu sehen, aus dem er stammt, wie die Unendlichkeit zu erkennen, die ihn verschlingen wird. Verloren zwischen der Unendlichkeit auf allen Seiten befindet sich verloren der Mensch." Im Gegensatz zur wissenschaftlichen Erkenntnis seiner Zeit ging Pascal davon aus, dass die Materie unendlich teilbar sein müsse. Selbst das Atom ließe sich auf noch kleinere

Einheiten zurückführen. Das gegenwärtige Wissen bezüglich subatomarer Teilchen bestätigt Pascals Annahmen.

Schranken der Vernunft

Keines der Rätsel um den Menschen und seiner Welt ist allein durch die Vernunft erklärbar. Alles ist prinzipiell bezweifelbar. Im besten Fall könnte man die eigene Niederlage rational erfassen. Und doch scheint es unglaublich, dass der Mensch, wie die Vernunft es sagt, „kämpft, leidet, stirbt, nachdem er andere gezeugt hat, die wiederum kämpfen, leiden und sterben. Von Generation zu Generation, sinnlos, leer in endloser Bedeutungslosigkeit." Und doch wissen die Menschen, dass das nicht wahr sein kann, dass es unmöglich ist zu denken, das Universum habe keinen Sinn. Nicht die Vernunft, sondern etwas anderes im Menschen bewirke diese Gewissheit. Gott und der Sinn des Lebens müssten mit dem Herzen erfühlt werden: „Das Herz hat Gründe, die die Vernunft nicht kennt."

Flucht vor der Realität

Die meisten Menschen verstehen sich selbst so wenig wie die Welt, die sie umgibt. Sie haben keine Ahnung von dem möglichen Sinn ihres Lebens. Aus Angst, die eigene Leere und Sinnlosigkeit einzugestehen, suchen sie ihr Heil in der Zerstreuung.

Letztlich steht hinter vielen Aktivitäten lediglich die Angst vor dem Alleinsein. „Alles Unglück in der Welt kommt daher, dass man nicht versteht, ruhig in einem Zimmer zu sein." Offen bleibt vielfach, was der Mensch durch die große Zahl seiner Unternehmungen eigentlich zu erreichen hofft. Die Einsamkeit ängstigt deshalb so sehr, weil in ihr die Menschen unverdeckt sich selber gegenübergestellt werden. Er fühlt „sein Nichts, seine Verlassenheit, seine Abhängigkeit, seine Ohnmacht, seine Leere." Der Mensch ahnt die tiefe Unsicherheit, die über allem Dasein lastet. „Alles, was ich weiß, ist, dass ich bald sterben muss; aber was ich am wenigsten kenne, ist dieser Tod selber, dem ich nicht zu entgehen vermag." Hier wird deutlich, dass das menschliche Leben „das zerbrechlichste Ding der Welt" ist und dass wir trotzdem „sorglos in den Abgrund rennen".

Unsicherheiten des Denkens

Pascal weist nach, dass keine Wissenschaft, ja, kein theoretisches Denken überhaupt, sich selbst letztlich begründen kann. Werden Nachdenken und Hinterfragen nur konsequent und gründlich genug betrieben, zerstören sie ihre eigenen Fundamente. An der Stelle vermeintlich wissenschaftlicher Sicherheit tun sich ungeahnte Abgründe der Unsicherheit auf. Immer wieder scheint wissenschaftliches Denken von fast zufälligen Elementen wie Müdigkeit, Willkür oder Anerkennungsstreben abhängig zu sein. Erst das *Herz* (franz.: *cœur*) spielt dem theoretischen Wissen gewisse *Urbegriffe* und *Urevidenzen* zu, die selbst allerdings nicht bewiesen oder wissenschaftlich begründet werden können.

Denkvoraussetzungen

Letztlich ist es dem Menschen unmöglich, alle Begriffe zu definieren und alle Sätze zweifelsfrei zu beweisen. Hier gilt wie überall, dass man bereits etwas glauben muss, um etwas anderes rechtfertigen oder ableiten zu können. Am Anfang aller Systeme stehen irgendwelche Annahmen, Hypothesen, Voraussetzungen oder Axiome. Die Vernunft ist immer gläubige Vernunft.

Pascal kennt die Sehnsucht des Menschen nach sicheren Fundamenten und unerschütterlichen Prinzipien. Er betrachtet diese Sehnsucht sogar als typisch menschlich. Aber er hält es für unmöglich, auf dem Weg der wissenschaftlichen Vernunft sicher identifizierbare Wahrheit zu bekommen. Im Bereich der Naturwissenschaft setzt Pascal ganz auf eine verstandesgeleitete Methodik, im Gegensatz zu vielen autoritätsgläubigen Kollegen seiner Zeit. Experimente und nachvollziehbare Hypothesen sollen helfen, die dem Verstand zugängliche Natur zu erforschen. Alles forschende Denken muss aber seine Grenzen anerkennen. Die Unfähigkeit, sich selbst abschließend und umfassend bestimmen zu können, und die unendliche Komplexität und Verwobenheit seiner Gegenstände in der Gesamtnatur zeigen das. Endgültigkeit und Sicherheit gibt es hier nur auf den ersten Blick.

Leben und Denken

Zum Verständnis der Sehnsucht nach Glück und Wahrheit sind die Wissenschaften weitgehend untauglich. Weder können sie diese Sehnsucht verständlich machen noch sie befriedigen. Wer aber meint, mit dem rationalen Denken die Fragen des Herzens verfolgen zu können, wird irregehen. Die wesentlichen, für das Leben wirklich wichtigen Fragen kann die Mathematik auch nicht annähernd beantworten.

Der Mensch ist nicht nur Verstand, sondern auch Erfahrung, Gefühl und Wille. Ein Fehler des Rationalismus ist die Illusion, Leben und Denken trennen zu können. Dabei ist Denken immer schon in das zielgerichtete und von Interessen bestimmte Leben eingebunden. Zur Erkenntnis Gottes, der Seele oder der Liebe taugt der Verstand kaum, weil ihm adäquate Methoden fehlen, Übernatürliches sachgemäß untersuchen zu können. „Es ist das Herz, das Gott fühlt, und nicht der Verstand."

Herz und Verstand

Im Gegensatz zur üblichen Vorgehensweise will Pascal keine Teilwahrheiten verabsolutieren, um das typisch Menschliche zu beschreiben. Er will seine Gegensätzlichkeit und Dialektik zum Zug kommen lassen. Zentral für das Verständnis des Menschen ist seine Suche nach Wahrheit und Glück. Das *Herz* ist für Pascal die Verbindungsinstanz zwischen den verschiedenen Teilwahrheiten. Das *Herz* ist der Ort der Wahl und des Schätzens im Menschen. Das Herz stellt Beziehungen zu den außerhalb liegenden Objekten her. Hier werden Entscheidungen zwischen Ja und Nein, zwischen Sympathie und Antipathie, Interesse oder Desinteresse getroffen.

Die Arbeitsweise des Herzens erscheint der Vernunft spontan, intuitiv, umfassend und unmittelbar. Tatsächlich steht vielfach die Beurteilung einer Sache schon recht bald fest, auch ohne ausführliche und neutrale Analysen. Der Verstand bemüht sich dann nur noch, die schon längst getroffene Entscheidung argumentativ abzustützen. Das Herz ist so schwer fassbar und nachvollziehbar, weil es nicht mit wissenschaftlichen Zeichen operiert.

Sehnsucht nach Glück und Wahrheit

Die Sehnsucht des Menschen nach Glück und Wahrheit bestimmt sein Leben und Denken. Er erfährt sich als einen, der von Teilwahrheit zu Teilwahrheit voranschreitet. Dabei kennt der Mensch seinen Ausgangspunkt nicht und ist nicht in der Lage, die ganze Wahrheit oder das ganze Glück zu finden. Seine Sehnsucht geht letztlich ins Leere, erfüllt sich nicht dauerhaft oder bleibt zumindest zweifelhaft. Doch nach Pascal sucht nur der, der etwas verloren hat. Der Mensch hat eine Ahnung von dem, was er einmal hatte oder war und was ihm entspricht. Darum empfindet der Mensch den Verlust so stark und tief.

Spuren der Sünde

Ebenso bewahrt das Herz auch die Narben alter Wunden und Spuren vergangener Geschichten auf. Diese Spuren spiegeln sich in seinen Wertungen und Handlungen wider. Die Ursachen und Gründe des Herzens müssen in seiner Herkunft zu finden sein. Das beste Erklärungsangebot für den Menschen und die ihn umgebende Welt gibt der christliche Glaube. Durch den Sündenfall wird erklärt, wie es zu dem sonderbaren Nebeneinander von Hass und Liebe in der Menschennatur, zu tierisch

Bösem und der Sehnsucht nach Erlösung kommt. Ursprünglich begann der Mensch im Zustand göttlicher Gnade, der durch die Sünde zerstört wurde. Erst durch die Anwendung des Kreuzestodes Jesu auf den eigenen sündigen Zustand können die Gnade Gottes und der Geistesfriede wieder erfahren werden (vgl. Joh 3,16ff.).

Glaube und Sicherheit

Absolute, unbezweifelbare Sicherheit kann das *Denken des Herzens* und die plausible Erklärung der erfahrenen Wirklichkeit durch den christlichen Glauben auch nicht geben. „Wie ich nicht weiß, woher ich komme, so weiß ich auch nicht, wohin ich gehe; und ich weiß nur, dass ich, wenn ich aus dieser Welt gehe, entweder in das Nichts oder in die Hände eines erzürnten Gottes falle, ohne zu wissen, welche dieser beiden Möglichkeiten ewiglich mein Teil sein wird. So ist der Stand im Dasein voller Schwachheit und Ungewissheit."

Der Glaube kann aufgrund seiner Andersartigkeit nicht verstandesmäßig sicher sein. Zwischen Gott und der menschlichen Vernunft klafft eine riesige Erkenntnislücke. Darum ist der Glaube ein Wagnis, das freilich eine besondere Art von Gewissheit vermittelt. „Der letzte Schritt der Vernunft ist es, anzuerkennen, dass es eine Unendlichkeit von Dingen gibt, die sie übersteigen." „Es geschieht nur durch die schlichte Unterwerfung der Vernunft, dass wir uns wahrhaft erkennen können." Bei all dieser Vernunftkritik ging es Pascal nie darum, die Notwendigkeit des Nachdenkens zu bezweifeln. Er schätzte vielmehr die Möglichkeiten eines scharfen Verstandes, der aber auch bereit sein müsse, seine eigenen Grenzen anzuerkennen.

Gnade und Glaube

Nur der durch Gottes Gnade geschenkte Glaube kann vom *Herzen* aufgenommen werden und die dort enthaltene Sehnsucht ausfüllen. Auch wenn der Glaube als Geschenk Gottes nicht im Verfügungsbereich des Menschen liegt, so kann die Vernunft doch die eigene Lage verstehen und Argumente zugunsten von Entscheidungsalternativen formulieren. Da sie jedoch keinen direkten Zugriff auf die Wahrheit hat, kann sie nur Wahrscheinlichkeitsurteile fällen, aufgrund derer das *Herz* sich entscheiden muss.

Die *Wette des Pascal*

Die *Wette des Pascal* appelliert an den Verstand, die Argumente zu prüfen, um dann nach der größten Wahrscheinlichkeit eine Entscheidung zu treffen. Sie unterstützt das Wählen des menschlichen Herzens, kann es aber nicht zwingen. Die Vernunft kann Denkhindernisse beseitigen und dafür votieren, dass es sinnvoll ist, der christlichen Wahrheit Glauben zu schenken. Das *Herz* kann sich entscheiden, die Augen zu öffnen, die Wahrheit Gottes anzunehmen. Es muss letztlich irgendetwas glauben und jeder Glaube ist eine Wahl, eine bewusste Entscheidung, zu vertrauen.

„Lässt man zu, wie gefordert, dass die Wahrscheinlichkeit, dass Gott existieren könne, nicht gleich Null ist, dass es also eine reale Gewinn- und eine reale Verlustchance gibt, gesteht man weiterhin zu, dass die eingebrachten Kosten stets endlich, der mögliche Gewinn aber unendlich ist (jedenfalls größer als der Einsatz)." So kommt Pascal zu dem Schluss, dass man „ein (endliches) Leben gegen eine Unendlichkeit von unendlich glücklichem Leben wettet, so dass einer freundlichen Aussicht auf unendlichen Gewinn nur eine endliche Zahl von Verlusten gegenübersteht." Dass man in dieser Situation auf Gott setzt, scheint Pascal nur vernünftig. Das Rest-Risiko kann zwar nicht vermieden, doch aber minimiert werden. Solange aber auch nur eine kleine Gewinnchance zugestanden wird, muss der erwartete Gewinn den Einsatz unendlich kompensieren, sodass man vernünftigerweise auf die Existenz Gottes wetten sollte.

Glauben lohnt sich

In seiner *Wette* wendet Pascal die Prinzipien der Wahrscheinlichkeitsrechnung auf die Frage nach Gott an. Er will dem Suchenden helfen, rational einsichtig zu prüfen, ob es sich lohnt, an Gott zu glauben. Wenn ich für die Existenz Gottes wette und Gott ist – habe ich einen grenzenlos großen Gewinn (eine sinnvolle Existenz, das ewige Leben usw.). Wenn ich für die Existenz Gottes wette und Gott ist nicht – habe ich keinen Verlust (mit dem Tod ist alles aus). Wenn ich gegen die Existenz Gottes wette und Gott ist – habe ich einen grenzenlosen Verlust (Sinnlosigkeit, ewige Trennung von Gott). Wenn ich gegen die Existenz Gottes wette und Gott ist nicht – habe ich weder Verlust noch Gewinn. Da jeder Mensch sein Leben entweder so führt, als gäbe es einen Gott oder als gäbe es keinen Gott, wettet jeder Mensch schon allein durch sein Leben für oder gegen die Existenz Gottes.

Zusammenfassend könnte man mit Pascal festhalten: „Wenn Gott nicht besteht, verliert man nichts, indem man an ihn glaubt, während, wenn er besteht, man alles verliert, indem man nicht glaubt."

Gottes Zusagen vertrauen

Wem es schwer fällt, an die Existenz Gottes zu glauben, dem empfiehlt Pascal, einfach so zu leben, als gäbe es einen Gott, Gottesdienste zu besuchen, das Abendmahl einzunehmen und zu beten. So kann der stolze, kritische Intellekt auf die ihm angemessene Stelle verwiesen werden und der Glaube wird sich über kurz oder lang einstellen. Subjektive Belege seiner Existenz wird derjenige erfahren, der sich in seinem Leben auch ohne verstandesmäßige Sicherheit auf die Zusagen Gottes verlässt. „Herr, ich glaube, hilf meinem Unglauben" (vgl. Mk 9,24). Wer sich so auf die Suche nach Gott macht und sich ihm in seinem Lebensvollzug ausliefert, wird Gott über das Denken des Herzens erfahren.

Ausgewählte Literaturhinweise

Irène Elisabeth Kummer: *Blaise Pascal. Das Heil im Widerspruch*, de Gruyter Verlag, Berlin 1978

Blaise Pascal: *Briefe in die Provinz*, Werke, Heidelberger Ausgabe, Bd. 3., hrsg. von Karl August Ott, Lambert Schneider Verlag, Heidelberg 1990

Blaise Pascal: *Gedanken*, übersetzt von Ulrich Kunzmann. Kommentar von Eduard Zwierlein, Suhrkamp Verlag, Berlin 2012

Theophil Spoerri: *Der verborgene Pascal. Eine Einführung in das Denken Pascals als Philosophie für den Menschen von Morgen*, Brendow Verlag, Moers 1984

Ansätze zum Weiterdenken

◊ Der christliche Glaube ist nicht nur für die Dummen und Schwachen. Immer wieder bekennen sich auch Genies, die die Welt bis heute nachhaltig geprägt haben, zu Gott und der Bibel.

◊ Jeder Mensch hat eine tiefe Sehnsucht nach Ewigkeit und voraussetzungslosem Angenommensein in sich. Eigentlich weiß er sogar von Gott, benennt das oft nur nicht mit religiösen Worten. Um nicht wirklich über den Sinn des eigenen Lebens oder das Wesen der Existenz nachdenken zu müssen, versuchen sich viele Menschen durch ständige Vergnügungen und andere Aktivitäten abzulenken.

◊ Die ganze Wirklichkeit, insbesondere das Wesen Gottes und der übernatürlichen Welt, können nicht vollständig durch das rationale Forschen und Wissen erfasst werden. Manche Bereiche der Wirklichkeit sind nur dem *Denken des Herzens* zugänglich. Nicht gemeint ist damit eine postmoderne Beliebigkeit, die Wahrheit ablehnt, weil sie nicht ausschließlich mithilfe der Wissenschaft zu finden ist.

◊ Auch wenn Gott letztlich nicht durch Argumente des Verstandes bewiesen werden kann, spricht weit mehr für seine Existenz als gegen ihn. Wer sich auf Gott einlässt, wird im eigenen Lebensvollzug Klarheit über seine Realität gewinnen.

15

John Bunyan
(1628–1688)

Pilgerreise zur seligen Ewigkeit

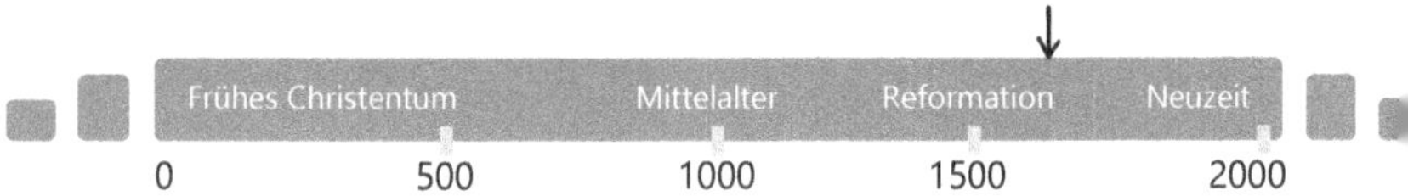

Es kommt wohl nicht häufig vor, dass ein einfacher Handwerker Kirchengeschichte schreibt. Genau das aber tat der englische Kesselflicker, Schriftsteller und Laienprediger John Bunyan. Seine allegorische Geschichte von der *Pilgerreise* eines Christen sprach Millionen von Lesern über Jahrhunderte hinweg aus der Seele. In plastischen Szenen berichtet er über Bekehrung, Erfolg, Versuchung, Enttäuschung und Trost des Gläubigen sowie seine letztliche Ankunft im himmlischen Jerusalem.

Zwischen Gewalt und Frömmigkeit

John Bunyan wurde 1628 in Elstow bei Bedford/England geboren. Seine Eltern, Thomas und Margaret, bekamen später noch zwei weitere Kinder. Bunyan wuchs in einer ärmlichen Familie auf und lernte in seiner Jugend nur die Grundlagen des Lesens und Schreibens. Wie sein Vater übte er das Handwerk des Kesselflickers bzw. Metallarbeiters (*brasyer*) aus. Im Alter von 15 Jahren verlor er seine Mutter und seine Schwester. Kurze Zeit später heiratete der Vater erneut. Bunyan erfuhr, dass königliche Soldaten nur wenige Meilen entfernt ein Massaker unter puritanischen Christen anrichteten. Einige der Opfer kannte er persönlich. Mit16 Jahren wurde Bunyan zur Armee des Parlaments eingezogen und kämpfte zwei Jahre lang gegen die Truppen des Königs.[26]

26 Im *Englischen Bürgerkrieg* (*English Civil War*) kämpften von 1642 bis 1649 die Anhänger König Karls I. von England („*Cavaliers*") gegen die Vertreter des englischen Parlaments („*Roundheads*"). Dabei ging es nicht nur um den Machtkampf zwischen dem absolutistisch gesinnten König und dem Unterhaus, sondern auch um die religiösen Spannungen zwischen Anglikanern, Puritanern, Presbyterianern und Katholiken. Der Krieg endete mit der Hinrichtung des Königs, der

Die meiste Zeit war er in Newport Pagnell stationiert. Als Soldat wurde er wiederholt und brutal mit dem Tod konfrontiert. Gelegentlich hörte er während dieser Zeit Ansprachen puritanischer Prediger. Im Rückblick beschrieb er diese Jahre als weitgehend gottlose Phase seines Lebens.

Mit 21 heiratete Bunyan Mary (1625–1656), die aus frommer Familie stammte (1648). Während sich in den folgenden Jahren vier Kinder, zwei Töchter (Mary und Elizabeth) und zwei Söhne (John und Thomas), einstellten, öffnete sich Bunyan zunehmend für den christlichen Glauben.

John Bunyan
(Bildnis von Thomas Sadler, 1684)

Nach einer tiefgehenden Bekehrung wurde er im Fluss Ouse getauft und schloss er sich der nonkonformistischen Baptistengemeinde in Bedford an (1653). Bis dahin hatte Bunyan längere Zeit mit schweren Zweifeln zu kämpfen, Zweifel an der Zuverlässigkeit der Bibel, an der ausschließlichen Wahrheit des christlichen Glaubens und an seiner eigenen Würdigkeit. „Wie kannst du wissen, ob die Türken nicht ein genauso heiliges Buch besitzen, das Mohammed als ihren Heiland bezeugt?" Bis zu seiner Bekehrung plagte ihn immer wieder der Gedanke, ewig verdammt zu sein. „Mir fällt es schwer, zu Gott zu beten, weil ich so verzweifelt bin." Durch das Lesen von Luthers Kommentar zum Galaterbrief kamen ihm die Aussichtslosigkeit seiner eigenen Bemühungen und die Gnade Gottes deutlich zum Bewusstsein (1655). Während eines Spaziergangs wurde ihm klar, dass nicht sein gerechtes Leben, sondern allein die bedingungslose Vergebung durch Jesus Christus den Weg zu Gott öffnen kann. „Jetzt endlich fielen die Ketten von mir ab. Ich war von meinen Sorgen und Fesseln befreit. Voller Freude über die Gnade und Liebe Gottes ging ich nach Hause."

Schon bald begann Bunyan seinen Dienst als Laienprediger in Bedford. Hunderte Zuhörer kamen aus der ganzen Umgegend, um seine

---

zeitweiligen Abschaffung der Monarchie und der Errichtung der englischen Republik, des sogenannten *Commonwealth*. Die ehemals unterdrückten Puritaner wurden zur dominierenden Gruppe im Parlament. Ihr Führer Cromwell eroberte Schottland und Irland, die dann ins *Commonwealth* eingegliedert wurden.

mitreißenden und tiefgehenden Predigten zu hören. Einige wurden zu Tränen gerührt. Wenn er wie gewöhnlich um 7 Uhr morgens sprach, versammelten sich bis zu 1200 Zuhörer. Selbst später im Gefängnis predigte er seinen Mitgefangenen und verfasste erbauliche Schriften, um seine Gemeinde im Glauben zu ermutigen.

Zeiten politischer Umbrüche

Das religiöse Klima dieser Jahre wurde von den Puritanern bestimmt, einer Gruppe anglikanischer Pfarrer und Lehrer, die eine Reform der Kirche anstrebten. Sie kämpften für sittliche Strenge, konsequenten Glauben und eine Abwendung von allen als katholisch gedeuteten Traditionen. Obwohl die Puritaner das englische Parlament bestimmten, weigerten sich Bischof Laud und König Karl I. (1600–1649), auf ihre Forderungen einzugehen.

Oliver Cromwell

Unter der Führung von Oliver Cromwell (1599–1658) übernahm 1645 das puritanisch dominierte Parlament die Kontrolle über den Staat. Als Gegner der geforderten Reformen wurde Bischof Laud noch im selben Jahr hingerichtet, Karl I. folgte vier Jahre später (1649). Die *Westminster Synode* verabschiedete 1646 ein neues Glaubensbekenntnis (*Westminster Confession*), das wesentliche Anliegen der Puritaner berücksichtigte. Bis zu Cromwells Tod (1658) garantierte das Parlament eine weitgehende Religionsfreiheit, die auch unabhängige Gemeinden und Juden umfasste.

Gefängnis aufgrund des Glaubens

Die Wiedereinrichtung der Monarchie mit der Krönung Karl II. (1660) führte zu erneuten Einschränkungen der Glaubensfreiheit. John Bunyan, der einer baptistischen Freikirche angehörte, wurde noch im gleichen Jahr inhaftiert, da er ohne staatliche Genehmigung gepredigt hatte. In den folgenden zwei Jahren wurden rund 2000 puritanische Pastoren gezwungen, ihre Gemeinden zu verlassen, weil sie mit der offiziellen anglikanischen Kirche nicht übereinstimmten. Während er für seinen Glauben an Jesus Christus verfolgt und zwölf

Jahre schuldlos eingesperrt wurde, schrieb John Bunyan: „Ich habe in meinem ganzen Leben noch nie so sehr Gottes Wort verstanden wie jetzt im Gefängnis. Diese Schrift, die mir bisher verborgen blieb, wurde an diesem Ort und in diesem Zustand für mich zum Licht. Jesus Christus stand noch nie so real und klar vor mir wie jetzt. [...] Ich habe an diesem Ort die wunderbare Vergebung meiner Sünden erfahren und erkannt, was es heißt, mit Jesus in einer anderen Welt zu sein." In den Jahren der Gefangenschaft konnte Bunyan gelegentlich seine Familie besuchen (Hafturlaub) und im Gefängnis einer handwerklichen Tätigkeit nachgehen. Zum Unterhalt für sich und die Seinen fertigte er Strumpf- und Schuhbänder.

Obwohl Bunyan in verschiedenen Schriften die Quäker und ihre Lehre vom „inneren Licht" oder „inneren Christus" kritisiert hatte[27], baten die Vertreter dieser Religionsgemeinschaft den König um Bunyans Freilassung. Nachdem sich die politischen und religiösen Spannungen etwas gelegt hatten, entließ ihn der Bischof von Lincoln 1672 aus der Haft. Wenige Monate vor seinem Abschied aus dem Gefängnis blickte Bunyan in seiner Autobiografie *Grace Abounding to the Chief of Sinners* (Überreiche Gnade für den Größten der Sünder) auf zwölf schwere Jahre zurück. „Mir wurde gezeigt, dass der beste Weg im Leiden darin besteht, zuerst über alle Dingen dieses Lebens das Todesurteil zu fällen, sogar auch mich selbst, meine Frau, meine Kinder, meine Gesundheit, die Freuden meines Lebens, alles für mich und mich selbst als für sie gestorben anzusehen."

Nach der staatlichen Gewährung der Gewissensfreiheit (1672) und Bunyans Haftentlassung wurde er offiziell als Pastor der Baptistengemeinde von Bedford eingesetzt. Zuerst kamen die 120 Mitglieder in einer umgebauten Scheune zusammen. Später konnte man eine eigene Kapelle errichten.

1675 wurde Bunyan aufgrund der instabilen politischen Lage und der Missachtung des staatlichen Predigtverbots für freikirchliche Pastoren erneut inhaftiert. In dieser Zeit verfasste er seine weltberühmte

27 In *Some Gospel-Truths Opened* und *A Vindication of Some Gospel-Truths Opened* hatte sich Bunyan 1656/57 kritisch mit der stark auf Erfahrung gründenden Theologie der Quäker auseinandergesetzt. In der protestantischen Religionsgemeinschaft unter Edward Burrough und George Fox wurden Gedanken, die den Gläubigen während der Andacht kamen, als Reden Gottes interpretiert, das gleichrangig neben der Bibel stünde. Man ging davon aus, dass Gott in frommen Menschen wohnt und durch deren eigene Gedanken zu ihnen spricht. „Ihr mögt sagen: Christus hat dies gesagt und die Apostel jenes – aber was kannst du selbst sagen? Bist du ein Kind des Lichts und bist du im Licht gewandelt, und was du sprichst, ist es im Innersten von Gott?"

Pilgerreise. Bis zu seinem Tod 1688 blieb Bunyan trotz seines Gefängnisaufenthalts offizieller Prediger der Bedforder Baptisten.

Ehe und Familie

Nach zehnjähriger Ehe starb Bunyans erste Frau Mary, mit der er vier Kinder hatte. Ein Jahr nach ihrem Tod heiratete er Elisabeth (1659). Zusammen bekamen sie noch zwei weitere Kinder, Sarah und Joseph. Nachdem Bunyan aufgrund seiner staatlich untersagten Predigten 1660 inhaftiert wurde, kümmerte sich Elisabeth um Haus und Kinder. Ihre Anträge auf Freilassung ihres Mannes wurden allesamt zurückgewiesen, weil dieser sich weigerte, zukünftig mit dem Predigen aufzuhören.

John Bunyan im Gefängnis

Unter der zwölfjährigen Haft litt Bunyan erheblich, vor allem, weil er sich während dieser Zeit nicht um seine Familie kümmern konnte: „Die Trennung von meiner Frau und den armen Kindern war für mich oft so, als risse man mir das Fleisch von den Knochen." Trotzdem weigerte er sich, seine Überzeugungen zu verleugnen, und war entschlossen, „lieber so lange zu leiden, bis sogar Moos über meine Augen wächst, als meinen Glauben und meine Prinzipien aufzugeben". Dabei hätte ihm die Anpassung an die gerade herrschende Religionspolitik mit ziemlicher Sicherheit die Freiheit gebracht.

Einige Jahre später kam es erneut zur Verfolgung freier Christen. Gottesdienstbesucher und Prediger der Separatisten kamen ins Gefängnis. Immer häufiger hielten sie ihre Veranstaltungen nachts ab, stellten Wachen auf und vermieden lauten Gesang, um nicht aufzufallen. Prediger wurden in Geheimkammern versteckt und durch Falltüren in die Versammlungsräume geschleust. Bunyan blieb diesmal unbehelligt. Trotzdem überschrieb er sein gesamtes Eigentum seiner Frau, um einer möglichen Enteignung zuvorzukommen. Immer häufiger reiste er jetzt in ganz England umher, um zu predigen und seelsorgerlich zu helfen.

Hingebungsvoller Prediger

Trotz der nur kleinen Gemeinde und seiner Armut freute sich Bunyan über die Aufgabe als Prediger: „Mein Herz ist so sehr von dieser wunderbaren Arbeit gefangengenommen, dass ich mich von Gott als gesegneter und geehrter halte, als wenn ich in der christlichen Welt angesehen wäre oder eine wichtige Persönlichkeit in dieser Welt geworden wäre."

Bunyan versprach seinen Hörern und Lesern kein unbeschwertes irdisches Leben, ganz im Gegenteil: „Es ist Gottes Wille, dass Menschen, die auf dem Weg zum Himmel sind, entweder gar nicht oder nur unter Schwierigkeiten dort ankommen." Allein schon Christ zu werden, sei mit Leiden verbunden: „Die Bekehrung ist kein reibungsloser, leichter Prozess, wie manch einer denkt [...] Natürlich ist es schmerzlich, wenn Herzen zerbrochen werden, doch ohne Wunden gibt es keine Errettung."

Erst nach Inkrafttreten der *Erklärung zur Gewährung der Gewissensfreiheit* (*Declaration of Religious Indulgence*) 1687 erhielten Bunyan und die freikirchlichen Baptistengemeinden in England eine weitgehende staatliche Freiheit für ihre Arbeit.

Erfolgreicher Buchautor

Obwohl er keinerlei theologisches Studium absolviert hatte, gab Bunyan während seines Lebens 58 geistliche Schriften heraus. Bei den meisten handelte es sich um Predigtbände. Daneben stehen Beiträge zu damaligen theologischen Diskussionen wie der Rechtfertigung aus Glauben oder der richtigen Taufpraxis.

Die meisten seiner Werke sind eng mit Bunyans eigener Biografie verbunden. Immer wieder richtete er sich direkt an seine Gemeinde, wie in seinem Buch „Christliches Verhalten" (*Christian Behavior*): „Bevor ich sterbe, wollte ich euch noch schreiben und ermutigen, stark im

Glauben zu bleiben […]" In seiner während der Gefangenschaft abgefassten Autobiografie schreibt er: „Ich habe oft zum Herrn gesagt, dass ich, auch wenn ich vor ihren eigenen Augen gehängt werden würde und dadurch in ihnen die Wahrheit für das Evangelium erwecken und festigen könnte, dafür bereit wäre." Ein Teil der Gemeinde saß auch tatsächlich mit ihm im Gefängnis.

Bunyan veröffentlichte auch einige Gedichte, Kindergeschichten und allegorische Erzählungen (z. B. *Der heilige Krieg um die Seele des Menschen, Leben und Sterben des Herrn Bösewicht*). Zu dieser Kategorie zählt auch sein Hauptwerk „Die Pilgerreise zur seligen Ewigkeit" (orig. *The Pilgrim's Progress from This World to That Which Is to Come*), eine allegorische Darstellung des christlichen Lebens. Bunyans *Pilgerreise* ist bis heute eines der meistverkauften Bücher der Welt. Es wurde bisher in mehr als 200 Sprachen übersetzt.

Die *Pilgerreise*

Nach dem Aufbruch ins Leben trägt *Christian* (= der Christ) an einer schweren Last (= der Sünde). Aus einem Buch (= der Bibel) erfährt er, dass diese Last ihn nach *Tofet* (= die Hölle) führt. „Durch ein Leck sinkt ein Schiff, und durch eine Sünde kann ein Mensch verderben." *Evangelist* sagt ihm, was er zu tun hat. Stark beeindruckt lässt er seine Familie zurück und macht sich auf den Weg aus der *Stadt der Zerstörung* (= irdische Welt) in die *himmlische Stadt* Zion (= Himmel). Dabei begegnen ihm zahlreiche allegorische Figuren aus dem Bereich der christlichen Glaubenswelt, die versuchen, ihn aufzuhalten bzw. voranzubringen.

THE
Pilgrim's Progreſs
FROM
THIS WORLD,
TO
That which is to come:
Delivered under the Similitude of a
DREAM
Wherein is Diſcovered,
The manner of his ſetting out,
His Dangerous Journey; And ſafe
Arrival at the Deſired Countrey.
I have uſed Similitudes, Hoſ. 12. 10.
By *John Bunyan.*
Licenſed and Entred according to Order.
LONDON,
Printed for *Nath. Ponder* at the *Peacock* in the *Poultrey* near *Cornhil*, 1678.

Titelblatt der Pilgerreise
(engl. Ausgabe von 1678)

Zuerst muss Christian durch die *enge Pforte* gehen, wo ihm der *Ausleger* die Gnade Gottes zeigt. Auf dem Weg zum *Palast Schönheit*, wo er die Jungfrauen *Weisheit*, *Gottesfurcht* und *Liebe* trifft, versuchen ihn *Formalist* und *Heuchler* zu irritieren. Nur mit der Waffe *Beten ohne Unterlass* kann Christian gegen die Ungeheuer im *Tal der Demütigung und der Todesschatten* bestehen. Unterwegs begegnen ihm *Getreu* und *Schwätzer*. Auf dem *Markt der Eitelkeiten* wird Christian von *Neid*, *Aberglaube* und *Schmeichler* angeklagt und ins Gefängnis geworfen. Weiter geht es, vorbei am Berg *Gewinn*, wo eine Silbermine zum Bleiben verführen soll, ins Land des Riesen *Verzweiflung*, der Christian auf die *Zweifelsburg* verschleppt. „Es war einmal ein Mann, den man für einen Narren hielt, der, je mehr er wegwarf, umso mehr behielt. Der ist es, der sein Gut den Armen spendet, denn zehnfach wird's ihm wieder zugewendet." Nachdem er an *Schmeichler* und *Atheist* vorbeigekommen ist, erreicht er sein Ziel, die *himmlische Stadt*.

Lebensende

Am 31. August 1688 starb Bunyan im Alter von 60 Jahren nach einer schweren Fiebererkrankung. Er wurde auf dem Londoner *Bunhill Fields* Friedhof bestattet, wo noch heute ein Gedenkstein auf den Dichter der Pilgerreise hinweist. Am 30./31. August erinnern die anglikanische und die evangelische Kirche an John Bunyan.

Ausgewählte Literaturhinweise

John Bunyan: *Die Pilgerreise*, R. Brockhaus Verlag, Witten 2012

Frank Mott Harrison: *John Bunyan – Kesselflicker, Prediger und Autor der Pilgerreise*, CLV Verlag, Bielefeld 1998

Eberhard Pältz: *John Bunyan. Ein Pilgrim Gottes*, Brunnen Verlag, Gießen 1956

John Piper: *Standhaft im Leiden: John Bunyan, William Cowper, David Brainerd*, CLV Verlag, Bielefeld 2006, S. 55-110

Ansätze zum Weiterdenken

◊ Nicht das akademische Studium qualifiziert den christlichen Prediger, sondern die Berufung Gottes. Mancher „einfache Gläubige" gehört zu den *Helden des Glaubens*. Viele arbeiteten sich durch Privatstudien und geistliche Praxis tief in die Bibel ein.

◊ Wer sich klar zu Gott und seiner Offenbarung stellt, muss mit erheblichem Widerstand in der Öffentlichkeit rechnen. Das kann sogar Gefängnis oder Nachteile für die eigene Familie beinhalten. Wer sich deshalb aber jedem Wind der gerade vorherrschenden gesellschaftlichen Mode-Meinungen anpasst, kann nicht mehr glaubwürdig für Gott eintreten.

◊ Christsein besteht nicht nur in einer einmaligen Entscheidung für Gott. Es ist eher mit einer langen und gefahrvollen Wanderung zu vergleichen, in denen Gegner beständig versuchen, den Christen mit Verführungen und Drohungen von seinem Ziel abzubringen.

16

Nikolaus Ludwig Graf von Zinzendorf

(1700–1760)

Die Herrnhuter Brüdergemeine

Das bisher am häufigsten erschienene und weltweit verbreitetste christliche Andachtsbuch trägt den Namen „Losungen". Es geht auf ein äußerst innovatives und frommes Mitglied des europäischen Hochadels zurück. Seine Zeitgenossen reagierten sehr zwiespältig auf den gleichzeitig stolzen und demütigen Mann. Viele hielten ihn für einen überspannten Sektierer, andere achteten ihn als authentischen Christen und vorbildlichen Prediger. Er experimentierte nicht nur mit neuen Ausdrucksformen des Glaubens, sondern gründete einen bis heute existierenden Gemeindeverband und initiierte die evangelische Weltmission durch theologische Laien.

Kindheit und adlige Herkunft
Geboren wurde Zinzendorf 1700 in Dresden. Die Familie gehörte dem Habsburger Hochadel in Österreich an. Der Großvater hatte das von der Gegenreformation geprägte Land aus Glaubensgründen verlassen müssen.

Zinzendorfs Vater starb wenige Wochen nach dessen Geburt. Seine Mutter, Charlotte Justine von Gersdorf, heiratete 1704 den frommen Generalfeldmarschall Dubislav Gneomar von Natzmer und zog nach Preußen. Zinzendorf wuchs in der Folge bei seiner Großmutter Henriette Catharina von Gersdorf (1648–1726) auf dem Schloss Großhennersdorf bei Zittau in der Oberlausitz auf. Seine Großmutter war musisch begabt und galt als eine der gebildetsten Frauen Deutschlands. Sie las die Bibel in den Urschriften, unterrichtete ihre Dienstboten und korrespondierte mit allen bekannten Pietisten ihrer Zeit. So wurde der junge Zinzendorf vom vorbildlichen Gebetsleben seiner Großmutter, durch die regelmäßigen Andachtsstunden in der Hofkapelle und die frommen Hauslehrer geprägt.

Schon früh entwickelte der als Einzelkind aufwachsende Zinzendorf eine zärtliche Anhänglichkeit an den Heiland. Er war sein Bruder, sein Gesprächspartner, sein Spielgefährte, der Adressat seiner Kinderbriefe.

Aufenthalt in Halle und Wittenberg

Zinzendorf, Ausschnitt aus einem Gemälde von Balthasar Denner

1710–1716 besuchte Zinzendorf als erster Reichsgraf Franckes Pädagogikum in Halle. Das allein schon war ein Kompromiss. Eigentlich lehnte sein Vormund es ab, den jungen Adligen an eine Schule zu schicken, wo er mit den Kindern einfacher Handwerker und Händler in einem Zimmer unterrichtet wurde. Auf Drängen der Mutter und Großmutter einigte man sich. Entsprechend seiner gesellschaftlich herausgehobenen Stellung sollte er auch in Halle bevorzugt behandelt werden: Ihm wurde ein eigenes Apartment mit Diener zugestanden. Außerdem solle er immer mit dem Leiter der Anstalten, August Hermann Francke (1663–1727), an einem Tisch zu Mittag essen usw. Aufgrund dieser, nicht von Zinzendorf gewollten Sonderbehandlung hatte er kaum Freunde in der Schule. Selbst sein Hofmeister spionierte ihm nach, intrigierte und berichtete alles an Schulleitung und Familie. In dieser Situation suchte Zinzendorf umso mehr bei dem *Heiland seiner Kindertage* Zuflucht und Geborgenheit. Gelegentlich schlug er sich auch mit schweren Glaubenszweifeln herum. Zeitweilig stellte er sogar die Existenz Gottes in Frage. In solchen Situationen half ihm die Erinnerung an die Erfahrungen der Vergangenheit und das Gefühl tiefer Glaubensgewissheit. Außerdem gründete er mit dem gleichaltrigen Berner Patrizierssohn Friedrich von Wattenwyl den *Senfkornorden*, eine kleine Sozietät, die sich für weltweite christliche Mission einsetzen sollte. Später erinnerte sich Zinzendorf immer gerne an diese für ihn prägende Zeit in Franckes Pädagogikum. Hier festigte sich sein Glaube, er lernte das absolute Vertrauen auf Gott und wurde auch akademisch gut auf seine weiteren Studien vorbereitet. Auch den Gedanken der evangelischen Weltmission nahm er aus Halle mit. Jahre danach bewarb sich Zinzendorf sogar bei Francke als potentieller Mitarbeiter, der die Verbindungen zwischen den Anstalten und dem Adel pflegen wollte. Francke allerdings lehnte ab. Der innovative und etwas sprunghafte Reichsgraf schien ihm dann doch zu unseriös.

Obwohl Zinzendorf gerne eine theologische Laufbahn einschlagen wollte, bestand sein Vormund, ein dem Pietismus kritisch gegenüberstehender Onkel, darauf, dass er in Wittenberg ein standesgemäßes Jurastudium absolvierte. Nebenher beschäftigte er sich auch weiterhin intensiv mit geistlichen Fragen. Schließlich bemühte er sich sogar um eine Versöhnung zwischen den Pietisten aus Halle und den mit ihnen zerstrittenen orthodoxen Lutheranern aus Wittenberg. Auf Drängen seines Onkels, der solche Aktivitäten für nicht angemessen hielt, musste er diese Initiative dann aber abbrechen.

Die verschiedenen Konfessionen

Nach Beendigung seines Studiums begab sich Zinzendorf auf eine damals übliche Kavalierstour (1719–20), die ihn unter anderem nach Holland und Paris führte. In Düsseldorf berührte ihn ein Passions-Gemälde des italienischen Malers Domenico Feti (1589–1624) mit der Bildunterschrift: „Ego pro te haec passus sum. Tu vero, quid fecisti pro me?" (Ich habe dies für dich gelitten – was tust du wahrhaftig für mich?), aufgrund dessen Zinzendorf sein Leben neu Jesus hingibt. In den Niederlanden beeindruckten ihn die bunte konfessionelle Vielfalt und die praktizierte Religionsvielfalt. Er hatte Kontakte mit Calvinisten, Katholiken, Anglikanern, armenischen Christen und Mennoniten. Außerdem kam er mit ersten Ausläufern der Aufklärung in Berührung. Das Treiben der Weltstadt Paris und ihrer oberen Gesellschaft waren ihm ein Exempel für die *Welt* im negativen Sinn. Zinzendorf enthielt sich aller zwielichtigen Vergnügungen, auch dem Tanz und dem Spiel, sodass er von seinen Standesgenossen schon bald als *„Sonderling"* angesehen wurde. Diese Schmach nahm er als *„wahrer Nachfolger Christi"* gerne auf sich. Mit dem Pariser Erzbischof Kardinal de Noailles (1651–1729) knüpfte Zinzendorf eine freundschaftliche Verbindung. Trotz konfessioneller Meinungsverschiedenheiten fand er in der gemeinsamen Jesusliebe eine akzeptable Basis. Zinzendorf beendete seine Bildungsreise mit dem Vorsatz, „das Beste aus allen Religionen (Konfessionen) zu entdecken".

Ehe und erste Reformbemühungen

1721 reiste Zinzendorf an den Hof des frommen Grafen zu Reuss-Ebersdorf. Dort fand er nach zwei übereilten und unglücklich verlaufenen Brautwerbungen in der Comtesse Erdmuthe Dorothea (1700–

1756) eine standesgemäße und gleichgesinnte Ehefrau, die er 1722 heiratete.

Zeitweilig waren Zinzendorf und seine Braut begeistert von der Eheethik des damals in pietistischen Kreisen angesehenen Predigers Ernst Christoph Hochmann von Hochenau (1670–1721): Seiner Auffassung entsprechend gab es fünf Stufen der Ehe, angefangen von der tierischen Beziehung, die nur auf die Befriedigung des Sexualtriebs ausgerichtet sein, bis hin zu einer vollkommenen, geistlichen Ehe. In dieser Partnerschaft sei Christus der eigentliche „Seelenbräutigam" mit dessen Hilfe man geistliche Kinder zeuge. Mann und Frau sollten wie Brüderchen und Schwesterchen zusammenleben, ganz jungfräulich ohne jede sexuelle Aktivität. Für einige Zeit sympathisierte das junge Paar mit diesem Eheideal. In ihrem Briefwechsel ging es stärker um den Austausch von Bibelversen und geistlichen Erkenntnissen als um den Ausdruck ihrer Liebe. In späteren Jahren gaben sie diese Vorstellung offensichtlich auf, wie ihre zwölf gemeinsamen Kinder deutlich machen, von denen jedoch nur vier das Erwachsenenalter erreichten. Erdmuthe war praktisch sehr begabt und wurde eine kompetente Managerin für die späteren vielfältigen Arbeitsbereiche ihres Mannes.

Zinzendorfs Ehefrau Erdmuthe geb. Gräfin Reuß zu Ebersdorf

Neben seiner Arbeit als Justizrat am Hof des Sachsenkönigs August des Starken (1670–1733) in Dresden (1721/22) betrieb Zinzendorf schon bald erbauliche Bibelstunden (Konventikeln) in seiner Wohnung. 1722 kaufte er von seiner Großmutter das Gut Berthelsdorf und richtete dort eine Hofgemeinde ein. Nach halleschem Vorbild gründete Zinzendorf ein Adelspädagogikum, ein Waisenhaus und eine Mädchenanstalt. Außerdem richtete er eine Druckerei ein, die preiswerte, erbauliche Traktate, ein eigenes Berthelsdorfer Gesangbuch und einen günstigen Bibeldruck herausgab. 1727 wurden die Konventikeln in Dresden verboten, vor seiner Bibelausgabe wurde öffentlich gewarnt. Zinzendorf zog sich daraufhin ganz auf sein Landgut zurück.

Gründung der Herrnhuter Gemeine
1722 hatte Zinzendorf drei mährische Familien als Glaubensflüchtlinge aufgenommen, die auf seinem Land eine Ansiedlung gründeten. Das unter der Leitung des Zimmermanns Christian David am Hutberg gelegene Dorf *Herrnhut*[28] wuchs rasch an: 1727 auf 300, 1736 auf 700 Personen. Neben dem Pfarrer sollten wie zu apostolischen Zeiten die Laien als Älteste, Lehrer und Ermahner Mitverantwortung übernehmen. Mittelpunkt des Gemeindelebens waren die Versammlungen im Saal des Gutshauses. Später wurde in Herrnhut ein eigenes *Bethaus* gebaut. Dort entstanden auch neue gottesdienstliche Formen wie die *Singstunde* mit der *Liedpredigt*, einer Aneinanderreihung von Liedstrophen. Es wurden Fastentage und ein 24-Stunden-Gebet eingerichtet. Auch andere urchristliche Bräuche wie das *Liebesmahl* (Agape) und Fußwaschungen wurden eingeführt. Hier zeigte sich Zinzendorf als hinreißender Prediger und einfühlsamer Seelenführer. Über 2000 Lieder, Gedichte und Gebete verfasste der Graf im Laufe der Jahre. Langfristig wurden vor allem seine Lieder „Jesus, geh voran" sowie „Herz und Herz vereint zusammen" sehr populär. Sein Tischgebet: „Komm, Herr Jesus Christ, sei unser Gast und segne, was du uns bescheret hast" verbreitete sich schnell auch über die Grenzen der *Herrnhuter Brüdergemeine* hinaus.

Das Herrnhuter Gemeindehaus

Im Gegensatz zu der überwiegend auf den Sonntag und den Pastor ausgerichteten evangelischen Kirchgemeinden stand Zinzendorf eine enge, umfassende christliche Gemeinschaft vor Augen, angelehnt an

28 *Hutberg* (der Berg, auf die Tiere gehütet wurden) westlich von Berthelsdorf. Schon bald deutete man dies als einen Ort, der „unter des Herrn Hut" stand.

die biblische Urgemeinde in Jerusalem. Alle Gemeindeglieder sollten hier mit ihren Fähigkeiten verantwortlich eingebunden werden. Dafür wurden auch zahlreiche neue Ämter erfunden: Älteste, Lehrer, Helfer, Aufseher, Ermahner, Diener, Krankenwärter, Almosenpfleger, Wirtschaftsaufseher usw.

Aufbau der Brüdergemeine

Zuerst richtete Zinzendorf in der *Gemeine* verschiedene sogenannte *Banden* ein. Das waren auf Sympathie und Freiwilligkeit beruhende Kleingruppen von drei bis acht Leuten. Man betete zusammen, tauschte sich über geistliche Fragen aus und ermutigte sich im Alltagsleben. Die *Bandenführer* dieser *Beichtgemeinschaften* besprachen sich in wöchentlichen Bandenkonferenzen.

Neben diesen freiwilligen Gruppen teilte Zinzendorf die *Gemeine* in Klassen auf, die nach der geistlichen Reife und Erfahrung sortiert werden sollten. Dieses Experiment scheiterte dann aber an der Notwendigkeit, ständig das Verhalten der Gemeindeglieder bewerten zu müssen. Später traten die *Chöre* an ihre Stelle, Gruppen, die nach der Lebenssituation ihrer Mitglieder zusammengestellt wurden (unverheiratete Brüder bzw. Schwestern, junge Ehepaare, usw.). Besonders in den *Chören* der nach Geschlechtern getrennt zusammenlebenden Ledigen wurde auch der gemeinsame Dienst für Mission und Diakonie hervorgehoben.

Eine rigorose Gemeindezucht sollte der Bewahrung der Gemeinde in apostolischer Reinheit dienen. Ab 1729 wurden Bibelworte oder Liedverse als geistliche Tagesparole („Losung") herausgegeben, die ab 1731 schon ein Jahr im Voraus ausgewählt wurden. Die Losentscheidung führte Zinzendorf, von biblischen Beispielen ermutigt, schon bald in fast jedem Lebensbereich ein. Personalentscheidungen, Eheschließungen, Reisepläne, Verhandlungsführungen und Käufe sollten mittels des Loses durch den Heiland entschieden werden. Um noch heiliger zu leben, übergab Zinzendorf sein Vorsteheramt 1741 feierlich an Jesus Christus als Haupt und Ältesten der *Gemeine*. Seitdem ließ man bei Mahlzeiten immer einen Platz für Jesus frei. Eigentlich sollte das ganze Leben des Christen vom Glauben durchdrungen werden. Es sollte keine Trennung mehr geben zwischen Gemeinde und Beruf oder Familie. Selbst für das Einschlafen und Aufwachen entwickelte Zinzendorf eine eigene Liturgie.

Auf dem Herrnhuter Gottesacker sollte es im Gegensatz zu anderen Friedhöfen jener Zeit keine Prunkentfaltung und auch keine Rangunterschiede geben. Jeder bekam einen gleich gestalteten Grabstein – außer Zinzendorf und seine Familie. Der *Gottesacker* sollte nicht nur die

Gleichheit aller Gläubigen ausdrücken, hier sollte auch die Hoffnung auf eine baldige Auferstehung symbolisch ausgedrückt werden. Überhaupt sei die Seele, und damit die verstorbene Person, nicht im Grab, sondern bei Gott, war man überzeugt. Darüber hinaus betrachtete man den Friedhof nur als kurzfristige Erinnerungsstätte, bis zum bald erwarteten Anbruch des Reiches Gottes.

Start in die Missionsarbeit

Während der Krönungsfeierlichkeiten des frommen Christian VI. von Dänemark (1699–1746) begegnete Zinzendorf einem bekehrten schwarzafrikanischen Sklaven und zwei christlichen Eskimos (1730). Dadurch wurde sein Interesse an der Heidenmission neu geweckt und in konkrete Bahnen gelenkt. Zurück in Herrnhut vermochte er die Gemeinde zu begeistern, sodass 1732 die ersten Missionare in die Karibik, 1733 nach Grönland und in den folgenden Jahren in 28 weitere Gebiete der Welt ausgesandt wurden. Zum ersten Mal in der neueren Missionsgeschichte sandte damit wieder eine einzelne Ortsgemeinde Missionare aus, bis zum Tod Zinzendorfs allein 226. Für Zinzendorf zielte die Erfüllung des Missionsauftrags nicht nur auf die Errettung der Heiden, sondern ebenso auf die Beschleunigung der Wiederkunft Jesu. Die Missionskandidaten wurden zumeist unter Gebet bestimmt. Ohne große theologische Ausbildung zogen sie zu Sklaven, Eskimos, Hottentotten und Indianern. Finanziert wurde vieles aus dem Vermögen des Grafen. Weil die Missionare aus *Herrnhut* keiner Konfession angehörten und keiner Kolonialmacht verpflichtet waren, konnten sie verhältnismäßig frei arbeiten.

Die weltweit größte und einflussreichste protestantische Missionsorganisation des 18. Jahrhunderts war die Herrnhuter Brüdergemeine. Ebenso wie sich die Herrnhuter in der Heimat überkonfessionell verstanden, arbeiteten sie gewöhnlich auch im Ausland mit anderen protestantischen Kirchen zusammen. Darüber hinaus bemühte man sich, weitgehend unabhängig von den großen Kolonialmächten zu agieren. Oft widersprachen sich die Interessen der Mission und der Politik deutlich. Viele europäische Staaten suchten vor allem nach wirtschaftlichen und politischen Vorteilen. Zinzendorf betrachtete die Menschen fremder Länder aber nicht als minderwertig, sondern als Gleichgestellte. Gott sucht und findet seine Kinder in allen Kulturen, war er überzeugt. Menschen müssten nicht zuerst Europäer werden und deren Sitten übernehmen, um Christen zu sein. Das echte Interesse der Herrnhuter Missionare an den Menschen, unter denen sie wohnten, führte zur eingehenden Erforschung ihrer Kultur. Der Grundbestand moderner, europäischer Ethnologie geht zu einem großen Teil auf diese Bemühungen zurück.

Zinzendorf selbst reiste um die Welt, um seine Missionare geistlich zu ermutigen und ihnen ganz praktisch zu helfen. Durch sein unorthodoxes Auftreten sorgte er dabei immer wieder für großes Aufsehen. So begrüßte er als Reichsgraf eine Christ gewordene schwarze Sklavin mit einem Handkuss. Er lebte mit Indianern zusammen und war tief beeindruckt von der vermeintlichen Ursprünglichkeit ihres Lebens.

Amerikanisches Herrnhut

August Gottlieb Spangenberg (1704–1792) erwarb 1753 im Namen der Brüdergemeine ein rund 400 km^2 großes Gebiet um Muddy Creek (US-Bundesstaat *North Carolina)*. Die ersten Herrnhuter Siedler lebten von der Landwirtschaft und widmeten sich insbesondere dem Anbau von Heilpflanzen. Ihre Siedlung nannten sie *Salem* (hebr: *Frieden)*. Hier sollten alle Menschen in gegenseitiger Brüderlichkeit und Freiheit zusammenleben können. Auch zu den einheimischen Indianern hatte man ein gutes Verhältnis.

Bis 1856 war *Salem* ein völlig nach den Regeln der Herrnhuter organisiertes Gemeinwesen. Das ganze Land gehörte der Gemeinde und wurde an die Landwirte lediglich verpachtet. Juristische und politische Angelegenheiten wurden intern geregelt. Weil man nach der Forderung Jesu auf Gewalt verzichten wollte, hatte man keine eigene Polizei oder Soldaten. Sklaverei wurde nicht grundsätzlich abgelehnt. Mit Bezugnahme auf die Bibel wurde allerdings gefordert, Sklaven gut und brüderlich zu behandeln. Auch konnten Sklaven gleichberechtigte Gemeindeglieder werden. Aufgrund des wirtschaftlichen Erfolgs zogen im Laufe der Jahre immer mehr anders motivierte Siedler in die Region, weshalb der Einfluss der Herrnhuter nach und nach zurückging. Heute ist *Salem* nur noch ein gerne von Touristen besuchtes Museumsdorf.

Sichtungszeit in Herrnhaag

1736 aus Sachsen ausgewiesen pachtete Zinzendorf das leerstehende Schloss Marienborn und erwarb vom Bündinger Grafen ein Gelände am *„Haag"*, wo die christliche Kolonie *Herrnhaag* (bei Frankfurt) entstand, die bis 1750 auf mehr als 1000 Einwohner anwuchs. Seinen in Sachsen liegenden Grundbesitz hatte Zinzendorf juristisch seiner Frau überschrieben, damit dieser nicht konfisziert werden konnte.

Um den massiven Vorwürfen gegen seine Rechtgläubigkeit zu begegnen, legte Zinzendorf in Württemberg ein theologisches Examen ab und wurde dort zum geistlichen Dienst zugelassen. Seine Antrittspredigt in der Tübinger Stiftskirche hielt er standesgemäß in höfischer Kleidung, mit seinen Orden, während ein Diener seine Bibel auf einem Samtkissen trug. In Marienborn ließ Zinzendorf sich 1737 zum Bischof der *Brüder-Unität* ordinieren.

In Herrnhag entwickelten sich aus barocker Überschwänglichkeit sektiererische Tendenzen. Nach seiner Rückkehr aus Amerika entließ Zinzendorf ältere, erfahrene Mitarbeiter aus ihren Leitungsämtern und ersetzte sie durch Jugendliche. In bewusstem Gegensatz zur vernunftbetonten Aufklärung und zum strengen hallischen Pietismus versuchte Zinzendorf jetzt die unmittelbare kindliche Erlösungsfreude in den Mittelpunkt zu stellen, angeregt durch die scheinbare Ursprünglichkeit und Intuition der Naturvölker anderer Länder. Als „Närrchen" (Matthäus 11,25) sollten die Brüder heiter-spielerisch aus Erlösungsfreude heraus leben. Die gottesdienstlichen Versammlungen wurden mit Musik, festlichen Illuminationen, dem Aufstellen von Andachtsbildern immer stärker ausgestaltet und die Emotionen aufs höchste erregt. Das ganze Leben wurde zum Fest, zur Vorwegnahme himmlischer Seligkeit. Die Intensität der Gefühlserlebnisse drückte sich in der Sprache der Blut- und Wundenfrömmigkeit aus. Die drastische sensualistische Ausmalung der Einzelzüge der Passion Jesu (Blut, Wunden, Schweiß, Leichengeruch) sollten die Realität der Erlösung verdeutlichen, dabei aber mehr das Gefühl als den Verstand ansprechen. Neue Wortschöpfungen und Verniedlichungen führten zu einer esoterischen Gruppensprache, die Außenstehenden lächerlich und geschmacklos erscheinen musste (Als Wundenbienlein summte man um den Marterleichnam, ließ sich vom Blutschweiß des Bruder Lämmlein durchdünsten oder im Abendmahl von seiner Umarmung durchwittern, als Kreuzluftvöglein nistete man im Seitenhöhlchen Jesu usw.)

Im Lauf der Zeit führte eine sublimierte erotische Spannung zu verstärktem Herzeln und Schätzeln (Umarmen und Küssen), was teilweise in regelrechte Exzesse umschlug. Diese in der Sichtungszeit vertretenen Lehren und Handlungsweisen führten zu erneuten heftigen Angriffen gegen Zinzendorf und seine Brüdergemeinen. Allein in den 1740er-Jahren erschienen ca. 200 Protestschriften gegen die Gemeinschaft. Erst als Zinzendorf durch einige ältere Mitarbeiter von den Gefahren der Entwicklung überzeugt werden konnte, setzte eine Reform ein. Schließlich fand man zu nüchteren Formen der christlichen Gemeinschaft zurück.

Einfluss auf Wesley und den Methodismus

Indirekt förderte Zinzendorf maßgeblich die geistliche Erweckung Englands im 18. Jahrhundert. Vor allem geschah das durch seinen prägenden Einfluss auf John Wesley (1703–1791), den späteren Gründer der Methodisten. Während seiner eher erfolglosen Missionsbemühungen in Savannah/Georgia (1735–38) kam Wesley in engeren Kontakt mit den Herrnhutern. Anfänglich imponierten ihm vor allem der Glaubensmut und die Hingabe der aus Deutschland stammenden Christen. Wesley sehnte sich nach der Intensität ihres Glaubens und der Vertrautheit, mit der sie Gott gegenübertraten. Nachdem er nach London zurückgekehrt war, besuchte er regelmäßig die Gottesdienste der dort ansässigen Herrnhuter Brüdergemeine. Nach Wesleys eigener Auskunft erlebte er hier eine tiefgreifende geistliche Erneuerung, seine eigentliche Bekehrung (1738). Insbesondere die intensiven Gespräche mit dem Herrnhuter Prediger Peter Böhler prägten ihn in dieser Phase seines Lebens. Er war begeistert von der Herrnhuter Frömmigkeit und plante ähnliche Gemeinschaften auch in England ins Leben zu rufen.

Schon bald reiste er nach Deutschland, um selbst die Zentren der Brüdergemeinen kennenzulernen. Nachdem er die Herrnhuter Kommunität in Heerendijk/Holland besucht hatte, kam er nach Marienborn, wo er mit Zinzendorf zusammentraf, dessen bescheidene und geistliche Art tiefen Eindruck auf Wesley hinterließ. Im Anschluss daran reiste er auch noch zur Ur-*Gemeine* nach Herrnhut. Trotz aller Begeisterung über die Herrnhuter Frömmigkeit zeigten sich in den Gesprächen mit Zinzendorf erste theologische Unterschiede, die schon 1740 zu einer Trennung führten. Im Jahr 1755 verfasste Wesley dann sogar ein Pamphlet, in dem er Zinzendorf und die Herrnhuter scharf kritisierte. Später verbesserte sich das Verhältnis wieder und Wesley pflegte einen regen Austausch mit Herrnhuter Predigern. Immer wieder besuchte er auch ihre Kommunitäten und Gottesdienste.

Insbesondre an der für Wesley äußerst wichtigen Frage der Heiligung zerbrach die Einigkeit mit Zinzendorf, zumindest vorläufig. Für Zinzendorf war jeder Christ heilig, allein dadurch, weil er mit seiner Wiedergeburt ein für alle Mal von Jesus Christus erneuert und heilig gemacht worden sei. Wesley hingegen war die kontinuierliche Anstrengung des Christen wichtig, die ihn in einem Prozess der Heiligung zu einem sündlosen Leben führen könne. Im konkreten Gemeindealltag lagen diese beiden Konzeptionen nicht so weit auseinander wie in der dogmatischen Gegenüberstellung. Das wird unter anderem an der Mitschrift eines diesbezüglichen Gesprächs zwischen Zinzendorf und Wesley vom 3. September 1741 deutlich:

Zinzendorf: „Du sagst, wahre Christen seien keine armen Sünder. Das ist völlig falsch. Die besten Menschen sind bis zum Tode ganz elende Sünder. Wenn sie etwas anderes sagen, sind sie durch und durch Betrüger oder teuflisch Verführte. Unsere Brüder, die Besseres lehren, hast du bekämpft."

Wesley: „Ich bin in Sorge, dass Sie Falsches lehren über das Ziel unseres Glaubens in diesem Leben, also über die christliche Vollkommenheit."

Zinzendorf: „Ich erkenne keine innewohnende Vollkommenheit in diesem Leben an. Das ist der Irrtum aller Irrtümer. Allein Christus ist unsere Vollkommenheit. Wer eine innewohnende Vollkommenheit lehrt, der leugnet Christus."

Wesley: „Ich aber glaube, dass Christi Geist im rechtem Christen die Vollkommenheit schafft."

Zinzendorf: „Keineswegs. Unsere ganze Vollkommenheit liegt in Christus. Alle Vollkommenheit besteht im Vertrauen auf das Blut Christi. Die ganze christliche Vollkommenheit ist zugerechnet, nicht einwohnend. Wir sind vollkommen in Christus, in uns selbst niemals."

Wesley: „Wir streiten, glaube ich, um Worte. Ist nicht jeder, der wirklich glaubt, ein Heiliger?"

Zinzendorf: „Aber ein Heiliger in Christus, nicht in sich."

Wesley: „Aber lebt er nicht heilig?"

Zinzendorf: „Gewiss, er lebt heilig in allem."

Wesley: „Und hat er nicht ein heiliges Herz?"

Zinzendorf: „Ganz gewiss."

Wesley: „Folglich ist er doch heilig in sich. Trägt er nicht in seinem Herzen die Liebe zu Gott und zum Nächsten, ja sogar das ganze Ebenbild Gottes?"

Zinzendorf: „Ja, aber das ist die gesetzliche Heiligkeit, nicht die evangelische. Die evangelische Heiligkeit ist der Glaube. Ein Heiliger ist nicht heiliger, wenn er mehr liebt, und nicht weniger heilig, wenn er weniger liebt."

Wesley: „Was? Nimmt denn der Glaubende, der in der Liebe wächst, nicht gleichfalls in der Heiligkeit zu?"

Zinzendorf: „Niemals. Vielmehr in dem Augenblick, in dem er gerechtfertigt ist, wird er auch völlig bis ins Innerste geheiligt. Demnach ist er bis zu seinem Tode weder mehr noch weniger heilig."

Wesley: „Also ist ein Vater in Christus nicht heiliger als ein Kind in Christus?"

Zinzendorf: „Nein. Die ganze Heiligung und Rechtfertigung sind in demselben Augenblick da, und keine wird mehr oder weniger."

Wesley: „Ich meinte, wir sollten in der Gnade wachsen!"

Zinzendorf: „Sicherlich. Aber nicht in der Heiligkeit. Sobald nämlich jemand gerechtfertigt ist, wohnen Vater, Sohn und Heiliger Geist in seinem Herzen. Und sein Herz ist in jenem Augenblick so ganz rein, wie es jemals sein wird."

Wesley: „Was du gesagt hast, will ich mit Gottes Hilfe genau erwägen."

Theologische Akzente

Obwohl Zinzendorf die wissenschaftliche Arbeit der Aufklärung durchaus schätzte, war er skeptisch, was ihre Umdeutung des Glaubens betraf. Glaube ist für ihn in erster Linie eine Sache des Herzens und findet seinen Ort vor allem in der inneren Gewissheit und im emotionalen Erfahren. Eine rein rationale Erkenntnis der Existenz Gottes im Sinne der Aufklärung hielt Zinzendorf für gefährlich: „Wer Gott im Kopfe weiß, der wird Atheist!" Christsein verwirklicht sich vor allem in der persönlichen Beziehung zu Jesus: „Ohne Jesus wäre ich Atheist!"

In Abgrenzung zu seinem Lehrer und Vorbild Francke relativierte Zinzendorf die Bedeutung einer einmaligen Bekehrungserfahrung. Auch kritisierte er den Ernst der Halleschen Frömmigkeit, wo man immer nach Sünden suchte, die noch zu bekennen und auszuräumen wären. Mit Berufung auf Luther war Zinzendorf überzeugt, dass der Christ ein für alle Mal durch Jesus Christus gerettet und von Sünde gereinigt sei. Der Glaube und nicht die eigenen Bemühungen des Christen stehen bei ihm im Mittelpunkt.

Wesleys Ziel, schon auf der Erde durch eigene Bemühungen den Zustand geistlicher Vollkommenheit zu erreichen, stand Zinzendorf skeptisch gegenüber. Auch hier orientierte er sich an Luther, für den der Christ gleichzeitig gerecht und sündig war (*simul justus et peccator*).

Zinzendorf ging es nicht so sehr darum, christliches Leben mit dem Zeitgeist seiner Epoche zu harmonisieren. Wenn er es für richtig hielt, dann war er durchaus bereit, sich offen gegen die Moden und Ideale seiner Zeitgenossen zu stellen. Obwohl es zuweilen ungewöhnlich wirkte, wollte er sich weitgehend am Vorbild der neutestamentlichen Gemeinde orientieren. Weil dort von täglichen Zusammenkünften, sexueller Reinheit, Fußwaschungen, Bruderkuss und gemeinsamen Mahlzeiten gesprochen wird, bemühte sich Zinzendorf, das auch bei den Herrnhutern umzusetzen.

Im Gegensatz zu den radikalen und schwärmerischen Pietisten sprach sich Zinzendorf gegen einen resignierenden Rückzug in eine private Frömmigkeit aus. Er wollte in die Welt hinein wirken und sie durch die Kraft des Glaubens verändern. Auch von Predigern, die vorschnell Gottes Autorität für sich in Anspruch nahmen oder meinten, beliebig Wunder vollbringen zu können, distanzierte sich Zinzendorf.

Mit der charismatischen Inspiriertengemeinde um Johann Friedrich Rock (1678–1749) wollte er nichts zu tun haben. Deren enthusiastische Frömmigkeit mit Umfallen, Zittern, Prophetien und Zungenrede hielt er für nicht im Einklang mit der Bibel.

Obwohl er selbst mit der baldigen Wiederkunft Christi rechnete, kritisierte Zinzendorf die insbesondere von württembergischen Pietisten (z. B. Bengel) betriebenen Spekulationen und Berechnungen bezüglich der Endzeit.

Obwohl Zinzendorf selbst ein sehr eigenständiger und individueller Denker war, betonte er beständig die Notwendigkeit der geistlichen Gemeinschaft. Er setzte sich für ein intensives gemeinsames Leben der Christen ein. Über den Gottesdienst hinaus sollten auch Beruf, Freizeit und Familienleben vom Glauben durchdrungen und mit anderen Christen geteilt werden.

Die Gemeinschaft der Christen über die Grenzen der Konfessionen hinaus war ein wichtiges Anliegen Zinzendorfs. Sie war begründet in der gemeinsamen Bindung an Jesus Christus. Dogmatische Unterschiede sollten dahinter zurückstehen. Entsprechend Zinzendorfs *Tropenlehre* sei jede Konfession nur eine der unterschiedlichen Erziehungsweisen (*tropoi paideiav*) Gottes. Alle großen Konfessionen besäßen demnach ein besonderes Charisma, einen von Gott gegebenen geistlichen Schatz, aber auch eine besondere Gefährdung.

Herrnhuts Anerkennung und Fernwirkung

In seinen letzten Jahren zog sich Zinzendorf allmählich aus der Leitung der *Gemeinen* zurück und übergab August Gottlieb Spangenberg (1704–1792) immer mehr Verantwortung. Zinzendorfs häufige Abwesenheit schadete seiner Ehe und entfremdete die Partner voneinander. Abgesehen von seinen ausgedehnten Besuchen der Missionsfelder lebte er nach seiner Ausweisung jahrelang in *Marienborn*, später in London (1750–55), während seine Frau *Herrnhut* verwaltete. Nachdem die Gräfin 1756 starb, heiratete Zinzendorf seine deutlich jüngere, langjährige Mitarbeiterin Anna Nitschmann, mit der er schon zu Lebzeiten seiner Frau eine

August Gottlieb Spangenberg

Beziehung eingegangen war. Beide starben 1760 im Abstand von nur zwölf Tagen. Zinzendorfs eher bescheidenes Grab kann bis heute auf dem *Gottesacker* von *Herrnhut* besucht werden.

Neben den wichtigen Anstößen zur Weltmission, den neu entstandenen Brüdergemeinen und der publizistischen Wirksamkeit prägte Zinzendorf sowohl John Wesley und den frühen Methodismus als auch die Erweckung des 19. Jahrhunderts, die in vielen Bereichen an ihn anknüpfte. Darüber hinaus wurden prägende Theologen, Dichter und Denker von Zinzendorfs Leben und Theologie beeinflusst, dazu gehören Lessing, Herder, Schleiermacher, Novalis, Tholuck und Barth.

Die *Brüder-Unität* hat heute 1,2 Millionen Mitglieder in 30 Ländern. In Herrnhut zählt die Gemeine 570 Angehörige, in ganz Kontinentaleuropa 18 000. Die meisten *Herrnhuter Brüder* leben derzeit in Tansania (ca. 600 000). Die *Losungen* als das meist verbreitete Andachtsbuch der Welt erscheinen jährlich in über 50 Sprachen und einer Gesamtauflage von 1,8 Millionen Exemplaren.

Ausgewählte Literaturhinweise

Erich Beyreuther: *Nikolaus Ludwig von Zinzendorf*, Rowohlt Verlag, Reinbek bei Hamburg 1965

Erika Geiger: *Nikolaus Ludwig Graf von Zinzendorf*, Hänssler Verlag, Holzgerlingen 1999

Dietrich Meyer/Paul Peucker/Karl-Eugen Langerfeld (Hrsg.): *Graf Ohne Grenzen. Leben und Werk von Nikolaus Ludwig Graf von Zinzendorf.* Ausstellung im Völkerkundemuseum Herrnhut, Verlag der Comeniusbuchhandlung, Herrnhut 2000

Hans Schneider: *Nikolaus Ludwig von Zinzendorf*, in: Martin Greschat (Hrsg.): Gestalten der Kirchengeschichte, Bd. 7, W. Kohlhammer Verlag, Stuttgart 1982, S. 347-372

Ansätze zum Weiterdenken

◊ In der konkreten Gemeinde mischt sich der unveränderliche Glaube an Jesus Christus mit einer immer zeit- und kulturbezogenen Form, in der dieser Glaube ausgelebt wird. Von Zeit zu Zeit ist es sinnvoll, über neue Formen nachzudenken, wie man den immer gleichen Glauben auf andere Art und Weise ausdrücken kann. Innovative Denker bringen häufig Unruhe in die Gemeinde, können aber auf der anderen Seite auch dabei helfen, das Gemeindeleben zu erneuern.

◊ Gott beruft jeden Christen zu mindestens einer Aufgabe. Wichtig ist es, diese Berufung zu erkennen und sich für Gott einzusetzen, auch wenn das nicht standesgemäß erscheint, wenn man deshalb von der eigenen Familie oder von Freunden verachtet wird, wenn man deshalb persönliche Nachteile erleiden muss oder wenn man keine umfassende akademische Qualifikation mitbringt.

- ◊ Christlicher Glaube ist mehr als die Bejahung dogmatischer Lehrsätze. Im Zentrum steht die lebendige, gelebte Beziehung zu Jesus Christus. Auch wenn man manche Praktiken fremder Konfessionen kritisieren darf, sollte man deshalb das Christsein des anderen nicht allein an seiner umfassend richtigen Lehre festmachen.
- ◊ Fehler macht jeder, der in der Gemeinde mitarbeitet. Eine besondere Fähigkeit ist es, eigene Fehler auch einzusehen und nicht zu vertuschen sowie sein Verhalten zu korrigieren.

17

John Wesley

(1703–1791)

Der Methodismus entsteht

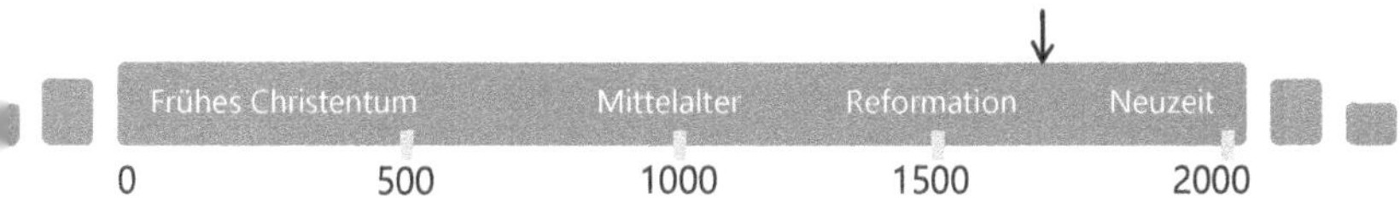

Die gefeierte Französische Revolution war die Folge jahrzehntelanger Misswirtschaft, Unterdrückung und Verschwendung durch den Adel mit der Unterstützung der Kirche. Auch in England wäre es im 18. Jahrhundert wohl zu einer Revolution gekommen, wäre da nicht John Wesley gewesen, so meinen einige Historiker.

Strenge Eltern

Rund 200 Kilometer nördlich von London wurde John Benjamin Wesley am 17. Juni 1703 als Sohn des anglikanischen Pfarrers Samuel Wesley und seiner Frau Susanna geboren. Obwohl die Wesleys schon seit mehreren Generationen Pfarrer waren, übte Johns Vater seinen Beruf nicht nur aus Tradition aus. Er forderte Sittenstrenge und feste Glaubensüberzeugungen, selbst von den Hauptspendern seiner Gemeinde. Das trug ihm immer wieder Ärger ein. Einige gewalttätige Kritiker ließen sich deshalb dazu hinreißen, die Kuh der Familie Wesley zu erstechen, ihren Hund zu verstümmeln, den Garten zu verwüsten und sogar das Haus anzuzünden. Trotzdem predigte Vater Wesley auch weiterhin gegen einen sündigen Lebensstil. Außerdem lag ihm die Weltmission am Herzen. Susanna Wesley war eine gebildete Frau. Unter anderem beherrschte sie Griechisch, Latein und Französisch. Sie organisierte den Haushalt und unterrichtete ihre zehn Kinder. Weitere neun starben schon in frühem Alter. Nach Auskunft ihrer Kinder war sie sehr herzlich, aber auch streng. Schon in den ersten Jahren wurde den Kleinen beigebracht, höchstens leise zu weinen. Streiten oder unanständige Ausdrücke wurden sofort bestraft. Mit dem fünften Geburtstag begann ein straffes Unterrichtsprogramm. Innerhalb eines Tages lernten die Kinder das Alphabet. Unter anderem stand auch die Bibel auf dem Unterrichtsplan. Ältere Kinder unterstützten die Mutter in dieser Aufgabe. Einmal wöchentlich nahm sich Susanna Zeit, mit jedem Kind einzeln über persönliche und geistliche Angelegenheiten zu sprechen.

Konsequentes Studium

Besonders tief grub sich der Brand des Pfarrhauses vom 9. Februar 1709 in die Erinnerung John Wesleys und seiner Eltern. Brandstifter hatten Feuer gelegt. Als das Haus schon ganz in Flammen stand, erschien der sechsjährige John am Fenster des zweiten Stocks und konnte gerade noch im letzten Moment gerettet werden, ehe das Dach einstürzte. Zwei Jahre später entging John nur knapp dem Tod durch die Pocken. Mit elf kam Wesley zur weiterführenden Schule nach London. Als Schwächerer wurde er hier von einigen stärkeren Jungen geärgert und gemobbt. Sein intensives Glaubensleben gab ihm in dieser Situation den nötigen Halt. Morgens und abends las er in der Bibel und betete. Regelmäßig besuchte er die Gottesdienste und bemühte sich, ein moralisches Leben zu führen.

John Wesley (nach G. Vertun)

Im damals außerordentlich frühen Alter von 17 Jahren kam Wesley als Student an die Universität Oxford. Moralisch und akademisch stand die Hochschule zu dieser Zeit an einem Tiefpunkt. Seine Kommilitonen widmeten sich weit mehr dem lockeren Studentenleben als dem Studium. Der gut organisierte Wesley hingegen entwarf für sich einen ausgefeilten Studienplan. Viel Zeit verbrachte er in der Bibliothek und beim Studium der alten Sprachen. Bereits mit 23 beendete er sein Studium und wurde zum Fellow des Lincoln College ernannt; er gehörte seitdem also zum Lehrkörper der Universität. Unter dem Einfluss seines Vaters entschied sich Wesley, Pfarrer zu werden.

Während des Studiums legte Wesley neben seinem akademischen Vorankommen großen Wert auf die Pflege seiner persönlichen Frömmigkeit. Die Lektüre von Thomas a Kempis „Nachfolge Christi" motivierte ihn zu einer inneren Hingabe an Gott und einer größeren Sensibilität im Auftreten anderen Menschen gegenüber. Auf Wunsch seines geschwächten Vaters übernahm Wesley für zwei Jahre einige Predigtstellen in dessen Gemeinde bei Epworth.

Organisierte Heiligung

Im Anschluss an Wesleys Rückkehr nach Oxford wurde der *Holy Club* ins Leben gerufen, eine Vereinigung frommer Studenten und Dozenten, zu denen sich auch Wesleys Bruder Charles hielt, der sich später vor allem einen Namen als talentierter Liederdichter machen sollte. Jeden Abend saßen die rund 20 Clubmitglieder von sechs bis neun Uhr zusammen, lasen die Bibel, beteten und stärkten sich im Glauben. Dreimal täglich kam man zum gemeinsamen Gebet zusammen. Außerdem traf man sich zweimal in der Woche, um Strafgefangene und Kranke zu besuchen sowie Zeit mit Kindern aus sozial schwachen Familien zu verbringen. Man legte Geld für caritative Zwecke zusammen und half sich bei der sinnvollen Planung seiner Zeit. Natürlich zogen die Frommen schon bald den Spott ihrer Mitstudenten auf sich und wurden als *Sakramentarier, Bibelmotten* oder eben als „Heiliger Klub" bezeichnet. Aufgrund ihrer strikten und organisierten Lebensweise wurden Wesleys Anhänger hier erstmals auch „Methodisten" genannt.

Vergebliche Missionsarbeit

Nach dem Tod seines Vaters (1735) entschied Wesley sich, als Missionar zu den Indianern Nordamerikas zu gehen. Susanna Wesley zog zu ihrem Sohn Samuel, der in London eine gute Pfarrstelle hatte. Bis zu ihrem Tod (1742) stand John in engem Briefkontakt mit ihr. John Wesley wandte sich nach Georgia, weil der Gouverneur der Kolonie, James Oglethorpe, ein Freund der Familie war. Auch wenn man ihn an der Universität drängte zu bleiben, sah Wesley seine Zukunft bei den englischen Siedlern in Amerika und den Indianern. Während der 57 Tage dauernden Überfahrt geriet das Schiff in einen fürchterlichen Sturm. Wesley litt Todesangst, eine Gruppe Missionare der Herrnhuter Brüdergemeine aber verhielt sich selbst in größter Gefahr vollkommen ruhig. Ihr Gottvertrauen blieb Wesley noch lange in Erinnerung.

Mit seiner organisatorischen Strenge sowie seiner Aufforderung zum Verzicht auf Luxus und Vergnügen stieß Wesley bei den englischen Siedlern auf keine Gegenliebe. Er selbst verzichtete auf ein Bett, schlief stattdessen auf der Erde und ernährte sich zumeist nur von Wasser und Brot. In zahlreichen Hausbesuchen versuchte er, die hartgesottenen Menschen zu bekehren, jedoch ohne Erfolg. In Savannah verliebte sich Wesley in Sophia Hopkey, ohne ihr jedoch einen Heiratsantrag zu machen. Als sie wenig später heiratete, war er verärgert und bestritt die

Rechtsgültigkeit dieser Ehe, weil einige formale Aspekte nicht berücksichtigt worden seien. Einige Wochen darauf verweigerte Wesley der jungen Ehefrau das Abendmahl, weil sie sich vorher nicht bei ihm gemeldet habe. Diese kleinlichen Reaktionen des verschmähten Liebenden trugen nicht gerade zur Beliebtheit Wesleys bei. Der gedemütigte Prediger bekam die Grenzen seiner eigenen Frömmigkeit zu spüren und begann, verstärkt nach der Nähe Gottes zu suchen. Nach seinem wenig erfolgreichen Amerika-Abenteuer kehrte Wesley enttäuscht nach England zurück.

Echte Bekehrung

Von außen betrachtet führte John Wesley bis hierhin ein äußerst frommes und diszipliniertes Leben. Jeden Tag nahm er sich durchschnittlich zwei Stunden, um in der Bibel zu lesen und zu beten. Regelmäßig nahm er am Gottesdienst teil. Zweimal in der Woche fastete er. Auf jeden Luxus versuchte er zu verzichten und seine persönlichen Bedürfnisse auf ein Minimum zu reduzieren, um möglichst viel Zeit und Geld in geistliche Aktivitäten fließen zu lassen. Wo immer sich die Gelegenheit bot, sprach er mit Menschen über den christlichen Glauben. Regelmäßig besuchte er Gefangene, Arme und Kranke. Viel Geld investierte er, um diese Menschen materiell zu unterstützen. Und doch befürchtete er, lediglich einen Schönwetterglauben zu haben. Seine Angst auf dem Schiff mitten im Sturm ging ihm nicht aus dem Kopf. Intensive Gespräche mit August Gottlieb Spangenberg (1704–1792) und anderen Vertretern der Herrnhuter Brüdergemeine zeigten Wesley, dass er zwar von der Wahrheit der christlichen Lehren überzeugt war, aber keine persönliche Verbindung mit Jesus Christus hatte. „Ich ging nach Amerika, um die Indianer zu bekehren. Aber wer wird mich bekehren?" Bisher hatte Wesley das Christenleben als kontinuierlichen Prozess begriffen, jetzt wurde ihm immer stärker die Notwendigkeit einer bewussten, zeitlich greifbaren Entscheidung für Jesus Christus deutlich.

Am Abend des 24. Mai 1738 besuchte Wesley die Veranstaltung der Herrnhuter Brüdergemeine in der Aldersgate Street in London. Während jemand über Luthers Vorwort zum Römerbrief sprach, traf Wesley die Erkenntnis, dass Gott durch das Vertrauen auf Jesus Christus eine Veränderung im Herzen des Menschen bewirkt und dass nicht das gute Leben jemanden zum Christen macht. Erst jetzt hatte er die Gewissheit der Vergebung seiner Schuld Gott gegenüber. Auch weiterhin predigte Wesley gegen die Sünde und von der Notwendigkeit einer Lebensveränderung, jedoch nun auch davon, dass Gott jedem Menschen bereitwillig vergibt, wenn er ihn darum bittet.

Wesleys tiefes Vertrauen auf Gott äußerte sich auch immer stärker in alltäglichen Gebetserhörungen. Als er wieder einmal auf seinem Pferd unterwegs war und unter starken Kopfschmerzen litt, betete er, und schon nach kurzer Zeit waren die Schmerzen verschwunden. In Halifax traf Wesley auf den schwer kranken Prediger Floyd. Seine Angehörigen rechneten schon mit dessen Tod. Wesley betete mit den anwesenden Christen und nur wenige Stunden später konnte der Kranke wieder aufstehen. Schon bald war er wieder vollkommen gesund.

Wesleys Kapelle und Haus in London

Ausdauerndes Predigtprogramm

Zumeist predigte Wesley mit großer Leidenschaft. Mit Begeisterung sprach er von der Heiligkeit Gottes, der Vergebung der Sünden und der Veränderung des Lebens. Ihm lagen die Menschen am Herzen, zu denen er sprach. Wesleys Worte waren so eindringlich, dass immer wieder Zuhörer über ihr gottloses Leben zu weinen begannen, spontan niederknieten oder laut um Vergebung baten.

Über 50 Jahre hinweg bestand Wesleys Haupttätigkeit in seinen Predigtreisen, die ihn quer durch England führten. Dabei besuchte er immer wieder auch dieselben Orte, um die dortigen Christen zu ermutigen. Jede Woche legte er auf seinem Pferd und später in einem Wagen rund 160 Kilometer zurück und hielt 15 Predigten. Da ihm die meisten anglikanischen Pfarrer ihre Kirchen verschlossen, sprach er vorwiegend im Freien oder in Privathäusern. Seine engsten Mitarbeiter in den frühen

Jahren waren George Whitefield (1714–1770) und sein Bruder Charles Wesley (1707–1788). Dabei predigte er einfach und verständlich. Es ging nicht um theologische oder philosophische Thesen, sondern um praktische und grundlegende Themen. In der Folge wurden Diebe ehrlich, Trunkenbolde zu Abstinenzlern und Schläger friedlich. Gerade diese Veränderung von Menschen überzeugte auch viele Kritiker.

Seine Zuhörer waren vor allem einfache Leute, Arbeiter aus dem Bergbau, der Industrie und der Landwirtschaft, um die sich sonst niemand kümmerte. Eigentlich bevorzugte Wesley die Kirchen und den geregelten Ablauf des anglikanischen Gottesdienstes. Motiviert aber durch seinen Freund Whitefield und durch die große Zahl verschlossener Kirchen predigte er seit 1739 immer öfter unter freiem Himmel. Trotz vehementer Kritik der anglikanischen Bischöfe und öffentlichen Boykottaufrufen sprach Wesley überall da, wo Menschen bereit waren, ihm zuzuhören. Bei seiner Ankunft in Newcastle wurde er von Betrunkenen und Rowdys empfangen. Am Sonntagmorgen sang er am Stadtrand mit seinem Begleiter John Taylor laut einen Psalm. Zuerst kamen nur einige Neugierige. Schließlich hörten rund 1500 Menschen Wesleys Predigt zu. In seinem ehemaligen Heimatort Epworth untersagte ihm der Pfarrer, die Kirche zu betreten. Daraufhin predigte Wesley eine Woche lang auf dem Friedhof, vor dem Grab seines Vaters, zu mehreren Hundert Zuhörern.

Auf seinen Reisen und bei seinen Predigten ließ sich Wesley auch nicht von schlechtem Wetter abhalten. Ganz gleich, ob es schneite oder regnete, hielt er die angekündigten Veranstaltungen. In späteren Jahren erbauten Wesleys Anhänger auch eigene einfache Versammlungshäuser. Immer hatte Wesley christliche Kleinschriften, Liedtexte und Bücher bei sich, die er in großer Zahl verteilte. Wo er auf soziale Notlagen stieß, versuchte er zu helfen. Als er von zusammengepferchten und hungernden französischen Gefangenen in der Nähe von Bristol hörte, sammelte Wesley Geld und kaufte Stoff und Nahrungsmittel, um die Betreffenden einzukleiden und satt zu machen.

Rücksichtslose Verfolgungen

Auch wenn sich schließlich Zehntausende bekehrten und dem Methodismus anschlossen, hatte Wesley jahrzehntelang mit heftigem Widerstand bis hin zu Verfolgung zu kämpfen. Zu seinen Gegnern gehörten anglikanische Geistliche, aber auch der Mob der Straße. „Wir wurden überall als tolle Hunde dargestellt und auch so behandelt. In Predigten, Zeitungen und Pamphleten aller Art stellte man uns als schreckliche Ungeheuer dar."

Üble Nachrede und Pressekampagnen diffamierten Wesley wahlweise als „unverschämten Hochstapler", „Anstifter zum Aufruhr", „geschickten Betrüger", „frömmelnden Heuchler" usw. Kabarettisten verhöhnten ihn auf der Bühne, Sänger verspotteten ihn mit ihren Liedern. Oftmals war es für Wesley keine Freude, seine Predigten und Bibelstunden zu halten. In Buckland organisierte ein Vikar Hupen, Tröten und andere Lärmerzeuger, um Wesleys Rede zu stören. In Durham bespritzten Demonstranten Wesleys Zuhörer mit Feuerwehrpumpen, um sie zu vertreiben. In St. Ives ritten Personen auf Pferden durch die Menge, um die Veranstaltung zu stören. Andernorts bewarf man Wesley und seine Zuhörer mit Eiern, Steinen, Erdklumpen, faulem Gemüse und ähnlichem Abfall. Man schlug sie mit Keulen, zog sie an den Haaren, versuchte sie wegzuzerren oder niederzutrampeln. Einer von Wesleys Begleitern wurde beinahe von Störenfrieden ertränkt. Immer wieder hetzte man Hunde auf die Prediger.

In einigen Dörfern wurden sogar die Häuser von Methodisten eingerissen oder Fenster der Räume eingeschlagen, in denen Wesley seine Bibelstunden hielt. In Wednesbury beispielsweise wurden alle methodistischen Häuser verwüstet, aller Hausrat wurde auf die Straße geschmissen und die Bewohner vertrieben. Sollten sie ihrem Glauben abschwören und keine weiteren Veranstaltungen Wesleys besuchen, würde man sie in Ruhe lassen, versprachen die Rowdys. Zumeist entkamen die Täter, weil sich Polizei und Richter weigerten, gegen sie vorzugehen. Gelegentlich ließen sich Gewalttäter durch die Friedfertigkeit der Methodisten zum Nachdenken bewegen. Einige bekehrten sich und wurden selbst zu Predigern wie Francis Asbury (1745–1816), der die methodistische Kirche in Amerika ausbreitete und ihr erster Bischof wurde.

Durchorganisierter Lebensplan

Insgesamt soll Wesley auf seinen Reisen rund 350 000 Kilometer zu Fuß zurückgelegt und dabei 42 400 Predigten gehalten haben. Er sprach zu kleinen Gruppen und vor mehr als 30 000 Menschen. Daneben war er unermüdlich literarisch tätig. Er verfasste einen Bibelkommentar in vier Bänden und seine christliche Buchreihe von 50 Bänden (*A Christian Library*). Außerdem veröffentlichte er eine vierbändige Kirchengeschichte, hebräische, griechische und lateinische Grammatiken, zahlreiche Ausgaben mit Kirchenliedern und Gedichten sowie ein monatlich erscheinendes Magazin (*The Arminian Magazine*).

Wesley selbst las viel und empfahl auch anderen Christen, sich beständig weiterzubilden, um die Welt besser zu verstehen und anderen

Menschen besser das Evangelium erklären zu können. Darüber hinaus gründete Wesley einige Schulen, initiierte den Bau von Kirchen und Kapellen und gründete zahlreiche Hilfsfonds für verschiedene wohltätige Zwecke. Das Bestreben Wesleys, möglichst keine Stunde des Tages zu vertrödeln, könnte für einen äußeren Beobachter fast zwanghaft erscheinen. Nur so jedenfalls konnte er sein übergroßes Arbeitspensum bewältigen.

Pragmatische Organisation

Zeitlebens weigerte sich Wesley, eine eigene Kirche zu gründen, auch wenn ihn Freunde und Feinde immer wieder dazu drängten. Trotzdem entstand eine zunehmende Distanz zur anglikanischen Kirche, vor allem durch Wesleys Gottesdienste im Freien, durch eine flexible Liturgie, durch frei vorgetragene Gebete und durch die Einsetzung von Laienpredigern. Das alles widersprach den Gewohnheiten der staatlichen Kirche erheblich. So war es nur eine Frage der Zeit, bis eine eigene Methodistische Kirche entstand, zuerst in Amerika, dann auch in England und schließlich weltweit. Aus der zum Zweck von Austausch und Weiterbildung organisierten Jahreskonferenz der Prediger ging schließlich die Leitung der zukünftigen Methodistischen Kirche hervor.

Wesley, der nach wie vor das konsequente Leben der Christen forderte (Heiligung), lag wenig an großen Zahlen. Immer wieder forderte er seine Prediger auf, Christen, die mehrfach nicht zum Gottesdienst oder zum Abendmahl erschienen, von der Gemeindeliste zu streichen. Alle Gemeindeglieder sollten in Klassen von zwölf Personen eingeteilt werden, um eine persönliche geistliche Betreuung gewährleisten zu können. Lange wurde methodistischen Predigern kein Gehalt gezahlt, nur die unmittelbaren Kosten ihrer Reisen wurden erstattet, damit niemand wegen des Geldes Prediger werden wollte. Fünf Stunden sollte jeder Prediger täglich mit theologischen Studien und Gebet verbringen. Mindestens zweimal sollten sie täglich predigen und nicht lange an einem Ort bleiben, um möglichst viele Menschen erreichen zu können. Die Ansprachen sollten kurz, einfach und bibelorientiert sein.

Eine Frage der Heiligung

Angesichts einer lauen Christenheit, in der selbst Pfarrer kein Problem damit hatten, ein unmoralisches Leben zu führen, betonte Wesley umso mehr die absolute Notwendigkeit der Heiligung: „Ich habe immer wieder in aller Deutlichkeit erklärt, […] worin wir uns von Heiden und Namenschristen unterscheiden […] Unsere Hauptlehren, die alles andere einschließen, sind diese drei: Buße, Glauben und Heiligung. Die erste sehen wir als die Vorhalle an, die zweite als die Tür, die dritte als den Glauben selbst."

Wesley hielt es für einen folgenschweren Irrtum, dass manche Menschen meinten, Christsein bestünde allein in der Zugehörigkeit zu einer Kirche oder einem einmaligen emotionalen Erlebnis. Er war fest davon überzeugt, dass jeder Gläubige darum kämpfen müsse, ein heiliges Leben zu führen. Die Sehnsucht nach einem gottgefälligen Handeln sei darüber hinaus ein sicheres Zeichen echten Christseins: „Die meisten Menschen verlieren sich in der Unrast des Lebens mit seiner Arbeit und seinem Vergnügen. Sie scheinen zu denken, [...] ihr neues Wesen entstehe und entwickle sich in ihnen, ohne dass sie sich irgendwelche Mühe oder eigene Gedanken zu machen hätten [...] Tatsächlich ist aber nichts gewisser als dies: Der Heilige Geist wird unser Wesen nur läutern, wenn wir die Impulse des Geistes sorgsam aufnehmen. Sie gehen aber verloren, wenn wir mit unnützen Dingen unsere Zeit vergeuden, [...] wenn wir unsere geistliche Entwicklung unbeachtet lassen und so das eine vernachlässigen, auf das es letztlich ankommt."

Im Hinblick auf 1. Johannes 3,6 betonte Wesley, das eigentliche Ziel eines Gläubigen sei die Vollkommenheit. Einige zogen daraus vorschnell die Schlussfolgerung, Christen könnten nun sorglos in den Tag hineinleben, ohne gegen das Böse zu kämpfen. Andere hingegen befürchteten, sie seien verdammt, sobald sie einen kleinen Fehler begingen. Wahrscheinlich seien sie keine wahren Christen, weil sie es nicht fertigbrachten, ein vollkommen sündloses Leben zu führen. Beide Sichtweisen aber gingen an Wesleys eigentlicher Absicht vorbei.

In seinem Buch *Ein freimütiger Bericht von der christlichen Vollkommenheit* betonte Wesley, dass auch ein *vollkommener Christ* selbstverständlich noch versucht werden und Irrtümer sowie unbewusste Sünden begehen könne. Obwohl es etwas nach Haarspalterei klingt, vertrat Wesley die Überzeugung, dass ein vollkommener Gläubiger gewöhnlich nicht sündlos sei. Wer Gott von ganzem Herzen liebe, sei nach biblischer Auskunft vollkommen. Gleichzeitig könne ein solcher Christ aber gelegentlich doch noch der Versuchung erliegen und sündigen. „Ich glaube, dass ein Mensch, der voll von der Liebe Gottes ist, dennoch diesen unfreiwilligen Übertretungen unterworfen bleibt." Wesley selbst hielt sich beileibe auch nicht für sündlos: „Als ich noch viel jünger war, hielt ich mich selbst für unfehlbar; aber ich danke Gott, dass ich mich jetzt besser kenne."

Das wahrscheinlich größte Problem in dieser Lehre Wesleys besteht wohl darin, dass er Rechtfertigung und Heiligung auseinanderriss. Die von allen Gläubigen zu erstrebende Heiligung war für Wesley eine zweite, höhere Stufe des Christseins. Diese Unterscheidung zwischen *normalen Christen* und Gläubigen höherer Ordnung wurde später beispielsweise von der *Charismatischen Bewegung* aufgegriffen, wo oftmals zwischen Christen und geistgetauften Christen unterschieden wird. Im Neuen Testament hingegen findet sich lediglich ein prinzipieller Unterschied – der zwischen Christen und Menschen ohne Gott. Natürlich werden dort auch Christen mit unterschiedlichem geistlichem Wachstum beschrieben. Es besteht zwischen ihnen aber kein grundsätzlicher qualitativer Unterschied. Durchaus berechtigt aber wollte Wesley mit seiner Heiligungslehre die Notwendigkeit eines gottgefälligen Lebens betonen und die Möglichkeit jedes Christen, mutwillige Sünden zu vermeiden.

Unglückliche Ehe

Bis zum 48. Lebensjahr blieb Wesley Junggeselle, was sicher auch ideal zu seinem ausgefüllten Lebensstil passte. Immer wieder äußerte er, niemals heiraten zu wollen. Und doch war er mehrfach verliebt. Am besten hätte wohl Grace Murray, die Witwe eines Seekapitäns, zu ihm gepasst. Durch methodistische Veranstaltungen fühlte sie sich angesprochen und wurde schon bald ein engagiertes Mitglied der örtlichen Gemeinde. Als man ihre Fähigkeiten erkannte, wurde ihr die Verantwortung über das Waisenhaus in Newcastle übergeben. Wesley fühlte sich zu ihr hingezogen und plante, sie zu heiraten. Weil er jedoch zu lange zögerte, ging sie eine Ehe mit John Bennett ein (1749).

Nur zwei Jahre später heiratete Wesley wohl etwas überstürzt Mary Vazeille, die Witwe eines Londoner Kaufmanns. Zwar begleitet sie Wesley zuerst auf seinen Reisen, äußerte aber beständig ihre Unzufriedenheit. Sie beschwerte sich vehement über die langen Fahrten, die ungemütliche Unterkunft, das schlechte Essen, den Regen, die aufdringlichen Menschen usw. Frau Wesley fühlte sich von ihrem Mann vernachlässigt. Immer stärker wurde sie eifersüchtig auf Wesleys Arbeit und auf die Frauen, mit denen er Kontakt hatte. Sie begann seine Briefe zu kontrollieren, den Schreibtisch und den Terminplan zu durchsuchen, um auf Hinweise seiner mutmaßlichen Untreue zu stoßen. Gelegentlich ließ sie sogar Wesleys Kritikern Informationen zukommen, um ihren Mann durch die gedruckten Angriffe stärker an sich zu binden. Zeitweise bekam Mary Wutanfälle, in denen sie auf Wesley einschlug, ihn an den Haaren zerrte und anschrie.

Große Nachwirkung

Bis ins hohe Alter hielt Wesley an seinem straffen Terminplan fest und predigte selbst noch mit 85 Jahren mehrmals täglich. Inzwischen wurde er allerdings friedlich aufgenommen, gelegentlich fast als Staatsgast behandelt. Der Methodismus hatte sich etabliert. Am 2. März 1791 starb Wesley nach einer schweren Erkältung mit Lobliedern auf den Lippen. Unter großer öffentlicher Anteilnahme wurde er in London aufgebahrt und dann beerdigt. Bei seinem Tod lebten in britischen und amerikanischen Territorien 137 000 Methodisten, die von 511 reisenden Pastoren betreut wurden. Die verschiedenen methodistischen Kirchen zählen heute rund 75 Millionen Mitglieder, in Deutschland etwa 33 000. Zu den historisch bedeutsamen Methodisten gehören der Gründer der Heilsarmee William Booth, (1829–1912), der China-Missionar Hudson Taylor, (1832–1905), der südafrikanische Friedensnobelpreisträger Nelson Mandela (1918–2013) und der US-amerikanische Präsident George W. Bush (* 1946). Nach dem Erbe Wesleys betonten Methodisten in der Vergangenheit einen persönlich erfahrbaren Glauben, Kritik an „oberflächlichen Vergnügungen" (Glücksspiel, Tanz, Theater, Alkoholkonsum) sowie ein starkes sozial-diakonisches Engagement (Arbeit in Gefängnissen, für wirtschaftliche Gerechtigkeit und den Schutz der Umwelt).

Ausgewählte Literaturhinweise

Garth Lean: *John Wesley. Modell einer Revolution ohne Gewalt*, Brunnen Verlag, Gießen 1982

Percy Livingstone Parker (Hrsg.): *Das Tagebuch John Wesleys*, Hänssler-Verlag, Holzgerlingen 2000

Martin Schmidt: *John Wesley. Leben und Werk*, 2 Bde., Gotthelf Verlag, Zürich 1953–1966

W. R. Ward: *John Wesley*, in: Martin Greschat (Hrsg.): Gestalten der Kirchengeschichte, Bd. 9, W. Kohlhammer Verlag, Stuttgart 1985, S. 43-58

Ansätze zum Weiterdenken

◊ Echtes geistliches Leben lässt sich nicht durch eine disziplinierte Lebensführung oder durch fromme Taten ersetzen. Religiöse Menschen stehen in der Gefahr, ihr oftmals gutes Handeln und ihr Fürwahrhalten theologischer Aussagen mit echtem Christsein zu verwechseln. Nur die Kapitulation vor Gott, die Annahme der Vergebung seiner Schuld durch Jesus Christus und das Empfangen des Heiligen Geistes machen einen Menschen zum Kind Gottes.

◊ Jeder, der im Reich Gottes große Verantwortung übernehmen will oder beabsichtigt, die Welt christlich zu verändern, muss bereit sein, klein anzufangen. Mit scheinbar einfachen und mühsamen Aufgaben muss sich ein Christ bewähren und zeigen, ob er tatsächlich die nötigen geistlichen Führungsqualitäten mitbringt. Nur wer im Kleinen treu ist, bekommt von Gott auch größere Verantwortung übertragen.

- ◊ Wer sich konsequent für Gott einsetzt, muss damit rechnen, auf Widerstand zu stoßen, manchmal sogar auf offene Feindschaft. Wer zu schnell aufgibt, weil es für ihn unerträglich ist, nicht gemocht oder gar verachtet zu werden, ist für eine verantwortliche Position im Reich Gottes nicht geeignet. Das Lob, auf das es schlussendlich ankommt, gibt Gott. Zwischendurch ermutigen natürlich auch einzelne Menschen, die von Gott geschickt werden.
- ◊ Der lebenslange Prozess der Heiligung gehört zum normalen Christsein dazu. Es genügt nicht, sich einmal bekehrt zu haben und getauft worden zu sein. Gott will, dass die innere geistliche Veränderung auch im Reden und Handeln des Christen sichtbar wird.
- ◊ Die Entscheidung für einen Ehepartner hat Auswirkungen auf das ganze Leben. Passende Ehepartner fördern und unterstützen sich. Falsche Ehepartner behindern und schaden sich, auch im geistlichen Bereich.

18

John Newton
(1725-1807)
Vom Sklavenhändler zum Christen

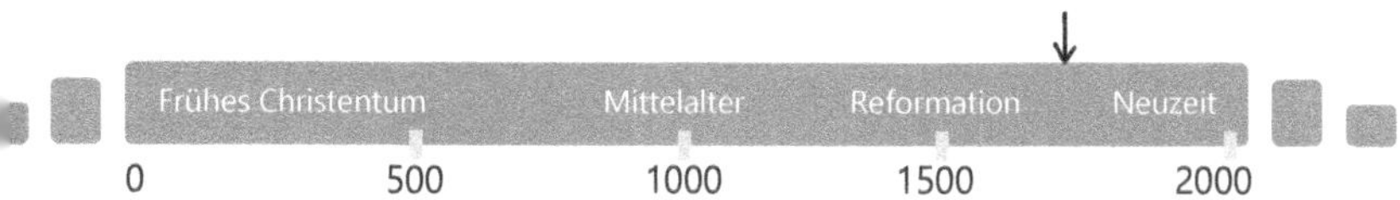

Manchem scheinen Glück und Glauben, Anerkennung und Erfolg in die Wiege gelegt zu sein. Sie werden reich und hübsch, talentiert und geliebt geboren. Für den zeitweiligen Sklavenhändler John Newton war das nicht so. Wohl kaum einer hätte in dem harten und gottlosen Seemann einen einfühlsamen Seelsorger und wortgewandten Kämpfer für die Menschenrechte vermutet. Auch hätte ihm wohl niemand vorhergesagt, dass er einmal zum Dichter des wohl bekanntesten englischen Kirchenliedes werden sollte: *Amazing Grace*.

Rauhe Kindheit

John Newton wurde am 24. Juli 1725 in London geboren. Seine Mutter pflegte eine unauffällige Frömmigkeit. Sein zur See fahrender Vater hielt wenig von Glauben und Kirche. Nachdem Newton die Mutter im Alter von sechs Jahren verloren hatte, war er weitgehend auf sich alleine gestellt.

Hatte ihm seine Mutter noch einige Kirchenlieder und den anglikanischen Katechismus beigebracht, interessierte sich die zweite Frau seines Vaters weder für Religion noch für den kleinen John. Seine Allgemeinbildung war äußerst bescheiden. Lediglich zwei Jahre besuchte Newton die Internatsschule in Stratford. Alles Weitere, auch sein theologisches Wissen, eignete er sich im Selbststudium an.

Bereits als Elfjähriger begann er mit seinem Vater zur See zu fahren. Mit 18 Jahren wurde Newton in den Dienst der Marine gezwungen. Auf dem Kriegsschiff *Harwich* arbeitete er als Leutnant zur See. Durch den langjährigen Umgang mit hartgesottenen und lebenslustigen Seeleuten wurden seine Prinzipien und guten Vorsätze weitgehend zugrunde gerichtet.

Später schrieb Newton über diese Zeit: „Ich war zu allem fähig; ich hatte nicht einmal mehr die geringste Gottesfurcht, und auch mein Gewissen war völlig verhärtet […] Meine Liebe zu Mary [seiner späteren Frau] war nun das Einzige, was mich noch zurückhielt." Um diesem Leben zu entfliehen, desertierte er schließlich. Nachdem man ihn wieder eingefangen hatte, wurde Newton eingesperrt, in Ketten gelegt, öffentlich entkleidet und zur Abschreckung ausgepeitscht. Außerdem wurde er degradiert und seines Amtes enthoben.

Skrupelloser Sklavenhändler

Bald danach heuerte Newton als Steward auf dem Sklavenschiff *Levant* an. Nach einem Streit wurde er 1745 vom Kapitän aus Krankheitsgründen auf einer kleinen Insel südöstlich von Sierra Leone in Westafrika ausgesetzt. Anderthalb Jahre lebte Newton dort als Sklave eines Afrikaners. Besonders grausam wurde er von der Frau seines Besitzers behandelt, die den stolzen Europäer verachtete. Es ging ihm so schlecht, dass sogar einige afrikanische Sklaven ihm etwas von ihrer eigenen, kargen Lebensmittelration abgaben. Während dieser Zeit erkrankte Newton schwer an Malaria und fürchtete, sterben zu müssen. Mehr oder weniger zufällig ankerte nach anderthalb Jahren die *Greyhound* vor der Insel, dessen Kapitän gut mit Newtons Vater bekannt war. Im Februar 1747 befreiten ihn die Seeleute aus der Sklaverei und nahmen ihn an Bord.

Dramatische Bekehrung

Noch ein Jahr ging die Besatzung ihren Geschäften vor der Küste Afrikas nach. Dann kehrte sie wieder zurück nach England. Am 21. März 1748 tobte ein schwerer Sturm über dem Nordatlantik. Das Schiff wurde vom Wind durchgeschüttelt. Newton erwachte, weil seine Kajüte voll Wasser lief. Als er an Deck gehen wollte, hielt ihn der Kapitän mit einem Auftrag zurück. Der Matrose, der an seiner Stelle nach oben lief, wurde sofort über Bord gespült und ertrank in der tobenden See. Mit letzter Anstrengung versuchte man das Schiff leer zu pumpen. Sollte das misslingen, würde es den sicheren Untergang bedeuten. Von drei Uhr nachts bis zum Mittag des folgenden Tages arbeitete Newton an den Pumpen und betete. Dann stand er zehn Stunden am Steuerruder und musste immer wieder über sein bisheriges Leben und seinen armseligen Zustand nachdenken. Am nächsten Tag gegen Abend wurde der Sturm schwächer und Newton schöpfte neue Hoffnung. „Ich meinte zu erkennen, wie Gottes Hand alles zu unseren Gunsten lenkte. Ich begann zu beten. Ich konnte aber kein richtiges

Gebet zu Gott sprechen [...] die trostlosen Grundsätze der Gottlosigkeit hatten sich tief in mein Leben eingegraben [...] Die große Frage war jetzt, wie ich zum Glauben gelangen könnte."

Newton fand eine Bibel und begann für die restlichen Tage der Fahrt ernsthaft darin zu lesen und Gott darum zu bitten, ihm die Texte verständlich zu machen. „Bis hierhin wurden meine Gebete erhört, sodass ich, bevor wir Irland erreichten, einen ausreichenden Beweis für die Wahrheit des Evangeliums [...] erhielt." Wieder an Land bekehrte sich Newton am 10. Mai 1748: „Ich hatte meinen früheren Lebenswandel als Gotteslästerer von Herzen aufgegeben und mir einige richtige Vorstellungen angeeignete. [...] Ich bereute mein bisher vergeudetes Leben und beschloss, mich augenblicklich zu bessern. Von der Gewohnheit, bei entsprechenden Anlässen zu fluchen, wurde ich völlig befreit. [...] Allem Anschein nach war ich ein neuer Mensch geworden."

Langsame Veränderung

Sicher waren Newton zu diesem Zeitpunkt die genauen theologischen Zusammenhänge der göttlichen Vergebung und des christlichen Lebens nicht klar. Noch hatte er sich auch keiner Gemeinde angeschlossen und keinen engeren Kontakt zu anderen Christen. So wurde Newton Kapitän eines Sklavenschiffs. Später, als er sich längst den politischen Gegnern der Sklaverei angeschlossen hatte, schrieb er über den Menschenhandel: „[...] ein so ungeheuerliches und so grausames Geschäft ist der Handel mit afrikanischen Sklaven, ein derart schlimmes Beispiel für Unterdrückung und menschenverachtende Ausbeutung!" Ebenso deutlich kritisierte Newton den britischen Kolonialismus seiner Zeit: „Uns wird von Kindesbeinen an beigebracht, jene zu bewundern, die in der Sprache der Welt große Kapitäne und Eroberer genannt werden, weil sie darauf brannten, Mord und Schrecken in jeden Teil des Globus zu tragen und durch die Entvölkerung von Ländern ihre eigenen Namen zu verherrlichen, während der Geist der Großherzigkeit des heiligen Paulus fast überhaupt keine Beachtung findet."

1750 ertrank Newtons Vater auf See. Dennoch nahm er bis 1754 als Kapitän an drei weiteren Handelsfahrten auf Sklavenschiffen teil. Nach einem epileptischen Anfall gab er die Seefahrt auf und arbeitete als Zollinspektor in Liverpool. Dort vertiefte sich der Kontakt zu Christen aus der anglikanischen Staatskirche und zu freikirchlichen Gemeinden. Nebenher brachte sich Newton im Eigenstudium Griechisch, Hebräisch und Syrisch bei, um die Bibel in den Originalsprachen lesen zu können. Außerdem studierte er viel theologische Literatur in Latein, Französisch und Englisch. 1764 wurde Newton Pastor der Anglikanischen Kirche in

Olney/Buckinghamshire. 16 Jahre später wechselte er in die Gemeinde St. Mary's Woolnoth in London, wo er weitere 27 Jahre tätig war.

Hingegebener Prediger

Das einschneidende Erlebnis seiner Bekehrung prägte Newtons Denken tief. Nachdem er selbst Frieden und Erfüllung bei Gott gefunden hatte, sah er in seinen Mitmenschen nicht mehr nur Kollegen, Freunde oder Gegner: „Wer immer […] die Liebe Christi geschmeckt und die Notwendigkeit und den Wert der Erlösung aus eigener Erfahrung kennengelernt hat, ist fähig und sogar gezwungen, seine Mitmenschen zu lieben. Er liebt sie auf den ersten Blick."

Dem Eindruck seiner Zuhörer zufolge war Newton kein mitreißender, eloquenter Redner. Trotzdem kamen viele, um ihn zu hören, weil sie bemerkten, dass er authentisch war und sich persönlich für sie interessierte. Täglich nahm er sich Zeit für seelsorgerliche Gespräche und briefliche Anfragen. In Olney unterhielt Newton regelmäßig mehr als 200 Kinder mit Spielen, kleinen Aufgaben und biblischen Geschichten, ohne dass ihm die Kleinen mühsam oder unwichtig erschienen.

John Newton

Beispielhaft war Newtons praktische Sorge um den depressiven Liederdichter William Cowper (1731–1800). Über zwölf Jahre hinweg, bis zu dessen Tod, traf er sich fast täglich mit dem Künstler, hörte ihm zu, ermutigte ihn und brachte ihn dazu, weiter zu dichten. Dank oder auch nur eine positive Resonanz bekam er von Cowper nur selten.

Als der junge Henry Martyn (1781–1812) Newton besuchte, war er tief entmutigt, weil man seine Predigten als langweilig und leblos zurückwies. Newton ermutigte den Geistlichen über längere Zeit hinweg und begleitete ihn seelsorgerlich. Später wurde Martyn ein vorbildlicher Missionar in Indien und Persien.

Jahrelang pflegte Newton den Kontakt zu Thomas Scott, einem liberalen Nachbarpfarrer, der keinen Hehl aus seiner Verachtung für die

„Frommen" machte. Schlussendlich ließ sich der provokante Bibelkritiker Scott von der Freundlichkeit Newtons überzeugen.

In all seinen Begegnungen war Newton nicht leichtgläubig oder berechnend, sondern verständnisvoll und vergebungsbereit. Oftmals durchschaute er schon recht bald die abstoßende oder attraktive Fassade seiner Gesprächspartner. Doch erinnerte er sich immer wieder daran, wie Gott auch ihm, dem ehemaligen Sklavenhändler, vergeben hatte.

Freunde und Feinde

Die Freundschaft zu John Newton motivierte den evangelikalen, britischen Parlamentarier William Wilberforce (1759–1833) zu seiner 18-jährigen Kampagne für die Abschaffung des Sklavenhandels. Seit 1789 brachte Wilberforce regelmäßig Gesetzesanträge zum Verbot der Sklaverei ein, bis er 1807 die Mehrheit der Abgeordneten für seine Sache gewinnen konnte.

William Wilberforce

Engen persönlichen und geistlichen Kontakt pflegte Newton darüber hinaus mit dem Menschenrechtler und Indienmissionar William Carey (1761–1834), mit John Wesley (1703–1791), dem Gründer der Methodisten und George Whitefield (1714–1770), einem der einflussreichsten Erweckungsprediger jener Zeit.

Immer wieder musste sich Newton auch mit Gegnern und Kritikern auseinandersetzen. Theologische Kontroversen versuchte er nicht mit lautstarken Argumenten oder einem massiven Auftreten zu gewinnen, sondern mit Liebe und Klarheit. „Um Irrlehre zu besiegen, versuche ich in erster Linie, die Wahrheit herauszufinden." Dabei wollte Newton allerdings auch nicht um eines falschen Friedens willen schweigen: „Ich habe nicht den Wunsch, anderen meine Lehrsätze mithilfe einer Auseinandersetzung aufzudrängen; aber ich meine auch nicht, sie verstecken zu müssen." Die bedingungslose Vergebung seiner eigenen Schuld durch Gott sollte nach Newton aus jedem Christen einen gütigen Menschen machen, der keinen anderen verachtet oder pauschal verurteilt: „Der Christ kennt und fühlt seine eigenen Schwächen und seine Unwürdigkeit, und er lebt von der Gnade und der vergebenden Liebe seines Herrn. Das verleiht ihm eine gewohnheitsmäßige Güte und eine liebenswürdige Geisteshaltung."

Absolut erstaunliche Gnade Gottes

„*Amazing Grace*, how sweet the sound, / That saved a wretch like me! / I once was lost, but now I am found, / Was blind, but now I see", komponierte Newton für die Neujahrspredigt 1773. Der Text wurde erstmals 1779 im Gesangbuch der *Olney-Hymnen* veröffentlicht. In diesem Lied erzählt John Newton von seiner Bekehrung und von der unendlichen Gnade Gottes. In seinen Formulierungen nimmt er dabei verschiedene Bibelstellen auf (u.a. Joh 9,25; Eph 2,8).

Ins Deutsche übersetzt lautet der Text etwa so:

„Erstaunliche Gnade, wie süß ihr Klang,
Die ein Wrack (einen Sünder) wie mich errettete!
Einst war ich verloren, aber nun bin ich gefunden,
Ich war blind, aber nun sehe ich.
...
Durch viele Gefahren, Mühen und Fallen
Bin ich bereits gekommen;
Es ist Gnade, die mich sicher so weit brachte,
Und Gnade wird mich nach Hause bringen.

Der Herr hat mir Gutes versprochen,
Sein Wort macht meine Hoffnung sicher;
Er wird mein Schutz und Anteil sein,
So lang das Leben dauert. ..."

Im 19. Jahrhundert gewann *Amazing Grace* eine außerordentliche Popularität, sowohl unter den europäischstämmigen Amerikanern als auch unter den Indianern. Obwohl das Stück von einem ehemaligen Sklavenhändler stammte, wurde *Amazing Grace* auch von der afroamerikanischen Spiritual- und Gospelszene übernommen. Heute gehört es zu den beliebtesten und am häufigsten gesungenen englischen Kirchenliedern weltweit.

Verliebt, verlobt, verheiratet

Schon mit 17 hatte sich Newton aus der Entfernung in Mary Catlett verliebt, die damals gerade 13 Jahre alt war. Auf See träumte er von Mary, nahm jedoch erst sieben Jahre später näheren Kontakt zu ihr auf. Im Alter von 24 Jahren heiratete er sie schließlich (1750). Während seiner Fahrten als Kapitän waren sie oft monatelang getrennt. Newtons Briefe, die er während dieser Afrikareisen verfasste, spiegeln etwas von der innigen Verbindung des Ehepaars wieder, die auch Missverständnisse und Streit überdauerte. Eigene Kinder bekamen sie keine, doch adoptierten sie zwei Nichten und kümmerten sich liebevoll um sie. Nach 40 Jahren endete die weitgehend glückliche Ehe mit Marys Tod (1790).

Gläubiges Sterben

Trotz zunehmender Probleme mit Ohren und Augen predigte Newton bis ins Alter von 81 Jahren. An ein geruhsames Rentnerdasein wollte er nicht denken: „Soll der alte Gotteslästerer von der Küste Afrikas aufhören zu predigen, obwohl er noch sprechen kann?" In den letzten Wochen vor seinem Tod äußerte Newton: „Es ist etwas Großartiges, zu sterben und zugleich Gott als die Stärke seines Herzens […] zu kennen […] Ich weiß, wem ich geglaubt habe, und er ist imstande, mein anvertrautes Gut auf jenen großen Tag hin zu bewahren" (vgl. 1. Korinther 1,8). Ein Jahr darauf starb Newton, gepflegt von einer seiner Nichten (1807).

In seinem Testament schrieb er: „Ich befehle meine Seele meinem gnädigen Gott und Heiland an, der mich in seiner Barmherzigkeit verschonte und bewahrte, als ich ein Abtrünniger und Ungläubiger war. Er rettete mich an der Küste Afrikas aus meinem elenden Zustand, in den mich meine hartnäckige Bosheit gebracht hatte. Ihm hat es gefallen, mich sein herrliches Evangelium predigen zu lassen."

Ausgewählte Literaturhinweise

Jonathan Aitken: *Amazing Grace und John Newton*. Sklavenhändler, Pastor, Liederdichter, SCM Hänssler Verlag, Holzgerlingen 2014

John Piper: *Beharrlich in Geduld. John Newton. Charles Simeon. William Wilberforce*, CLV Verlag, Bielefeld 2010, S. 51-100

Christine Schaub: *Zeit der Sehnsucht, Verlag der Francke Buchhandlung*, Marburg an der Lahn 2007

Steve Turner: *Amazing Grace. John Newton und die bewegende Geschichte seines weltbekannten Liedes*, Brunnen Verlag, Gießen 2009

Ansätze zum Weiterdenken

◊ Gott kann das Leben eines Menschen ganz grundlegend verändern. Er kann sogar aus einem gewissenlosen Sklavenhändler einen frommen Pastor machen. Es hilft manchmal, in einem Menschen das mögliche Potential Gottes zu sehen und ihn nicht zu früh als aussichtslosen Fall abzutun.

◊ Gott lässt sich dabei Zeit, einen Menschen zur Einsicht zu bringen und umzugestalten. Auch Christen sollten genügend Geduld aufbringen, wenn sie jemandem helfen wollen, zu Gott zu finden. Dieser Prozess kann unter Umständen Jahre dauern.

◊ Die Erfahrung der eigenen Vergebung kann motivieren, auch andere auf Gott aufmerksam zu machen. Wer die Sünde und deren zerstörerisches Potential auf einen Menschen wirklich kennengelernt hat, will andere davon abhalten, dieselben Fehler zu machen. Das eigene sündige Leben kann aber auch gnädig stimmen, damit man nicht zu gefühllos oder selbstgerecht die Sünde der anderen bemängelt.

◊ Christlicher Glaube kann auch gesellschaftsverändernd wirken. Newton als glaubwürdiger Kenner der Sklaverei konnte dazu beitragen, dass dieser entwürdigende Umgang mit Menschen beendet wurde.

19

Matthias Claudius
(1740–1815)
Der Mond ist aufgegangen

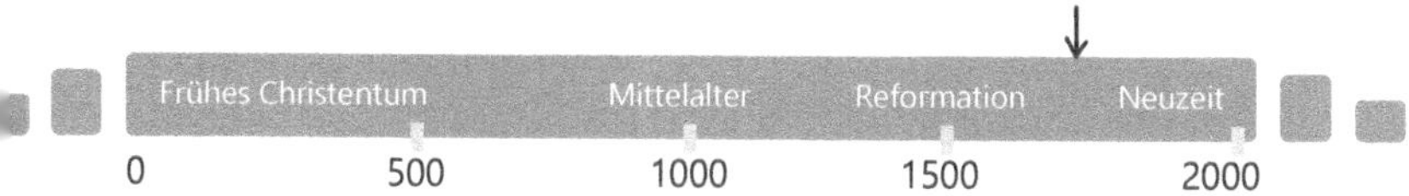

„Ich glaube nur, was ich sehe", ist der Leitspruch vieler Rationalisten. Das war schon vor Jahrhunderten nicht wirklich überzeugend. In einer Zeit aber, in der fast täglich neue Details auf subatomarer und intergalaktischer Ebene enthüllt werden, klingt eine solche Behauptung geradezu kindlich. Jedem wissenschaftlich gebildeten Menschen ist heute klar, dass die Wirklichkeit weit mehr umfasst als das, was man sehen und messen kann. In dem weithin bekannten Abendlied „Der Mond ist aufgegangen" wird diese Erkenntnis eindrücklich formuliert.

Kindheit im Pfarrhaus

Matthias Claudius führte sein Leben in einer politisch unruhigen Zeit. Direkt oder aus der Entfernung erlebte er zwei schlesische Kriege (1740–1745), den *Siebenjährigen Krieg* zwischen Preußen und Österreich (1756–1763), die *Französische Revolution* (1789–1799) und den Untergang des *Heiligen Römischen Reiches deutscher Nation* (1806). Diese Ereignisse machten Claudius am Ende seines Lebens zum politischen Flüchtling.

Unter den Vorfahren von Matthias Claudius finden sich zahlreiche lutherische Pfarrer, deren Stammbaum bis in die Zeit der Reformation reicht. Der Vater des Dichters, ebenfalls ein Matthias Claudius, war Pfarrer in Reinfeld bei Lübeck. Nachdem seine erste Frau früh starb, heiratete er Marie Lork, die Tochter eines Flensburger Ratsherrn, der mit Theodor Storm und Johannes Brahms verwandt war. Am 15. August 1740 wurde Matthias geboren. Das Familienleben im Pfarrhaus war fröhlich, fromm und fest geregelt. Einmal wird er als Junge „mit zartem Körperbau" und „sanft gewellten Haaren", mit blauen Augen und eher introvertiert beschrieben.

Der Vater war ein ehrenhafter, bibelgläubiger und humorvoller Mensch, der seinen Sohn bis zur Konfirmation zu Hause unterrichtete. Vor allem machte er ihn mit den Grundlagen der Sprache, der Mathematik und der Theologie vertraut. Schon sehr früh bekam Claudius so einen Bezug zu biblischen Bildern und Gestalten. In der Kirche beeindruckte ihn das sonntägliche Orgelspiel. Schon bald lernte der Junge Klavier und Orgel spielen.

Der Vater starb nach 40-jähriger Amtszeit 1774. Zeit seines Lebens erinnerte sich Claudius gerne an seine fromme Mutter, die ihm oftmals Lieder von Paul Gerhardt (1607–1676) vorgesungen hatte, mit Vorliebe *Befiehl du deine Wege*. Sie starb 1780. Als Matthias elf Jahre alt war, verlor er innerhalb weniger Tage drei seiner jüngeren Geschwister durch eine Seuche.

Studium mit Bruder Josias

Vor allem mit seinem Bruder Josias verband Claudius eine engere Beziehung. Zusammen besuchten sie nach der Konfirmation die Ploener Lateinschule. Das beinhaltete auch eine Trennung von den Eltern, die sie nur während der Ferien, acht Tage im Jahr, besuchen konnten. Claudius behielt diese Zeit als trocken und langweilig in Erinnerung. Vor allem ging es darum, die für die Universität notwendigen Kenntnisse des Latein zu perfektionieren.

Im Jahr 1759 begannen die Brüder mit ihrem Studium der Theologie in Jena. Doch schon bald fühlte sich Claudius hier fehl am Platz. Für das Studium war er zu fromm und zu sensibel. Der kühle und öde Rationalismus der meisten Theologen stieß ihn ab. Auch das bierselige und freizügige Leben der Mitstudenten machte ihm zu schaffen. Das führte schon bald zu einem psychosomatischen Brustleiden, das ihn daran hinderte zu predigen. Daraufhin wechselte Claudius den Studiengang von Theologie zu Jura. Hier konnte er einfach lernen, ohne sich ständig existentiell mit den Studieninhalten auseinandersetzen zu müssen.

Während des Studiums trat Claudius der *Teutschen Gesellschaft* bei, einem Kreis junger Leute, die über literarische und philosophische Themen debattierten. Hier lernte er den Dramatiker und Lyriker Heinrich Wilhelm von Gerstenberg (1737–1823) kennen, mit dem er zeitweilig eng befreundet war. Angeregt von diesem literarischen Club veröffentlichte Claudius einen ersten Gedichtband mit dem Titel *Tändeleien und Erzählungen* (1763). Von den Rezensenten wurde sein Erstlingswerk überwiegend kritisch aufgenommen.

Während der Studienjahre erkrankte Claudius an Blattern. Fürsorglich von seinem Bruder gepflegt wurde er bald wieder gesund. Josias aber steckte sich an und starb kurz darauf. Claudius wurde durch dieses Ereignis stark erschüttert, nicht nur, weil er den Bruder verlor, der ihm am nächsten gestanden hatte, sondern auch, weil dieser sich angesteckt hatte, während er ihn pflegte. 1763 verließ Claudius die Universität nach einem erfolgreich bestandenem Jura-Examen.

Am dänischen Hof

Matthias Claudius

In Dänemark übernahm Claudius die Stelle des Sekretärs beim Haushofmeister des Königs (1764). Da Kopenhagen damals ein Zentrum deutscher Kultur war, traf er hier auch auf zahlreiche Dichter und Musiker. Hier entwickelte sich die Grundlage einer lebenslangen Freundschaft mit Friedrich Gottlieb Klopstock (1724–1803), dem damals schon bekannten Dichter der *Geistlichen Lieder* und des *Messias*.

Obwohl er den geistigen Austausch schätzte, fühlte sich Claudius in seiner Rolle als Hofbediensteter zunehmend eingeengt und unausgefüllt. Bereits nach einem Jahr zog er zurück ins heimatliche Reinfeld. In der ländlichen Umgebung verbrachte er seine Zeit mit Träumen, Musizieren und Wandern.

Der *Wandsbecker Bothe*

Nach drei Jahren drängte ihn sein Vater, wieder beruflich tätig zu werden. So übernahm er in Hamburg die Redaktion der *Adress-Comtoir-Nachrichten* (1768–1770). Claudius war für den kulturellen Teil des Handels- und Börsenblattes zuständig. Besonders anregend empfand er in dieser Zeit die Bekanntschaft mit dem Komponisten Carl Philipp Emanuel Bach (1714–1788), dem damals schon berühmten Sohn des großen Johann Sebastian Bach. Auch fühlte sich Claudius dem frommen Dichter Johann Gottfried von Herder (1744–1803) verbunden, der zur Mystik neigte. Herder, der Claudius schätzte, nannte ihn „das größte Genie, das ich je gefunden habe, einen Freund von sonderbarem Geist und von einem Herzen, das wie Steinkohle glüht".

Bereits kurze Zeit später engagierte Claudius sich bei einem neuen Projekt, das seinen Interessen und Fähigkeiten weit mehr entsprach. In Wandsbeck (heute: Wandsbek) plante Heinrich Carl von Schimmelmann eine neue, der Aufklärung verpflichtete Zeitung, den *Wandsbecker*

Bothen (1771). Vier Mal in der Woche sollte das schmale Blatt erscheinen. Claudius wurde als Schriftleiter des *gelehrten und literarischen Teils* der Zeitung angestellt. Die von ihm verpflichteten bekannten Autoren garantierten eine weite Verbreitung. In den vier Jahren, in denen der *Wandsbecker Bothe* erschien, begründete Claudius seinen deutschlandweiten Ruf als talentierter Dichter. Doch bereits 1775 musste die Zeitung aus finanziellen Gründen eingestellt werden. Neben seinen eigenen Beiträgen veröffentlichte Claudius hier Artikel und Gedichte seiner Freunde Klobstock und Herder, aber auch anderer bedeutender Literaten wie Lessing (1729–1781) und Goethe (1749–1832).

Die große Liebe

Im dänischen Dörfchen Wandsbeck mit seinen 124 Häusern blieb Claudius dauerhaft wohnen. 1772 heiratete er die damals 17-jährige Anna Rebekka Behn, die Tochter des örtlichen Zimmermanns. An einen Freund schrieb Claudius: „Ich habe ein Mädchen liebgewonnen, ein einfältiges, ungekünsteltes Bauernmädchen." Die Hochzeit organisierte Claudius als Überraschungsfeier. Zahlreiche Freunde lud er zu einem geselligen Beisammensein ein, ohne sie in seine Absichten einzuweihen. Während des Abends ließ er plötzlich den Pfarrer rufen und gab sich mit seiner Verlobten das Eheversprechen.

Rebekka ergänzte ihren Mann hervorragend. Freundlich, aber resolut führte sie den Haushalt. Gespräche mit Gästen fielen ihr nicht schwer. Sie wird als „schön von Angesicht", klug, interessiert, treu, fromm, fröhlich und liebenswürdig beschrieben. Mit den Jahren lernte sie Cello spielen und sich stilsicher schriftlich ausdrücken. Zwölf Kinder wurden dem Paar in 22 Jahren geboren, zwei starben bereits früh. Die Ehe zwischen Claudius und seiner Frau gilt als eine der glücklichsten Künstlerehen jener Zeit. Anlässlich seiner Silberhochzeit dichtete Claudius: „Ich habe dich geliebt und ich will dich lieben / […] Ich danke dir mein Wohl / mein Glück in diesem Leben. / Ich war wohl klug, dass ich dich fand; / doch ich fand nicht. Gott hat dich mir gegeben; / so segnet keine andere Hand."

Freie Arbeit statt feste Pflichten

Nach der Einstellung des *Wandsbecker Bothen* vermittelte ihm Herder eine Anstellung als Redakteur bei der *Privilegierten Landeszeitung* in Darmstadt. Mit seinen Beiträgen sollte Claudius zur „Hebung der materiellen und sittlichen Lage" der ländlichen Bevölkerung beitragen. Doch er fühlte sich in der fremden Umgebung und mit seiner neuen Aufgabe nicht recht wohl. Claudius litt unter dem milden Wetter und der eintönigen Büroarbeit. Er fand nur langsam neue Freunde und zerstritt sich mit seinem Vorgesetzten. Als dann noch eine lebensgefährliche Erkrankung dazukam, zog Claudius ein Jahr später mit seiner Familie zurück nach Wandsbeck.

Von 1775 bis 1812 gab Claudius acht Bände seiner *Sämtlichen Werke* heraus. Der erste Teil begann mit dem Bild eines Knochenmannes, als Sinnbild des Todes. Claudius wollte seine ganze Arbeit bewusst in den Dienst der Wahrheit stellen, die auch im Angesicht des Todes Bestand hat. Die Endlichkeit und Zerbrechlichkeit des Lebens waren Claudius aus eigener Erfahrung wohl vertraut.

„Der Mensch lebt und besteht
Nur eine kleine Zeit;
Und alle Welt vergehet
Mit ihrer Herrlichkeit.
Es ist nur einer ewig und allen Enden.
Und wir in seinen Händen."

1783 schloss sich Claudius dem *Emkendorfer Kreis* an, einer Art Literarischem Salon, der von Graf und Gräfin Reventlow ins Leben gerufen worden war. Religiös erweckte Dichter und Denker trafen sich auf *Gut Emkendorf*, um sich miteinander auszutauschen und um Alternativen zur rationalistischen Aufklärung in Kirche und Universität zu formulieren. Dieser Kreis wurde zu einem wichtigen Ausgangspunkt der Hamburger Erweckungsbewegung.

Nachdem das schmale Einkommen als freier Schriftsteller für seine Familie vorne und hinten nicht mehr reichte, wandte sich Claudius an den frommen dänischen Kronprinzen Friedrich VI. (1768–1839). Zunächst wurde ihm daraufhin ein Stipendium von 200 Talern jährlich zugesagt. Im Jahr 1788 bot man ihm darüber hinaus die Stelle als Revisor der *Altonaer Bank* an. Für eine wenig aufwändige Kontroll- und Verwaltungstätigkeit wurde er mit 800 Talern entlohnt. Außerdem wurden zeitweilig Kinder befreundeter Familien als zahlende Gäste aufgenommen. Mit den sich jetzt stabilisierenden Einnahmen war Claudius schließlich sogar in der Lage, ein eigenes Haus mit Obst- und Gemüsegarten zu erwerben.

Hausvater von Beruf

Neben der überschaubaren beruflichen Tätigkeit blieb Claudius viel Zeit für die Dichtung und die Erziehung seiner Kinder. Aufgrund seines großen Engagements in dieser Hinsicht bezeichneten ihn manche

Zeitgenossen als „Hausvater von Beruf". Seine Kinder unterrichtete Claudius vor allem in den alten Sprachen, in Geschichte und Geografie. Auch neue Sprachen, Philosophie und Astronomie wurden behandelt. Außerdem las Claudius mit seinen Kindern wichtige literarische Neuerscheinungen und diskutierte anschließend mit ihnen darüber.

Die Töchter sollten der Mutter im Haushalt helfen, die Söhne hatten ihre Verpflichtungen im handwerklichen Bereich. Claudius ging es weniger darum, seinen Kindern so viel Wissen wie möglich zu vermitteln. Vielmehr wollte er ihnen Freude beim Lernen und Lust zum Selbststudium vermitteln. Ein besonderes Anliegen war es Claudius, seinen Kindern die Ehrfurcht vor Gott und die Liebe zu Jesus Christus ans Herz zu legen. Später schrieb er dazu: „Das, liebe Kinder, ist die christliche Religion nach der Heiligen Schrift. Es gibt nichts Erhabeneres und Größeres und keine fröhlichere Botschaft. Haltet fest daran, und achtet darauf als ein Licht, das da scheint an einem dunklen Ort, bis der Tag anbreche und der Morgenstern aufgehe in eurem Herzen."

Zur institutionalisierten Kirche hatte Claudius ein eher distanziertes Verhältnis. Er fühlte sich als Teil der *Gemeinschaft der Heiligen*, der *weltweiten Kirche Jesu Christi* und suchte geistlichen Austausch eher im kleinen Kreis enger Freunde. Trotzdem nahm Claudius am Leben seiner örtlichen Gemeinde rege teil, dichtete und komponierte zahlreiche Motetten und Choräle, die er mit seiner Familie zur Aufführung brachte. Auch dichtete er Lieder zum Kirchenjahr wie *Das Grab ist leer* für die Osterfeier und *Der Herr, der einst auf Erden war* für Epiphanias. Der sonntägliche Gottesdienstbesuch war für die Familie Claudius eine Selbstverständlichkeit. Obwohl er sich lebenslang als Lutheraner verstand, hielt er auch Kontakt zu gläubigen Katholiken, mit denen er sich geistlich verbunden wusste.

Sohn der Aufklärung

Zweifellos wurde Claudius von der Aufklärung geprägt. Ganz auf die menschliche Vernunft setzend kämpfte man damals gegen intellektuelle Vorurteile, Heuchelei, Dummheit, Fanatismus und religiöse Bevormundung. Die Ideale der Zeit waren Menschlichkeit, Toleranz und Wissenschaft. Ideen von Demokratie und Menschenrechten entwickelten sich. Diese Gedanken finden sich auch bei Claudius. Korrigierend wies er allerdings auch immer wieder auf die Grenzen des Verstandes und die Notwendigkeit Gottes hin, trotz oder gerade wegen allem wissenschaftlichen und politischen Fortschritts. Von den Kleidermoden seiner Zeit hielt er nur wenig. So weigerte er sich hartnäckig, mit Degen und Perücke aufzutreten.

Gegen den Trend setzte sich Claudius zeitlebens für den Frieden und den Schutz der Unterdrückten ein. Mitten im deutschen Siegestaumel am Ende der Befreiungskriege gegen Frankreich (1813–1815) rief Claudius zu Nüchternheit und Mäßigung auf. Auch die Feinde sollten als von Gott geliebte Menschen wahrgenommen werden. Offen kritisierte er die europäischen Kolonialkriege Frankreichs und Englands zur Beherrschung Amerikas, Afrikas und Asiens. Lange vor Beecher Stowes *Onkel Toms Hütte* (1852) plädierte er für die Beendigung der Sklaverei in den amerikanischen Südstaaten.

Grenzen der Vernunft

Die in der Renaissance begonnene Entchristlichung der abendländischen Kultur setzte sich mit der Aufklärung weiter fort. Die Dogmen der Kirche und die Aussagen der Bibel sollten nun mit philosophischer Vernunft beurteilt und bewertet werden. Die modernen Theologen dieser Zeit hielten Wunder, Sünde, Kreuzestod und Jenseits für überholt und unvernünftig. Diesen *alten Glauben* wollten sie überwinden und eine ethische Vernunftreligion an dessen Stelle setzen. Jesus sei demnach auch nicht wirklich auferstanden, vielmehr sei er ein vorbildlicher Tugendlehrer gewesen, der an einer Verbesserung der Menschheit gearbeitet habe.

Claudius war diese religiöse Aufklärung suspekt: „Der Geist der Religion wohnt nicht in den Schalen der Dogmatik, sie lässt sich auch nicht durch üppige glänzende Vernunftsprünge erzwingen." Claudius stand eher den frommen Pietisten nahe, die den wahren Glauben mit einem überzeugenden Leben und einer Achtung des Verstandes verbinden wollten. Claudius schätzte Wissenschaft und Philosophie, sah sie jedoch auf einer ganz anderen Ebene als den Glauben. „Die Philosophie ist gut und die Leute haben Unrecht, die ihr so ganz hohnsprechen; aber Offenbarung [Gottes] verhält sich nicht zu der Philosophie wie viel und wenig, sondern wie Himmel und Erde, oben und unten."

„Man muss nicht den Glauben vernünftig, sondern die Vernunft gläubig machen", war Claudius' Forderung. Immer klarer erschienen ihm im Laufe der Jahre die engen Grenzen, die der menschlichen Erkenntnis gesetzt sind. Deutlich warnte er vor den negativen Konsequenzen, wenn diese Grenzen übersehen und überschritten würden. Seinem Sohn Johannes schrieb Claudius 1799: „Die Wahrheit richtet sich nicht nach uns, sondern wir müssen uns nach ihr richten." Die Notwendigkeit einer göttlichen Offenbarung hinter allem menschlichen Wissen formulierte er folgendermaßen: „Etwas Festes braucht der Mensch, das ihm als Anker dient, etwas, das nicht von ihm anhängt, sondern von dem er abhängt." Wie kaum ein Dichter seiner Zeit konnte Claudius diese Gedanken auch für einfache Menschen in eindrückliche Gedichte und Lieder fassen.

Claudius sprach dem Versuch, Gott und Jenseits allein mit der Vernunft erklären zu wollen, wenig Aussicht auf Erfolg zu: „Wir Menschen gehen doch wie im Dunklen [...] und können uns nicht helfen. Auch ist das Gefühl eigener Hilflosigkeit zu allen Zeiten Wahrzeichen großer Menschen gewesen." Claudius war fest davon überzeugt, dass der Mensch nur durch den Glauben Gott erkennen und nur durch das Wirken des Heiligen Geistes positive Veränderung seines Lebens erfahren kann. Allein durch den Tod Jesu könne Schuld vergeben und der Friede mit Gott wiederhergestellt werden. Jesus „gibt die neue Lebenskraft", die uns befreit und „göttliches Leben schenkt".

„Der Mond ist aufgegangen,
Die goldenen Sternlein prangen
Am Himmel hell und klar;
Der Wald steht schwarz und schweiget
Und aus den Wiesen steiget
Der weiße Nebel wunderbar. [...] /
Seht ihr den Mond dort stehen? –
Er ist nur halb zu sehen,
Und ist doch rund und schön!
So sind wohl manche Sachen,
Die wir getrost belachen,
Weil unsere Augen sie nicht sehn. /
Wir stolze Menschenkinder
Sind eitel arme Sünder,
Und wissen gar nicht viel;
Wir spinnen Luftgespinste
Und suchen viele Künste
Und kommen weiter von dem Ziel."

Der Sinn des Lebens

Seinem Sohn Johannes schrieb Claudius 1802: „Es ist nicht alles Gold, lieber Sohn, was glänzt, und ich habe manchen Stern vom Himmel fallen und manchen Stab, auf den man sich verließ, brechen sehen. [...] Wenn dich jemand Weisheit lehren will, schau in sein Angesicht. Hält er sich für wichtig, und sei er noch so gelehrt und noch so berühmt, lass ihn und kümmere dich nicht weiter um ihn. Was einer nicht hat, das kann er nicht geben. [...] Nicht die frömmelnden, aber die frommen

Menschen achte und gehe ihnen nach. Ein Mensch, der wahre Gottesfurcht hat, ist wie die Sonne, die da scheint und wärmt, wenn sie auch nicht redet […]."

In einem Brief an Andres schrieb Claudius 1797: „Wer nicht an Christus glauben will, der muss sehen, wie er ohne ihn leben kann. Ich und du können das nicht. Wir brauchen jemanden, der uns hebt und hält […] und uns die Hand unter den Kopf legt, wenn wir sterben sollen […] Wir wollen an ihn glauben, Andres, und wenn auch niemand anders mehr an ihn glaubt."

Dass Gott nicht jeden reich und berühmt macht, war für Claudius kein Unglück, sondern im Gegensatz ein Geschenk Gottes:

„Ich danke Gott mit Saitenspiel,
Dass ich kein König worden;
Ich wär' geschmeichelt worden viel
Und wär' vielleicht verdorben […]
Gott gebe mir nur jeden Tag,
So viel ich darf zu Leben.
Er gibt's dem Sperling auf dem Dach;
Wie sollt' er's mir nicht geben."

Über den Sinn und Ablauf des Lebens schrieb Claudius: „Ich habe als einfältiger Bote nichts Großes bringen können, sondern nur etwas Kleines, das den Gelehrten zu wenig und zu gering ist. Das aber habe ich nach meinem besten Gewissen gebracht. […] Was ist der Mensch, und was hat er? […] er geht neben dem Born des Lichts [der Offenbarung Gottes] hungrig und durstig nach Erkenntnis und muss es sich kalt und warm um die Nase wehen lassen und mit allen Elementen kämpfen, bis sie ihn verschlungen haben […] Wer wie Gott wollen kann, der wird auch wie Gott denken lernen, er sei gelehrt oder ungelehrt […] Wir sind nicht umsonst in diese Welt gesetzt, wir sollen hier reif für eine andere werden. Es gibt nur einen, der dabei helfen kann, Gott, und dem sei Ehre in Ewigkeit."

Diffamierung und Krieg

Immer wieder hatte Claudius mit schweren Zweifeln und Verzweiflung zu kämpfen; so auch, als 1796 plötzlich seine geliebte Tochter Christiane starb. Auch der Tod seiner beiden Freunde Klopstock und Herder 1803 nahm ihn stark mit. Darüber hinaus verletzte es Claudius tief, dass sich einige Kollegen, mit denen er lange zusammengearbeitet hatte, von ihm abwandten, weil er sich immer mehr mit Glaubensthemen und Ewigkeitsgedanken beschäftigte. Goethe nannte ihn einen „Narren" und Wilhelm von Humboldt hielt ihn „schlichtweg für eine Null". Als „Feind einer gesunden Aufklärung" wurde Claudius diffamiert, weil er sich gegen einen übersteigerten Rationalismus aussprach, gegen eine Aufklärung, die allen Glauben und alle Religion wegerklären oder ausschließen wollte.

In der letzten Lebensphase wurde die Familie mehrfach von politischen Unruhen betroffen. Eine Tochter musste mit ihrer Familie vor den französischen Truppen aus Hamburg fliehen. Claudius verließ sein Haus aufgrund der kriegerischen Auseinandersetzung zwischen Preußen und Dänemark. Einige Zeit fand er in Lübeck Zuflucht. In einer auch schriftlich veröffentlichten Predigt rief Claudius 1814 die europäischen Herrscher zu Mäßigung und Umkehr auf. Sie sollten die kriegerischen Auseinandersetzungen beenden und an einer Neuordnung der Politik nach christlichen Maßstäben arbeiten.

Matthias Claudius Gymnasium in Wandsbeck (histor. Aufnahme)

Lebensende

Für die letzten Monate seines Lebens zog Claudius mit seiner Frau zur ältesten Tochter Karoline Perthes nach Hamburg. Am 22. Januar 1815 starb Claudius und wurde in Wandsbeck begraben. Seine Frau Rebekka überlebte ihn um 17 Jahre. Auf dem Wandsbeker Marktplatz weist seit dem Jahr 2000 eine Bronzeskulptur auf den frommen Dichter hin. Am 21. Januar erinnert der *Evangelische Namenkalender* an Matthias Claudius.

Ausgewählte Literaturhinweise

Martin Geck: *Matthias Claudius: Biographie eines Unzeitgemäßen*, Siedler Verlag, München 2014

Reinhard Görisch: *Matthias Claudius oder Leben als Hauptberuf*, Verlag der Francke-Buchhandlung, Marburg 2014

Werner Hehl: *Matthias Claudius. Dichter der christlichen Gemeinde*, Quell Verlag, Stuttgart 1981

Urban Roedl: *Matthias Claudius. Sein Weg und seine Welt*, Wolff Verlag, Berlin 1934

Ansätze zum Weiterdenken

◊ Die grundsätzliche Ablehnung von Wissenschaft, Kunst und Kultur ist keine wirklich christliche Position. Wer Gott im Verstand und im eigenen Leben erfahren hat, kann sich ohne Furcht an den positiven Erkenntnissen von Philosophie, Kunst und Wissenschaft freuen. Wenn man sie richtig versteht, erweitern sie den Blick auf die Wirklichkeit und tragen zum Lob Gottes bei.

◊ Die engsten natürlichen Beziehungen werden zumeist in der Familie gelebt. Deshalb können hier die größte Nähe, aber auch die größte Distanz erfahren werden. Hier finden Liebe und Angenommensein ihren Platz, die im schlechtesten Fall in Hass umschlagen können. Es hilft, den Ehepartner als Geschenk Gottes zu erkennen und die nötige Kraft für enge Familienbeziehungen von Gott zu erbitten.

◊ „Die Wahrheit richtet sich nicht nach uns, sondern wir müssen uns nach ihr richten." Wer die Welt nur durch eine ideologische Brille sieht, klammert bewusst die Bereiche der Wirklichkeit aus, die der eigenen Weltsicht widersprechen. Letztlich ist ein solches Verhalten aber dumm, selbst wenn es mit dem Etikett „Wissenschaft" versehen wird. Denn die Wahrheit verändert sich nicht, nur weil sie dem Beobachter nicht gefällt oder nicht zu seiner Lebensphilosophie passt. Beispiel: Obwohl manche Materialisten wortreich alles Übernatürliche leugnen, weil es mit wissenschaftlicher Methodik nicht wahrnehmbar ist, hat jeder schon erfahren, dass diese *unsichtbare* Welt natürlich existiert.

◊ Obwohl sie intellektuell sicher wissen, dass auch ihr Leben einmal ein Ende hat, halten sich viele Menschen für unsterblich, zumindest reden und leben sie so. Ihr ganzes Denken und Handeln richtet sich nur allein auf sich selbst und auf diese irdische Welt. Letztlich ist das dumm und blendet die wichtige Tatsache der eigenen Sterblichkeit aus. Doch gerade das Wissen vom eigenen Ende kann helfen, realistisch zu sein, das eigene Leben und Denken zu werten und zu ordnen.

20

William Carey
(1761–1834)

Bibeln für Indien

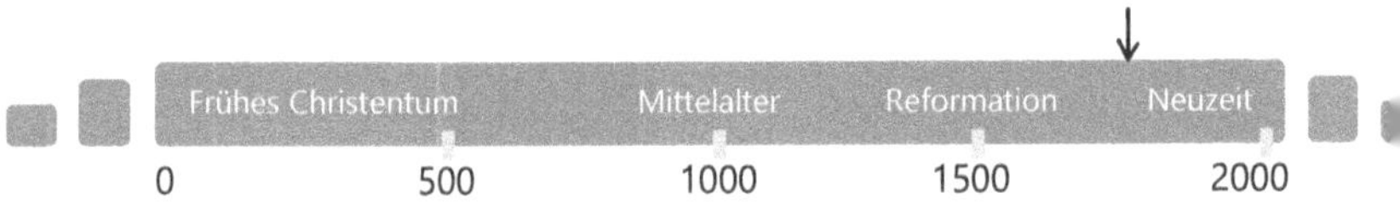

Indien ist ein hinduistisches Land, zumindest überwiegend. Und doch leben dort heute mehr als 26 Millionen Christen. Manche führen sich auf die Missionsreisen des Apostel Thomas zurück. Ab dem 16. Jahrhundert kamen katholische Missionare nach Indien. Rund ein Drittel der Christen im Land ist heute evangelisch, darunter viele Freikirchler. Nach den deutschen Pietisten Anfang des 18. Jahrhunderts kamen baptistische Engländer. Inzwischen gehört der christliche Glaube fest zu Indien.

Leben in Armut

William Carey wurde am 17. August 1761 in einem kleinen englischen Dörfchen namens Paulers Pury nahe Northampton geboren. Als Weber gehörte sein Vater zur armen Bevölkerung. Mit einem regen Interesse an Büchern bildete er sich beständig fort und wurde schließlich zum Lehrer der örtlichen Dorfschule berufen. Auch sein Sohn William beschäftigte sich Zeit seines Lebens gerne mit Büchern und liebte neue intellektuelle Herausforderungen. Mit zwölf Jahren verließ er die Schule und lernte bei einem kinderlosen Onkel den Beruf des Gärtners. Eine allergische Hauterkrankung machte es Carey allerdings unmöglich, in diesem Bereich zu arbeiten. Mit 16 begann er eine Lehre als Schuhmacher. Nebenher ging er seinem Hobby nach, der wissenschaftlichen Beobachtung von Vögeln, Insekten und seltenen Pflanzen.

Erstes Interesse am Glauben

Ein älterer Lehrling warb Carey für den christlichen Glauben. Mit 18 Jahren erlebte er eine einschneidende Bekehrung und schloss sich daraufhin einer örtlichen Freikirche an.

Kurze Zeit später starb sein Lehrmeister und Carey musste den Betrieb wechseln. Bei seinem neuen Chef geriet ihm ein theologischer Kommentar zum Neuen Testament in die Hände. Die darin erklärten griechischen Begriffe reizten ihn, selber diese Sprache zu erlernen. Allein mit einer Grammatik und einem Wörterbuch brachte sich Carey Griechisch bei.

Ehemann und Laienprediger

William Carey

Mit 19 heiratete Carey Dorothy Plackett (1755–1807), die fünf Jahre ältere Schwägerin seines Lehrmeisters (1781). Zwei Jahre später wurde ihr erstes Kind geboren. Doch schon kurze Zeit darauf starb es an einem gefährlichen Fieber. Auch Carey hatte sich angesteckt und hätte fast sein Leben verloren. Erst 18 Monate später hatte er sich wieder erholt. Die Spuren dieser Erkrankung begleiteten ihn allerdings lebenslang. Seitdem war Carey kahl und trug eine Perücke.

Als bald darauf sein Chef starb, versuchte Carey das Geschäft weiterzuführen. Jetzt hatte er nicht nur für seine eigene Familie, sondern auch für die Witwe des ehemaligen Inhabers und deren vier Kinder zu sorgen. Weil er den einfachen Bewohnern seines Dorfes gerne weiterhelfen wollte und weil das Einkommen als Schuhflicker nicht ausreichte, gründete Carey eine Abendschule. Außerdem wurde er zunehmend zu Predigten und Bibelstunden in Privathäuser eingeladen. Hier entdeckte er seine eigentliche Berufung. Besonders lagen ihm die Menschen am Herzen, die noch nie etwas vom Evangelium gehört hatten, sowohl in England als auch weltweit.

Nach einem längeren Bibelstudium kam Carey zu der Einsicht, dass in der ersten Gemeinde keine unmündigen Kinder, sondern erwachsene Menschen getauft wurden. Konsequent ließ er sich mit 23 Jahren von Baptisten in einem kleinen Fluss bei Northampton taufen.

Begeisterung für die Weltmission

Etwa zur selben Zeit begann Carey in den Berichten des großen englischen Entdeckungsreisenden James Cook *(Entdeckungsfahrten im Pazifik. Die Logbücher der Reisen 1768 bis 1779)* zu lesen. Einerseits faszinierten ihn die Berichte über fremde, in Europa noch kaum bekannte Länder. Andererseits dachte er an all die Menschen, die noch nie etwas vom christlichen Glauben und der Liebe Gottes gehört hatten. Oftmals litten sie unter Aberglauben und unmenschlichen religiösen Traditionen. Carey nahm sich vor, diesen Völkern das Evangelium von Jesus Christus zu bringen. In einem ersten Schritt befestigte er eine Weltkarte an einer Wand seiner Werkstatt und begann regelmäßig für die Menschen zu beten, die in den betreffenden Ländern wohnten.

So sehr beschäftigte sich Carey mit dem Gedanken der Weltmission, dass gelegentlich seine Arbeit als Schuhflicker darunter litt. Einem Freund, der ihn daraufhin ansprach, antwortete er: „Mein Geschäft ist die Ausbreitung des Reiches Christi. Wenn ich Schuhe mache und repariere, dann deshalb, um meine Ausgaben bestreiten zu helfen, die dadurch entstehen."

Mit 26 Jahren wurde Carey in Moulton als Prediger der Baptisten ordiniert. Später wurde er Pastor einer Gemeinde in Leicester. Nebenher vertiefte Carey seine Kenntnisse der biblischen Ursprachen und las begeistert zahlreiche Missionsberichte. Besonders beeindruckten ihn die Biografien der Indianermissionare John Eliot (1604–1690) und David Brainerd (1718–1747) sowie des von den halleschen Pietisten nach Indien ausgesandten Heinrich Plütschau (1676–1752).

In seinem 1792 erschienenen Aufsatz *Eine Untersuchung über die Verpflichtung der Christen, Mittel für die Bekehrung der Heiden einzusetzen* sprach sich Carey für die beständige Gültigkeit des Missionsauftrags Jesu Christi auch in seiner Zeit aus. Für viele war das ein ungewohnter Gedanke. In den meisten protestantischen Kirchen spürte man damals noch keine Verantwortung für die Weltmission. Das hielt man für eine Angelegenheit der ersten Christen oder der mittelalterlichen Mönche. Während einer angeregten Diskussion mit anderen Predigern äußerte dann auch einer seiner älteren Kollegen: „Junger Mann, setzen Sie sich! Wenn es Gott gefallen sollte, die Heiden zu bekehren, wird er es ohne Ihre oder meine Hilfe tun."

Eine Missionsgesellschaft wird gegründet

Im Frühjahr 1792 hielt Carey vor 14 baptistischen Predigern eine Andacht über den Bibeltext aus Jesaja 54,1-3. Auch diesmal ging es ihm wieder um die Notwendigkeit der Weltmission. Gott beauftrage europäische Christen, die gute Botschaft des Evangeliums in Länder zu bringen, die bisher noch nichts von Jesus Christus gehört haben. Seine Predigt fasste er mit den Aufforderungen zusammen: „Erwarte große Dinge von Gott! Wage große Dinge für Gott!" Nach und nach konnte

Carey auch andere Baptisten von seiner Sichtweise überzeugen. Am 2. Oktober 1792 gründete er zusammen mit zwölf Freunden in Kettering eine Missionsgesellschaft, die später zur *Baptist Missionary Society* werden sollte. Von besonderer Bedeutung war die Fürsprache des einflussreichen Baptistenpastors Andrew Fuller (1754–1815), der später zum ersten Inspektor der neuen Missionsvereinigung ernannt wurde. Wenig später kam vor allem durch die Beiträge der Gründer die bescheidene Summe von 13 englischen Pfund zusammen.

Carey stellte sich dem Verein sofort als Missionar zur Verfügung. Von den farbenprächtigen Berichten Kapitän James Cooks (1728–1779) beeinflusst, schlug er zunächst vor, ihn nach Tahiti zu schicken. Damals standen die Verantwortlichen allerdings schon mit dem frommen Schiffsarzt John Thomas im Gespräch. Nach Ablauf seiner Dienstzeit in der königlichen Marine hatte dieser einige Jahre als unabhängiger Evangelist in Indien verbracht. Aufgrund seiner Verbindungen nach Bengalen entschied man, die ersten Missionare auch dorthin auszusenden.

Reise nach Indien

Die konkreten Reisevorbereitungen verliefen eher mühsam. Zum einen konnte sich Careys Frau Dorothy nicht im Geringsten vorstellen, nach Indien zu ziehen. Immerhin hatte sie inzwischen für vier kleine Kinder zu sorgen. Zum anderen weigerte sich die *Ostindische Kompanie*[29], Missionare auf den Subkontinent zu bringen, weil man eine Behinderung der eigenen, wirtschaftlichen Interessen befürchtete. Damals besaß die *Ostindische Kompanie* das Recht, über den Aufenthalt von Ausländern in den von ihnen kontrollierten Gebieten zu entscheiden. Wer dagegen verstieß, konnte enteignet und zwangsweise nach England zurücktransportiert werden. Trotzdem buchte Carey 1793 für sich, seinen achtjährigen Sohn Felix und für Dr. Thomas eine Schiffspassage. Doch der Kapitän der *Oxford* weigerte sich, die beiden Missionare mit nach Indien zu nehmen, nachdem die *Ostindische Kompanie* deren Einreise abgelehnt hatte. Die kürzlich ausgesprochene Kriegserklärung Frankreichs gegen England erschwerte die Reiseplanung zusätzlich.

Schließlich entschied sich Dorothy doch, mit ihrem Mann und den vier Kindern nach Indien auszureisen, wenn auch ihre jüngere Schwes-

29 Die *Ostindischen Kompanien* waren in mehreren Nationen Europas bestehende Gesellschaften, die von den betreffenden Regierungen für den Handel mit Indien und Ostasien (hier vor allem mit den sogenannten Gewürzinseln und dem Kaiserreich China) privilegiert waren. Im Gegensatz zum Kolonialismus ging es der *Ostindischen Kompanie* nicht um Landbesitz oder Plünderungen, sondern um einen blühenden Handel mit den Ländern des fernen Ostens.

ter Kitty (Katharina) mitkäme. Nachdem die nötigen Spenden eingegangen waren, konnte sich die Gruppe legal mit einem dänischen Schiff auf den Weg machen. Fünf Monate dauerte die Überfahrt (Juni-November 1793). Während dieser Zeit lernte Carey von seinem Begleiter Dr. Thomas Bengali. Wie eine erholsame Kreuzfahrt verlief die Reise allerdings nicht. Vor dem *Kap der Guten Hoffnung* geriet ihr Schiff in einen schweren Sturm. Elf Tage brauchte die Mannschaft, um alle Schäden wieder zu beheben.

Während einer Zwischenlandung lernte Carey die deutsche Missionsarbeit in Trankebar/Südindien kennen (heute: Tharangambadi). Schon 1706 begannen hier Bartholomäus Ziegenbalg und Heinrich Plütschau als erste evangelische Missionare in Indien ihre Arbeit. Sehr erfolgreich bauten die von Halle ausgesandten Männer eine Kirche, eine Schule und eine Druckerei. Sie übersetzten die Bibel in einheimische Sprachen und errichteten weitere Missionsstationen im Inland. Bis 1740 entstand eine christliche Gemeinde von 1640 bekehrten Indern.

Schwerer Anfang in Bengalen

Im November 1793 erreichte die Gruppe nach einer weiteren Schiffsreise Bengalen. Ihre ersten Erfahrungen sammelten sie in Kalkutta. Dabei konnten sie auf der Arbeit des von Halle ausgesandten Missionars Johann Zacharias Kiernander (1710–1799) aufbauen, der bereits 40 Jahre vorher nach Indien gekommen war. Der schwedische Student hatte sich unter dem Einfluss des Pietismus bekehrt und sich der von August Hermann Francke gegründeten *Dänisch-Halleschen-Mission* angeschlossen. Durch das Geld seiner aus wohlhabendem Haus stammenden Frau ließ er 1770 in Kalkutta die erste evangelische Kirche bauen, einschließlich Pfarrhaus und Schule (auch *Rote Kirche* oder *Haus des Gebets* genannt). Nach dem Tod seiner Ehefrau verlor Kiernander jedoch einen Großteil seines Vermögens, sodass die von ihm gegründeten Werke zunehmend in wirtschaftliche Probleme gerieten. Schließlich erkrankte er am Grauen Star und erblindete zunehmend. Dadurch kam seine Missionsarbeit weitgehend zum Erliegen.

Zu den Herausforderungen der Eingewöhnungszeit kamen für das Missionsteam noch erhebliche finanzielle Engpässe. Gläubiger forderten frühere Schulden ein, die Dr. Thomas bei ihnen gemacht hatte. Außerdem gab der Schiffsarzt, etwas leichtsinnig, in wenigen Wochen das gesamte Geld aus, welches für das gesamte erste Jahr gedacht war. Man konnte auch nicht einfach bei der englischen Missionsgesellschaft nach weiteren Spenden fragen. Zum einen konnte es mehrere Monate dauern, ehe eine Nachricht aus Indien sie erreichen würde. Zum anderen hatte Carey die Verantwortlichen der Mission ermutigt, die knappen finanziellen Mittel lieber für Missionare in anderen Teilen der Welt zu reservieren. Er hoffte, sich innerhalb eines Jahres seinen Unterhalt durch eigene Arbeit verdienen zu können. Jetzt war er wesentlich schneller als geplant genau dazu herausgefordert.

Zunächst zog Carey mit seiner Familie ins Ganges-Delta, kaufte ein Stück Land bei Debhatta und begann es zu bebauen. Hier musste er sich nicht nur vor giftigen Schlangen und weiteren wilden Tieren schützen, auch Malaria und andere tropische Krankheiten waren in der Region weit verbreitet. Nach wenigen Monaten erkrankte Careys dritter Sohn so schwer an Ruhr, dass er kurz darauf mit nur fünf Jahren starb. Cary selbst steckte sich an, überlebte jedoch. Dorothy fiel die Umstellung am schwersten. Sie hatte große Probleme, die Sprache zu erlernen und sich auf die andersartige Kultur einzustellen. Ihr fehlten Familie und Freunde. Häufig kritisierte Dorothy ihren Mann und warf ihm vor, dass es ihnen materiell so schlecht ginge. Freunde beobachteten sogar, wie sie in ihrer Verzweiflung auf ihren Mann einschlug. Mit der Zeit wurde sie depressiv und starb 1807. Carey: „Das ist für mich wirklich das Tal des Todesschattens […] Was gäbe ich nicht für einen Freund, der mitfühlen und dem ich mein Herz ausschütten könnte! Aber Gott ist hier, der nicht allein Mitleid zu haben, sondern der auch bis zum Äußersten zu erretten vermag."

In dieser Notlage erhielt Carey Nahrungsmittel von mitleidigen Indern. Obwohl sie selbst nur wenig hatten, teilten sie bereitwillig mit der englischen Missionarsfamilie. Ohne diese Unterstützung hätten sie das erste Jahr wohl kaum überlebt. Zeitweilig wurde die Familie Carey auch in das Haus Mr. Shorts aufgenommen, eines Mitarbeiters der *Ostindischen Kompanie*. Kitty heiratete ihn später, während die Careys weiterzogen. Im Rückblick auf die vielen schweren Situationen seines Lebens schrieb der Missionar: „Mit Gottes Hilfe kann ich hart arbeiten. Ganz gleich welche Arbeit man mir stellt, ich halte durch. Dieser Gabe verdanke ich alles."

Erste Missionserfahrungen

Durch die Vermittlung eines Freundes erhielt Carey schließlich eine gut bezahlte Stelle als Aufseher einer Indigoplantage bei Malda, fast 500 Kilometer entfernt. Sechs Jahre arbeitete er hier und nutzte seine Freizeit, um besser Bengali und Sanskrit zu lernen. Carey gründete auch eine Schule für Inder. Daneben predigte er regelmäßig in den einheimischen Sprachen. Zu diesem Zweck wurde ihm vom Plantagenbesitzer George Udny sogar eine Halle zur Verfügung gestellt. In Malda gründete Carey eine erste Baptistengemeinde, der vorerst jedoch nur Engländer angehörten. Doch auch Bengalen interessierten sich für den christlichen Glauben und besuchten neugierig die Gottesdienste. Bekehrungen gab es allerdings keine.

Bis 1797 hatte Carey in mühevoller Kleinarbeit das Neue Testament in Bengali übersetzt. Außerdem studierte er mit großem Interesse die fremdartige indische Vegetation und eignete sich Grundkenntnisse in Medizin an, um den Indern zukünftig auch in diesem Bereich ihres Lebens helfen zu können. 1799 wurde die Plantage geschlossen und Carey verlor seine gesicherte Stelle. Etwa zur selben Zeit wurde ihm von der *Ostindischen Kompanie* jegliche christliche Mission in dieser Region des Landes verboten.

Das Serampore-Trio

Carey zog daraufhin mit seiner Familie nach Serampore, nördlich von Kalkutta, wo er in den nächsten 34 Jahren tätig sein sollte. Dort konnte er unter dem Schutz des dänischen Gouverneurs seine Arbeit ungehindert fortsetzten. Wenig später gab auch die *Ostindische Kompanie* ihren Widerstand gegen die Mission auf. Mit dem zunehmenden Einfluss der britischen Regierung setzte sich eine weitgehende Religionsfreiheit durch, die auch ein Werben für den eigenen Glauben zuließ.

1799 wurde Careys Missionsteam durch den Buchdrucker William Ward (1769–1823) und den Lehrer Joshua Marshman (1768–1837) verstärkt. Kurz darauf konnte die Gruppe in Serampore ein eigenes Haus kaufen, in dem sie wohnten, eine Druckerei einrichteten und christliche Veranstaltungen durchführten. Frau Marshman begann sehr erfolgreich mit einer Arbeit unter indischen Frauen. Um auch finanziell unabhängiger zu werden, eröffneten die Missionare eine Schule für europäische Kinder.

Carey, Ward und Marshman arbeiteten eng und vertrauensvoll zusammen. 1805 verpflichteten sie sich in einem internen Bund, auf ihr Privateigentum zu verzichten und alles miteinander zu teilen. Damit wollten sie zukünftigen Streit vermeiden und den Indern ein Vorbild an christlicher Nächstenliebe geben. In Hinsicht auf seinen Lebensstil ging Carey seinen Mitarbeitern mit gutem Beispiel voran: Er verzichtete auf materiellen Wohlstand und war bereit, mehr zu arbeiten als unbedingt nötig. Trotz ihrer offensichtlichen Fehler sprach er immer positiv von seinen Kollegen und ermutigte sie in ihrem Dienst. „Bruder Ward ist genau der Mann, den wir brauchen. Er ist mit ganzer Seele bei der Arbeit. Ich habe viel Freude an ihm. Bruder Marshman ist ein Vorbild an Fleiß und Umsicht, ebenso seine Frau." So kam es zu wenig Konflikten und keinem schädlichen Konkurrenzdenken.

Serampore College (1818 gegründet)

Ehe – Familie – Liebe

Bei seinem übervollen Arbeitspensum hatte Carey nur wenig Zeit für seine Frau und die Kinder. Liebevoll und großzügig setzte er seinen Söhnen zu wenig Grenzen, sodass sie häufig über die Stränge schlugen. Glücklicherweise erkannten seine Mitarbeiter Marshman und Ward Careys Defizit und übernahmen einen Teil der Erziehungsarbeit. Dorothy fühlte sich häufig einsam und zu wenig beachtet. Immer weniger kümmerte sie sich um Mann und Kinder. Die Belastungen der vergangenen Jahre hatten sie zermürbt. John Marshman beobachtete, dass Carey oft an seinen Übersetzungen arbeitete, „während sich im Raum nebenan seine nervenkranke Ehefrau in einem Zustand der äußersten Erregung befand".

Während der Jahre in Serampore hatte sich zwischen Carey und Lady Charlotte Rumohr, einer Verwandten des dänischen Königs, eine enge Beziehung entwickelt. Aufgrund ihrer schwachen Gesundheit und einer chronischen Wirbelsäulenerkrankung war sie nach Indien gekommen, um sich in dem milden Klima des Landes zu erholen. Nach zahlreichen vertrauensvollen Gesprächen mit Carey bekehrte sie sich schließlich. 1803 wurde sie von ihm getauft. Immer stärker engagierte sich Lady Rumohr daraufhin für die Mission. Sie öffnete ihr

Haus für christliche Versammlungen und unterstützte mit ihrem Geld großzügig einige Projekte Careys. Nur wenige Monate nach dem Tod seiner Frau Dorothy (1807) verlobte Carey sich, auch gegen den Widerstand seiner Missionarskollegen, mit Lady Charlotte. Die dreizehnjährige Ehe verlief für beide glücklich. Charlotte drückte ihre Liebe Carey gegenüber offen aus und war ihm durch ihre Sprachbegabung eine wichtige Hilfe in seiner Übersetzungsarbeit. Nach Charlottes Tod (1821) schrieb Carey: „Unser eheliches Glück war so groß, wie es sterbliche Menschen nur erleben können." Zwei Jahre später heiratete Carey Grace Hughes (1778–1835), eine deutlich jüngere Witwe. Die beiden verstanden sich gut, wenn auch keiner von einer großen Liebe sprach.

Erfolge und Anerkennung

Durch den englischen Generalgouverneur wurde Carey 1801 zum Lehrer und 1806 zum Professor für drei indische Sprachen an das *Fort William College* in Kalkutta berufen. Diese Position stärkte nicht nur die gesellschaftliche Stellung der Missionare und eröffnete ihnen zahlreiche zusätzliche Kontakte mit einheimischen Indern, sondern gab ihnen außerdem eine sichere Einkommensquelle. Immer mehr Hindus kamen jetzt zum Glauben und schlossen sich Careys Gemeinde an. 1802 erschien sein bengalisches Neues Testament im Druck. Wenig später folgten das Alte Testament und Bibelübersetzungen in Sanskrit und Marathi. Careys fleißige und schnelle Arbeit führte allerding gelegentlich auch zu qualitativen Mängeln. So musste er sein bengalisches Neues Testament schon bald nach Erscheinen überarbeiten und verbessern.

1806 war die christliche Versammlung auf über 100 Personen angewachsen. 1818 gab es in Serampore bereits mehr als sechshundert getaufte indische Christen. Mehrere Tausend besuchten regelmäßig die neu gegründeten Schulen und die verschiedenen Gottesdienste. Carey bat um 40 weitere Missionare, um sein Missionsarbeit in Indien ausweiten zu können. Außerdem plante er eine Weltmissionskonferenz, die in Kapstadt stattfinden sollte. Vertreter aus unterschiedlichen christlichen Kirchen sollten sich hier miteinander über Mission austauschen und gemeinsame Aktivitäten planen.

Mit seinem Missionarsteam und den einheimischen Mitarbeitern konnte Carey im Laufe der Jahre Bibeln und Bibelteile in 44 indischen, chinesischen und zentralasiatischen Sprachen erstellen und herausgeben. Dazu mussten oft erst eigene Grammatiken und Wörterbücher geschrieben werden.

Nachdem sich das fälschliche Gerücht verbreitet hatte, man wolle die indischen Hilfstruppen der *Sepoys*[30] mit Gewalt zu Christen machen, kam es 1806 zu Aufständen. Aus Angst vor weiteren Unruhen verboten die britischen Behörden daraufhin jede Missionsarbeit unter einheimischen Indern. Dadurch wurden Careys Aktivitäten langfristig behindert. Zu diesem Zeitpunkt arbeiteten 63 Missionare in 30 Stationen.

Angriffe und Auseinandersetzungen

Carey hatte auch noch mit anderen Problemen zu kämpfen. Im März 1812 brach eines Nachts ein Feuer in der Druckerei aus. Aufgrund des vielen Papiers und der Chemikalien konnte man die Flammen nicht unter Kontrolle bringen. Zahlreiche Bibeln und Übersetzungsmanuskripte verbrannten, insgesamt Material im Wert von 10 000 britischen Pfund. Besonders schwer wog der Verlust von den Originalen einiger Bibelübersetzungen. Wie durch ein Wunder konnten die Mitarbeiter zahlreiche wichtige Papiere und fünf Druckerpressen aus dem brennenden Gebäude retten. Obwohl das englische Missionskomitee unter Andrew Fuller rasch Geld für den Neubau der Druckerei sammelte, dauerte es noch rund ein Jahr, bis der Betrieb wieder ganz aufgenommen werden konnte. Carey interpretierte diesen Zwischenfall als geistliche Anfechtung bzw. als Gericht Gottes und machte sich erneut an seine Übersetzungsarbeit.

Besonders schmerzlich waren für Carey Streitigkeiten, die sich mit den neu eingetroffenen Missionaren entwickelten. Sie wollten nicht einfach in die eingespielte Gemeinschaft des *Serampore-Trios* eingebunden werden. Einer der Neuen forderte ein eigenes Haus, einen Stall und Diener. Auch wünschten die Jüngeren Veränderungen in der Missionsstrategie. Als man sich auch nach längeren Diskussionen nicht einigen konnte, gründeten die neuen Kollegen nur wenige Kilometer entfernt ihre eigene Mission, die *Calcutta Missionary Union*. Die zur Schlichtung angerufene britische Missionszentrale stellte sich überwiegend auf die Seite der jungen Missionare. Carey kannten die meisten der Verantwortlichen nur noch durch seine Briefe. Für viele wirkten seine Methoden zwischenzeitlich veraltet. Nach Jahren ermüdender Auseinandersetzungen trennte sich Carey zumindest vorläufig von der *Baptistischen Missionsgesellschaft*. Insbesondere weil man die Finanzen für die ausgedehnte Missionsarbeit nicht mehr alleine aufbringen konnte, kam es schließlich zu einer Aussöhnung und Wiedervereinigung.

30 *Sepoy* ist die Bezeichnung für die indischen Soldaten der *Britischen Ostindien-Kompanie* und der *British Indian Army* während der Kolonialherrschaft in Indien.

In ihrer englischen Heimat wurden die Missionare zunehmend kritisiert. Die einen warfen ihnen vor, Enthusiasten und Phantasten zu sein. Die anderen befürchteten einen Schaden für die britischen Wirtschaftsinteressen. Wieder andere bemängelten generell die Absicht, Hindus für den christlichen Glauben zu gewinnen. Das sei wenig tolerant und entspräche nicht der einheimischen Mentalität. Von Indien aus verfasste Carey Gutachten, um diesen Vorwürfen entgegenzutreten. In England sammelte Andrew Fuller Unterschriften und reiste mehrfach zu Gesprächen mit einflussreichen Parlamentariern nach London. Insbesondere William Wilberforce (1759–1833) und Lord Wellesley (1760–1842), der ehemalige Generalgouverneur der *Ostindischen Kompanie*, setzten sich für die Interessen der Missionare ein. Bei der politischen Neubewertung der *Kompanie* im Jahr 1813 wurden deren Kompetenzen beschnitten und die Freiheit christlicher Organisationen in Indien garantiert.

Veränderung der indischen Gesellschaft

Unter anderem durch den Einfluss Careys verbot die englische Regierung 1829 das damals in Indien übliche Töten unerwünschter Kleinkinder und Witwen. Der Missionar kämpfte auch gegen den religiösen Brauch, an Haken aufgespießte Männer zu Tode schwingen zu lassen, und gegen die Tradition, menschliche Opfer vor die Räder großer Tempelwagen zu werfen, während diese bei Prozessionen durch die Straßen gezogen wurden. Für Carey bedeutete die Predigt von der Vergebung aller Schuld durch Jesus Christus eine Befreiung hinduistischer Inder vor existentieller Angst und grausamen Riten.

Auch auf landwirtschaftlichem Gebiet hinterließ Carey seine Spuren in Indien. Er veröffentlichte verschiedene Bücher über Botanik und Ackerbau des Subkontinents. Bis heute trägt der indische Eukalyptusbaum *Careya herbacea* seinen Namen. Um die immer wieder auftretenden Hungersnöte des Landes zu bekämpfen, erarbeitete er konkrete Vorschläge für landwirtschaftliche Reformen. Er organisierte Fortbildungsveranstaltungen für indische Bauern und unterstützte Versuche zum Anbau von Baumwolle, Kaffee, Tabak, Zuckerrohr und Gewürzen.

Schüler und Nachfolger

1819 eröffnete Carey das später einflussreiche *Serampore College*, auf dem indische Evangelisten und Gemeindemitarbeiter ausgebildet werden sollten. Die theologischen Studienabschlüsse wurden durch den dänischen König akkreditiert. Die 15 000 britischen Pfund für die Errichtung und Einrichtung des großen Kollegiengebäudes brachten Carey und seine Freunde vor allem durch Sammlungen in Indien auf.

Das Seminar wuchs rasch und etablierte sich im einheimischen Bildungswesen. Heute lassen sich hier mehr als 2200 Studenten in Theologie, Kunst, Naturwissenschaften und Wirtschaft ausbilden.

Von 1806 bis 1812 arbeitete Carey mit dem sprachbegabten Henry Martyn (1771–1812) zusammen. Innerhalb kürzester Zeit eignete sich dieser hervorragende Kenntnisse in Arabisch, Persisch, Hindi und Sanskrit an. Martyn war verantwortlich für die Übersetzung des Neuen Testaments ins Persische. Kurz nachdem er aus gesundheitlichen Gründen Indien verlassen hatte, starb Martyn in der Türkei (1812). Von besonderer Bedeutung war auch Careys Zusammenarbeit mit dem Amerikaner Adoniram Judson (1788–1850), der später nach Burma (heute: Myanmar) zog und dort eine Bibelübersetzung ins Burmesische anfertigte. Damit hatte er auch Einfluss auf die Gründung der amerikanischen *Baptistischen Missionsgesellschaft* (1814). Careys Sohn Jabez ging 1814 als Missionar nach Ambon/Indonesien. Im August 1822 starb Krishna Pal, der erste einheimisch indische Evangelist, der durch Carey zum Glauben gefunden hatte.

Lebensende

Nach 41-jähriger mühevoller Tätigkeit in Indien starb William Carey am 9. Juni 1834 und wurde unter großer Anteilnahme in Serampore beerdigt. Bis heute ist sein Name unter indischen Christen weithin bekannt. Aufgrund seiner umfassenden Übersetzungsarbeiten und seiner Schulgründungen zählt man ihn zu einem der wichtigsten Väter der indischen Kirche.

Ausgewählte Literaturhinweise

Horst R. Flachsmeier: *Geschichte der evangelischen Weltmission*, Brunnen Verlag, Gießen 1963, S. 185-198

Thomas Schirrmacher: *Aufbruch zur modernen Weltmission: William Careys Missionstheologie*, Reformatorischer Verlag Beese, Hamburg 2001

Benjamin Schmidt: *William Carey, der Missionspionier in Indien*, Oncken Verlag, Kassel 1922

Ruth A. Tucker: *Bis an die Enden der Erde. Missionsgeschichte in Biographien*, Ernst Franz Verlag, Metzingen 1996, S. 105-114

Ansätze zum Weiterdenken

◊ Es ist eine durchaus herausfordernde Perspektive, in Gottes Berufung den Mittelpunkt des eigenen Lebens zu erkennen. Das Engagement für den Glauben ist dann nicht mehr ein Bereich des Lebens unter vielen anderen, vor allem dazu geeignet, die eigenen geistlichen Bedürfnisse zu stillen oder in schweren Lebenslagen weiterzuhelfen. Freizeit, Bildung, Familie und Beruf werden dann zu Werkzeugen, um diese eigentliche Aufgabe Gottes zu erkennen und besser ausführen zu können.

◊ Auch wenn man sich sicher ist, den Platz und die Aufgabe seiner göttlichen Berufung gefunden zu haben, garantiert das noch lange kein angenehmes und reibungsloses Leben. Jeder wird im Laufe seines Lebens mit Mühe, Leiden und Widerstand konfrontiert. Manchmal werden die Probleme sogar noch größer, wenn man an der Aufgabe arbeitet, die Gott für einen vorgesehen hat. In keinem Fall sollte man mit schnellen Erfolgen und immerwährenden Glücksgefühlen rechnen, um nicht bald frustriert aufzugeben. Wenn man sich am richtigen Platz weiß, ist man leichter in der Lage, auch schwere Situationen zu durchstehen.

◊ Christsein ist nicht europäisch, auch wenn manche das meinen. Über die Jahrhunderte hinweg baute Gott seine Gemeinde in fast allen Kulturen auf allen Kontinenten. Heute gibt es eine bereichernde Vielfalt, Gott zu erkennen und mit ihm zu leben. Oft können gerade Christen aus fremden Ländern besonders gut auf Stärken und Schwächen aufmerksam machen, für die man zwischenzeitlich betriebsblind geworden ist. Auch hören suchende Menschen häufig eher auf Christen aus einer anderen Kultur als auf die eigenen Leute. Diese sind in der Lage, auf andere Art und Weise, unbelastet von der kulturellen Prägung ihres Gastlandes, interessant über den Glauben zu sprechen.

◊ Im Reich Gottes sind nicht in erster Linie *einsame Wölfe* gefragt, sondern begabte Christen, die zur Zusammenarbeit bereit sind, auch wenn dann nicht alles nur nach den eigenen Vorstellungen laufen kann. Da niemand in jedem Bereich begabt ist, sind alle auf Ergänzung und Korrektur angewiesen. Sonst würde einer nur lehren, der andere nur singen, nur Freizeit gestalten oder handwerklich arbeiten. Damit die von Gott gewollte Zusammenarbeit funktioniert, ist es wichtig, sich immer wieder der eigenen Einseitigkeit bewusst zu werden, um den anderen nicht vorschnell als bedrohlich, dumm oder ungeistlich zu verurteilen, sondern in ihm eine von Gott geschenkte Ergänzung zu erkennen.

21

Thomas Chalmers
(1780-1847)

Antwort auf die Verarmung der Arbeiter

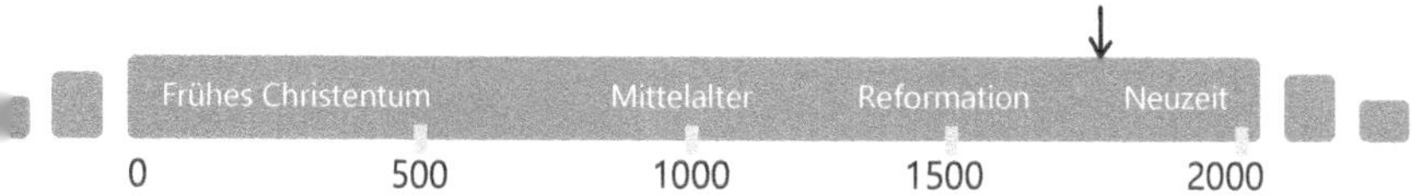

In Zeiten der industriellen Revolution nahmen insbesondere in den europäischen Städten Armut, moralische Entwurzelung und wirtschaftliche Bedürftigkeit rasant zu. Ähnliche Situationen findet man heute in Ländern der zweiten und dritten Welt, die sich von Agrarstaaten zu Industrieländern wandeln. Die Industrialisierung forderte gleichermaßen die staatliche Fürsorge wie auch die christlichen Kirchen heraus. Immer wieder erkannten Gemeinden in dieser Situation ihre Verantwortung nicht. Manchmal stand die Politik in der Gefahr, das ganze öffentliche Leben, einschließlich der Religion, beherrschen zu wollen.

Modernistischer Theologe

Thomas Chalmers wurde am 17. März 1780 in dem kleinen schottischen Küstenort Anstruther geboren. Chalmers Vater, ein frommer Calvinist, verdiente seinen Lebensunterhalt als Kaufmann. Seine Mutter führte den Haushalt, erzog ihre zwölf Kinder und engagierte sich in der verbleibenden Zeit für die Versorgung der Armen. Schon während der Kindheit nahm Chalmers prägende Eindrücke auf, die sein weiteres Leben als Erwachsener bestimmen sollten: einen persönlichen, überzeugten Glauben und ein Herz für leidende Menschen.

In seiner Jugend suchte Chalmers Abstand zu den Überzeugungen seines Elternhauses. Im Alter von elf Jahren ging er 1791 an die nahegelegene Universität St. Andrews, um Theologie zu studieren. Das entsprach vor allem dem Wunsch seines Vaters. Chalmers interessierte sich weit mehr für die Naturwissenschaften als für Theologie, insbesondere für Mathematik und Physik. Schon damals träumte er von einer Karriere als berühmter Professor. Nach seiner Ordination als Pfarrer der *Church of Scotland* (1799) setzte Chalmers seine Physikstudien an der Universität von Edinburgh fort (1799–1801). Seinen Lebensunterhalt verdiente er in dieser Zeit durch Nachhilfestunden. Chalmers ließ sich von den Ideen der Aufklärung begeistern. Rationalität, Wissenschaft und Denkfreiheit waren für ihn die Werte der Zukunft. Er hielt sich zu der damals in Schottland dominierenden kirchlichen Partei der *Modernisten*. Diese Pfarrer sahen sich als Teil der intellektuellen Elite und widmeten ihre Aufmerksamkeit vor allem der Literatur und der Wissenschaft. Sie suchten die Nähe der höheren Gesellschaft, des Adels und des Großbürgertums. In ihrer akademischen Überheblichkeit sahen sie auf ihre frommen Kollegen herab, die sie als *unwissenschaftliche Eiferer* verachteten. Die *Modernisten* strebten nach einer Reform der *Church of Scotland*, deren strenger Calvinismus einer *zeitgemäßeren* Theologie Platz machen sollte.

Mit mäßigem Interesse begann Chalmers 1802 seinen Dienst als Pfarrer in der ruhigen Landgemeinde von Kilmany, nahe seines Geburtsortes Anstruther. Die meiste Zeit investierte er in seine akademische Karriere an der Universität von St. Andrews. Als Privatdozent gab er dort Vorlesungen für Mathematik und Chemie. Der Glaube spielte für Chalmers in diesen Jahren weder im persönlichen noch im beruflichen Leben eine entscheidende Rolle. Seine Auffassung, die er auch auslebte, brachte Chalmers 1805 in einer Broschüre zu Papier. Demnach bestünde die wichtigste und einzige Aufgabe eines Gemeindepfarrers in der sonntäglichen Predigt. Die übrige Zeit der Woche könne er für seine eigenen Interessen und Studien verwenden. Chalmers kümmerte sich weder um den Unterricht der Jugend, noch um Seelsorge oder Diakonie. Die vehemente Kritik des Presbyteriums und der Pfarrkollegen an seiner Amtsführung berührte ihn nur wenig.

Thomas Chalmers

Nachdem sich Chalmers' Hoffnungen auf eine Professur für Naturwissenschaften zerschlagen hatten, wandte er sich der Volkswirtschaftslehre zu. Auf eigene Kosten veröffentlichte Chamlers 1808 sein Buch *Eine Untersuchung über Ausmaß und Stabilität nationaler Ressourcen*. Darin stellte er sich gegen den damals vorherrschenden wirtschaftlichen Liberalismus. Chalmers forderte, sowohl die industrielle Entwicklung als auch den Handel mit den Kolonien zurückzufahren, um die so gewonnene Mittel für Ausbildung und Militär zu verwenden. Seine Thesen fanden jedoch nur wenig Leser und keine Anhänger. Damit war auch die erhoffte Karriere als Wirtschaftswissenschaftler so schnell zu Ende, wie sie begonnen hatte.

Starprediger der Evangelikalen[31]

Eine Lungenschwindsucht fesselte Chalmers monatelang ans Krankenbett. Weil Ärzte schon mit seinem Tod rechneten, begann Chalmers, ernsthaft über sein bisheriges Leben nachzudenken. Er las er die Bücher von William Wilberforce (1759–1833) und von anderen evangelikalen Autoren, die ihn stark beeindruckten. Schließlich schloss Chalmers mit seinem Traum von einer akademischen Karriere ab, vollzog eine geistliche Lebenswende und plante, sich zukünftig allein der Predigt des Evangeliums zu widmen.

Gegen alle Erwartung wurde Chalmers wieder gesund und erschien seiner Gemeinde seitdem vollkommen verwandelt (1811). Deutlich bezog er jetzt in seinen Predigten Stellung gegen den Humanismus und Modernismus. Sie erschienen ihm nun nur noch als Illusion und hohl. Diese Weltanschauungen könnten den Menschen nicht erfüllen und seine Probleme nicht wirklich lösen. Leidenschaftlich bemühte sich Chalmers, seine Gemeinde aufzurütteln. Eindringlich führte er ihnen die Sinnlosigkeit irdischer Ambitionen angesichts des Todes vor Augen. Weltliche Vergnügungen und Karrieren könnten den Menschen zwar kurzfristig befriedigen, schlussendlich ließen sie den Betreffenden aber leer und oft auch frustriert zurück.

Schon bald strömten Tausende von interessierten Zuhörern nach Kilmany, um den mitreißenden Prediger zu hören. Innerhalb weniger Jahre wurde Chalmers zu einer herausragenden Gestalt der schottischen Erweckungsbewegung. Seine Wirkung ist durch kirchengeschichtliche Darstellungen und gedruckte Predigten nur teilweise zu

---

31 Die Bezeichnung *evangelical* wurde in England bereits vor der Reformation verwendet. Im 16. Jahrhundert bezeichnete man damit Anhänger des Protestantismus innerhalb der anglikanischen Staatskirche. Mitte des 18. Jahrhunderts wurden dann die Vertreter der methodistischen Erweckungsbewegung *Evangelicals* genannt. Bald übertrug man diese Bezeichnung auf alle engagierten protestantischen Gruppen, die im Rahmen der Erweckungsbewegung des 19. Jahrhunderts entstanden waren. Der Begriff *evangelikal* wurde in der Vergangenheit anders gefüllt als in der Gegenwart. Er beschreibt in Deutschland insbesondere eine intensive, freikirchlich-pietistische Frömmigkeit. Das Wort *evangelikal* bedeutet „auf das Evangelium zurückgehend" und ist heute ein feststehender Ausdruck für protestantische Christen geworden, die sich als bibeltreu versteht und daher von liberaler Theologie und Säkularismus distanzieren. Für *Evangelikale* sind eine persönliche Beziehung zu Jesus Christus und die von Gott inspirierte Bibel Grundlage des Glaubens.

erahnen. Sein äußerer Auftritt war nur wenig beeindruckend. Oft wirkte er ungepflegt und gewöhnlich. Sein Gang war eher linkisch, seine Gestik ungeschickt. Begann er jedoch zu predigen, wurden seine Zuhörer mitgerissen. Seine Begeisterung und Echtheit sprachen die Menschen an. Chalmers redete vor allem über die Sünde, die den Menschen von Gott trenne, über das Bedürfnis nach rettender Gnade, über die Sehnsucht nach der Nähe Gottes und über den stellvertretenden Tod Jesu Christi am Kreuz, durch den jeder Vergebung finden könne, der seine Schuld bereue.

Christliche Solidarität gegen industrielle Verarmung

Um stärker an den Problemen seiner Gemeindeglieder Anteil zu nehmen und ihnen das Evangelium persönlicher vermitteln zu können, begann Chalmers 1813 in Kilmany mit systematischen Hausbesuchen. Dabei lernte er die materiellen, intellektuellen und geistlichen Bedürfnisse der Menschen kennen. Diese Erfahrungen integrierte er in die konkrete Gemeindearbeit. Chalmers verbesserte die Gemeindeschule, begann mit einem Samstagsunterricht zur geistlichen Unterweisung der Kinder und organisierte einen Verein zur Unterstützung von Missionaren im Ausland. Insbesondere widmete er sich der gerechten und zielgerichteten Verteilung notwendiger Hilfsgüter an die Armen der Stadt. Dabei sollte es allerdings nicht nur um materielle Unterstützung gehen. Chalmers legte großen Wert darauf, dass alle diakonischen Aktivitäten von dem Geist christlicher Güte und gegenseitiger Nächstenliebe getragen wurden.

Angesichts der zunehmenden Verelendung von Menschen in der beginnenden *Industriellen Revolution* erkannte er die Überforderung staatlicher Stellen. Eine echte Veränderung könne allein ein erneuertes System der Diakonie innerhalb der schottischen Staatskirche bewirken, war Chalmers Überzeugung. Denn nur hier könne sich die nötige Solidarität entwickeln und nur hier würden sowohl die materiellen als auch die seelischen Bedürfnisse der Menschen angemessen berücksichtigt.

Auf dem Weg nach Glasgow

Im Jahr 1814 wurde Chalmers von der angesehenen *Tron-Kirche*[32] als Pfarrer berufen. Mit 120 000 Einwohnern war Glasgow damals die größte Stadt Schottlands. Der uneingeschränkte Industriekapitalismus

32 In ihrer Zeit als Gotteshaus war sie als *Christ's Kirk at the Tron* bekannt und versorgte eine der vier ältesten Gemeinden Edinburghs. Unter *Tron* verstand man ehemals eine öffentliche Waage. Die angesehene Kirchengemeinde befand sich in der Nähe der städtischen Salzwaage.

führte zu Ausbeutung, Verarmung, Krankheit und moralischem Verfall. Die Lage verschärfte sich noch einmal durch die Wirtschaftskrise, die durch die Napoleonischen Kriege ausgelöst worden war. Was Chalmers hier vorfand, unterschied sich grundlegend von der Armut, die er in Kilmany kennengelernt hatte. Das Gemeinschaftsgefühl kleinerer Dörfer und Städte existierte nicht mehr. Kaum jemand kümmerte sich um das Wohlergehen eines anderen. Viele Arbeiter hatten sich längst von der Kirche verabschiedet.

Die Gesellschaft schien in viele miteinander konkurrierende Individuen zersplittert, allein interessiert an ihren eigenen egoistischen Zielen. Die Wohlhabenden lebten in ihren Stadtteilen und die Armen in anderen. Ein Bewusstsein gegenseitiger Verantwortung und Anteilnahme war auch in den Kirchen kaum mehr anzutreffen. Bedürftige wurden von einem anonymen, städtischen Hilfswesen zu bloßen Almosenempfängern degradiert, die oft auf Dauer von den öffentlichen Zuwendungen abhängig blieben. In Glasgow hatten die Kirchgemeinden mit mehr als 10 000 Mitgliedern eine unüberschaubare Größe angenommen. Keiner kannte mehr den anderen oder nahm von dessen Problemen Notiz. Ein Pfarrer konnte kaum mehr die Geburten, Taufen, Hochzeiten und Beerdigungen bewältigen. Für eine individuelle Seelsorge oder Armenpflege fehlte bei einer solchen Gemeindegröße jede freie Kapazität.

Christliche Sozialarbeit in St. John

Vergeblich versuchte Chalmers in der *Tron-Kirche* Formen traditioneller Gemeindearbeit wiederzubeleben. Sowohl die städtischen Verordnungen als auch der Mangel an Mitarbeitern und das Fehlen christlicher Solidarität machten ihm einen Strich durch die Rechnung. Aus diesem Grund schlug Chalmers dem Rat von Glasgow eine Art kirchlich-soziales Experiment vor. In der in einem Arbeiterbezirk von Glasgow neu zu gründenden Gemeinde St. John, wollte er sein neu entwickeltes Gemeindesystem vorführen. Wäre er damit erfolgreich, würde das der Stadt erhebliche Summen bei der Armenhilfe einsparen. Das überzeugte die Verantwortlichen.

Nachdem der Stadtrat Chalmers die nötigen Finanzen genehmigt hatte, begann er mit dem Aufbau einer sozialen Gemeindearbeit. Zuerst unterteilte Chalmers die 10 000 Mitglieder große Kirchengemeinde von St. John in 25 Teilbezirke, in denen jeweils rund 400 Personen wohnten. Für jede dieser Einheiten waren ein Ältester und ein Diakon zuständig. Die Ältesten kümmerten sich schwerpunktmäßig um die seelsorgerliche und moralische Betreuung der Gemeindeglieder, während die Diakone auf eine materielle Versorgung achteten. Eine von Chalmers initiierte Geschäftsstelle für engagierte Freiwillige sollte um ehrenamtliche Helfer werben und diese betreuen. Die Ehrenamtlichen wurden jeweils einem Ältesten zugeteilt, der die alltägliche Arbeit organisierte und koordinierte.

Diese Teams von Gemeindemitarbeitern besuchten regelmäßig alle bedürftigen Familien, um sich über ihre Gewohnheiten und Probleme zu informieren. Sie berieten die Betroffenen in Fragen der Lebensführung und schenkten ihnen Aufmerksamkeit. Vor allem halfen sie ihnen, sich von staatlicher Hilfe unabhängig zu machen, Arbeit zu finden und sparsam zu leben. Konnte jemand aufgrund von Krankheit oder Alter keiner Berufstätigkeit nachgehen, bemühte man sich, Nachbarn und Verwandte zur Unterstützung zu gewinnen. Fand sich niemand, der helfen konnte oder wollte, brachte man den Bedürftigen Geld und Lebensmittel, die durch Spenden finanziert wurden. Diese erbat man sonntags an den Kirchentüren. Dieses System forderte den Hilfsbedürftigen zu eigenen Anstrengungen heraus, förderte die Solidarität in seinem Umfeld und versorgte diejenigen, um die sich niemand kümmerte. Gleichzeitig wurde verhindert, dass Arme sich zu schnell und ausschließlich auf staatliche Unterstützungen verließen. Durch regelmäßige Hausbesuche konnte man sehr gut auf die unterschiedlichen Probleme jeder Familie eingehen, sie immer wieder motivieren und ihnen mit konkreten Ratschlägen helfen, gesetzte Ziele zu erreichen. Gleichzeitig verband man die geistliche Hilfe mit materiellen Leistungen, sodass Hunger, Krankheit, Frustration und Verzweiflung gleichermaßen beseitigt werden konnten.

Für die Kinder wurden vier Gemeindeschulen gegründet, die einen bezahlbaren und qualitativ hohen Unterricht boten. Die Sonntagsschulen vermittelten Kindern und Jugendlichen die Grundlagen des christlichen Glaubens und motivierten sie zu einem moralischen Leben. In einer Vereinigung von Sonntagsschullehrern wurden die Mitarbeiter geschult und betreut. Um allen 10 000 Gemeindegliedern die Möglichkeit zum Besuch ihrer Kirche zu bieten, führte Chalmers besondere Sonntagabendgottesdienste ein – ein Angebot, von dem intensiv Gebrauch gemacht wurde.

Vorbildliche Diakonie

Das von Chalmers entwickelte Gemeindekonzept war außerordentlich erfolgreich. Viele Arbeiter begannen die Kirche zu besuchen und veränderten ihren Lebensstil. Familien lernten, wieder für sich selbst zu sorgen, und vollkommen Mittellose bekamen die benötigte Hilfe.

Dadurch wurden die städtischen Kassen erheblich entlastet. Abgesehen von der christlichen Grundmotivation der Mitarbeiter waren für den Erfolg der Aktion wohl die sorgfältigen Untersuchungen zu den individuellen Bedürfnissen der Armen, die Ermutigung zur Selbsthilfe, die Stärkung der Nachbarschaftshilfe und die Anleitung zu einer lebendigen Frömmigkeit verantwortlich.

In seinem dreibändigen Werk *Christliche und städtische Ökonomie der großen Städte* (1819–1826) beschrieb und analysierte Chalmers sein Konzept gemeindlicher Sozialfürsorge, die sowohl den Armen, als auch dem Staat und der Kirche dienen könnte. Hier sah er eine praktikable Antwort auf die durch die Industrielle Revolution verursachte Verelendung in den großen britischen Städten. Und tatsächlich wurden seine Anregungen in den folgenden Jahrzehnten von vielen Staaten Europas und Nordamerikas aufgenommen. Insbesondere die Unterteilung der Städte in überschaubare Einheiten, die Erforschung und Betreuung individueller Lebenssituationen sowie die Stärkung nachbarschaftlicher Hilfe wurde von vielen Einrichtungen übernommen. Christliche Gemeinden weltweit wurden herausgefordert, ihre punktuellen diakonischen Tätigkeiten neu zu überdenken und anzupassen. Die systematische Verbindung von Glaubensvermittlung und sozialer Hilfe brachte viele kirchenferne Menschen wieder in Kontakt mit Gott.

Vier Jahre nachdem Chalmers sein System christlicher Sozialarbeit erfolgreich in St. John etabliert hatte, ging er 1823 als Professor für Moralphilosophie an die Universität von St. Andrews. Hier hoffte er, seine Reformideen besser vermitteln und verbreiten zu können. Sein Traum war die Umgestaltung der ganzen schottischen Kirche und der öffentlichen Sozialhilfe. Chalmers Einfluss wuchs weiter, nachdem er als Professor der Theologie an die angesehene Hochschule von Edinburgh berufen wurde (1827). Seine Lehrtätigkeit umfasste zahlreiche praktische Übungen. Studenten wurden angeleitet, Arme zu besuchen, Kinder aus der Arbeiterklasse in Sonntagsschulen zu unterrichten und Gebetsversammlungen in städtischen Slums durchzuführen.

Den wirtschaftlichen Teil seiner Vorlesungen veröffentlichte Chalmers 1832 unter dem Titel *Über Volkswirtschaft im Zusammenhang mit dem moralischen Status und den moralischen Aussichten der Gesellschaft*. Darin vertrat er die Ansicht, dass ein ungehemmter Kapitalismus mit seiner Ideologie des Wirtschaftsliberalismus in Fabriken und Slums zu unerträglichen Zuständen führen würde. Selbstsucht, Unwissenheit und Religionslosigkeit würden die Fundamente der Gesellschaft zerstören. Würde man hier nicht eingreifen, stünde dem Land eine gewaltige Sozialrevolution bevor. Das beste Mittel, um die Gesellschaft vor einer solchen Katastrophe zu bewahren, bestünde in der Wiederherstellung echter christlicher Gemeinschaft und der Förderung christlicher Werte. Dann würden hoffentlich Nächstenliebe und Zusammenarbeit über Eigennutz und Wettbewerb gestellt. Letztlich habe nur das Wort Gottes die Kraft, menschliche Selbstsucht zu besiegen und das gesunde Gemeinschaftsgefühl neu zu beleben.

Umbau der schottischen Kirche

In den 1830er-Jahren wurde Chalmers zum Sprecher der evangelikalen Fraktion in der *Church of Scotland*. Zwischenzeitlich waren die Frommen zur größten Gruppe in der Generalversammlung der Kirche geworden. Nachdem Chalmers sie von seinen sozialen Reformideen überzeugt hatte, entwarfen die Evangelikalen eine Strategie zur Umgestaltung von Kirche und Gesellschaft. 1834 verabschiedete man ein *Veto-Gesetz*, durch das die Gemeinde ein stärkeres Mitspracherecht bei der Besetzung neuer Pfarrstellen erhielt. Bis dahin entschied der jeweilige Patronatsherr über die Berufung eines Geistlichen. Das Kirchenpatronat über eine Gemeinde konnte gekauft oder geerbt werden. Zumeist war dieses Privileg im Besitz des Landadels, wohlhabender Kaufleute und der britischen Krone. Durch das *Veto-Gesetz* bekam die Gemeinde das Recht, einen vom Patronatsherrn vorgeschlagenen Pfarrer abzulehnen. Dadurch wurde die Macht der schottischen Elite über die Kirche eingeschränkt.

Chalmers Stadthaus in Edinburgh

Als nächstes beschloss die Generalversammlung unter evangelikaler Leitung den Bau neuer Gemeindekirchen. Wie in St. John wollte Chalmers die einzelnen Gemeinden verkleinern, um eine bessere seelsorgerliche Begleitung der Gläubigen zu gewährleisten, die geistliche Verbundenheit untereinander zu stärken und eine persönlichere Betreuung der Bedürftigen zu ermöglichen. Chalmers plante Hunderte von neuen Gemeinden, sodass zukünftig nicht mehr als 2000 Personen von einem Pfarrer betreut würden. Unterstützt werden sollte dieser durch eine große Gruppe von Mitarbeitern: Kirchenälteste, Diakone, Sonntagsschullehrer und Hausbesucher. Von ihnen sollten die Gemeindeglieder optimal geschult, motiviert und seelsorgerlich begleitet werden.

Die gut vorbereitete Gemeinde sollte sich dann dafür einsetzen, den bedürftigen Armen im eigenen Einzugsbereich systematisch zu helfen. Neben der Kirche sollte jede schottische Gemeinde über eine Schule und eine Gruppe der Armenfürsorge verfügen. Letztlich wollte Chalmers die Armut im Land besiegen und die Verwurzelung der Menschen im christlichen Glauben fördern, um Schottland zu einer *gottesfürchtigen Republik* (*godly Commonwealth*), wie er es nannte, umzugestalten.

Die neuen Kirchen und Schulen sollten durch private Spenden finanziert werden. Das britische Parlament sollte gebeten werden, die Gehälter der zusätzlichen Pfarrer und Lehrer zu übernehmen. Die von Chalmers organisierten Gesellschaften zur Finanzierung neuer Kirchen arbeiteten sehr erfolgreich. Man konnte den größten Teil der Mitglieder der *Church of Scotland* motivieren, sich an diesem Bauvorhaben zu beteiligen: Arme Familien aus der Arbeiterklasse gaben einen Pfennig in der Woche, reiche Land- und Fabrikbesitzer spendeten hunderte von Pfund. Mit diesem Geld konnten bis 1841 in Schottland 220 zusätzliche Kirchen und Schulen errichtet werden.

Politischer Widerstand

Eine staatliche Unterstützung für die Einrichtung neuer Gemeinden erhielt Chalmers allerdings nicht. Insbesondere die freikirchlich ausgerichteten *Dissenter*[33] kämpften gegen zusätzliche, öffentliche Gelder für die Staatskirche. Ihrer Meinung nach sei eine weitgehende Trennung zwischen Staat und Kirche das Beste. Dabei ging es aber nicht nur ums Prinzip, sie ärgerten sich auch über die staatlich finanzierte Konkurrenz. Von 1834 bis 1838 wurde Schottland durch den immer heftigeren Streit dieser beiden Parteien erschüttert. Auf christlichen Veranstaltungen wurde ebenso wie im Parlament darüber debattiert, wie stark sich der Staat in kirchlichen Anliegen engagieren dürfe. Die Medien berichteten regelmäßig über den aktuellen Stand der Diskussionen.

33 Im engeren Sinne werden als *Dissenter* die protestantischen „Nonkonformisten" bezeichnet, die sich im Laufe der Kirchenreformen des 16. bis 18. Jahrhunderts von der Anglikanischen Kirche trennten und eigene Glaubensgemeinschaften bildeten (z. B. Baptisten, Presbyterianer, Puritaner).

Schließlich lehnte das britische Parlament eine Finanzierung zusätzlicher Pfarr- und Lehrerstellen grundsätzlich ab. Einerseits war die Regierung von den Stimmen der freikirchlichen *Dissenter* abhängig. Andererseits argwöhnte sie hinter Chalmers Konzept einer *gottesfürchtigen Republik* eine unerwünschte Unabhängigkeitsbestrebung der Schotten. Das aber könne nicht im Interesse der englischen Politik liegen. Bei Chalmers und seinen Unterstützern stieß diese Entscheidung auf vollkommenes Unverständnis. Da die *Church of Scotland* eine Staatskirche war, gingen sie fest davon aus, dass die Regierung die notwendigen Mittel zu Verfügung stellen müsse. Anderenfalls könne die Kirche ihre wichtige, gesellschaftliche Aufgabe nicht erfüllen. Das neue evangelistisch-soziale Konzept wäre zum Scheitern verurteilt.

Der Staat bestimmt die Kirche

Auch auf anderer Ebene wuchs der Widerstand gegen Chalmers Reformbestrebungen. Die überwiegend adligen Patronatsherren hatten vor dem *Obersten Zivilgerichtshof* gegen das *Veto-Gesetz* geklagt. Sie fühlten sich in ihrem Eigentumsrecht auf ungesetzliche Weise eingeschränkt. Schließlich hatten sie für das Privileg, den Pfarrer bestimmen zu können, bezahlt. Das Gericht gab ihnen Recht und erklärte das *Veto-Gesetz* für ungültig. In der Folge forderten Zivilgerichte die Gemeinden auf, die von den Patronatsherren benannten Kandidaten auch anzustellen. Dass der ausdrückliche Wunsch der Gemeinden bei diesem Vorgehen einfach übergangen wurde, spielte für das Gericht keine Rolle.

Die evangelikale Mehrheit in der Schottischen Kirche protestierte heftig gegen diese Bevormundung der Gemeinden. Aus ihrer Sicht war es vollkommen undenkbar, dass ihnen Pfarrer aufgezwungen wurden, die eine vollkommen andere Theologie vertraten. Durch diese Entscheidungen würde das Vertrauen der Bevölkerung in die Glaubwürdigkeit der Kirche radikal erschüttert. Außerdem sei es von der Bibel her vollkommen inakzeptabel, dass staatliche Instanzen festlegen könnten, wer Pfarrer werden solle. Das sei eine unzulässige staatliche Bevormundung. Denn nicht politische Interessen dürften über den Dienst in der Kirche entscheiden, sondern ausschließlich geistliche Qualifikationen. Das Verhältnis zwischen Landeskirche und Staat betrachtete Chalmers als eine Beziehung zwischen gleichberechtigten Partnern. Er wollte sich nicht damit abfinden, dass die Regierung die Kirche lediglich als eine Art untergeordnete Behörde betrachtete, die sich den Interessen der Politik zu beugen habe.

Chalmers wandte sich mit der dringenden Forderung an das britische Parlament, die Unabhängigkeit der Schottischen Kirche anzuerkennen und das *Veto-Gesetz* zu bestätigen. Das Parlament lehnte ab. Ihrer Auffassung nach war die *Church of Scotland* eine Organisation des Staates und müsse sich deshalb auch den Beschlüssen der Politik beugen. Sicher war Chalmers an der strikten, ablehnenden Haltung der Regierung nicht ganz unschuldig. Ihm fehlte offensichtlich das nötige diplomatische Geschick. Wenn er sich in seinen hohen Prinzipien und Glaubensgrundlagen angegriffen fühlte, konnte er sehr aufbrausend und kompromisslos sein. Die verantwortlichen Politiker aber hassten es, wenn man versuchte, sie unter Druck zu setzen oder ihnen zu drohen.

Die *Free Church of Scotland*

Für Chalmers gab es nur eine mögliche Reaktion auf die politische Verweigerung der kirchlichen Unabhängigkeit: die Trennung vom Staat. Es fiel ihm äußerst schwer, sich zu diesem Schritt durchzuringen. Über Jahrzehnte hatte er für die Staatskirche gekämpft und in ihr die Möglichkeit zur geistlichen und sozialen Erneuerung Schottlands gesehen.

Gründungsversammlung der *Free Church of Scotland*

Doch der Verlust theologischer Unabhängigkeit machte ihm jede weitere, positive Entwicklung der Gemeinden unmöglich.
Beim Jahrestreffen der kirchlichen Generalversammlung im Mai 1843 war es soweit. Chalmers und seine Anhänger erklärten ihren Austritt aus der *Church of Scotland*. 38 Prozent der Pfarrer und die Hälfte der Mitglieder folgten diesem Schritt und schlossen sich der von Chalmers gegründeten *Freien Kirche von Schottland* (*Free Church of Scotland*) an.

Diese Entscheidung hatte durchaus einschneidende Konsequenzen. Für die austretenden Geistlichen hatte es den Verlust von Pfarrhäusern, Gehältern und gesellschaftlichem Ansehen zur Folge. Für die Gemeinden bedeutete es den Verlust von Kirchen, Schulgebäuden und staatlicher Unterstützung. Weltweit wurde dieser Schritt von protestantischen Christen wahrgenommen. Viele zeigten ihre Hochachtung vor dem Mut und der Konsequenz der schottischen Gläubigen. Zahlreiche Kirchen und Einzelpersonen unterschiedlicher Nationalität unterstützten die schottische Freikirche ideell und finanziell.

Predigt in freier Natur (*Free Church of Scotland*)

Chalmers wurde zum Leiter der *Free Church* ernannt. Anfänglich hoffte er noch, dass sich alle Schotten ihm anschließen würden und eine neue nationale Kirche entstehen könnte. Das erfüllte sich jedoch nicht. Damit musste auch das Ziel der Errichtung eines *gottesfürchtigen Staates* weitgehend aufgegeben werden. Trotzdem waren die äußeren Erfolge der *Free Church* beeindruckend. Bereits ein Jahr nach der Trennung von der Staatskirche hatte man 470 neue Kirchen gebaut und 500 eigene Pfarrer angestellt. Außerdem hatte man 500 *Free-Church*-Schulen eröffnet und ein eigenes theologisches Seminar, das *New College* in Edinburgh, ins Leben gerufen, als dessen Leiter Chalmers berufen wurde.

Enttäuscht von der Ablehnung des Staates und der *Church of Scotland* gaben viele von Chalmers Anhängern das Vorhaben einer nationalen Erneuerung auf und zogen sich zunehmend in die eigenen Reihen zurück. Sowohl die evangelistischen als auch die sozialen Aktivitäten wurden deutlich reduziert. Vielleicht war auch durch die großen Anstrengungen der Kirchengründung jede vorhandene Kraft verbraucht. Jedenfalls veränderte sich die Mentalität der *Free Church*-Gemeinden. Zunehmend betrachtete man sich als Gesellschaft der Auserwählten, die sich als letzte Bastion der wahrhaft Gläubigen aus der Welt zurückzuziehen habe. Die Gedanken der Mission und der gesellschaftlichen Veränderung traten zum Leidwesen Chalmers' zurück. Mehr und mehr wurde der Kirchengründer durch jüngere Theologen aus seiner Führungsposition verdrängt.

Die Evangelische Allianz

Das Ziel, Menschen in den modernen Industriestädten praktisch zu helfen und sie für den christlichen Glauben zu gewinnen, verfolgte Chalmers auch weiterhin. Um dieses Vorhaben effektiv umsetzen zu können, sollten Christen verschiedener Konfessionen zusammenarbeiten. Zu diesem Zweck rief Chalmers 1846 in London die *Evangelische Allianz* ins Leben, die sich in den folgenden Jahren weltweit ausbreiten sollte. Hier ging es um keine organisatorische Vereinigung der Kirchen, sondern um christliche Gemeinschaft in Gebet, Evangelisation und Diakonie.

An der Gründungsveranstaltung nahmen 921 Christen aus zwölf Nationen und 52 reformatorischen Kirchen teil. Aus Deutschland beteiligten sich unter anderen der Begründer des deutschen Baptismus, Johann Gerhard Oncken (1800–1884), und der erweckte Theologieprofessor August Tholuck (1799–1877). In London vereinbarte man eine neun Punkte umfassende *Basis des Glaubens*. Darin wurden wesentliche gemeinsame Überzeugungen zusammengefasst. Hierzu gehörten das Bekenntnis zur Bibel als inspiriertem Wort Gottes, die Erkenntnis, dass der Mensch ohne Gott verloren ist und der Erlösung durch Jesus Christus bedarf, die Überzeugung, dass der Sünder allein durch Glauben Rechtfertigung findet, die Notwendigkeit der Heiligung, das Bekenntnis zum Priestertum aller Gläubigen und die Erwartung der Wiederkunft Christi. Die *Deutsche Evangelische Allianz* (DEA) wurde 1851 unter dem Namen *Evangelischer Bund* gegründet.

Heute stellt die *Weltweite Evangelische Allianz* (WEA) die größte Plattform für den Austausch und die Zusammenarbeit evangelikaler Christen dar. Zu ihr zählen sich 129 nationale und regionale *Evangelische Allianzen,* die rund 600 Millionen Christen vertreten.

Lebensende

Noch in den letzten Jahren seines Lebens begann der umtriebige Chalmers durchaus erfolgreich mit einer städtischen Modell-Gemeinde in

Chalmers kurz vor seinem Lebensende

den schlimmsten Slums von Edinburgh. Auch hier verband er glaubwürdiges, christliches Leben mit praktischer Hilfe für Bedürftige.

Chalmers starb im Alter von 67 Jahren am 31. Mai 1847 in Edinburgh. Unter großer Anteilnahme wurde er mit *königlichen Ehren* beerdigt. Direkten Einfluss hatten Chalmers Konzepte auf die Einführung einer zeitgemäßen Armenfürsorge in Wuppertal-Elberfeld. Auch das in den 1870er-Jahren in Großbritannien gegründete, städtische Missionswerk *Charity Organisation Society* geht wesentlich auf Chalmers zurück. Spuren seiner Tätigkeit sind bis heute in verschiedenen christlich-sozialen Aktivitäten zu sehen.

Im Jahr 1900 fusionierte die *Free Church of Scotland* mit der *United Presbyterian Church of Scotland* zur *United Free Church of Scotland*. Diese schloss sich 1929 wieder mit der *Church of Scotland* zusammen. Nur eine kleine Gruppe konservativer Christen repräsentiert heute das ursprüngliche Anliegen der Free *Church of Scotland* in einer gleichnamigen Kirche.

Ausgewählte Literaturhinweise

Harald Beutel: *Die Sozialtheologie Thomas Chalmers (1780–1847) und ihre Bedeutung für die Freikirchen.* Arbeiten Zur Pastoraltheologie, Liturgik und Hymnologie, Vandenhoeck & Ruprecht, Göttingen 2007

Stewart J. Brown: *Thomas Chalmers,* in: Martin Greschat (Hrsg.): Gestalten der Kirchengeschichte, Bd. 9, W. Kohlhammer Verlag, Stuttgart 1985, S. 172-186

Thomas Chalmers: *The Collected Works of Thomas Chalmers*, in 25 volumes, Glasgow 1835–1842

Ulrich Gäbler: *Auferstehungszeit. Erweckungsprediger des 19. Jahrhunderts. Sechs Porträts,* C. H. Beck Verlag, München 1991, S. 29-54

Ansätze zum Weiterdenken

◊ Regelmäßig wird die Forderung erhoben, Gemeinde und Theologie der gerade in Mode stehenden Philosophie und dem gesellschaftlichen Trend anzupassen. Oft führt das dann zu einer Verzerrung biblischen Glaubens. Immer wird die jeweils *moderne Theologie* dann mitverantwortlich für die Versäumnisse und Fehler des jeweiligen Zeitgeistes. Regelmäßig wird diese Form *zeitgemäßen Christseins* dann mit dem Ausrangieren der betreffenden gesellschaftlichen Moden über Bord geworfen.

◊ Christlicher Glaube kann, wenn er konsequent gelebt wird, maßgeblich zur Lösung sozialer Missstände einer Gesellschaft beitragen. Neue bürokratische Regelungen können nicht wirklich Veränderungen bewirken. Dazu sind persönliche Beziehungen nötig und die Bereitschaft, Verantwortung zu übernehmen – bei den Helfern und bei denen, die Hilfe benötigen.

◊ Obwohl beide an der Lösung sozialer Probleme arbeiten, fallen Motivation und Interessen des Staates und der christlichen Gemeinde häufig auseinander. Auch wenn sie gelegentlich äußerst angenehm sind, sollten Christen deshalb staatlicher Unterstützung ihrer Arbeit mit einer gewissen Vorsicht begegnen. Zumeist sind diese Förderungen nämlich an Bedingungen geknüpft, die nicht immer kompatibel sind mit den Prinzipien christlicher Diakonie. So besteht das Risiko, dass Gemeinde ihre Identität verliert und zum Handlanger des Staates wird.

◊ Für engagierte Christen hat ihr Glaube eine äußerst große Bedeutung. Deshalb ist es ihnen nicht gleichgültig, was geglaubt und wie dieser Glaube gelebt wird. Unterschiedliche Traditionen und Bibelverständnisse führen so zu unterschiedlichen Gemeindeformen. Die voneinander abweichenden Denk- und Lebensformen sollten allerdings nicht dazu führen, das gemeinsame Glaubensfundament zu vergessen. Um die von Gott gewollte Einheit gläubiger Christen über Konfessionsgrenzen hinweg zu ermöglichen, braucht es entsprechende Anlässe, Initiativen und Foren; ohne den Versuch, die begründeten Unterschiede zu neutralisieren.

22

Amalie Sieveking
(1794–1859)

Frauen in christlicher Sozialarbeit

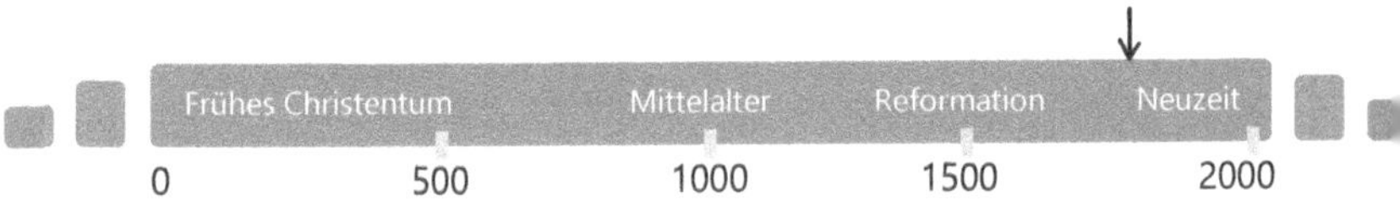

Berufstätige Frauen waren im 19. Jahrhundert eher der Normalfall als die Ausnahme. Zumeist ging es dabei allerdings weniger um erfüllende, befriedigende Anstellungen mit guter Entlohnung, sondern weit häufiger um die bloße Notwendigkeit, die eigene Familie versorgen zu können. Berufstätig waren vor allem Frauen aus Unterschicht und Mittelstand, weit weniger aus Adel und Großbürgertum. In reichen Familien sollten Frauen repräsentieren, Konversation betreiben, Klavier spielen und Gedichte rezitieren. Die eigentliche Arbeit wurde durch Angestellte besorgt: Köchinnen, Erzieherinnen, Zimmermädchen und Gärtner. Ärmere Frauen hingegen mussten zum Unterhalt der Familie beitragen. Sie halfen in der heimischen Landwirtschaft, im eigenen Handwerksbetrieb, sie webten Stoffe oder arbeiteten als Hausmädchen. Später waren Frauen auch in Manufakturen und Fabriken anzutreffen. Vielen Frauen des Mittelstands wurde Anfang des 19. Jahrhunderts durch eine engagierte Christin aus Hamburg eine neue Möglichkeit sinnvoller Betätigung eröffnet.

Schwere Jugend

Amalie Wilhelmine Sieveking wurde am 25. Juli 1794 in der Hansestadt an der Elbe geboren. Ihr Vater, Heinrich Christian Sieveking (1752–1809), war ein erfolgreicher Kaufmann und wurde wenige Jahre später in den Rat der Hansestadt gewählt. Ihre Mutter, Karoline Louise (1767–1799), stammte aus der angesehenen Familie des Senators Peter Dietrich Volkmann.

In ihrer Jugend erlebte Sieveking die Besetzung Hamburgs durch französische Truppen und eine dadurch ausgelöste, wirtschaftliche Krise. Schon sehr früh verlor sie ihre Mutter. 1809 starb auch der Vater.

Zwei ihrer vier Brüder erreichten nicht das Erwachsenenalter. Die Familie verarmte und Sieveking zog zur Witwe Anna Isabel Brunnemann, einer Cousine ihrer Mutter (1811). Ihr jüngster Bruder, Gustav Adolf, starb 1817 während seines Theologiestudiums in Berlin. Lediglich der älteste Bruder, Eduard Heinrich, blieb ihr. Er zog nach London, wo er als erfolgreicher Kaufmann Karriere machte.

Die schweren Erfahrungen ihrer Jugend machten aus Sieveking eine verschlossene und abweisend wirkende Frau. Nach dem Tod der Eltern musste sie ihre schulische Ausbildung aus finanziellen Gründen aufgeben. Sie lebte von einer kleinen Waisenrente und vom Verkauf ihrer Handarbeiten. Nachdem Sieveking zwei kleinere Erbschaften zugefallen waren, bestand zumindest keine Gefahr mehr, noch tiefer in Armut zu fallen. In diesen Jahren träumte die junge Frau von Ehe und Familie. Die Gefühle für ihren Vetter, den späteren Hamburger Syndikus Karl Sieveking, wurden von diesem allerdings nicht erwidert. Ob der erfolgreiche Mann durch Sievekings herbes Wesen oder ihren bescheidenden Besitz abgehalten wurde, ist nicht überliefert. Beide allerdings blieben über ihre gemeinsame Sympathie für die Anliegen der kirchlichen Erweckung in Kontakt.

Amalie Sieverking (Gemälde von Hans Heinrich Port, Ausschnitt)

Geistliche Erweckung

In den folgenden Jahren sammelte Sieveking Erfahrungen im Unterrichten. Mit großer Freude bereitete sie sechs Mädchen aus ihrem Bekanntenkreis auf die Konfirmation vor (1813). Sie suchte damals ganz einfach nach einem lohnenden Ziel für ihr Leben. Einerseits entdeckte Sieveking durch das Unterrichten der Mädchen ihr pädagogisches Talent, andererseits zog sie die rationalistische Frömmigkeit ihrer Familie zunehmend in Zweifel. Der Tod ihrer Brüder und der Kontakt zu frommen Hamburger Kreisen führten bei ihr zu einem verstärkten Interesse an der Bibel und einem Anliegen für leidende Menschen. Sieveking öffnete sich für die zeitgenössische Erweckungsbewegung und besuchte pietistische Veranstaltungen der Herrnhuter Brüdergemeine.

Engeren Kontakt pflegte sie zu dem erweckten Hamburger Pfarrer Johann Wilhelm Rautenberg (1791–1865), zu dem frommen Sozialreformer Johann Hinrich Wichern (1808–1891) und zu dem klugen Dichter Matthias Claudius (1740–1815). Sehr beeindruckt war sie von Thomas a Kempis (1380–1471) frommem Bestseller *Nachfolge Christi* und von August Hermann Franckes *Kurzem Unterricht, wie man die Heilige Schrift zu seiner wahren Erbauung lese* (1694). Sieveking begann sich intensiv mit der Bibel auseinanderzusetzen und entwickelte eine sehr persönliche Frömmigkeit. Eine schwere Brandkatastrophe in ihrer Nachbarschaft traf sie tief und verstärkte ihre Sehnsucht nach einer geistlichen Neuausrichtung.

In einem Schreiben an ihren Bruder Gustav kritisierte Sieveking die rationalistische Theologie grundlegend: „Wie tot doch die bloße Vernunftreligion ist, wie ungenießbar für die Meisten und wie kalt sie die Herzen lässt!" Durch die Bibel fühlte sich Sieveking ganz persönlich von Jesus Christus angesprochen. „Ich fand in ihm meinen Heiland!" Trotz ihrer rationalen Veranlagung wusste sie sich innerlich von Gott berührt und wiedergeboren. Sieveking wollte ihren Intellekt und die übernatürliche Führung Gottes nicht trennen sondern zusammenbringen: „Der Geist Gottes muss auf uns ruhen [...] seine Einwirkungen müssen bleibend sein, er will in uns wohnen und so unser Inneres zu seinem Tempel weihen, worin er sich mit seiner Kraft und seiner Gnade offenbaren kann."

Ihre Erlebnisse und Überlegungen führten Sieveking schließlich zu einer inneren Bekehrung und einer geistlichen Berufung zum praktischen Dienst. In einem Brief aus dem Jahr 1816 brachte sie ihre persönliche Neuorientierung zum Ausdruck: „Liebe, Liebe heißt das große Mittel, das über mein ganzes Wesen den Zauber der Weiblichkeit verbreiten soll. Ich will die Menschen lieben, wärmer, inniger als bisher, und um meiner Liebe willen sollen sie mir's vergeben, wenn ich mich, wie manche meinen, zu weit aus meinen Kreisen herauswage."

Vor dem Hintergrund ihrer Zuwendung zur pietistischen Erweckungsbewegung fühlte sich Sieveking immer stärker den Frommen aller Konfession und keiner bestimmten christlichen Kirche gegenüber verbunden: „Wunderlich scheint's mir übrigens, dass der Glaube an eine allein seligmachende Kirche so entsetzlich verschrien ist, und dass man, weil er oft zusammen mit blindem Fanatismus auftritt, beides für unzertrennlich hält. Ich selbst habe diesen Glauben. Allerdings möchte ich diese Eigenschaft weder der römisch-katholischen, noch der lutherischen, noch der reformierten Kirche zugestehen." Sieveking stand dabei nicht für eine weltanschauliche Beliebigkeit. Nur wer zur

Gemeinde Jesu Christi gehöre, könne gerettet werden. Gleichzeitig sah sie die absolute Wahrheit des christlichen Glaubens nicht allein in der konfessionellen Ausprägung einer bestimmten Kirche.

Anfänge und Versuche

1814 begann Sieveking damit, sechs Mädchen aus ihrem Bekanntenkreis in ihrer Wohnung zu unterrichten. Zusammen mit elf gleichgesinnten Frauen gründete sie eine kleine Freischule für arme Mädchen (1817), die sie über 40 Jahre begleitete. Drei Jahre später eröffnete Sieveking im Stadthaus ihrer Pflegemutter einen zweiten *Schul-Cursus* für zehn Mädchen, die bis zur Konfirmation kostenlos dreimal wöchentlich in allgemeinbildenden Fächern wie Deutsch und Mathematik, aber auch Englisch und Physik unterrichtet wurden. Selbstverständlich gehörten auch regelmäßige Andachten und kirchliche Lieder zum Programm. Insgesamt begleitete sie in dieser Einrichtung auf sehr persönliche Art und Weise rund 60 junge Frauen.

Zu ihrem ersten Buch *Betrachtungen über einzelne Abschnitte der Heiligen Schrift* (1823) fühlte sich Sieveking durch die Lektüre A. H. Franckes angeregt. Ihr ging es darum, „Anfänger im Glauben" zum regelmäßigen Bibellesen zu animieren. In die gleiche Richtung zielte ihr zweites Buch *Beschäftigungen mit der Heiligen Schrift* (1827), das eine allgemeinverständliche Auslegung der Offenbarung des Johannes enthielt. In ihren Büchern begann Sieveking zumeist damit, ihren Lesern grammatikalische, historische und geographische Hintergrundinformationen zu liefern. Ihre Informationen bezog sie vor allem aus wissenschaftlich-pietistisch geprägten Kommentaren wie denen von Joachim Lange (1670–1744), August Tholuck (1799–1877) und Otto von Gerlach (1801–1849). Dann zog sie Parallelstellen, Kirchenlieder und alltägliche Erfahrungen heran, um den Bibeltext verständlicher und anschaulicher zu machen. Ihr Ziel war es, „der anerkannten Wahrheit die richtige Anwendung zu geben auf das innere und äußere Leben". Dem Bibelleser wollte sie helfen, „alles Gelesene in Gebet und Anwendung auf sich selber anzuwenden".

Dabei hob Sieveking immer wieder die wörtliche und historische Zuverlässigkeit der biblischen Berichte hervor. Entgegen dem damals vorherrschenden theologischen Rationalismus hielt sie die biblischen Wunderberichte für Beschreibungen realer Ereignisse. Es sei für Gott als Initiator der Naturgesetze schließlich problemlos möglich, auch neben oder über diese wissenschaftliche Konstante hinaus Wunder zu bewirken, wenn er das nur wolle. Es sei unvernünftig, „das zu leugnen, was eben nicht im Horizont unserer Erfahrung liegt".

Sieveking befürwortete allerdings auch nicht unkritische Schwärmerei und leichtfertige Wundergläubigkeit. Vorgebliche Berichte von übernatürlichen Zeichen und Heilungen sollten immer erst auf ihre Glaubwürdigkeit hin untersucht werden.

Im Vergleich zu den anderen Religionen war für Sieveking der christliche Glaube absolut wahr und zuverlässig. Das Christentum sei allen anderen Glaubensrichtungen überlegen, „weil es auf dem göttlichen inspirierten Wort fußt, weil dieses göttlich Wort sich mit Hilfe des Heiligen Geistes immer mehr erschließt und weil das aus der Bibel als wahr Erkannte dann im Leben einzelner Menschen erkennbare Gestalt gewinnt." (Inge Mager)

Von einigen erweckten Christen bekam Sieveking begeisterte Zustimmung. Andere bemängelten den Verzicht auf wissenschaftliche Theologie und warfen ihr eine Tendenz zum Mystizismus vor. Manche konnten sich einfach nicht damit anfreunden, dass eine Frau ein Buch mit theologischem Inhalt veröffentlichte. Kirchenvertreter belächelten und verspotteten Sieveking, als sie 1823 einer pietistischen Traktat-Gesellschaft beitrat. Sie argwöhnten Frömmelei und eine grobe Vereinfachung akademischer Theologie in den erbaulichen und evangelistischen Kleinschriften der Organisation.

Ein evangelischer Frauenorden

Zwischenzeitlich hatte Sieveking den Gedanken an eine eigene Familie aufgegeben und fühlte sich von Gott zur Ehelosigkeit berufen. Neu trat eine Idee in den Vordergrund, die sie schon seit Jahren verfolgte: die Gründung eines *Ordens barmherziger Schwestern* in der protestantischen Kirche. Obwohl das für viele allzu sehr nach dem Konzept katholischer Nonnen roch, dachte Sieveking eher an die Wiederbelebung frühchristlicher Diakonie. Unterstützt und ermutigt wurde sie bei diesem Vorhaben durch den erweckten evangelischen Pfarrer und Liederdichter Johannes Goßner (1773–1858).

Sieveking ging es darum, einerseits der unter Armut leidenden Hamburger Bevölkerung praktisch zu helfen und andererseits ledigen christlichen Frauen ein angemessenes Betätigungsfeld zu eröffnen. Dabei ging es ihr auch darum, „dass wir nämlich von unserer zukünftigen Herrlichkeit im Himmel schon hier einen Vorgeschmack bekommen können". Abgesehen von der unmittelbaren körperlichen Hilfe bestand dieser *Vorgeschmack* für Sieveking vor allem im „rechten Geschmack des göttlichen Wortes". Ihr schwebten ähnliche Konzepte vor wie dem Theologen Thomas Chalmers (1780–1847), der einen gut organisierten Hilfs- und Besuchsdienst in der schottischen Kirche installierte, und wie

Elisabeth Fry (1780–1845), die in England einen vorbildlichen Verein für weibliche Strafgefangene gegründet hatte. Sievekings *evangelischer Frauenorden* sollte sich insbesondere der geistlichen Betreuung Kranker und der Erziehungsarbeit widmen.

Hilfe in Zeiten der Cholera

Durch Sievekings Erfahrungen während der Choleraepidemie, die Hamburg 1831 heimsuchte, erhielten ihre Pläne eine neue Ausrichtung. Zu Beginn der Krankheitswelle veröffentlichte sie im *Bergedorfer Boten* einen *Aufruf an christliche Seelen*. Darin wollte sie junge Frauen zur ehrenamtlichen Betreuung der Erkrankten motivieren. Die Reaktion fiel jedoch mehr als enttäuschend aus. Schließlich meldete sich Sieveking allein zum Dienst im städtischen Krankenhaus. Acht Wochen engagierte sie sich für die Cholerakranken, unentgeltlich und ohne Pausen, unter ständiger Ansteckungsgefahr. Aufgrund ihrer qualifizierten Arbeit erwarb Sieveking sich das Vertrauen der Ärzte, die sie schon bald mit der Oberaufsicht über die Pfleger und Kranken betrauten. Während dieser Monate nahm der Plan eines weiblichen *Vereins für Armen- und Krankenpflege* konkrete Formen an. Die notdürftige Versorgung der Armen und Alten durch die hamburgischen Behörden ließ eine solche Einrichtung durchaus notwendig erscheinen.

Wasserversorgung während der Choleraepidemie in Hamburg 1892

Der *Weibliche Verein für Armen- und Krankenpflege*

Amalie Sieveking, oder *Tante Malche*, wie sie zwischenzeitlich von Schülern und Freunden genannt wurde, wollte zeigen, „dass weder eine innerliche Frömmigkeit noch die Beschäftigung mit Büchern eine Frau notwendigerweise unfähig machen muss für das praktische Leben, und dass eine aus christlicher Liebe ausgeführte Krankenpflege besser und umfassender ist als eine, die lediglich als berufliche Pflicht betrachtet wird."

Als Ziel formulierte Sieveking in den Statuten des neuen Vereins: „Häufiger, regelmäßiger Besuch der armen Kranken in ihren Wohnungen, eine genaue Beaufsichtigung derselben [...] Sorge für Ordnung und Reinlichkeit und alles Übrige, wodurch ihnen geistig und körperlich geholfen werden kann." Der enge persönliche Kontakt mit den Hilfsbedürftigen sollte eine individuelle Hilfe und eine geistliche Prägung ermöglichen. Weil Sieveking die Nebenwirkungen von Alkoholabhängigkeit und Misswirtschaft in verarmten Familien bekannt war, sollte die praktische Unterstützung auch eher in Lebensmitteln als in Geldzahlungen bestehen.

Offiziell wurde Sievekings *Weiblicher Verein für Armen- und Krankenpflege* am 23. Mai 1832 mit zunächst 13 aktiven Mitgliedern gegründet. Obwohl auch schon vorher einige kleinere evangelische Organisationen Frauen einen anerkannten Rahmen für soziale Arbeit geboten, war Sievekings Verein der erste seiner Art. Die gut strukturierte und langfristig angelegte Arbeit an Armen und Kranken durch ledige, christliche Frauen fand allerdings schon bald zahlreiche Nachahmer. Am bekanntesten ist wahrscheinlich das 1833 von Theodor Fliedner (1800–1864) gegründete Asyl für entlassene weibliche Strafgefangene, aus dem wenig später die weltbekannten *Kaiserswerther Diakonissenanstalten* hervorgehen sollten.

Sinnvolle Betätigung für wohlhabende Frauen

Trotz einer allgemeinen Zustimmung der Krankenhausärzte meldeten sich nur wenige geeignete Helferinnen. Wahrscheinlich hing das auch damit zusammen, dass Sieveking nicht nur pflegerische Kenntnisse und die Bereitschaft zu einem selbstlosen Einsatz forderte, sondern auch „ein lebendiges Christentum, welches nach meiner Überzeugung die einzige wirkliche Quelle ist, aus der auch langfristig eine segensreiche Einwirkung auf die Hilfsbedürftigen hervorgehen kann." Abgesehen von einer persönlichen Frömmigkeit sollten die Kandidatinnen auch finanziell weitgehend unabhängig sein, da die Arbeit ehrenamtlich erfolgte.

Da Amalie Sieveking bei ihren bisherigen Kontakten von den Frauen der höheren Gesellschaft eher Ablehnung erfahren hatte, setzte sie vor allem auf die Mittelschicht, die sich noch eher mit den Problemen der Armen identifizieren konnte. Außerdem wollte sie die Vereinsmitglieder nicht nur zur Besorgung von Sach- und Geldspenden mobilisieren, sondern auch zur Reinigung von Armenwohnungen und zur Pflege von Kranken. Dazu ließen sich reiche Frauen nur selten bewegen, die in ihrem Alltag nie mit körperlicher und schmutziger Arbeit zu tun hatten.

In der gemeinsamen Tätigkeit von Frauen aus der Mittel- und Unterschicht sah Sieveking die „Verwirklichung echter christlicher Gemeinschaft". Entgegen ihrer anfänglichen Erwartung beteiligten sich in den folgenden Jahren immer mehr Frauen aus der höheren hamburgischen Gesellschaft an den Aktivitäten des christlichen Hilfsvereins. Amalie Sievekings Organisation verband effektiv die konkrete Verbesserung sozialer Probleme mit bis dahin nicht vorhandenen beruflichen Möglichkeiten für alleinstehende Frauen.

Bekehrung statt Revolution

Obwohl Sieveking in den nächsten Jahren immer wieder öffentlich auf soziale Missstände aufmerksam machte und konkrete Verbesserungsvorschläge unterbreitete, sprach sie sich gleichzeitig deutlich gegen jede Form politischer Revolution aus. Sowohl die kommunistischen Utopien eines klassenlosen Arbeiterstaates, als auch die Forderungen nach politischer Gleichberechtigung der Frauen oder basisdemokratische Vorstellungen hielt sie für gefährliche ideologische Phantasien.

„Von den nivellierenden Prinzipien der Demokraten bin ich so weit entfernt, dass ich es entschieden für einen Missgriff halte, wenn der Höhergestellte […] sich mit Leuten der unteren Stände auf eine Ebene setzen soll. Das hilft den Armen nicht wirklich weiter und macht sie entweder verlegen oder anmaßend. Die Aufgabe des christlichen Menschenfreundes ist es eher, einfachen Leuten zu helfen, mit der ihnen von Gott zugewiesenen Stellung in der bürgerlichen Gesellschaft zufrieden zu sein." Das Versprechen einer weitgehenden Gleichstellung hingegen könne doch nicht erfüllt werden und schüre bei den Armen unerfüllbare und unrealistische Erwartungen sowie gefährliche Unzufriedenheit. Zwar sollten Hunger, Unwissenheit und Krankheit gemildert werden. Einen Unterschied zwischen Arm und Reich aber würde es immer geben.

Sieveking befürwortete durchaus einen gewissen staatlichen Schutz und eine gesellschaftliche Unterstützung für Hilfsbedürftige. Vor allem aber setzte sie auf eine freiwillige, christliche Solidarität der

Wohlhabenden mit den Armen. Nur aus der Veränderung des Herzens, wie sie in der Gemeinde verwirklicht werden sollte, könne eine tragfähige Überbrückung sozialer Gegensätze erfolgen. Ein staatlich verordneter Ausgleich funktioniere nur so weit und so lange, wie der äußere Druck aufrechterhalten werden könne. Echte und dauerhafte Veränderung könne nur durch die persönliche Bekehrung, die vollkommene Ergriffenheit von Gott, stattfinden.

Vorbildliches Modell sozialer Arbeit

Amalie Sievekings Hilfsverein entwickelte sich schon bald zu einem anerkannten Erfolgsmodell. Sowohl die Armenärzte als auch staatliche Sozialstellen unterstützten die Initiative. Die Zahl der Mitglieder wuchs stetig. 1835 beteiligten sich 32 Frauen an der Arbeit des Vereins, 1857 waren es bereits 80. Parallel dazu konnten immer mehr sozial schwache Familien betreut werden. Jedes Mitglied kümmerte sich um zwei bis drei Familien und dokumentierte Gespräche, Hilfeleistungen und Fortschritte. Sorgfältig wurden die Lebensumstände aller Personen registriert, die der Verein betreute. Abgesehen von akuten Hilfen bei Krankheit und Hunger wurden die Betroffenen langfristig seelsorgerlich begleitet. Außerdem bemühte man sich, den Bedürftigen baldmöglichst eine Arbeit zu vermitteln, damit keine dauerhafte Abhängigkeit von fremder Fürsorge entstand. Einmal in der Woche kamen die Mitglieder des Vereins zum Austausch und zu Beratungsgesprächen zusammen.

Der Großteil des Geldes wurde für Rohstoffe, Nahrungsmittel, Medikamente und Löhne verwendet. Trotz der sehr begrenzten finanziellen Möglichkeiten des Hilfsvereins wehrte sich Sieveking gegen die forcierte Beschaffung von Spenden, die ihr verschiedentlich vorgeschlagen wurde. Zunächst waren die Frauen in den ärmlichen Stadtteilen St. Georg und Altona tätig. Bald schon bildeten sich ähnliche Einrichtungen auch in den anderen Quartieren.

Mit dem wachsenden Erfolg von Sievekings *Hilfsverein christlicher Frauen* wurde sie immer häufiger zu Vorträgen in ganz Deutschland eingeladen. Auch kamen zahlreiche Interessierte nach Hamburg, um die Arbeit zu begutachten. Viele suchten nach Anregungen für die Gründung ähnlicher Organisationen in ihren Heimatstädten. So verbreitete sich Sievekings Konzept in der Mitte des 19. Jahrhunderts über ganz Westeuropa. Besondere Verbindungen ergaben sich zur dänischen Kronprinzessin Caroline Amalie (1796–1881) und zur preußischen Königin Elisabeth (1801–1873). Bei der Gründung ähnlicher dänischer Frauenvereine stand Sieveking Pate.

Mehrere attraktive Stellenangebote schlug Sieveking in den folgenden Jahren aus, um ihren hamburgischen Hilfsverein weiterhin unterstützen zu können. 1837 wollte Theodor Flieder sie überzeugen, als Oberin in das von ihm gegründete Diakonissenhaus von Kaiserswerth einzutreten. 1840 bot man ihr die Oberaufsicht über den Frauenflügel des *Hamburger allgemeinen Krankenhauses* an. 1846 wollte man sie für die Leitung des neugebauten *Berliner Krankenhauses Bethanien* gewinnen.

Erstes *Amalienstift* in der Stiftstraße 65 in Hamburg St. Georg
(Foto: Claus Joachim Dickow)

Distanziert reagierte Sieveking auf das häufige Lob und die zunehmenden Ehrungen. Immer wieder zitierte sie in diesem Zusammenhang Psalm 115,1: „Nicht uns, Herr, sondern deinem Namen gib Ehre." In einer Andacht warnte sie: „Wir dürfen niemanden vergöttern und uns nicht vergöttern lassen. Aber wir sollen vergöttlicht werden [...] das Bild Christi soll in uns erkennbar sein." Auch die Unbeständigkeit der öffentlichen Meinung war ihr vollständig bewusst: „Wer sich auf den Beifall der Menge verlässt, ist sträflich einfältig."

Wohnungen und Bücher für die Armenpflege

Ermutigt durch erhebliche Spenden plante Amalie Sieveking 1837 den Bau vorbildlicher Armenwohnungen. Nachdem der Hamburger Rat ein Baugelände zur Verfügung gestellt hatte, konnte 1840 das *Amalienstift* mit Sozialwohnungen und privatem Kinderkrankenhaus eingeweiht werden. Nachdem viele Bedürftige durch den großen Hamburger

Brand von 1842 ihr Heim verloren hatten, wurden bald darauf zwei weitere Gebäude mit mehreren Armenwohnungen gebaut.

In den folgenden Jahren beteiligte sich Amalie Sieveking an der Gründung einer Ausbildungsstätte für Erzieherinnen und veröffentlichte verschiedene Fachbücher, die zur Fortbildung der Familienhelferinnen ihres Vereins dienten: 1848 schrieb sie ein *Kochbuch für Hausfrauen und Köchinnen*, 1841 folgte eine *Instruktion für Armenpflegerinnen*, 1848 erschienen ihre *Sendschreiben an die Armen* und 1850 der *Aufruf an die christlichen Frauen und Jungfrauen Deutschlands*.

Auf ihrer Englandreise von 1855 zog sich Sieveking ein Lungenleiden zu, an dem sie am 1. April 1859 starb. Entsprechend ihres Lebensmottos erhielt sie ein Armenbegräbnis, allerdings unter großer öffentlicher Anteilnahme. Tausende würdigten ihre Leistungen, darunter viele, denen sie durch ihren Verein ganz praktisch geholfen hatte.

Der Verein wuchs weiter und wird seit 1976 unter dem Namen *Amalie Sieveking Stiftung* geführt. Gegenwärtig konzentriert man sich vor allem auf Angebote für Senioren: Wohnungen, Betreuungsangebote und Tagespflege. In Erinnerung an die christliche Sozialreformerin wurde 1973 das *Ev. Amalie Sieveking-Krankenhaus*, Akademisches Lehrkrankenhaus der Universität Hamburg und die medizinisch-geriatrische Klinik, 1973 gegründet. Dazu zählen zwischenzeitlich auch eine Demenz-Beratungsstelle, ein ambulanter Pflegedienst und Kindergärten. Heute gehört das Krankenhaus zum evangelisch-freikirchlichen *Albertinen-Diakoniewerk*, das 1907 von der baptistischen Oberin Albertine Assor gegründet wurde.

Ausgewählte Literaturhinweise

Inge Grolle: *Amalie Sieveking*, in: Ulrich Heidenreich/Inge Grolle: Wegbereiter der Diakonie: Johann Wilhelm Rautenberg, Amalie Sieveking, Band 18 von Hamburgische Lebensbilder in Darstellungen und Selbstzeugnissen, Verlag Edition Temmen, Bremen 2005, S. 63-126

Elisabeth Haupt: *Amalie Sieveking als Gründerin des weiblichen Vereins für Armen- und Krankenpflege in Hamburg*, Wichern Verlag, Berlin-Spandau 1933

Emma Poel: *Denkwürdigkeiten Aus Dem Leben Von Amalie Sieveking In Deren Auftrage Von Einer Freundin Derselben verfaßt. Mit Einem Vorwort von Dr. Wichern*, Hamburg 1860/Nabu Press, Charleston/USA 2011

Rainer Postel: *Amalie Sieveking*, in: Martin Greschat (Hrsg.): Gestalten der Kirchengeschichte, Bd. 9, W. Kohlhammer Verlag, Stuttgart 1985, S. 233-242

Ansätze zum Weiterdenken

◊ Ganz besonders im Neuen Testament wird deutlich, dass Gott vor allem nach Menschen sucht, die ihm völlig vertrauen und bereit sind, sich ganz für ihn einzusetzen. Das Geschlecht spielt dabei nur eine untergeordnete Rolle. Ganz selbstverständlich haben auch Frauen im Reich Gottes ihren Platz und sollen die ihnen von Gott gegebenen Begabungen sinnvoll in Familie, Gemeinde und Gesellschaft einbringen. Natürlich hat das Geschlecht, wie auch andere Persönlichkeitsmerkmale, Einfluss auf die Form und Art des Einsatzes.

◊ Wie schon Paulus feststellt (1. Korinther 7,1-9; 25-40) sind sowohl die Ehe als auch die Ehelosigkeit Gaben Gottes (*Charismata*). Im eigenen Leben gilt es diesbezüglich, nicht nur auf die gesellschaftlichen Konventionen, die Erwartungen der Umwelt oder die sexuellen Bedürfnisse zu hören, sondern bewusst nach der individuellen Berufung Gottes zu fragen. Sowohl Ehe als auch Ehelosigkeit können dann immer wieder neu als besonderes Geschenk Gottes begriffen und gelebt werden, statt sie nur als Schicksal oder gar Belastung zu betrachten.

◊ Wer die Bibel lediglich nach den eigenen Erwartungen und den gesellschaftlichen Trends interpretiert, wird aus ihr nur wenig Kraft und Orientierung beziehen. Bei einem solchen Gebrauch mutiert das Wort Gottes zu einer beliebigen Bestätigung all dessen, was man sowieso schon für sich festgelegt hat und was alle anderen auch ohne Einbezug der Bibel glauben und leben. Wer in der Bibel hingegen die glaubwürdige und zuverlässige Mitteilung Gottes erkennt, wird dadurch sowohl ermutigt als auch korrigiert, bekommt Kraft und erfährt theologische Klarheit.

◊ Manchmal braucht es große Pläne und Visionen, um sich für die alltägliche Kleinarbeit zu motivieren. Gedanken über große Vorhaben und Veränderungen können aber auch ablenken, entmutigen oder zu Tagträumen verleiten, insbesondere dann, wenn die täglichen Pflichten so gering und mühsam wirken, wenn man über längere Zeit hinweg nur wenig greifbare Resultate sieht. Und doch hat jede große Sache klein angefangen, ganz besonders im Reich Gottes. Hier gilt das Grundprinzip: Nur wer sich im Kleinen bewährt hat, wird von Gott auch zu größeren Aufgaben herangezogen. Zumeist ist es Gott wichtiger, dass ein Christ Geduld, Ausdauer und Treue lernt, als dass er schnell möglichst vielen Menschen hilft.

23

John Nelson Darby
(1800–1882)
Brüderversammlungen

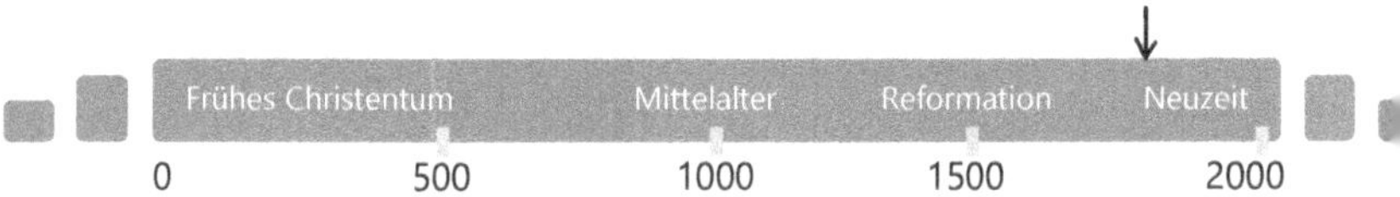

Je nach Sichtweise wirken Kirchen groß, beeindruckend und geheimnisvoll oder traditionell, veraltet und langweilig. Immer wieder gab es in der Kirchengeschichte Menschen, denen die Begeisterung und die Lebensweise der ersten Christen in ihrem Umfeld fehlten. Im Laufe der Jahrhunderte hat sich vieles eingefahren und beruhigt, sowohl bei der katholischen, als auch bei der orthodoxen oder der evangelischen Kirche. Sie sind zu Mega-Organisationen geworden, die sich verwalten, Unmengen von Regeln produzieren und häufig mehr an ihrem Machterhalt interessiert zu sein scheinen als am Leben ihrer Mitglieder. Immer wieder gab es deshalb in der Vergangenheit Aufbruchbewegungen, die sich bemühten, die Lebensweise der ersten Gemeinde wiederzubeleben.

Kind aus der Oberschicht

John Nelson Darby wurde am 18. November 1800 im Londoner Stadtteil Westminster geboren. Sein Vater, John Darby (1751–1834), war ein wohlhabender irischer Landbesitzer und Kaufmann aus Leap Castle. Darbys Mutter, Anne geb. Vaughan (1757–1847), stammte ebenfalls aus einer angesehenen Familie. Zu den historisch wichtigen Personen aus Darbys direkten Umfeld gehörten sein Onkel, Admiral Sir Henry Darby, und sein Patenonkel Lord Nelson, von dem er seinen zweiten Vornamen erhielt.

Darby war der jüngste von sechs Söhnen. Er selbst gehörte zur britischen Oberschicht, doch konnte er in London auch das Leben der einfachen Menschen beobachten. In der renommierten *Westminster School* wurden ihm unter anderem die Grundlagen des anglikanischen Glaubens nahegebracht.

Nachdem Familie Darby 1815 wieder nach Irland zurückgekehrt war, begann der vierzehnjährige John Nelson sein Studium am *Trinity College* in Dublin (der späteren *University of Dublin*). Im Anschluss an das allgemein übliche Grundstudium spezialisierte sich Darby auf Jura (1819–1822). Obwohl er seine Ausbildung mit sehr guten Noten abschloss und sein Schwager, der *Lord Chief Justice of Ireland*, ihn gerne im staatlichen Dienst gesehen hätte, weigerte sich Darby, als Jurist zu arbeiten. Sein Vater betrachtete die Entscheidung als Provokation. Nach einem heftigen Streit in dieser Frage enterbte er seinen Sohn. Für Darby bedeutete das den weitgehenden Verzicht auf einen bis dahin gewohnten, gehobenen Lebensstil. Trotzdem war er nicht gezwungen, seinen Unterhalt durch eigene Arbeit zu verdienen. Sein Onkel, Sir Henry Darby, hinterließ ihm nach seinem Tod ein beträchtliches Vermögen, von dem er bequem leben konnte.

Engagierter anglikanischer Priester

In diesen Jahren (1818–1825) setzte sich Darby intensiv mit Glaubensfragen auseinander. Seine theologischen Überlegungen mündeten in eine persönliche Bekehrung, über die allerdings keine Einzelheiten überliefert sind. Zu Darbys geistlicher Neuorientierung trugen rege Kontakte mit kleinen Separatisten-Gemeinden und die damals weit in der Bevölkerung verbreitete Endzeiterwartung bei. Weil Darby mit dem baldigen Wiederkommen Jesu Christi rechnete, wollte er seine Zeit nicht mit der Arbeit als Jurist verschwenden. Stattdessen entschied er sich für ein einfaches Leben ganz im Einsatz für Gott.

John Nelson Darby

Darbys bisherige, akademische Studien wurden von der anglikanischen Kirche als Voraussetzung für den geistlichen Dienst akzeptiert. 1825 wurde er in der Kathedrale von Raphoe als Diakon der irischen Kirche eingesetzt. Ein Jahr später weihte Erzbischof William Magee Darby zum anglikanischen Priester. Seine erste Anstellung bekam er in der Gemeinde von Calary in der Grafschaft Wicklow. Schon hier zeigte sich Darby als hingegebener Pfarrer mit einem Hang zur Askese. Sein Einkommen spendete er für die Armen. Die weiten Wege zu Seelsorgebesuchen und Predigten legte er zu Fuß zurück. Seine Wohnung war eine spärlich möblierte, fensterlose Hütte. Aufgrund seiner sehr einfachen Kleidung wurde er gelegentlich mit einem Bettler verwechselt.

Darbys schlichtes und bedürfnisloses Leben sowie seine echte Frömmigkeit öffneten ihm das Herz der ärmlichen Landbevölkerung. Er predigte verständlich und überzeugend. Schon bald kamen auch katholische Iren in seine Gottesdienste. Tausende traten in Folge der entstandenen Erweckung zur anglikanischen Kirche über.

Streit mit einer selbstbewussten Kirche

Zum Konflikt mit der anglikanischen Kirche kam es durch den Hirtenbrief von William Magee, dem hochkirchlichen Erzbischof von Dublin (10.10.1826). Darin forderte dieser nicht nur die Unterordnung aller anglikanischen Pfarrer unter die Oberhoheit des britischen Königs, sondern auch von jedem Iren, der der anglikanischen Kirche beitreten wollte, einen Treueeid auf den englischen Monarchen (*Suprematseid*). Das empfanden viele national gesonnene Iren als direkte Provokation. Für Darby war Magees Forderung eine unnötige und ungeistliche Erschwerung seiner Gemeindearbeit. Schließlich habe der Glaube an Jesus Christus nicht direkt etwas mit der eigenen Nationalität und der Treue gegenüber dem britischen König zu tun. Nach Veröffentlichung dieser bischöflichen Bedingung trat in Calary kein Katholik mehr zur anglikanischen Kirche über.

Darby legte in einem Protestschreiben seine Einwände gegen den Erlass des Erzbischofs dar (*Considerations Addressed to the Archbishop of Dublin and the Clergy Who Signed the Petition to the House of Common for Protection*). Demnach ginge das Hirtenschreiben davon aus, dass der König das Recht besäße, die *beste Religion* für seine Untertanen auszuwählen. Außerdem würde behauptet, diese *beste Religion* sei die Anglikanische Kirche. Darby begründete dann, warum diese Konzeption von Kirche nicht dem biblischen Modell entspricht.

Die Kirche Christi ist für ihn „eine Gemeinschaft von Seelen, die durch die Fleischwerdung Gottes aus der bösen Welt errettet wurden, Menschen, die durch Christus gereinigt sind, durch den Glauben in ihrem Herzen erneuert, durch die Beziehung zu Gott miteinander verbunden […] Sie sind Pilger und Fremdlinge, die vor den Menschen die große Gnade Gottes loben, durch die sie errettet wurden. […]." Insbesondere die katholische Kirche ist nach Darby von dem biblischen Vorbild himmelweit entfernt. In ihr meinte er eine „antichristliche Erfindung des Satans" zu erkennen. Die päpstliche Kirche vereine die Menschen lediglich unter einem irdischen

Oberhaupt. Mit religiösen Ritualen versuche der Katholizismus seine Mitglieder an eine vorläufige und diesseitige Religion zu binden, meinte Darby.

In der *wahren Kirche* seien die Pastoren in erster Linie *Diener am Wort* und *Botschafter an Christi statt* (vgl. 2. Korinther 5,20; 1. Timotheus 4,6). Ihre Aufgaben bestünden vor allem darin, Menschen mit Gott zu versöhnen, Gottes Gnade und Wahrheit zu predigen, eine Versammlung der Erlösten zu bilden und diese biblisch zu unterweisen. Durch seine Forderung, jeden Gläubigen der Autorität des Königs zu unterwerfen, würde der Erzbischof die alles entscheidende Autorität Christi aufheben und die Kirche, statt dem Papst, jetzt nur einem anderen Menschen unterordnen. In der Bibel aber spreche Gott keinem irdischen Herrscher das Recht zu, in geistlich-theologischen Dingen endgültig zu entscheiden. Andere Pfarrer forderte Darby mit seinem Schreiben auf, sich in ihrem von Gott verliehenen Amt nicht dem König unterzuordnen und damit ihre geistliche Autorität aufs Spiel zu setzen.

Schon in dieser frühen Abhandlung werden Darbys Theologie und Argumentationsweise deutlich: Jesus Christus ist für ihn das unbestreitbare Oberhaupt der Gemeinde. Die Kirche wird durch die wirklich Erlösten gebildet, die sich von der sündigen Welt und ihren Institutionen trennen, um ganz Gott zu dienen. Sie wollen ein reines Leben führen und warten gemeinsam auf die Wiederkunft Christi. Das wörtliche Verständnis der Bibel ist Grundlage jeder theologischen Überlegung.

Befreiung vom Gesetz

Während einer Dienstreise im Jahr 1826 stürzte Darby vom Pferd und verletzte sich schwer am Bein. Länger als zwölf Monate musste er daraufhin das Krankenbett hüten und an Krücken gehen. Die meiste Zeit verbrachte Darby in Dublin im Haus seines Schwagers Edward Pennefather. Er las viel in der Bibel und diskutierte mit Freunden. Schwerpunktmäßig beschäftigte sich Darby während seiner Krankheit mit der Apostelgeschichte. Dadurch festigte sich seine an der Bibel erarbeitete Auffassung von Gemeinde, wie Gott sie sich gedacht hat, weiter. Noch stärker als bisher sah Darby sich jetzt in seinem Dienst allein Gott und der Bibel verpflichtet.

Sein intensives Bibelstudium führte ihn zu einer tiefgreifenden, geistlichen Erfahrung, die er später nicht als *Erweckung* oder *Bekehrung*, sondern vielmehr als „Befreiung vom Gesetz Gottes" bezeichnete. Er fühlte sich nicht länger verpflichtet, die biblischen Gebote zu erfüllen, um von Gott anerkannt zu werden. Vergebung sei einzig und allein ein unverdientes Geschenk des himmlischen Vaters. In den Jahren vorher habe er noch seine Predigten und seinen bescheiden-asketischen Lebensstil als notwendigen Dienst für Christus verstanden, schrieb Darby. Jetzt war er sich der Vergebung seiner Schuld und seiner Annahme durch Gott sicher. Diese neue geistliche Erkenntnis empfand er als eine Befreiung aus dem „Zustand der Unwissenheit und Unreife".

Trennung von der Kirche

Schon vor Darby gab es in Dublin kleine Gebets- und Erweckungskreise. Dahinter standen Männer wie John Vesey Parnell, Edward Cronin, Anthony Norris Groves und John Gifford Bellett, die sich der anglikanischen *Low-Church-Bewegung*[34] zugehörig fühlten. Diese Gruppen waren die Vorläufer der späteren *Brüderversammlungen* in Irland. Auf der Suche nach Christen, die seine Bibelhaltung teilten und eine ähnliche geistliche Erfahrung hatten wie er, begann Darby 1827 regelmäßig diese Gemeinschaften zu besuchen. Im selben Jahr trat er offiziell von seinem Pfarramt in Calary zurück.

Trotz seiner Sympathien für die staatsunabhängigen, christlichen Versammlungen konnte sich Darby noch nicht entscheiden, ganz von der Anglikanischen Kirche Abschied zu nehmen. Anfang der 1830er-Jahre identifizierte er sich allerdings immer stärker mit der sich rasch in Irland ausbreitenden Laien-Bibelbewegung und entwickelte sich zu einem ihrer prägendsten Leiter. Bereits um 1835 wurden die ersten Brüdergemeinden in Irland gelegentlich auch nach ihm *The Darbyites* genannt. Im Jahr 1834 schließlich kehrte Darby der englischen Staatskirche endgültig den Rücken und trat aus.

Echte und falsche Kirche

In seiner 1828 erschienenen Abhandlung *Considerations on the Nature and Unity of the Church of Christ* forderte Darby eine stärkere geistliche Einheit unter allen echten Christen. Diese müsste sich deutlich abheben von der minderwertigen, organisatorischen Einheit der großen Kirchen. Erlöste, geistgeleitete und gläubige Menschen sollten die etablierten Kirchen verlassen, um in enger Gemeinschaft zu leben und sich von der sündigen Beeinflussung der Welt fernzuhalten. Die bestehenden Kirchensysteme seien nicht mehr reformierbar. Selbst bei den protestantischen Kirchen sei das biblische Ideal von Gemeinde längst

34 Als *Low Church* bezeichnet man die Fraktion in der *Anglikanischen Kirche*, die sich gegen die besondere Betonung von Liturgie und Dogmen ausspricht. Stattdessen werden die Unabhängigkeit der einzelnen Gemeinde, Bekehrung, Wiedergeburt und frommes Leben hervorgehoben. Die persönliche Beziehung des Einzelnen zu Gott wird als wichtiger angesehen als theologische Bildung.

nicht mehr zu finden. Gegenwärtig seien sie weit eher Papstkirchen mit evangelischem Anstrich, war Darbys Überzeugung. Sein Ziel waren kleine, informelle Gruppen von Christen, die unter der Leitung des Heiligen Geistes und zur gegenseitigen, geistlichen Erbauung zusammenkämen. Eine „Trennung vom Bösen" (Welt und etablierte Kirche) sollte zur „Einheit in Reinheit" führen. Eine konsequente Loslösung von Personen und Kirchen, die Gott verunehrten, sei ganz im Sinne der Bibel. Wer in den bestehenden, widergöttlichen Systemen bleibe, würde selbst mit schuldig, argumentierte Darby. Erst nach einer klaren Trennung könne man das echte christliche Leben verwirklichen.

„Ich habe es schon immer gesagt, dass die Brüder mit praktischer Absonderung von der Welt begannen. Obwohl auch bestimmte große Wahrheiten für die letzten Tage vorhanden waren, war doch das, was die Welt sah, dass sie nicht von ihr waren. […] [Das zeigte sich] im Blick auf ihre Häuser, ihre Lebensweise, ihr Verhalten (…)."

Die kritische Beurteilung der bestehenden Kirchen führte Darby in seiner 1830 erschienen Schrift *The Notion of a Clergyman: Dispensationally the Sin against the Holy Spirit* weiter. Die Behauptung, Gemeinden benötigten Pfarrer und andere kirchliche Amtsträger, sei die in der Bibel erwähnte *Sünde gegen den Heiligen Geist* (vgl. Matthäus 12,31f.). Mit jeder Einsetzung eines Pastors würde die Leitung durch den Heiligen Geist und die Bibel in Frage gestellt. Menschen würden den Platz einnehmen, der eigentlich Gott vorbehalten sei. Der Prediger oder Bischof bestimme, was zu glauben und zu tun sei, nicht mehr der Heilige Geist, war Darbys Überzeugung.

Die Anglikanische Kirche sei so wenig heilig und gottgefällig wie die Katholische. Sie toleriere Unmoral und Irrlehren. In ihr würden Menschen getauft, die weder bekehrt seien, noch dazu bereit, sich der Offenbarung Gottes zu unterstellen. Gläubige und Nichtgläubige seien ungeistlich in einer religiösen Organisation miteinander verbunden. Echte Christen müssten sich deshalb aus der *Kirche von England* verabschieden, um in Einheit und Reinheit die nahe bevorstehende Wiederkunft Christi zu erwarten. Die Freikirchen andererseits beurteilte Darby als zu sektiererisch, weil sie den „Leib Christi" zerteilten. Er wollte eine Gruppe, in der sich alle echten Christen gemeinsam versammeln und miteinander leben würden („Einheit in der Trennung").

Das Ende ist nahe

Seit 1829 beschäftigte sich Darby intensiver mit eschatologischen Fragen und biblischer Prophetie. Unter anderem nahm er mit großem Interesse an den *Powerscourt-Konferenzen* über Prophetie teil, die von

Lady Powerscourt auf ihrem Landgut veranstaltet wurden (1831–1833). Auch an den jeweils im Anschluss stattfindenden Nachbesprechungen beteiligte sich Darby. Die Gastgeberin imponierte ihm dermaßen, dass er sich überlegte, sie zu heiraten.

Durch die Veranstaltungen fühlte sich Darby in seiner Naherwartung der Wiederkunft Christi betätigt. Danach rechnete er mit dem bald bevorstehenden Anbruch des *Tausendjährigen Reiches*, der Herrschaft Gottes auf Erden (*Prämillennialismus*). Diese Sichtweise motivierte ihn zu einem äußerst bescheidenen Lebensstil und dem missionarischen Ziel, möglichst viele Menschen für die „Wahrheit des Evangeliums" zu gewinnen. Damalige politische und kirchliche Entwicklungen betrachtete er als „Zeichen der Zeit", die auf ein nahes Ende hindeuten würden.

Das Landgut Powerscourt

Gemeinsames und Trennendes

In *The Doctrine of the Church of England at the Times of the Reformation* gab Darby einen Überblick über seine Theologie in Abgrenzung zur Anglikanischen Kirche. In der Rechtfertigungslehre schloss er sich Luther an. Wobei die Erlösung, nach Darby, allein auf das Handeln Gottes zurückgehe (*Prädestination*). Der Mensch verfüge über keinen *freien Willen* und könne folglich nichts zu seiner geistlichen Rettung beitragen. Die kirchliche Taufwiedergeburtslehre lehnte Darby vehement ab. Für ihn sei es absurd, Menschen das Heil zuzusprechen, die keinerlei Interesse an Christus hätten und ihr Leben gänzlich ohne Gott führten.

Stimmungen und Emotionen sprach Darby keinen besonderen Wert für das Christsein zu. Die Erlösung des Menschen sei eine Tatsache, unabhängig von bestätigenden Gefühlen oder Zweifeln. Wer von Gott erwählt sei, wer seine Sünde vor Gott bekenne und bereue, der sei Christ und könne sich seiner Rettung sicher sein (*Heilsgewissheit*).

Dispensationalismus

Darby sah die Bibel in verschiedene heilsgeschichtliche Epochen, die so genannten *Haushaltungen* (engl. *dispensations*), aufgeteilt. Seiner Ansicht nach müssten Bibeltexte im Zusammenhang dieser Epochen gelesen werden. Wichtig sei die Trennung zwischen Israel (dem irdischen Volk Gottes mit irdischen Verheißungen und einer irdischen Zukunft) und der Gemeinde (dem himmlischen Volk Gottes mit himmlischen Verheißungen und einer himmlischen Zukunft). Dieses hermeneutische Modell wurde als *Dispensationalismus* vor allem im amerikanischen Protestantismus weit über die Brüderbewegung hinaus bekannt.

Aufgrund seiner heilsgeschichtlichen Schau vertrat Darby die Ansicht, dass die Kirche nach der Zeit der Apostel irreparabel verfallen sei. Insofern gäbe es heute keine christliche Gemeinde mehr. Die neutestamentlichen Aussagen über Gottesdienste, Älteste usw. hätten deshalb für heutige Brüderversammlungen keine Bedeutung.

Brüderversammlungen in Plymouth

Benjamin Wills Newton

Seit 1830 formierten sich in Plymouth christliche Zusammenkünfte, die den Brüderversammlungen in Irland sehr ähnlich waren. Sie standen unter der Leitung von Benjamin Wills Newton (1807–1899), George Vicesimus Wigram (1805–1879) und Percy Francis Hall (1801–1884). Die Teilnehmer kamen aus unterschiedlichem konfessionellem Hintergrund zum regelmäßigen Bibellesen und *Brotbrechen* (Abendmahl) zusammen. Sich selbst bezeichneten sie als *Brüder, heilige Brüder* oder auch *geliebte Brüder*. Die fromme Gruppe fand erheblichen Zulauf: 1840 kamen zu den Veranstaltungen durchschnittlich 800 Personen, 1845 bereits 1200. Sie standen, zumindest teilweise, in der Tradition Wyclifs (1320–1384), Tyndales (1484–1536), der Puritaner[35] und der

35 Als *Puritanismus* bezeichnet man eine kirchliche Reformbewegung des 16. bis 18. Jahrhunderts in England und Schottland. Zu ihnen zählen Presbyterianer, Kongregationalisten und einige unabhängige Freikirchen. Puritaner setzten

Methodisten[36], denn man legte besonderen Wert auf die absolute und irrtumslose Autorität der Bibel, das Leben nach den Maßstäben des Neuen Testaments (Heiligung), die Betonung der Führung durch den Heiligen Geist und die Ablehnung von Kirchenstrukturen, Rationalismus und Traditionalismus. Die voneinander unabhängige Entstehung ähnlich ausgerichteter, christlicher Gruppen wurde von den *Brüdern* als Beleg ihres göttlichen Ursprungs gewertet.

Erste Reisen nach Frankreich und in die Schweiz

Zunehmend sah sich Darby berufen, über die eigenen Landesgrenzen hinaus zu wirken. Auf einer mehrjährigen Predigtreise knüpfte er Kontakte zu ähnlich gelagerten Gruppen auf dem europäischen Festland (1837–1839). Zuerst besuchte er die Schweiz (Lausanne, Genf, Kanton Vaud) und Frankreich (Montpellier, Pau, Nimes). In Genf beteiligte sich Darby unter anderem als Streitschlichter zwischen verschiedenen Fraktionen der eidgenössischen Brüderversammlungen.

Bei seinem zweiten Besuch in der Schweiz griff er den sich gerade etablierenden Methodismus an. Vor allem kritisierte Darby deren Streben nach geistlicher Perfektion. Wesley hatte die Christen seiner Gemeinden aufgefordert, so konsequent wie möglich nach den Geboten Gottes zu leben. Dann sei es sogar möglich, ohne weitere Sünden zu bleiben. In *Doctrine of the Wesleyans on Perfection; And Their Employment of Holy Scripture as to this Subject* bemängelte Darby, dass dieses Konzept die Universalität der Sünde nicht beachte. Bereits jeder falsche Gedanke und jede verpasste Gelegenheit, Gutes zu tun, stünden unter dem Gericht Gottes. Außerdem würden bei Wesley die Freiheit des Christen vom Gesetz und die praktische Liebe zu wenig berücksichtigt.

Biblische Vollkommenheit lag für Darby allein darin, dass Jesus Christus ganz von einem Menschen Besitz ergriff und ihn dadurch veränderte, weitgehend ohne dessen eigenen Bemühungen. Heiligung bestünde nicht in der Trennung von der Sünde, sondern in der

---

sich für ein ernstes, heiliges Leben der Christen entsprechend der biblischen Gebote ein. Dabei hoben sie die Bedeutung der Familie hervor und lehnten *weltliche Vergnügungen* wie Alkohol, Tanz, Schauspiele aber auch Weihnachten ab. Sie sind mitverantwortlich für die Durchsetzung der Religionsfreiheit.

36 Die *methodistische Kirche* wurde durch den englischen Erweckungsprediger John Wesley (1703–1791) gegründet und ist heute weltweit verbreitet. Wesley forderte ein ethisch hochstehendes, heiliges Leben von den Mitgliedern seiner Gemeinden. Die persönliche Bekehrung und das regelmäßige Bibellesen spielten für ihn eine wichtige Rolle. Methodisten engagierten sich besonders in sozialer Hilfe für Bedürftige (*Diakonie*). *Weltliche Vergnügungen* (Glücksspiel, Theater, Tanz, Alkoholkonsum etc.) lehnten sie vehement ab.

Auslieferung an Christus. Die verschiedenen Streitigkeiten innerhalb der Versammlungen und mit den etablierten Kirchen schadeten dem öffentlichen Ruf der *Brüder* in der Schweiz und führten zu ihrer zeitweiligen Verfolgung durch die Kantone.

Streit unter den Brüdern

Seit Beginn der 1840er-Jahre kam es in Großbritannien vermehrt zu Spannungen zwischen Darby und Benjamin W. Newton. Schließlich warfen sich beide schwere lehrmäßge Irrtümer vor. Dabei ging es um Einzelheiten des Verständnisses der Gemeinde (Ekklesiologie), der Endzeit (Eschatologie) und der Christologie. Soweit heute noch rekonstruierbar, handelte es sich überwiegend um Detailfragen. Beide Kontrahenten zeigten keinerlei Bereitschaft zum Einlenken. Stattdessen sammelten sie möglichst viele Gleichgesinnte um sich.

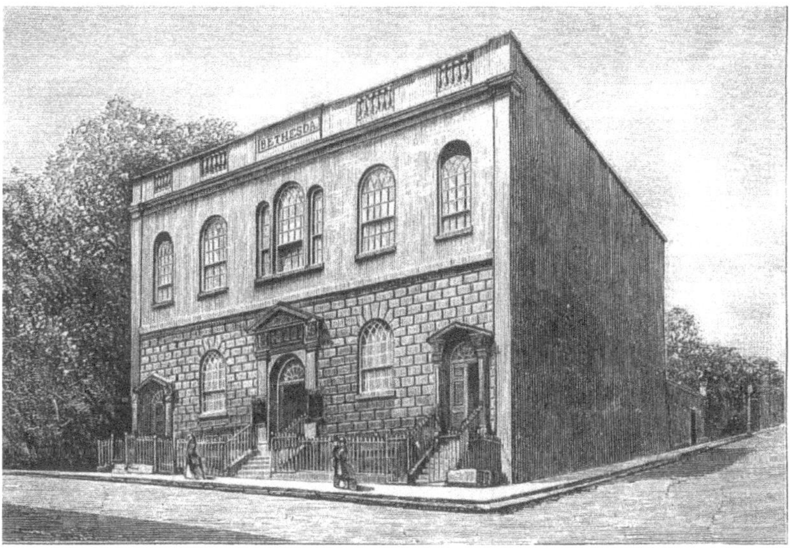

Bethesda Chapel in Bristol

Im Dezember 1845 trennte sich Darby von Newton und verweigerte allen die geistliche Gemeinschaft, die nicht seine Auffassung zu teilen bereit waren (1845/1847). Wahre Gläubige müssten folgerichtig auch jeden Kontakt mit einer Versammlung meiden, so Darby, die einen *irrenden Bruder* in ihrer Mitte dulde, auch wenn sie seine Überzeugung nicht teilen sollte. Geistliche Schuld übertrage sich sozusagen vom Verantwortlichen auf alle, die Gemeinschaft mit ihm haben, insbesondere durch das gemeinsame Abendmahl. Viele befürchteten nicht zu Unrecht einen nachhaltigen Schaden für die ganze Brüderbewegung durch diese Auseinandersetzungen. A. N. Groves (1795–1853) prognostizierte, dass am Ende „der engherzigste und buchstabengläubigste die Herrschaft haben wird, weil er seines Gewissens wegen weder nachgeben kann noch will, und der Weitherzigere nachgeben müssen wird."

Durch die genannten Streitigkeiten schrumpfte die Versammlung in Plymouth erheblich. In der britischen Öffentlichkeit blieb die Gemeinde bis heute insbesondere durch die, von dem deutschen Georg Müller (1805–1898) gegründeten Waisenhäuser von Bristol in Erinnerung. Die Anhänger Darbys standen am Anfang der sogenannten *Exklusiven Brüder*, auf Newtons Gemeinde beriefen sich die *Offenen Brüder*.

Viele Reisen – viel Erfolg

Die Jahre zwischen 1850 und Darbys Tod 1882 waren geprägt durch Streitigkeiten mit ehemaligen Weggefährten, Auseinandersetzungen mit der römisch-katholischen Kirche und zahlreiche Predigtreisen. Im Jahre 1861 schrieb Darby an einen Freund: „Sie wissen, dass ich von irgendeinem neuen Arbeitsfeld geträumt habe, wo ich noch nicht war, wohin man überhaupt das Evangelium, wie ich es verstehe, noch nicht gebracht hat. Mich wieder auf ein Feld zu begeben, das ich schon bearbeitet habe, macht mir keine Freude. […] Ich liebe es, den Namen des Herrn solchen zu verkündigen, die Ihn noch nicht kennen."

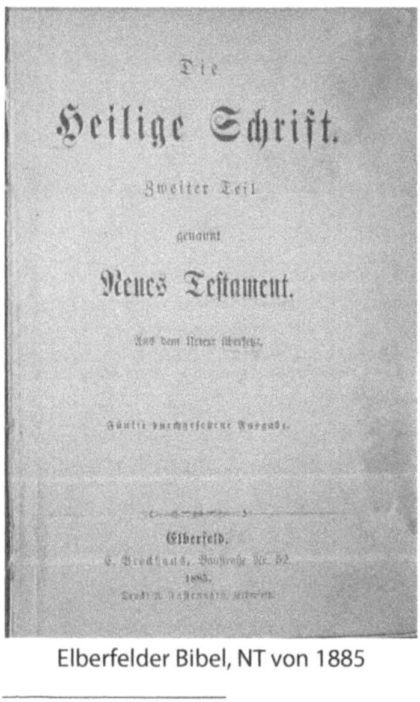

Elberfelder Bibel, NT von 1885

Mehrfach besuchte er Frankreich und Deutschland. Darby beteiligte sich an der *Elberfelder Bibelübersetzung*[37] (1854/55; 1869/70) und einer französischen Übersetzung des Alten Testaments (1878–1880). In den 1870er-Jahren besuchte er mehrfach Kanada und die USA. 1875 kam

37 Mit Darby, Julius Anton von Poseck und anderen Mitarbeitern gab Carl Brockhaus die weitgehend wortkonkordante *Elberfelder Bibelübersetzung* heraus (NT 1855, Psalmen 1859, AT 1871), die in verschiedenen Revisionen (1985/2003) bis heute gerne gelesen wird.

er nach Neuseeland und auf die westindischen Inseln. Bei allen seinen Reisen ermutigte er die Christen in ihrem Vertrauen auf die Bibel als irrtumsloses Wort Gottes und formierte lokale Brüderversammlungen. Zwischen 1860 und 1870 wuchs die Zahl der Anhänger exklusiver Brüderversammlungen erheblich. Um 1877 gab es in Großbritannien 750 Brüderversammlungen, in Deutschland 189, in Frankreich 146, in der Schweiz 72, in Holland 39, in Kanada 101 und in den USA 91. Darüber hinaus war die Brüderbewegung noch in 22 weiteren Ländern vertreten.

Neben Darby etablierten sich Leiter wie Charles Henry Macintosh (1820–1896), Andrew Miller (1800–1883), Charles Stanley (1821–1890) und William Kelly (1821–1906).

Darby persönlich

Früh am Morgen widmete Darby sich dem persönlichen Bibellesen und Gebet. Auch bei einem vollen Programm versuchte er den Nachmittag für Besuche unter den Armen und Kranken und den Abend für Gebetsstunden oder Predigten freizuhalten. Meist verzichtete Darby auf ein warmes Essen. Oft gab er sich mit dem zufrieden, was er auf seinen Wanderungen zum nächsten Predigtort fand, z. B. Eicheln und Bucheckern.

Durch sein zumeist bescheidenes, anspruchsloses und gebildetes Auftreten fand Darby schnell Zugang zu den Menschen, denen er begegnete. Wenn andere Christen Hilfe benötigten, stand Darby gerne bereit. Als beispielsweise ein Friseur, der in Plymouth Gemeindeglied war, krank wurde, arbeitete Darby freiwillig in dessen Geschäft, um ihn zu unterstützen.

Darby sprach fließend Englisch, Französisch und Deutsch. Schriftlich äußerte er sich zu zahlreichen theologischen und situationsbezogenen Themen. Seine gesammelten Werke umfassen mehr als 50 Bände. Mit seinen guten Kenntnissen in Griechisch und Hebräisch übersetzte er die Bibel oder Bibelteile ins Englische, Italienische, Französische und Deutsche (*Elberfelder Bibel*).

Darby schrieb viel und zumeist sehr schnell, und zwar so, wie ihm die Gedanken in den Sinn kamen. Er liebte verschachtelte Sätze mit zahlreichen Ergänzungen und Einschränkungen. Oft nahm sich Darby nur wenig Zeit, seine Gedanken so kurz und verständlich auszudrücken, wie es wünschenswert gewesen wäre. Bei einer Gelegenheit sagte er scherzend zu W. Kelly: „Du schreibst, um gelesen und verstanden zu werden, ich denke lediglich auf Papier." Dadurch waren seine Schriften für Uneingeweihte alles andere als angenehm zu lesen und auf den ersten Blick nahezu unverständlich.

Das Ende

Kurz vor seinem Tod arbeitete Darby noch an der Herausgabe eines englischen Liederbuches und verfasste das Vorwort zu einer neuen französische Bibel (1881). Weil er immer schwächer wurde, zog Darby in den letzten Wochen seines Lebens zu seinem Glaubensbruder Hammond in Bournemouth. Dort bereitete er sich auf den Tod vor und blickte auf sein Leben zurück: „Ich kann sagen, obwohl in großer Schwachheit, dass ich für Christus gelebt habe. Es gibt keine einzige Wolke zwischen mir und dem Vater." Am 29. April 1882 starb Darby in Bournemouth. An der Beerdigung auf dem örtlichen Friedhof nahmen ungefähr tausend Personen teil.

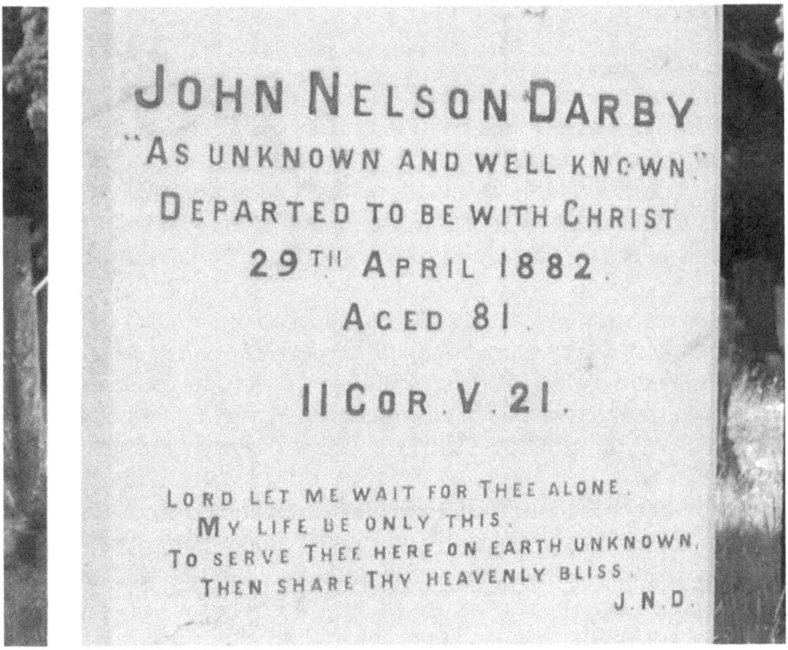

Inschrift auf dem Grabstein von John Nelson Darby

Brüdergemeinden weltweit

Im späten 19. und beginnenden 20. Jahrhundert zeichneten sich die Brüdergemeinden durch starke missionarische Aktivitäten aus. Heute gibt es über 22 000 Brüdergemeinden in mehr als 130 Ländern. Besonders stark vertreten sind sie gegenwärtig z. B. in Rumänien (38 000 Mitglieder), Angola (170 000 Mitglieder), Nigeria (150 000 Mitglieder), Argentinien, Indien und Papua Neuguinea. In Deutschland entstand unter der Mitarbeit von Anton von Poseck (1816–1896) und Carl

Brockhaus (1822–1899) 1851 die erste *exklusive Brüderversammlung*. Prägende Personen der ersten *offenen Brüder* hierzulande waren der Evangelist Friedrich Wilhelm Baedeker (1823–1906) und der Waisenhausgründer Georg Müller (1805–1899).

Heute lassen sich die deutschen Brüdergemeinden vier verschiedenen Gruppen zuordnen, die sich lehrmäßig und organisatorisch z. B. deutlich voneinander unterscheiden: 1. Gemeinden im Baptistenbund (9000 Mitglieder), 2. *Bundesfreie Gemeinden* auch *Freier Brüderkreis* genannt (14 000 Mitglieder), 3. *Blockfreie Gemeinden* (4000 Mitglieder) und 4. *Geschlossene Brüder* oder auch als *Alte Versammlung* bezeichnet (16 000 Mitglieder).

Ausgewählte Literaturhinweise

Arbeitskreis Geschichte der Brüderbewegung (Hrsg.): *200 Jahre John Nelson Darby*, Edition Wiedenest, Jota Publikationen, Hammerbrücke 2000

John Nelson Darby: *The collected writings of J. N. Darby*, 34 Bde., Kingston on Thames: Stow Hill Bible and Tract Depot, 1961–1967

William Kelly: *John Nelson Darby – wie ich ihn kannte*, Christliche Schriftenverbreitung, Hückeswagen 1987

Berthold Schwarz: *Leben im Sieg Christi. Die Bedeutung von Gesetz und Gnade für das Leben des Christen bei John Nelson Darby*, Brunnen Verlag Gießen 2008

Ansätze zum Weiterdenken

◊ Auch wenn die zweite Wiederkunft Jesu nach seiner eigenen Aussage nicht berechnet werden kann und soll, so wurden in der Vergangenheit zahllose Christen durch den Gedanken motiviert, das *Ende der Welt* könne schon bald vor der Tür stehen. Wer davon ausgeht, dass ihm nur noch wenig Lebenszeit zur Verfügung steht, versucht im Allgemeinen diese intensiver und sinnvoller zu nutzen.

◊ Zwei grundsätzliche Gemeindemodelle konkurrierten in der Vergangenheit immer wieder miteinander. Die einen zielten darauf ab, nach Möglichkeit die ganze Bevölkerung einer Region in der Kirche zu versammeln, um sie dann Stück für Stück christlicher zu prägen (Volkskirche). Die anderen zielten darauf ab, nur diejenigen aufzunehmen, die mit ganzer Überzeugung und vollem Ernst als Christen leben wollten (Freikirche). Die neutestamentliche Gemeinde wirkt eher wie ein exklusiver Klub konsequenter Jesus-Nachfolger.

◊ In seiner irdischen Lebenszeit präsentierte Jesus Christus einen radikalen Gegenentwurf zum normalen Leben. Das allgemein übliche

Leben bezeichnete er als *Finsternis/Welt*, die konsequente Gottesnähe als *Licht/Geist*. Jedem Menschen fällt es schwer, anders zu sein als die Gesellschaft, in der er lebt. Anders-Sein führt häufig zu Verachtung und Ablehnung. Und doch fordert Jesus bis heute dazu auf, sich deutlich von der *Welt* und ihrer Lebensform zu distanzieren, soweit sie Gottes Maßstäben widerspricht. Das Leben des Christen soll sich deutlich und positiv von dem seiner Umwelt unterscheiden.

◊ Die meisten Religionen der Welt lassen ihre Anhänger im Unsicheren über ihren Zustand im Jenseits. Sie gewähren eine vage Hoffnung auf die gnädige Annahme durch Gott, mehr aber nicht. Das soll den Menschen anspornen, sich beständig anzustrengen, um sich Gott als würdig zu erweisen. Im christlichen Glauben ist das anders. Wenn Gott die Schuld eines Menschen vergibt, ist das vollkommen und umfassend. Der betreffende Mensch kann sich seines Heils gewiss sein. Sein irdisches Handeln ist dann eher die Folge seiner Erlösung, nicht deren Voraussetzung.

◊ Viele christliche Konfessionen überlassen das Erforschen der Bibel den studierten Spezialisten. Unter anderem will man damit möglichen Irrlehren und eigenwilligen Interpretationen vorbeugen, die durch einen unsachgemäßen Umgang mit dem Wort Gottes zweifellos entstehen können. Auf der anderen Seite verlieren die einfachen Gemeindeglieder auf diese Weise aber die Möglichkeit, sich direkt bei Gott zu informieren und gegebenenfalls auch die Predigten ihrer Leiter überprüfen zu können.

24

Johann Gerhard Oncken
(1800–1884)
Baptisten in Europa

Freikirchen gehören seit mindestens 150 Jahren fest zur religiösen Landschaft Deutschlands. In England und den USA verbreiteten sich diese Gemeindetypen schon weit früher. Die zahlenmäßig größte dieser vom Staat unabhängig organisierten Kirchen ist hierzulande mit rund 80 000 Mitgliedern der Bund der *Evangelisch Freikirchlichen Gemeinden* (*Baptisten*). Ihre Entstehung geht vor allem auf einen Mann zurück, der in einer von Aufklärung und Rationalismus dominierten Zeit zu einem lebendigen, persönlichen Glauben fand.

Aus einfachen Verhältnissen

Johann Gerhard Oncken wurde im Jahr 1800 als Sohn der ledigen Anna Elisabeth Vaubel in Varel geboren. Gerhard Oncken erklärte sich zwar als Vater des Kindes, verließ die Stadt jedoch aus politischen Gründen Richtung England. Seine Mutter arbeitete für den Lebensunterhalt ihres Sohnes. Erzogen wurde Oncken aber von den Großeltern, in deren Haus er mit seiner Mutter wohnte. Nachdem Johannes Vaubel 1807 im Alter von gerade einmal 57 Jahren starb, war die Großmutter Onckens engste Bezugsperson. Sie starb allerdings schon 1807 ebenfalls im Alter von 57 Jahren. Anna Vaubel ließ sich erneut mit einem Mann ein und bekam 1808 wiederum einen unehelichen Sohn.

Seine ersten nachhaltigen Eindrücke vom christlichen Glauben erhielt Oncken von seiner Großmutter, die ihn sonntags mit in die Kirche nahm und mit ihm betete. Seine Lehrer sympathisierten eher mit dem Rationalismus. Im Religionsunterricht habe er „kein wahres Wort gehört […] über den Weg zur Seligkeit durch den Glauben an Christus", urteilte Oncken im Rückblick.

Bekehrung in England

In seiner Jugend arbeitete Oncken als Billardjunge in der Gaststätte *Zum weißen Roß* (heute: Hotel *Victoria*). Dort traf er auf den englischen Kaufmann John Walker Anderson. Der nahm den aufgeweckten Jungen als Auszubildenden mit – zunächst nach Hamburg und später nach Leith, einem Vorort von Edinburgh in Schottland (1814). Von ihm erhielt Oncken auch seine erste eigene Bibel. Mit Andersons Mutter besuchte der Junge regelmäßig die Gottesdienste der presbyterianischen Kirche. Ein Gemeindeglied schenkte ihm einen Band mit Andachten zu Grabinschriften (*Meditations Among the Tombs* von James Hervey), die Oncken sehr ansprachen: „Das Lesen dieses Buches brachte mir durch den Einfluss des Heiligen Geistes bleibenden Segen."

Johann Gerhard Oncken

Als Oncken 1819 mit Anderson nach London zog, waren alle zwischenzeitlich gefassten Vorsätze für ein frommes Leben schnell vergessen. Die Großstadt bot zahlreiche neue Eindrücke und vielfältige Vergnügungen. Nachdem Oncken sich bei dem Sturz aus einer Postkutsche schwer verletzt hatte, ging er zusammen mit seiner Hauswirtin wieder häufiger in die Kirche. „Doch obwohl ich fortwährend und regelmäßig betete und bemüht war, fromm zu leben, fehlte mir eigentlich alles, was zum wahren Christsein gehört." Ab Sommer 1820 besuchte Oncken regelmäßig die Familiengottesdienste im Haus des Diakons einer unabhängigen Freikirche, die ihn sehr beeindruckte. Hier fühlte er sich wohl.

Äußerlich übernahm Oncken schnell die Sprache und Verhaltensweisen seiner neuen Freunde, auch wenn er innerlich noch auf der Suche war. „In dieser Methodistenkapelle hörte ich eine ausgezeichnete Predigt […], die mich in die herrliche Freiheit der Kinder Gottes versetzte. Der Schöpfer meines neuen Lebens segnete die Ansprache, sodass ich von der Kapelle jauchzend und unaussprechlich glücklich heimging." Seit dieser Bekehrung wollte Oncken andere Menschen aus seiner Umgebung an den neuen Glaubensüberzeugungen Anteil geben. Regelmäßig betete er für Freunde und Bekannte, schrieb Briefe und versuchte, andere zu überzeugen. Schon bald bekehrte sich Abraham Sylva, der Diener eines amerikanischen Kaufmanns, der mit Oncken in einer Pension wohnte.

Anfänge in Hamburg

Nachdem er 1822 mit Anderson nach Hamburg gekommen war, schrieb Oncken an seine Mutter: „[…] Glaubt ihr wirklich, dass das Alte und Neue Testament Gottes Wort ist, so prüft, ob meine Worte mit den Worten des Herrn übereinstimmen […] lest eure Bibeln, macht euch bekannt mit Gottes Plan für unsere Seligkeit und gebt Gott keine Ruhe mit Beten und Flehen, bis er sich eurer erbarmt und euch in Christus annimmt als seine Kinder […] Hamburg ist ein zweites Sodom. Tausende zu meiner Rechten und zu meiner Linken gehen dem ewigen Verderben entgegen; wenige gibt es hier, die an etwas anderes denken als an Trinken, Essen, Komödien, Tanzen und andere täuschende, sündige, verführerische Vergnügen […] Darum mögen wir wohl bitten, ‚Dein Reich komme und dein Wille geschehe wie im Himmel, so auch auf Erden', damit dieses Reich des Teufels auf Erden zerstört werde."

Mit anderen Erweckten besuchte Oncken in Hamburg die freikirchlich organisierte *Englisch-reformierte Kirche* und freundete sich mit deren Prediger Thomas Wright Matthews an. Nachdem er sich 1823 von Anderson getrennt hatte, wurde Oncken Mitarbeiter der *Continental Society*, einer englischen Missionsgesellschaft, die sich zum Ziel gesetzt hatte, dem damals modernen Rationalismus in Kontinental-Europa entgegenzutreten. Mit einigem Erfolg begann er, im Hamburger Hafenviertel regelmäßige Andachten abzuhalten. Bereits nach zwei Monaten kamen 280 Personen zu den Veranstaltungen. Onckens Predigten gingen den Besuchern zu Herzen, viele „weinten bitterlich", bereuten ihr gottloses Leben und bekehrten sich. In den ersten zehn Jahren seiner Tätigkeit schlossen sich 80 Personen dauerhaft der neuen Gemeinde an.

Neben Versammlungen am Sonntagabend organisierte Oncken Gebetsstunden, die in der Werkstatt eines Segelmachers stattfanden, und Schiffsgottesdienste. Jede Woche verschenkte er an Bekannte und auf den Straßen die evangelistischen Schriften der *Niedersächsischen Traktatgesellschaft,* als deren Sekretär er zeitweilig arbeitete. Viele waren damals in Hamburg auf der Suche nach einer echten und glaubwürdigen Frömmigkeit, die sie in den rationalistisch orientierten Kirchen nicht fanden. Schon bald entstand eine zweite Gruppe in Bremen, wo Oncken 1826 vor mehr als 600 Menschen predigte. Pfarrer Mallet bot dem talentierten Redner an, ihm ein Theologiestudium zu finanzieren. Oncken aber lehnte ab.

Ab 1825 begann Oncken zusammen mit dem lutherischen Pastor Johann Wilhelm Rautenberg (1791–1865) in Hamburgs ärmlicher Vorstadt St. Georg eine Sonntagsschule zu organisieren. Die Idee dazu stammte aus England, wo man solche Einrichtungen schon seit Jahren betrieb. Hier bekamen Kinder aus bedürftigen Familien kostenlosen Unterricht, begleitet von erbaulichen Andachten. Erst 45 Jahre später wurde in Hamburg die allgemeine Schulpflicht eingeführt. Konnten sich Eltern bis dahin die Bezahlung eines Lehrers nicht leisten, blieben ihre Kinder weitgehend ohne Bildung. Das erschwerte natürlich deren spätere Chancen im Berufsleben. Bald stieß auch der erweckte Pädagoge und spätere Gründer des *Rauhen Hauses*, Johann Hinrich Wichern (1808–1881), zum Team der Sonntagsschullehrer.

Im Jahr 1828 bekam Oncken das Hamburger Bürgerrecht, das ihn in Zukunft vor einer immer wieder drohenden Ausweisung aus dem Stadtstaat schützen sollte. Wenig später wurde der Gemeindegründer wegen illegaler religiöser Veranstaltungen zu vierzehn Tagen Gefängnis verurteilt. Außerdem griff ihn der rationalistische Hamburger Pastor Rentzel in aller Öffentlichkeit an: „Also Sie sind der Mann, der auf Böden und in Kellern allenthalben predigt! Ihr verfluchtes Predigen!' Oncken: ‚Der Herr Jesus hat es mir befohlen.' Rentzel: ‚Der Teufel hat es ihnen wohl eher befohlen!'"

Nachdem sich Oncken 1828 von der *Continental Society* getrennt hatte, eröffnete er mit Hilfe der *Edinburgh-Bible-Society* einen Buchladen und einen kleinen Verlag, gerade neben der Hauptkirche St. Michaelis in der Hamburger Innenstadt.

Drei Frauen in 84 Jahren

Ebenfalls 1828 heiratete Oncken die aus London stammende Sarah Mann (1806–1845). In den 17 Jahren ihrer Ehe bekam das Paar acht Kinder von denen allerdings nur vier das Erwachsenenalter erreichten. Zwei Jahre nach dem Tod seiner ersten Frau heiratete Oncken die verwitwete Ann Dodgshun (geb. Savill), die ebenfalls aus England stammte. Ihr verstorbener Mann war Diakon der englischen Gemeinde am Johannisbollwerk und Teilhaber einer in Hamburg ansässigen Firma. Nach seiner

Sarah Oncken geb. Mann

Hochzeit zog Oncken mit den Kindern in das Haus der Dodgshuns. Ann starb nach jahrelangen Gichtanfällen 1873. Im Alter von 74 Jahren schloss Oncken mit Jane Clark seine dritte Ehe. Sie kam aus der Spurgeon-Gemeinde in London und war 23 Jahre jünger als ihr Mann.

Die baptistische Glaubenstaufe

Die Geburt seiner ersten Tochter (1829) forderte Oncken neu dazu heraus, seine Tauflehre zu definieren. Nach intensivem Bibelstudium drängte sich ihm der Eindruck auf, dass die Taufe des zum Glauben

Steinwärder – Taufort der ersten Hamburger Baptisten

gekommenen Christen und nicht die Kindertaufe dem Willen Gottes entspräche. So ließ er seine Tochter ungetauft, suchte aber stattdessen nach einem Pastor, der ihn als Erwachsenen taufen würde. Einige Freunde rieten ihm von diesem Schritt ab, der unausweichlich den Konflikt mit der Kirche vertiefen würden. Ein Baptistenprediger lud ihn ein, auf eigene Kosten nach England zu reisen, um sich von ihm taufen zu lassen. Oncken lehnte ab. Schließlich kam er in Kontakt mit Barnas Sears (1802–1880), Professor am *Hamilton College*, USA, der sich 1833/34 im Rahmen eines Studienaufenthalts in Deutschland befand. Der Baptist aus Amerika ging auf den Wunsch der Hamburger ein. Am frühen Abend des 22. April 1834 ließen sich Oncken und sechs andere Gemeindeglieder von Sears in der Elbe taufen. Im Laufe der nächsten Jahre erregten die öffentlich durchgeführten Taufen immer mehr Widerspruch. Besucher und Täuflinge wurden beschimpft, bespuckt und geschlagen.

Die kleine Gemeinde traf sich regelmäßig zu Gottesdiensten in Onckens Wohnung an der *Englischen Planke* unweit der *St. Michaelis* Kirche. Unerlaubte religiöse Versammlungen, ein Nicht-Theologe, der predigte und das Abendmahl austeilte, sowie die Taufe von Erwachsenen in der Elbe sorgten für Gerüchte und Verleumdungen. Dennoch kam es vorerst seitens der Regierung zu keinen Restriktionen gegen die Baptisten, vor allem deshalb, weil der damalige Chef der Hamburger Polizei, Senator Hieronymus Hudtwalcker (1787–1865), selbst der Erweckungsbewegung nahe stand.

Infolge der von Oncken vertretenen und praktizierten Glaubenstaufe distanzierten sich auch viele Fromme aus der evangelischen Landeskirche von ihm. Die *Niedersächsische Traktatgesellschaft* weigerte sich, weiter mit dem Täufer zusammenzuarbeiten. Oncken gründete daraufhin 1836 den *Hamburger Traktatverein*, der evangelistische Kleinschriften publizierte, in denen der christliche Glaube mit einfachen Worten erklärt wurde.

Wichtige Mitarbeiter

Der aus einer jüdischen Rabbinerfamilie stammende Julius Wilhelm Köbner (1806–1884) stieß 1836 zu Onckens Kreis. Der dänische Dichter wurde zu einem der wichtigsten Mitarbeiter der jungen Bewegung. Im Laufe der Jahre komponierte er zahlreiche geistliche Lieder, gründete die ersten Baptistengemeinden in Dänemark, trug Verantwortung in Onckens Verlag und war als Prediger tätig.

Der aus Hamburg stammende Kupferstecher Gottfried Wilhelm Lehmann (1799–1882) hatte sich in Ostfriesland bekehrt und der dortigen Erweckungsbewegung angeschlossen. Nach einer Begegnung mit Oncken wurde er für den Baptismus gewonnen. Später gründete er die erste Baptistengemeinde in Berlin (1837) und engagierte sich für die öffentliche Anerkennung seiner Kirche (1875). Darüber hinaus trieb er die Außenmission der Baptisten voran und war Mitbegründer der *Deutschen Evangelischen Allianz* (1851), einem Zusammenschluss erweckter Christen aus unterschiedlichen Kirchen und Konfessionen.

Neue Gemeinden entstehen

Onckens Predigttätigkeit und sein öffentliches Eintreten für die Glaubenstaufe führten nicht nur zu Konflikten, sondern auch zu zahlreichen Einladungen deutschlandweit und in der Folge zur Gründung neuer Gemeinden: Hamburg (1834), Berlin (1837), Oldenburg (1837), Stuttgart (1838), Jever (1840), Salzgitter (1840), Bitterfeld (1840) usw.

Im Jahr 1838 kam es dann zu theologischen Spannungen mit der neu gegründeten Baptisten-Gemeinde in Stuttgart. Im Gegensatz zu Oncken trat deren Leiter Carl Schauffler für die Allversöhnung und ein perfektionistisches Christenleben ein. Da man sich nicht einigen konnte, gingen die Gemeinden für eine Zeit lang auf Distanz.

Im Gefängnis

Trotz des äußeren Erfolgs eskalierte die Situation in Hamburg immer mehr. Veranstaltungen wurden gestört und Mitglieder öffentlich beschimpft. Die Zeitungen empörten sich über die „englischen Sektierer" und verbreiteten allerlei Gerüchte über die neue Gemeinde. Als man sich in einem gemieteten Saal in der Böhmkenstraße treffen wollte, kam es vor dem Gebäude zu einem Tumult, der letztlich vom Militär aufgelöst werden musste. Schließlich wurden die baptistischen Versammlungen durch den Senat der Stadt verboten. Erst als man sich im April 1838 bereit erklärte, Eintrittskarten für Gottesdienstbesucher auszugeben, wurden die Zusammenkünfte wieder geduldet.

Der neue Chef der Hamburger Polizei, Senator Nikolaus Binder (1785–1865), beurteilte die Aktivitäten der Baptistengemeinde kritischer als sein Vorgänger. Er ließ ihre Veranstaltungen 1840 erneut verbieten und löste die dennoch stattfindenden Bibelstunden polizeilich auf. Oncken wurde daraufhin zu vier Wochen Gefängnis verurteilt. Mit ihm saß C. F. Lange als verantwortlicher Ältester der Gemeinde in Haft. Beide ermutigten sich gegenseitig durch Gebete und das Singen christlicher Lieder. Dabei erinnerten sie sich an Paulus und Silas im Gefängnis von Philippi (Apg 16,25). Zeitgleich lag Onckens Tochter Lydia krank zuhause und starb wenig später sogar.

Die Mitglieder der Gemeinde sahen in der Verurteilung Onckens einen Angriff des Teufels und rückten näher zusammen. Sie trafen sich nur noch unauffällig als kleine Gruppen in Privatwohnungen. „Hier mit Jesus leiden, hier mit ihm verspottet werden, das ist unser Los; daraufhin ließen wir uns auch in seinen Tod taufen. Wehe uns, wenn die Welt uns liebte; denn wohnt der Heiland in uns, so kann sie uns nur hassen, denn sie hasst ja ihn. Doch die Leiden dieser Zeit sind verhältnismäßig leicht, schließlich sind sie nur von kurzer Dauer […]." Als zusätzliche Schikane verlangten die Behörden von Oncken 259 *Courant-Mark* Gebühren für die polizeiliche Untersuchung (nach heutiger Kaufkraft rund 5700 Euro). Angesehene Hamburger Bürger setzten sich für den Prediger ein. Baptisten aus England und den USA sammelten Geld für die Strafe und zur finanziellen Unterstützung der betroffenen Familien. Eine Delegation aus Großbritannien reiste extra nach Hamburg, um dem Senat eine Unterschriftenliste zugunsten der Gefangenen zu übergeben. Einen direkten Einfluss auf die Haft hatte das allerdings nicht.

Als Oncken 1852 während einer Predigtreise nach Berlin von der Polizei aus Preußen ausgewiesen wurde, wandte er sich mit der Bitte um Unterstützung an seine englischen Freunde. In London gingen daraufhin führende Baptisten mit einer förmlichen Beschwerde zum zuständigen Botschafter. Als das dem frommen preußischen Herrscher Friedrich Wilhelm IV. mitgeteilt wurde, setzte sich der in einem persönlichen Schreiben für den Hamburger Prediger ein und empfing ihn 1855 zu einer Privataudienz. Trotzdem sollte es noch bis 1875 dauern, ehe die Baptisten in Preußen allgemein rechtlich anerkannt wurden.

Christliche Nächstenliebe führt zu Anerkennung

Beim *großen Hamburger Stadtbrand* von 1842 ging ein Drittel der Altstadt in Flammen auf, 20 000 Menschen wurden obdachlos, 51 verloren ihr Leben. Viele Prediger deuteten die Brandkatastrophe damals als Gericht Gottes und riefen zu einer grundlegenden moralischen Umkehr auf. Die kleine Baptistengemeinde engagierte sich unter Onckens Leitung sofort für die Verletzten und Obdachlosen. Sie öffneten ihre Gemeinderäume und Privathäuser, teilten Nahrungsmittel aus und gaben geistlichen Trost. Das wurde in der Hamburger Bevölkerung dankbar wahrgenommen. Sogar die Zeitungen berichteten über den Einsatz der Gläubigen. Von den Behörden erhielt die Baptistengemeinde ein offizielles Dankschreiben. Immer stärker traten gerade angesichts dieser Taten praktischer Nächstenliebe frühere Sektenvorwürfe zunehmend in den Hintergrund.

Oncken in reiferem Alter

Der Wiederaufbau der Stadt schuf in den folgenden Jahren zahlreiche neue Arbeitsstellen. Handwerker aus dem ganzen Umland kamen nach Hamburg. Die Baptisten luden die Zugezogenen in ihre Kreise ein, halfen ihnen in praktischen Fragen wie der Wohnungssuche und brachten ihnen den Glauben an Jesus Christus nahe. Man sprach nicht kirchlich abgehoben, sondern verständlich und lebensnah. Nach Beendigung ihrer Tätigkeit gingen viele Handwerker wieder zurück in ihre Heimatorte und nahmen ihren neuen Glauben mit. Dadurch entstanden weitere Baptisten-Gemeinden.

Im Rahmen der *Deutschen Revolution* von 1848 setzten sich Baptisten für die Einführung der allgemeinen Religionsfreiheit ein, beispielsweise Julius Köbner in seiner Schrift *Manifest des freien Urchristentums an das deutsche Volk*. In dieser Hinsicht galten die Baptisten damals als außergewöhnlich demokratisch und fortschrittlich. Das bereitete ihnen nach dem Zusammenbruch der Revolution allerdings auch nicht unerhebliche Probleme.

Baptistische Zeitschriften und Liederbücher

Im Jahr 1844 begann Oncken mit der Herausgabe eines ersten deutschsprachigen Magazins für die Baptistengemeinden (*Zionsbote. Eine Zeitschrift für christliche Belehrung und Erbauung*). Hier sollten Leser über Ereignisse in der christlichen Welt informiert sowie mit Andachten ermutigt und tiefer in die Bibel eingeführt werden. In einer weiteren Zeitschrift wurden vor allem Berichte aus der Mission abgedruckt. Zuerst hieß das Heft *Missionsblatt der Evangelisch-Taufgesinnten* (1844–1850), dann änderte man den Titel in *Missionsblatt der Gemeinde getaufter Christen* (1850–1778). 1879 wurden dann beide Zeitschriften zu einer neuen Publikation, dem *Wahrheitszeugen,* zusammengelegt (heute: *Die Gemeinde*). Im Jahr 1849 druckte Onckens Verlag ein erstes baptistisches Gemeindeliederbuch mit dem Titel *Glaubensstimme der Gemeinde des Herrn*.

Onckens Versandbuchhandlung und erster Gottesdienstort der Hamburger Gemeinde

Jeder Christ ein Missionar

Oncken war bekannt für seine Auffassung, dass nicht nur einige wenige Angestellte, sondern alle Mitglieder einer Gemeinde missionarisch tätig sein sollten. „Jede apostolische Christengemeinde muss eine

Missionsgesellschaft sein." Im Jahr 1862 wurde Oncken während seiner Englandreise von dem Theologen Dr. Guthrie gefragt: „Wie viele Missionare haben sie?" Oncken antwortete: „Siebentausend!" Der Geistliche entgegnete: „Entschuldigung, ich frage nach der Zahl der Missionare." „Ich weiß", gab Oncken zurück, „aber bei uns ist jedes Mitglied ein Missionar." Guthrie war beeindruckt: „Das ist eine Sache! Das ist der Weg, die Welt zu evangelisieren." Zu dieser Zeit gab es unter den Baptisten kaum Mitläufer, denn jedem war klar, dass man auf Spott und persönliche Anfeindungen gefasst sein musste, wenn man sich zu Oncken und seiner Truppe hielt. Jeder, der sich bekehrte und taufen ließ, wurde ermutigt, nun auch aktiv von seinem neuen Glauben zu reden.

Predigtreisen im In- und Ausland

Nach seiner Freilassung aus dem Gefängnis predigte Oncken unbeeindruckt weiter. In den Jahren 1840/41 reiste er durch Ostfriesland, Bayern, Hessen, Ostpreußen und Dänemark, besuchte bestehende Gemeinden und gründete neue. „Heute Abend hatten wir eine interessante Missionsversammlung, die sehr gut besucht war. So viel es die Zeit erlaubte, versuchte ich, die Hörer mit dem großen Missionsplan der heutigen Zeit bekannt zu machen, und betonte, dass jeder Christ etwas tun solle und müsse zur Ausbreitung des Reiches Gottes." Die Hamburger Baptisten zählten mittlerweile neben zahlreichen Besuchern 110 getaufte Mitglieder.

Jahr für Jahr war Oncken unermüdlich in halb Europa unterwegs, um zu predigen, Gemeinden zu gründen und zu schlichten. Dabei benutze er, wie damals üblich, vor allem Kutschen, Pferde und Schiffe, gelegentlich auch die Eisenbahn. Manchmal wurde er von bewährten *Brüdern* aus der Heimat begleitet, die ihn unterstützten.

Im Sommer 1848 beispielsweise reiste Oncken mehrere Monate durch Österreich und Ungarn. Allein in Wien brachte er innerhalb einer Woche rund 10 000 Traktate unter das Volk. Im Herbst hielt er dann Evangelisationsveranstaltungen in Oldenburg, Varel, Hamburg, Elmshorn, Boitzenburg und Wismar.

Die Memeler Baptisten weihten zehn Jahre nach ihrer Gründung 1851 ihre erste Kapelle ein. Der Bau unterlag strengen Auflagen der Stadt, da man befürchtete, die Gemeinde könne mit einer *„echten"* Kirche verwechselt werden. Auf die Frage: „Warum hat eure Kirche keinen Glockenturm?", antwortete ein Bruder der Gemeinde treffend: „Wir brauchen keine Glocken, wir laden persönlich ein."

In Wuppertal entstand 1852 eine Baptistengemeinde, die von Julius Köbner betreut wurde. Oft machte Oncken auf seinen Predigtreisen hier Station und pflegte dabei seine Beziehungen zu Mitgliedern des örtlichen *Evangelischen Brüdervereins*. Eine geistliche Freundschaft verband ihm mit Carl Brockhaus (1822–1899), dem Gründer der deutschen *Brüdergemeinden*, und mit Hermann Heinrich Grafe (1818–1869), dem Vater der *Freien evangelischen Gemeinden* (FeG). „Wir machten die Bekanntschaft des Herrn Grafe, eines Fabrikanten, in dem wir einen Mann von ungewöhnlicher Geisteskraft fanden, geheiligt durch die umwandelnde Gnade Gottes. [...] Er hatte verschiedene heiße Kämpfe mit rationalistischen Pfarrern, aus denen er als Sieger hervorging."

Im Frühjahr 1853 besuchte Oncken Gemeinden und Freunde in den USA. Dabei wurde er wie durch ein Wunder vor dem sicheren Tod gerettet. Er saß in dem Zug, der auf seiner Fahrt von New York nach Boston bei der kleinen Ortschaft Norwalk von einer Brücke in den *Norwalk River* stürzte. 48 Personen verloren durch das Unglück ihr Leben. Vermutlich starben noch acht weitere Passagiere, deren Leichen man später aber nicht mehr finden konnte. Auch Oncken wurde verletzt und musste für zwei Wochen das Bett hüten. Seine Bewahrung führte er auf das Eingreifen Gottes zurück. Beim Einsteigen in den Zug wollte Oncken unbedingt auf der *Negerbank* sitzen bleiben, obwohl ihn sein mitreisender Freund mehrfach dazu aufforderte, sich es auf einem der besseren, für Weiße reservierten Plätze, bequem zu machen. Alle, die dort saßen, starben wenig später. Auch sonst sprach sich Oncken immer wieder deutlich gegen die damals noch verbreitete Sklaverei aus. In seinem Verlag brachte er unter anderem eine Schrift von William Wilberforce (1759–1833) heraus, der die Sklavenbefreiung in England durchsetzte.

Von Hamburg aus wurden auch in anderen Ländern Europas Baptistengemeinden gegründet und betreut: z. B. in Dänemark (1839), Estland, Litauen, Lettland (1841), Niederlande (1845), Österreich (1847), Schweiz (1847), Schweden (1848), Polen (1861), Rumänien (1862), Südrussland/Ukraine (1864).

Baptistische Erweckung in Südrussland

Auf seinen Reisen durch den deutschen Osten und Landstriche, die heute zur Ukraine und zu Russland gehören, traf Oncken des Öfteren auf kirchliche Mennoniten. In den meist deutschsprachigen Siedlungen und Familien hielt er zahlreiche Bibelstunden und Gottesdienste. Mit seinen eindrücklichen Erweckungspredigten trug er zur geistlichen Erneuerung traditionalisierter Mennonitengemeinden bei. „Die Mennoniten hier sind in geistlicher Beziehung in einer traurigen Verfassung. Kartenspiel und Tanz sind bei ihnen erlaubt. Sie nehmen aber gar keinen Anteil an der Bibel- oder Traktatmission. Ihre jungen Leute werden mit dreizehn, vierzehn, fünfzehn Jahren mit Wasser besprengt, und es wird bei ihrer Zulassung zum Abendmahl kein Gewicht auf Herzenserneuerung gelegt." Mit den geistlich interessierten Mennoniten blieb Oncken zumeist brieflich in Kontakt und versorgte sie mit Bibeln und deutschen Erbauungsschriften. „Ich predigte gestern zweimal, morgens in der Stadt, am Nachmittag in einer Mennonitenkapelle, fünf oder sechs Kilometer von Elbing. Die Beteiligung war trotz der spät ergangenen Einladung eine gute. Gott gab mir Kraft, das Wort des Lebens weiterzugeben. In den beiden Mennonitenorten Markushof und Tiensdorf sprach ich vor- und nachmittags."

Im Jahr 1864 besuchte Oncken zahlreiche Baptistengemeinden in Südrussland (heute Ukraine). Auf dieser Reise ging es ihm vor allem darum, für die Akzeptanz der Freikirchler durch den Staat zu werben. Die neuen Gemeinden erregten bei manchem russischen Regierungsbeamten Argwohn. Gelegentlich vermutete man illegale politische Aktivitäten hinter einer religiösen Fassade. So kam Oncken unter anderem mit verschiedenen staatlichen Entscheidungsträgern zusammen, die er zumindest teilweise davon überzeugen konnte, „dass die Baptisten durch ein stilles und ruhiges Leben in aller Gottseligkeit bereit sind, ihnen ihre Aufgabe zu erleichtern". Neben den *Evangeliumschristen* von der St. Petersburger Erweckungsbewegung und den *Mennoniten Brüdergemeinden* entstanden in Russland durch Onckens Tätigkeit zahlreiche unabhängige Baptistengemeinden, insbesondere unter den deutschen Auswanderern.

Predigt von Bekehrung und Lebensveränderung

In seinen Predigten und Briefen ging es Oncken vor allem und immer wieder um das Evangelium von der Schuld des Menschen und der Vergebung Gottes. „Die zwei großen Wahrheiten, die der Herr denjenigen, die errettet werden, vom Tag der Bekehrung bis zu dem Tag, an dem wir in den Himmel kommen, wichtig macht, sind in Bezug auf uns selbst, dass wir arme, verlorene Sünder sind, die, wenn sie sich selbst überlassen wären, für immer sterben müssten, und in Bezug auf Gott, dass er aus grenzenlosem Erbarmen seinen einziggeborenen Sohn in die Welt geschickt hat, um für die Schuld aller Menschen, die an ihn glauben würden, zu leiden [...]."

Für Oncken war es aber nicht damit getan, dass ein Mensch seine Schuld Gott gegenüber einsah und um Vergebung bat. Auch der zum Glauben Gekommene müsse weiter begleitet und zu einem heiligen Leben angehalten werden. Gerade die tolerierte Gleichgültigkeit und

Unmoral der staatlichen Kirchen kritisiere man zu Recht. „In einer geistlichen Gemeinde soll nicht nur Evangelium gepredigt werden, […] Da muss, wenn es notwendig erscheint, auch Gericht gehalten werden […] sonst kann sie auch zu einer Kapelle des Satans werden. […] Ich rede hier nicht von Ausschlüssen allein, die beste Zucht ist die gegenseitige Zurechtweisung. Wir sollen über einander wachen, nicht hartherzig, sondern mit dem Auge liebender Engel."

Die Bibel als Grundlage der theologischen Ausbildung
Um baptistische Prediger und Missionare besser auf ihren Dienst vorbereiten zu können, boten Oncken und Köbner von 1849 bis 1876 in Hamburg besondere Kurse an, bei denen Grundkenntnisse in Bibelauslegung, Predigtlehre, Deutsch, Rechnen und Geschichte vermittelt wurden. Insgesamt nahmen daran 85 Männer teil. Ein besonderer Schwerpunkt lag auf der Bibelkenntnis und der Fähigkeit, sich verständlich ausdrücken zu können. Außerordentlich wichtig war es Oncken, seinen Schülern das Vertrauen in die absolute Glaubwürdigkeit und Zuverlässigkeit der Bibel zu vermitteln. Als entsprechendes Studienmaterial gab er dazu in seinem Verlag die Bücher *Wahrheit und Autorität der göttlichen Offenbarung* von Robert Haldane (1839) sowie *Echtheit der Heiligen Schrift vom Standpunkt der Geschichte und des Glaubens* von Louis Gaussen (1870) heraus.

Neben einer theologischen Grundausbildung sollten die *Missionssendlinge* auch in ihrem persönlichen Glaubensleben weitergeführt werden. „Je mehr uns Gott mit seiner Gnade überschüttet, je mehr werden wir dadurch bestimmt, nach seiner Verherrlichung zu trachten." 1880 erweiterte man die Ausbildung am neu gegründeten Prediger- und Missionsinstitut auf zwei, später auf fünf Jahre. Der Unterricht fand in der Baptistengemeinde Böhmkenstraße statt. Die Verantwortung für die Studieneinrichtung übernahm vor allem Philipp Bickel (1829–1914), der auch in der Leitung des baptistischen Verlags Onckens Nachfolge antrat. 1899 zog der Verlag von Hamburg nach Kassel.

Eduard Scheve (1836–1909) war unter Oncken ein weiterer, prägender Mitarbeiter der deutschen Baptisten in der zweiten Generation. Unter dem Einfluss des deutsch-amerikanischen Theologieprofessors August Rauschenbusch (1816–1899) ließ er sich taufen und schloss sich den Baptisten an. Im Laufe seines Lebens betreute er Gemeinden in Lippe, Köln, Wiesbaden und Berlin. Vor allem aber blieb er als Pionier der baptistischen Diakonie und Außenmission in Erinnerung. So rief er 1863 einen Verbund von *Jünglingsvereinen* (heute *Gemeindejugendwerk*), einen freikirchlichen *Sonntagsschulbund* (1885), die *Diakonissenanstalt Bethel* in Berlin (1887) und die *Kamerun-Mission* (1890) ins Leben.

Spurgeon in Hamburg

Nachdem die Hamburger Baptistengemeinde auf über 700 Mitglieder angewachsen war, begann man 1866 mit einem Neubau. Zur Einweihung des kirchenähnlichen Gebäudes in der Böhmkenstraße hielt der eigens aus London angereiste Charles Haddon Spurgeon (1834–1892) eine Festrede. „Wir haben oft in England gehört, dass eure Gemeinden von einem großen Grundsatz regiert werden, nämlich dass jedes Mitglied missionarisch tätig sein soll. Ich weiß, dass eure Mitglieder bei der Aufnahme in die Gemeinde gefragt werden: Was wirst du für Christus tun? […] Es nützt tatsächlich auch gar nichts, nur den Namen eines Christen zu haben, wenn man nicht auch das ganze Herz desselben hat. […]." Die Kapelle diente den Hamburger Baptisten lange Zeit als größter eigener Versammlungsraum, bis sie während des Zweiten Weltkrieges 1943 zerstört wurde.

Probleme des Alters

Im Alter verlor Oncken einen Teil seiner Flexibilität und Einsicht. Immer weniger erkannte er seine Grenzen und die Notwendigkeit für strukturelle Veränderungen. Dadurch kam es 1870 zu einer tiefen Krise, dem sogenannten *Hamburger Streit*. Viele der zum Glauben gekommenen Baptisten wohnten in Schleswig-Holstein und hatten im nahe bei Hamburg gelegenen Altona eine eigene Gemeinde gegründet. Oncken bewertete dieses Vorgehen als eine gegen ihn gerichtete Revolte. Er konnte sich nur jeweils eine Baptistengemeinde an einem Ort vorstellen; in Hamburg selbstverständlich unter seiner Leitung. Als Reaktion auf die Gemeindegründung in Altona verfasste Oncken eine Kampfschrift, kündigte Mitarbeitern, die nicht seiner Meinung waren, und forderte alle übrigen auf, eine Verpflichtungserklärung zu seinen Gunsten zu unterzeichnen. Den als Schlichtern zur Hilfe gerufenen Pastoren um G. W. Lehmann blieb schlussendlich nichts anderes übrig, als sich an die unterstützende Missionsgesellschaft in Boston zu wenden. Da Oncken nicht mit sich reden ließ, entzog man ihm den Vorsitz des *deutsch-amerikanischen Komitees*, das über die Finanzen des Bundes zu entscheiden hatte.

Trotz der kräftezehrenden Spannungen würdigten Onckens ehemalige Mitarbeiter seine Leistungen für die Baptistengemeinden in Europa. „Bruder Oncken ist ein Mensch, hat seine Schwächen, aber es gibt keinen zweiten in unserer Mission, den der Herr so begabt und durch den er sich so verherrlicht hat wie durch ihn. Sollen die Kinder die Gebrechen des Alters tragen, dann denke ich, sollten wir auch die des Bruder Oncken in Liebe beurteilen."

Oncken fühlte sich tief getroffen und von seinen ehemaligen Freunden verraten. Man legte ihm nahe, auch andere Verantwortungen abzugeben, wozu er sich aus gesundheitlichen Gründen schließlich bereit erklärte. Mit seiner dritten Frau Jane verließ er Hamburg und ließ sich in Zürich nieder, wo seine Schwägerin Sarah Kölliker mit ihrer Familie lebte. Schon seit Jahren litt er unter ständigen Kopfschmerzen, einer Hals- und Stimmbänderkrankung sowie einem Leberleiden. In den 1870er-Jahren trafen ihn darüber hinaus mehrere kleine Schlaganfälle. Kurz vor seinem Tod kam es dann, auf Initiative Köbners, doch noch zu einer Aussöhnung der langjährigen Weggenossen.

Am 2. Januar 1884 starb Johann Gerhard Oncken in Zürich. Er wurde nach Hamburg überführt und auf den Friedhof der reformierten Gemeinde beigesetzt. Die Trauerfeier leitete Julius Köbner. Vier Wochen später verstarb auch er – an einer Lungenentzündung, die er sich bei Onckens Beerdigung zugezogen hatte. Auf seinen Predigtreisen hatte Oncken hunderttausende Kilometer zurückgelegt, durch seinen Traktatverein wurden damals mehr als 26 Millionen Schriften verteilt. Am Ende seines Lebens gab es in Deutschland einen fest gefügten Bund von Baptistengemeinden mit mehr als 30 000 Mitgliedern.

Ausgewählte Literaturhinweise

Günther Balders: *Theurer Bruder Oncken. Das Leben Johann Gerhard Onckens in Bildern und Dokumenten*, Oncken Verlag, Wuppertal/Kassel 1978

Theodor Dupreé: *Ein Bahnbrecher für biblische Wahrheiten. Leben und Wirken von J. G. Oncken*, Oncken Verlag, Kassel 1900

Hans Luckey: *Johann Gerhard Oncken*, Oncken Verlag, Kassel 1956

Dietmar Lütz (Hrsg.): *Die Bibel hat die Schuld daran ... (J. G. Oncken). 175 Jahre Baptismus auf dem europäischen Kontinent*, Hamburg 2009

Ansätze zum Weiterdenken

◊ Wenn man Menschen, die weit entfernt von Gott sind, das Evangelium von Jesus Christus nahebringen will, ist es sinnvoll, die konfessionellen Unterschiede in den Hintergrund zu stellen. Andernfalls besteht die Gefahr, dass der Hauptinhalt der Bibel für die Zuhörer hinter den oft zweitrangigen theologischen Unterschieden verschwindet. Sie behalten lediglich in Erinnerung, dass es mit der

Bibel wohl nicht viel auf sich haben kann, wenn selbst die Christen ständig nur über ihren Inhalt streiten.

◊ Oncken hat in Deutschland neu die christliche Taufe als Ausdruck der biblischen Wiedergeburt, der willentlichen Entscheidung des Menschen für ein Leben mit Gott und des Bekenntnisses zum Glauben in Erinnerung gerufen. Diese neutestamentliche Perspektive war von den großen Kirchen über Jahrhunderte hinweg vernachlässigt worden.

◊ Für den Glauben zu werben ist nicht nur eine Sache kirchlicher Angestellter oder professioneller Werbeagenturen, sondern ureigene Aufgabe jedes überzeugten Christen. Dieses öffentliche Reden über Jesus Christus stärkt den eigenen Glauben und wendet sich an eine große Menge unterschiedlicher Menschen, die durch keine andere Gemeindeveranstaltung erreicht werden können. Außerdem ist es ein deutlicher Auftrag Jesu: „Wer nun mich bekennt vor den Menschen, den will ich auch bekennen vor meinem himmlischen Vater" (Matthäus 10,32).

◊ Gott fordert von seinen Anhängern mehr als eine allgemeine Freundlichkeit. Wie Gott selbst sollen Christen versuchen, Böses, was man ihnen antut, nicht mit gleicher Münze heimzuzahlen, sondern mit guten Taten zu beantworten. Aus eigener Kraft ist das vollkommen unmöglich. Mit der Liebe Gottes aber kann man die erfahrenen Verletzungen und Kränkungen überwinden und sogar Menschen helfen, die einen abgelehnt und verfolgt haben.

◊ Im fortgeschrittenen Alter fällt es Menschen schwer, flexibel zu bleiben und sich auf Neues einzulassen. Zunehmend orientiert man sich am Bewährten und Bekannten. Dabei besteht die reale Gefahr, neue, durchaus positive Entwicklungen zu verpassen oder gar zu bekämpfen, manchmal sogar mit scheinbar geistlichen Argumenten. Aus diesem Grund ist es hilfreich, wenn auch gesegnete geistliche Mitarbeiter sich ab einem bestimmten Alter aus der Hauptverantwortung zurückziehen und auch nicht mehr als *graue Eminenz* aus dem Hintergrund die Fäden ziehen. Entsprechend ihrer Berufung und Begabung können sie dann immer noch in zweiter Reihe wichtige Aufgaben erfüllen. Ansonsten kann es passieren, dass sie durch nachlassende Übersicht vieles von dem wieder zerstören, was sie in früheren Jahren selbst aufgebaut haben.

25

David Livingstone
(1813–1873)
Missionar und Entdecker

Mission wird heute zuweilen als eine Art religiöser Kolonialismus missverstanden, als Absicht, anderen Menschen den eigenen Glauben aufzuzwingen. Tatsächlich gab es Ende des 19. Jahrhunderts eine Zeit, in der christliche Mission und europäischer Imperialismus Hand in Hand arbeiteten. In den Jahrzehnten davor jedoch waren Missionare nationale Helden, die indigenen Völkern halfen, sich aus der Spirale von Armut, Aberglaube und Gewalt zu befreien, um wohlhabend, gläubig und frei zu werden. Besonders die Völker Afrikas sah man unterdrückt von arabischen Sklavenhändlern, einheimischen Gewaltherrschern und europäischen Geschäftemachern.

Berufung als Missionar

David Livingstone wurde am 19. März 1813 in Blantyre nahe Glasgow (Schottland) geboren. Aufgrund der Armut seiner Familie begann David mit 10 Jahren in örtlichen Baumwollfabriken zu arbeiten. In der aufgeklärten Firmenschule erhielt er eine einfache Bildung. Die Eltern waren engagierte Christen. Davids Vater hatte sich von der Staatskirche abgewandt und war der Leiter einer örtlichen Freikirche. Livingstone las nicht nur die calvinistische Literatur seines Vaters, sondern mit Vorliebe auch die Veröffentlichungen des schottischen Naturwissenschaftlers Thomas Dick (1774–1847), in denen Wissenschaft und Glaube harmonisch miteinander verbunden wurden.

Angeregt von dem deutschen Missionar Karl Gützlaff (1803–1851) nahm Livingstone sich nach seiner Bekehrung im Jugendalter vor, als Missionsarzt nach China zu gehen. Um sich darauf vorzubereiten, studierte er in Glasgow Medizin und Theologie. Ab 1838 vervollständigte er seine Ausbildung durch Kurse am Predigerseminar der 1796 gegründeten

Londoner Missionsgesellschaft (*London Missionary Society*). Nach seiner Anerkennung als praktischer Arzt reiste er 1840 per Schiff ins südliche Afrika.

David Livingstone

Abgesehen von seiner theoretischen Ausbildung war Livingstone auch menschlich in hohem Maß für seine Tätigkeit als Missionar qualifiziert. Dabei halfen ihm seine Offenheit für wissenschaftlichen Fortschritt, die Fähigkeit, hart zu arbeiten, Entbehrungen zu ertragen, mit Maschinen umgehen zu können und sein tiefer persönlicher Glaube. Missionare waren zu dieser Zeit die Repräsentanten nationaler Ideale wie Ausdauer, Gerechtigkeit, Fairness, Großzügigkeit und Frömmigkeit.

Missionare gegen Sklaverei

Die evangelikalen Missionsgesellschaften sahen in der Sklaverei einen eklatanten Widerspruch zu den vorgeblich christlichen Werten ihrer Heimat. William Wilberforce und Sir Thomas Buxton waren die religiös motivierten Wortführer im politischen Kampf gegen den Sklavenhandel. In der neu gegründeten christlichen Kolonie Sierra Leone sollte eine sklavenfreie Zone entstehen. Zahlreiche Sklaven aus Amerika und England kamen zurück nach Afrika, um hier in Freiheit zu leben.

In England erschienen Schriften der Missionare; sie beklagten sowohl den weitgehend von außen aufgezwungenen Sklavenhandel als auch die selbstverantworteten Leiden Afrikas durch Stammesfehden, Kannibalismus und Witwenverbrennung. Und tatsächlich konnten Missionare auf Verbesserungen im gesundheitlichen, wirtschaftlichen und ethischen Bereich verweisen. Immer wieder äußerte sich auch Livingstone äußerst kritisch gegen den Sklavenhandel, den er als „offene Wunde Afrikas" bezeichnete.

In seinem Buch *Der afrikanische Sklavenhandel und sein Heilmittel* (1840) entwickelte der gläubige Forscher T. F. Buxton (1786–1845) seine Theorie über den Zusammenhang zwischen Christentum, Handel und Zivilisation. Demnach sollte die Landwirtschaft gefördert werden.

Der Baumwollanbau würde sich langfristig als profitabler erweisen als der Sklavenhandel, sodass die afrikanischen Herrscher gerne auf ihn verzichteten. Zusätzlich sollte der christliche Glaube die Abwendung von der Sklaverei fördern. Sklaverei sei ein Feind des Christentums in Afrika. Handel und christlicher Glaube würden helfen, den Afrikanern Lesen, Schreiben, Rechnen, Verwaltung, Literatur, Technik und alle anderen Formen europäischer Zivilisation zu ihrer Bereicherung zu vermitteln. Wenn den Menschen erst bewusst würde, dass es ihnen ohne Sklaverei materiell und persönlich besser gehe, würden sie sich für den christlichen Glauben öffnen. Den britischen Unternehmern eröffneten sich darüber hinaus neue Absatzmärkte. Schlussendlich hätten bei dieser Entwicklung alle Parteien gewonnen.

Einheimische werden für den Sklavenhandel ihrer Freiheit und Würde beraubt

Auch Livingstone war davon überzeugt, dass die Beseitigung der Sklaverei, der Ausbau der Verkehrswege und die Entwicklung des Handels wichtige Voraussetzungen für die erfolgreiche Verbreitung des christlichen Glaubens wären.

Zu Livingstones Zeit erstreckte sich das Wissen der meisten Europäer vom südlichen Afrika lediglich auf den Landstreifen hinter dem Kap der Guten Hoffnung und auf einige Punkte der Westküste. Um den Menschen wirtschaftlich zu helfen und ihnen den christlichen Glauben zu vermitteln, wollte man Mitte des 19. Jahrhunderts auch das afrikanische Inland erforschen. Dazu boten sich insbesondere die großen Flüsse an. Zu Livingstones Zeit betrachtete man den Niger, den Kongo und den Sambesi als Straßen ins Landesinnere.

In Afrika angekommen

Nachdem Livingstone Südafrika im März 1841 erreicht hatte, zog er sofort weiter zur Missionsstation im Innern von Kuruman. In dem Schriftwechsel mit dem Missionskomitee in London forderte Livingstone immer wieder die Ausdehnung der Mission mit „eingeborener Hilfe“. Einheimische Christen sollten bei der weiteren Missionierung Afrikas die entscheidende Rolle spielen. Ihnen seien Kultur, Sprache und Lebensbedingungen weit mehr vertraut als den ausländischen Missionaren. Europäer waren Livingstone oftmals zu vorsichtig und zu sehr auf ihre Bequemlichkeit bedacht.

Schon im ersten Jahr seines Aufenthalts reiste er hunderte Kilometer ins afrikanische Hinterland, besuchte Botswana, erlernte die lokale Sprache und wanderte weiter nach Swasiland. Ende 1843 hatte Livingstone drei neue Missionsstationen errichtet: eine in Mabotsa beim Volk der Kgotla und zwei unter den Kwena. Hier erschienen ihm die Ausgangsbedingungen deutlich besser als an den bisherigen Orten, wo die Afrikaner das Christentum vor allem als Beschneidung der Polygamie begriffen. Außerdem waren sie oftmals durch den Umgang mit sittenlosen Europäern vorbelastet, die sie tyrannisierten. Bei den Afrikanern im Inland erwartete Livingstone einen „Hunger nach dem Evangelium“, weil sie christliche Europäer kennenlernen würden, die ihnen helfen und sich ethisch vorbildlich verhalten würden. Eine der von ihm gegründeten Stationen wurde schon wenige Jahre später durch die niederländischen Buren zerstört.

1845 heiratete Livingstone Mary, die Tochter des von ihm geschätzten Afrikamissionars Robert Moffat. In den nächsten Jahren erforschte er mit dem Jäger William Oswell, seiner Frau und fünf Kindern unter schwierigen Bedingungen die Sandwüste der Kalahari. Zwei Jahre später nahm Sebitoane, der Häuptling der Makololo, Livingstone mit auf eine Reise in den Norden.

Quer durch Afrika

Livingstone predigt das Evangelium

1852 kehrte seine Familie nach Großbritannien zurück, während Livingstone zu einer der großen Entdeckungsreisen des 19. Jahrhunderts aufbrach. Die vierjährige Expedition durch das ganze südliche Afrika erweiterte die europäische Kenntnis des Kontinents erheblich. Livingstone durchstreifte das heutige Südafrika und Botswana. Mit einigen Kololo, die er schon früher kennengelernt hatte, erforschte er den oberen Sambesi und erreichte nach der Durchquerung Angolas die Küste des Atlantiks. Von da aus zog Livingstone wieder ins Landesinnere durch Sambia und Zimbabwe, entdeckte 1855 die imposanten Viktoriafälle, bestimmte mehr als 30 neue Vogelarten, erforschte Mozambique und kam 1856 über den Sambesi an den Indischen Ozean. Nebenbei erforschte er Naturheilmittel und Wege zur Bekämpfung der Tsetsefliege als Überträgerin der Schlafkrankheit. Während dieser Reise legte Livingstone rund 6500 Kilometer durch unwegsames Gelände zurück. Nun wollte er infolge seiner Erfahrungen landwirtschaftliche Mustersiedlungen bei den Kololo und den Ndebele errichten. Schlüssel zur Förderung des Handels, zur Beendigung des Sklavenhandels und der Ausbreitung des christlichen Glaubens sollte die weitere Erforschung des Sambesi werden, der „Straße Gottes in das Landesinnere".

Zurück in Großbritannien veröffentlichte Livingstone den Ertrag seiner Expedition in dem zahlreich verkauften Buch *Missionsreisen und Forschungen in Südafrika* (1857). Livingstone wurde zu einem Nationalhelden. Überall wurde er geehrt und gefeiert. In Vorlesungen an den Universitäten von Oxford und Cambridge sagte er: „Ich gehe zurück nach Afrika, um den Weg für Handel und Christentum zu öffnen. Führen sie die Arbeit zu Ende, die ich begonnen habe." Wenig später gründete der Forscher die *Universitätsmission für Zentralafrika* (UMCA). Kaufleute aus Manchester waren begeistert über die Aussicht, Baumwolle in Afrika anzubauen und damit die Importe aus den USA ersetzen zu können.

Misserfolg am Sambesi

Schließlich wurde Livingstone als Leiter einer offiziellen Expedition der britischen Regierung zur Erforschung des Sambesi nach Afrika entsandt. Damit verbunden war seine Ernennung als Konsul von Quilimane. Die Sambesi-Expedition (1858–1863) brachte jedoch nicht den erhofften Erfolg. Die meisten Mitglieder der Forschungsreise konnten sich nicht mit der afrikanischen Mentalität arrangieren und zerstritten sich untereinander. Die in der Region tätigen Portugiesen sahen ihre Handelsinteressen gefährdet und erschwerten die Expedition, wo sie nur konnten. Die schließlich von der *Universitätsmission* aufgebaute Missions- und Landwirtschaftsniederlassung im Shire-Bergland wurde schon bald wieder geschlossen, weil zahlreiche Europäer an Malaria starben, darunter auch Bischof Charles Mackenzie und Mary Livingstone, die erneut mit ihrem Mann nach Afrika gekommen war. Daraufhin brach die britische Regierung das Experiment ab. Die Missionsstation wurde gegen Livingstones Willen an die Küste verlegt. 1875 kamen Presbyterianer in die Gegend und gründeten eine Niederlassung, die sie in Erinnerung an den Missionar *Livingstonia* nannten. Auch die von ihm entdeckten Wasserfälle des Kongo wurden nach Livingstone benannt.

Verschollen in Afrika

An einer weiteren Expedition war die öffentliche Hand zu diesem Zeitpunkt nicht interessiert. Die *Royal Geographical Society* bat Livingstone, auf ihre Kosten die Verläufe von Nil, Sambesi und Kongo zu untersuchen. Doch Livingstone wollte lieber gegen die Sklaverei kämpfen und wieder als Missionar tätig werden. Schließlich wurde die nächste Reise aufgrund seines immensen gesellschaftlichen Ansehens von verschiedenen staatlichen und privaten Stellen gesponsert. Auf der letzten Tour seines Lebens bereiste Livingstone ab 1866 Mozambique, Malawi, Zambia, Tanzania und Zaire. Er erforschte die zentralafrikanischen Seen und konnte einige Häuptlinge davon überzeugen, auf den Sklavenhandel zu verzichten. Später wurden seine Vorräte geraubt, afrikanische

Mitarbeiter verließen die Expedition und Livingstone selbst erkrankte 1869 schwer. 1871 musste der schockierte Forscher mitansehen, wie arabische Sklavenhändler das Dorf Njangwe umstellten und überfielen. Hunderte Einheimische wurden von den Arabern versklavt, 400 Menschen kamen um und 27 weitere Dörfer wurden niedergebrannt.

Henry Morton Stanley trifft David Livingstone

In Europa galt Livingstone längst als verschollen, einige hielten ihn für tot. Vorbei am Tanganyika-See zog er quer durch Zentralafrika, um die Quellen des Nil zu entdecken. Der britisch-amerikanische Journalist Henry Morton Stanley suchte und fand im Auftrag des *New York Herald* den schwerkranken Livingstone in Ujiji (1871). Schließlich starb er 1873 in einem kleinen Dorf namens Chitambo (Zambia). Sein Herz wurde symbolträchtig in Afrika beerdigt, sein Körper in der *Westminster Abbey* zu London.

Nachwirkungen

Livingstones langjährige Tätigkeit in Afrika bildete die Grundlage für spätere Missionare und erschloss für Europäer afrikanische Sprachen, orientalische und afrikanische Geschichte, Geographie, Tropenmedizin, Anthropologie und Religionsgeschichte. Auch bei der Entstehung einer christlich-afrikanischen Identität leistete Livingstone wesentliche Vorarbeit.

Erfolgreich waren in der zweiten Hälfte des 19. Jahrhunderts aber nicht die mit großen staatlichen und wirtschaftlichen Reformprogrammen arbeitenden Gesellschaften, sondern die Missionare, die sich auf die Förderung persönlicher Bekehrung und Frömmigkeit konzentrierten, wobei sie Ungerechtigkeiten in der afrikanischen Kultur teilweise bestehen ließen.

Ausgewählte Literaturhinweise

Horst R. Flachsmeier: *Geschichte der evangelischen Weltmission, Brunnen Verlag*, Gießen 1963, S. 240-251

David Livingstone: *Die Erschließung des dunklen Erdteils. Reisetagebücher 1866–1873*, SDS/traveldiary.de Reiseliteraturverlag, Hamburg 2006

Andrew F. Walls: *David Livingstone*, in: Martin Greschat (Hrsg.): Gestalten der Kirchengeschichte, Bd. 9, W. Kohlhammer Verlag, Stuttgart 1985, S. 140-152

John Waters: *David Livingstone. Der bekannte Afrikamissionar*, Hänssler Verlag, Holzgerlingen 1999

Ansätze zum Weiterdenken

◊ Obwohl Mission heute zunehmend argwöhnisch betrachtet wird, hatte sie für viele Völker durchaus sehr positive Auswirkungen. Missionare halfen dabei, indigenes Selbstverständnis zu formulieren und zu schützen. In vielen Fällen wurde erstmals die eigene Sprache systematisiert und verschriftlicht. Zahlreiche Werkstätten, Schulen und Krankenhäuser wurden eröffnet. Oftmals unterstützten Missionare die einheimische Bevölkerung in den Auseinandersetzungen mit der Kolonialwirtschaft. Gelegentlich kämpften sie auch gegen abergläubische und menschenverachtende Vorstellungen und Praktiken der betreffenden Völker wie z. B. Sklaverei, Polygamie, Drogenmissbrauch, Verstümmelungen, Dämonenangst usw.

◊ Mission förderte in besonderer Weise die Kenntnis außereuropäischer Religionen, Kulturen, Sprachen und Geschichte. Bisher unbekannte Materialien, Speisen und Verarbeitungsmethoden bereicherten durch Vermittlung der Mission Europa. Ganz nebenher sammelten Missionare geographische, geologische, medizinische und botanische Daten der Länder, in denen sie tätig waren.

◊ Gerade durch die Bemühungen der Missionare des 19. Jahrhunderts ist Afrika zu einem stark christlich geprägten Kontinent geworden. In vielen Ländern ist der christliche Glaube längst Teil der eigenen Identität. Dort wird er weitgehend eigenständig gelebt und interpretiert.

26

William Booth

(1829–1912)

Die Heilsarmee

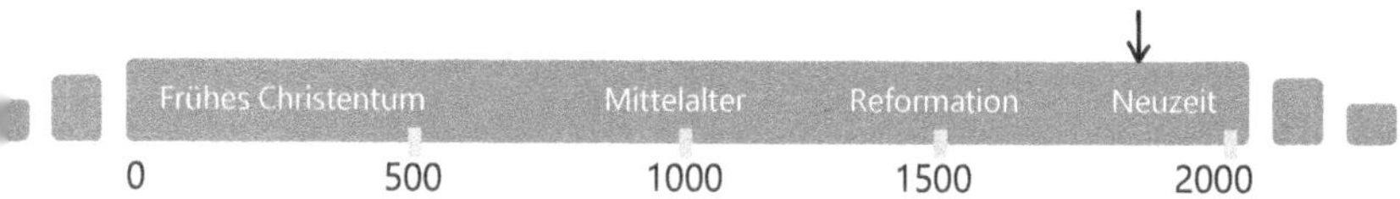

Die Gründung einer *„Glaubensarmee"* würde heute in Deutschland wahrscheinlich einigen Aufruhr verursachen und den Verdacht des Extremismus wecken. Das war im 19. Jahrhundert in England ähnlich, wenn auch aus anderen Gründen. Damals hatte Großbritannien wahrscheinlich den Höhepunkt seiner politischen Macht erreicht. Englands Wirtschaft und Militär waren weltbeherrschend. Viele einfache Menschen im *East End* von London aber gehörten zu den Verlierern dieser britischen Globalisierung. Wie in den Romanen von Charles Dickens zu lesen, lebten die Menschen hier in großer Armut, sie starben an kleinsten Erkrankungen, bestahlen und ermordeten sich gegenseitig, waren von Gott und der Welt verlassen – so schien es zumindest. 1865 gründete der volksnahe Methodistenprediger William Booth die *Christliche Mission*, die wenige Jahre später in *Salvation Army* (*„Heilsarmee"*) umbenannt wurde. Er sah die Probleme und das Leiden der untersten gesellschaftlichen Schicht von London, der Arbeitslosen, der Straßenkinder, der Trinker, der entlassenen Sträflinge und der alleinerziehenden jungen Frauen. Selbst die Kirche hatte diese Menschen längst abgeschrieben.

Prediger der Methodisten

William Booth wurde am 10. April 1829 als Sohn von Samuel und Mary Booth in Nottingham geboren. Sein Vater arbeitete als Seemann und Maurer. Die Familie besuchte die anglikanische Kirche, allerdings nicht mit großem Engagement. Im Jugendalter machte William eine Ausbildung als Pfandleiher und unterstützte seine eher arme Familie. Die Schule konnte er nicht abschließen, nachdem sein Vater, ein Bauunternehmer, verarmt und im Suff gestorben war.

Nach dem Tod seines Vaters, Booth war gerade 13 Jahre alt, begann er die Methodisten-Gemeinde zu besuchen. Zwei Jahre später erlebte er seine Bekehrung (1844). Mit Begeisterung las er die mitreißenden Schriften von Wesley, Whitefield und Finney. Sein Leben veränderte sich grundlegend. In allen Lebensbereichen, auch im Beruf und in seiner Freizeit wollte er sich an Gottes Maßstäben orientieren. Sein damaliges Lebensmotto formulierte er folgendermaßen: „Alles, was an William Booth ist, soll Gott gehören." Einmal kam er zu der Überzeugung, einen Kunden bei einer geschäftlichen Angelegenheit in der Pfandleihe übervorteilt zu haben. Sein Gewissen ließ ihm keine Ruhe, bis er sich bei dem Geschädigten entschuldigt und Gott um Vergebung gebeten hatte. „In dem Augenblick fiel die Last der Schuld von meinem Herzen, kehrte der Friede bei mir ein, und ich zog aus, um Gott und meinen Mitmenschen zu dienen."

William Booth, um 1862

Aufgerüttelt durch die Predigten des amerikanischen Erweckungspredigers James Caughey begann Booth auf den Straßen der Slums von Nottingham zu predigen. Die damals eher etablierten Methodisten beobachteten diese Aktivitäten eher kritisch. Im Herbst 1849 kam Booth nach London, wo er zeitweilig als Evangelist einer methodistischen Reformbewegung tätig war. Hier entstand der Kontakt mit der Familie Mumford. Booth verliebte sich in Catherine (1829–1890), die Tochter des Hauses, und heiratete sie 1855. Er lernte hier auch den Stiefelfabrikanten E. J. Rabbits kennen, der seine Arbeit über viele Jahre hinweg finanziell unterstützte.

Nach einer kurzen theologischen Ausbildung wurde Booth Prediger der methodistischen *Neuen Gemeinschaft* in Hanley /Staffordshire. Aus seiner Sicht war die Gemeinde zu träge und viele Christen zu teilnahmslos. Es bewegte sich so wenig, um die Menschen mit dem Evangelium zu erreichen und ihnen in ihrer Armut zu helfen. Die Gesetztheit und Selbstzufriedenheit der Gemeinde erregte Booth dermaßen, dass er sich eine neue Anstellung suchte. Von 1862 bis 1865 zog er als Evangelist durch die Erweckungsversammlungen von Cornwall, South Wales und Wallsall. Catherine unterstützte ihren Mann in diesen Jahren als Rednerin und Organisatorin. – Auch den sechs Kindern der Booths lag diese Arbeit am Herzen. Alle wurden später *Offiziere* der Heilsarmee, zwei sogar *Generäle*.

Christliche Mission in Londons East End

Mitte des 19. Jahrhunderts war London Mittelpunkt der Welt. Von hier aus wurde das britische Kolonialreich regiert, die größte Macht der Weltgeschichte. Wohlhabende Bürger lebten in ungeheurem Luxus. Tausende von Armen allerdings existierten am Rande der Gesellschaft, immer knapp vor dem Verhungern. 1865 waren von den rund 3 Millionen Londonern über 100 000 Almosenempfänger. Drei regnerische Tage brachten 30 000 Straßenverkäufer in existentielle Not. Nicht nur, dass sie gemeinsam litten, sie machten sich auch gegenseitig das Leben schwer. Ohne große Hemmungen betrogen, bestahlen oder ermordeten sich die Armen untereinander. Die meisten in den Elendsquartieren erhältlichen Lebensmittel waren gestreckt, zuweilen sogar kriminell gepanscht: Man verkaufte mit Schwefelsäure versetzte Limonade, mit pulverisiertem Ton vermengtes Mehl und mit Grieß vermischten Kakao.

Im Juli 1865 evangelisierte Booth in einem Zelt des East *London Special Services Committee*. Immer stärker brach die Frage auf, was mit den Neubekehrten zu tun sei: „Mein erster Gedanke war einfach, die Leute zu retten und sie den Kirchen zu übergeben. Dies ließ sich anfangs nicht durchführen: Erstens wollten sie nicht gehen, wenn man sie schickte, zweitens waren sie dort nicht willkommen, und drittens brauchten wir wenigstens einige von ihnen selbst, damit sie uns da-

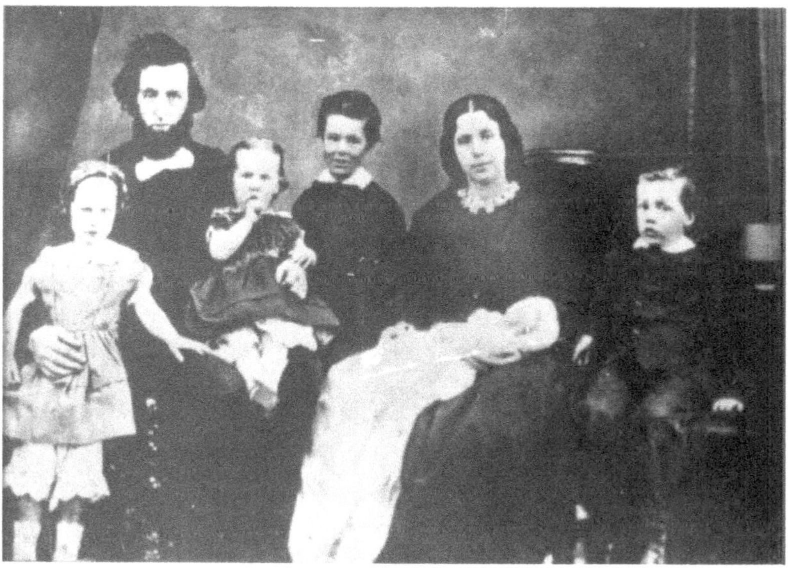

William und Catherine Booth mit ihren Kindern

bei halfen, andere zu retten. So waren wir gezwungen für die Bekehrten selbst zu sorgen." So entstand die *Ost-London Christliche Mission*. Jeder, der Mitglied werden wollte, musste auf einem Büßerbänkchen niederknien und öffentlich erklären, Gott dienen zu wollen. Außerdem musste er versprechen, „dem Frevel zu entsagen" und „das Herz auf die Rettung der Seelen auszurichten". Auf Alkohol sollte man vollständig verzichten und stattdessen vollkommene „Heiligkeit gegenüber dem Herrn" erstreben.

Booth wollte Trinker, Prostituierte und Kleinkriminelle nicht nur zur Vergebung ihrer Sünden führen. Er ging fest davon aus, dass Gott das Leben des Christen grundlegend veränderte, wenn der Mensch dazu bereit sei. Selbst der Zustand *vollkommener Heiligkeit* sei erreichbar. Christen sollten sich durch ein Reden und Leben gemäß den in der Bibel geoffenbarten Ordnungen Gottes auszeichnen. Ein Viertel des Handbuch der Heilsarmeemitarbeiter, der *Offiziere*, widmete sich der Heiligkeit des Christen (1885). Auch erwartete man die Soldaten beim wöchentlichen *Heiligkeitstreffen*.

Booths Sohn Bramwell forderte die Christen dazu auf, nicht nur in Gottesdiensten „herumzulungern", sondern die Welt wachzurütteln, um sie zu Christus zu rufen und anzuleiten, die soziale Not der Menschen zu bekämpfen. Booth wollte die Menschen vor allem in ihrer Beziehung zu Gott erreichen: „Arbeit am Herzen ist das, was wir ganz offenbar überall brauchen. [...] Der Heilige Geist, der die Menschen von ihrer Sünde überzeugt, der sie zu Heiligen und Soldaten macht, die opfern, weinen, arbeiten, um die Menschheit vor Sünde und Hölle zu retten."

Emblem der Heilsarmee (Blurpeace)

Die Heilsarmee entsteht

Vor dem Pub *The blind beggar (Der blinde Bettler)* begann Booth mit seiner Arbeit. Hier, wo sie lebten, wollte er die Menschen aus dem moralischen und ökonomischen Sumpf ziehen. Booth predigte ihnen die Vergebung Gottes und ermöglichte ihnen einen echten Neuanfang. Mitten in diesem heruntergekommenen Vergnügungsviertel Londons unter Kleinkriminellen, Prostituierten und Säufern hielt er auf offener Straße Gottesdienste und Gebetsveranstaltungen, führte seelsorgerliche

Gespräche und verteilte christliche Literatur. Als er wenig später einen Pub im berüchtigten *East End* von London übernahm, randalierten zahlreiche Trinker tagelang, weil hier jetzt kein Alkohol mehr ausgeschenkt wurde. Einige schmissen sogar die Scheiben ein und beschmierten die Hauswände. Besonders in den Anfangsjahren wurden Booth und seine Mitarbeiter von der Alkoholindustrie häufig massiv verunglimpft. Zeitweilig wurden Schlägertrupps zu den Veranstaltungen der Heilsarmee geschickt. Etliche ihrer *Soldaten* wurden dabei verletzt, einige starben sogar. Booth ließ sich davon allerdings nicht beeindrucken. Er wusste sich zu dieser Arbeit von Gott berufen.

Einige Veranstaltungen fanden in Theatern und an anderen ungewöhnlichen Orten statt. Schließlich erwarb man den *Volksmarkt* auf der Whitechapel Road, der 1870 in eine Missionshalle umgewandelt wurde. Hier wurden billig Lebensmittel an die Armen verkauft und Unterkünfte für Obdachlose und Gottesdienstbesucher angeboten. Unzufrieden mit der langsamen Arbeitsweise von Komitees und Konferenzen entwickelte man eine unkomplizierte Struktur nach militärischem Vorbild. Booth wurde zum *General*, der rasch und unbürokratisch entscheiden konnte. „Wenn zu Moses Zeiten Komiteesitzungen stattgefunden hätten, dann wären die Kinder Israels niemals durch das Rote Meer gezogen!"

Ab 1880 wurde dann auch der Name *Heilsarmee* für die *Christliche Mission* immer gebräuchlicher. Die Uniform der Mitglieder förderte deren Gruppenbewusstsein, schützte vor Übergriffen auf der Straße und half, sich vom traditionellen Trott englischer Religiosität abzusetzen. Schlagzeug und Blaskapellen konnten sich auch auf den lauten Straßen Gehör verschaffen und notfalls das Geschrei des Straßenpöbels übertönen. Außerdem war diese Musik frisch, dynamisch und modern.

Obwohl am Ende eine christliche Großorganisation entstand, die die Welt veränderte, hatte Booth Jahrzehntelang mit massiven Angriffen, Unterstellungen und Drohungen zu kämpfen, ganz abgesehen von den zahlreichen materiellen und organisatorischen Herausforderungen. „Mein Leben ist eine ununterbrochene Folge von Prüfungen gewesen. Oft habe ich mich in den Schlaf geweint."

Finsteres England

1889/90 pflegte Booth seine sterbenskranke Frau und verfasste mit Hilfe des Journalisten W. T. Stead sein berühmtes Buch *Im dunkelsten England und der Weg hinaus* (*In Darkest England And The Way Out*). In klaren und drastischen Worten wurden hier die erbärmlichen Lebensbedingungen vieler Engländer beschrieben, die in chronischer Armut, schlechter Bildung, Krankheit und fehlender Moral dahinvegetierten, ohne jede Aussicht, sich je aus diesem Teufelskreis befreien zu können. „Ich sah Massen von Menschen, nicht nur ohne Gott und ohne Hoffnung, sondern versunken in die verzweifeltsten Formen von Bosheit und Elend, die man sich nur vorstellen kann." Booth schlug vor, die Notleidenden in Stadt-Gemeinschaften aufzunehmen, um ihnen hier Disziplin und Organisation beizubringen. Farm-Kolonien fernab der Städte sollten sie weiterbilden. Schlussendlich könnten sich die Hilfesuchenden, entsprechend vorbereitet, in einer britischen Übersee-Kolonie eine neue, stabile Existenz aufbauen.

Die begrenzten finanziellen Mittel erlaubten jedoch lediglich die Einrichtung einer Mustersiedlung in Suffolk. Aber noch 1906 träumte Booth davon, Rhodesien (heute: Republik Simbabwe) in eine riesige Kolonie der Heilsarmee zu verwandeln. Angesichts der berechtigten Unzufriedenheit verarmter Arbeiter, Seeleute und Handwerker und angesichts drohender kommunistischer Unruhen sahen manche in Booths Konzept eine echte Alternative. Immerhin half die Heilsarmee in 40 Jahren rund 250 000 verarmten Menschen, sich in Übersee eine neue Existenz aufzubauen. Darüber hinaus entwickelte Booth Konzepte zur Einrichtung von Rechtsberatungen, Banken, Krankenversorgung und beruflicher Ausbildung für Arme und Bedürftige.

Suppe, Seife, Seelenheil

Booth sah das Elend und war fest davon überzeugt, dass hier nur durch eine praktische christliche Aktion Abhilfe geschaffen werden könne. Die von ihm angedachte Hilfe sollte ganzheitlich sein. Die Menschen sollten nicht nur zu essen bekommen, sie brauchten eine Erneuerung von Körper, Seele und Geist. Daraus ergab sich der spätere „Schlachtruf" der Heilsarmee: „Suppe, Seife, Seelenheil!"

Zuerst einmal war es für Booth wichtig, die unmittelbaren körperlichen Bedürfnisse der Menschen zu stillen. Anderenfalls wirke die Predigt schnell lebensfremd und kalt, war seine Auffassung. „Einem Menschen mit Hunger brauche ich keine Predigt zu halten. Sein Magen knurrt so laut, dass er die Predigt nicht hören kann." In einem anderen Vortrag erklärte Booth diesen Zusammenhang folgendermaßen: „Niemand kann selig sein, solange er kalte Füße hat, und keiner kann bekehrt werden, solange ihn Zahnschmerzen quälen."

Bei allen sozialen Aktivitäten der Heilsarmee gegen Hunger, mangelnde Bildung, Alkoholismus und Gewalt hob Booth immer wieder deutlich hervor, dass sein eigentliches Ziel die Hinwendung möglichst vieler Menschen zu Jesus Christus war. Nur der Glaube könne das Denken und Leben der Armen nachhaltig verändern, war Booth' Überzeugung. „Es gibt Menschen, deren Leidenschaft die Kunst ist. Es gibt Menschen, deren Leidenschaft der Ruhm ist. Es gibt Menschen, deren Leidenschaft Gold ist. Meine Leidenschaft ist: Seelen retten."

Dabei hoben sich die Heilsarmee-Gottesdienste deutlich ab von den eher intellektuell ausgerichteten Predigten der meisten anderen Kirchen seiner Zeit. „Gebraucht Worte, die jedes Dienstmädchen verstehen kann", wies er seine Mitarbeiter an. Booth selbst predigte volksnah, mit vielen praktischen Beispielen, einfach und mitreißend, immer aber auch klar an der Bibel orientiert.

Zwischen Annahme und Ermahnung

Vehement wehrte sich Booth gegen die scheinheilige Strategie manch gutbürgerlicher Christen, die erst eine moralische Lebensveränderung erwarteten, bevor sie den Kleinkriminellen und Verarmten die Kirchentüren öffnen wollten. „Dass sie durch eigene Schuld in diese Lage geraten sind, sagst Du? Vielleicht. Aber das ist kein Grund dafür, ihnen nicht beizustehen. Du forderst doch auch kein Tugendzeugnis, bevor du einen Ertrinkenden aus dem Wasser ziehst. Und auch keine Sicherheit dafür, dass ein Mann seine Miete bezahlt hat, bevor du ihn aus dem brennenden Haus rettest."

Booth begegnete den Trinkern und Verarmten durchaus nicht nur mit freundlichen Worten und verständnisvollem Händchenhalten. Ihm ging es nicht darum, bequeme Entschuldigungen für ihre bescheidene Lebenssituation zu finden. Booth konnte diesen Menschen auch sehr deutlich ihr eigenes Versagen vor Augen führen und sie dann zur Umkehr rufen: „Ich will euch einmal ein paar Fragen vorlegen, die jeder von euch verstehen kann. Hat einer von euch vielleicht ein Kind zu Hause, das keine Schuhe an den Füßen hat? Sitzen eure Frauen jetzt in ihren dunklen Stuben und warten darauf, dass ihr wieder ohne Geld nach Hause kommt? Wollt ihr von hier fortgehen, um das Geld zu versaufen, das eure Frauen bitter nötig haben, um Brot zu kaufen?" Booth war überzeugt davon, dass echte und dauerhafte Veränderung nicht ohne die Einsicht und Umkehr der Betroffenen möglich ist.

Die Heilsarmee-Strategie

Booth war durchaus bereit, auch vollkommen neuartige Mittel einzusetzen, um sein Ziel zu erreichen. Er stellte eine straffe Organisation nach militärischem Vorbild auf die Beine – mit Uniformen, Fahnen und Rangabzeichen. Statt Orgelmusik bekam man Posaunen und Schlagzeug zu hören. Der Prediger war „Offizier" und die Gemeinde wurde

„Korps" genannt. Der feste äußere Rahmen sollte den Menschen neues Selbstvertrauen geben und ihnen helfen, einen deutlichen Trennungsstrich unter ihr bisheriges Leben zu ziehen. Schon rein äußerlich sollte der Neuanfang sichtbar werden. Wahrscheinlich setzte Booth auch auf das relativ hohe Ansehen, das die staatliche Armee damals in der Bevölkerung hatte.

Auch in anderer Hinsicht war der „General", wie Booth später genannt wurde, unkonventionell. Er verstand sich weniger als Theologe, sondern vielmehr als Pragmatiker. Auf Heilsarmeeveranstaltungen predigten neben den *Heilssoldaten* gelegentlich auch Frauen, sogenannte *hallelujah females* („Hallelujamädchen"), oder zogen in Uniform durch die Londoner Vergnügungsviertel. „Jeder Offizier und Soldat soll darauf bestehen, dass die Frau genauso wichtig, so wertvoll, so fähig und so notwendig für den Fortschritt und das Glück der Welt ist wie der Mann."

Typische Szene eines Auftritts der Heilsarmee (Katie Booth in einer Pariser Kneipe)

Um die Massen von der Straße zu erreichen, fanden viele Veranstaltungen nicht in Kirchen statt, sondern in ehemaligen Fabrikhallen, in *salvation factories* („*Rettungsfabriken*"). „Kommen die Massen nicht in die Gottesdienste, müssen die Gottesdienste zu der Masse gebracht werden." So etwas war damals vollkommen undenkbar. Da wundert es kaum, dass Booths Aktivitäten von der Kirche und auch von manchen

Unternehmern kritisch gesehen wurden. Insbesondere die Kneipenwirte und Schnapsbrennereien organisierten und finanzierten Aktionen gegen die Heilsarmee, bei denen man auch handgreiflich gegen deren Mitglieder vorging. Allein 1882 wurden über 600 Heilsarmeeoffiziere Opfer von Übergriffen.

Auch die etablierten Kirchen und Mitglieder des Bürgertums standen den Aktionen der Heilsarmee häufig distanziert bis kritisch gegenüber. Vor dem Hintergrund der liturgischen anglikanischen Gottesdienste erschien ihnen Booths hemdsärmeliges Auftreten unpassend und unwürdig. Beispielhaft soll hier die Begegnung zwischen dem damals schon bekannten englischen Schriftsteller Joseph Rudyard Kipling (1865–1936) und William Booth erwähnt werden. Nachdem der Autor des *Dschungelbuchs* den von Schlagzeug begleiteten Posaunen der Heilsamisten und der lockeren Predigt Booths zugehört hatte, wandte er sich empört an den General und kritisierte, dass man auf solche Weise den Glauben eher lächerlich machen würde. „Junger Mann", erwiderte Booth, „wenn ich auch nur eine Seele mehr auf dem Weg zu Christus bringen könnte, indem ich Handstand mache und mit den Füßen trommle, dann würde ich auch das noch zu lernen versuchen."

Und trotzdem oder vielleicht gerade deshalb hatte die Heilsarmee Erfolg. Sie sprach genau das an, was die Leute beschäftigte, und half ihnen dort, wo sie am dringendsten Hilfe brauchten. Allein in London wurden Jahr für Jahr Zehntausende versorgt. Booth richtete Speisehallen ein, in denen man für wenig Geld Brot, Suppe, Fleisch und Kaffee bekam. 1874 wurden *Trinker-Rettungs-Brigaden* gebildet, die mit intensiver Betreuung und strenger Abstinenz vielen Alkoholikern halfen, trocken zu werden und ein neues Leben zu beginnen. Wenig später begannen *Rettungs-Brigaden für Strafgefangene* mit ihrer Arbeit. Trotz aller Kritik und Diffamierung wurde die Heilsarmee schon bald international populär. Seit 1882 arbeitet sie in der Schweiz, seit 1886 in Deutschland und seit 1927 in Österreich. Schon im Jahr 1904 gab die Heilsarmee allein in London 3 Millionen Mahlzeiten an Bedürftige aus, organisierte 1,5 Millionen Übernachtungen für Obdachlose, nahm 2100 junge Frauen mit Problemen und 700 Exsträflinge in ihren Häusern auf. Außerdem versorgte sie 8000 Kranke und 4000 Arbeitslose.

Heilsarmee in Hamburg

Schon zu Booths Lebzeiten kam die Heilsarmee auch nach Deutschland. Nachdem der Schotte George Scott Railton (1849–1913) zuvor bereits in Großbritannien, den USA, Kanada und Südafrika öffentlich für die Bekämpfung der Armut gepredigt hatte, kam er 1890 zusammen mit einer sechsköpfigen Frauensinggruppe namens „*Hallelujah Lassies*" nach Hamburg. Seine Missionsveranstaltungen waren für jeden offen. Als 1892 in der Hafenstadt die Cholera ausbrach und die Kirchen aus Angst vor Ansteckung den Totengräbern den Zutritt verweigerten, ließ Railton plakatieren: „Totengräber von Ohlsdorf besonders willkommen!"

Sieben *Korps* (Gemeinden) der Heilsarmee wurden bis 1908 gegründet. Das Hauptquartier zog 1904 an die Reeperbahn 100. 1922 konnte man ein Haus in der Talstraße kaufen, wo sich die Heilsarmee bis heute um die Hilfesuchenden des Hamburger Vergnügungsviertels kümmert. Bereits ein Jahr später wurde hier ein Wohnheim eingerichtet für Arbeiter und Angestellte, die sich keine eigene Bleibe leisten konnten. Von Anfang an kümmerte sich die Hamburger Heilsarmee besonders auch um die Ausgegrenzten, die bei anderen Versorgungsstellen (etwa der KPD und SPD) nicht gerne gesehen wurden: die Nichtsesshaften, Obdachlosen, Alkoholkranken, Bettler und *gefallenen Mädchen*. Davon gab es nach dem Ersten Weltkrieg und der Inflationszeit viele – besonders auf St. Pauli.

Späte Anerkennung

Nachdem sich die Heilsarmee etabliert hatte, schauten auch andere Konfessionen neidisch auf die *Soldaten Christi*. Anglikaner gründete eine eigene *Kirchenarmee*, Methodisten planten in den 1880er-Jahren eine ähnliche Einrichtung.

Die Heilsarmee in Hamburg (wikiuka)

Als man sich an den neuartigen Auftritt der Heilsarmee gewöhnt hatte, wurde Booth von hohen britischen Politikern, von Königen und Kaisern empfangen und lobend erwähnt. 1907 erhielt er von der Universität Oxford einen Doktor ehrenhalber und konferierte mit dem amerikanischen Präsidenten Theodore Roosevelt (1858–1919). Schließlich wurde er sogar zum Ehrenbürger der Stadt London ernannt.

Noch in hohem Alter hatte Booth nichts von seiner Begeisterung und Einsatzbereitschaft verloren, Menschen aus ihren materiellen und geistlichen Problemen herauszuhelfen. In seiner letzten öffentlichen Rede in der *Royal Albert Hall* in London im Jahre 1912 sagte Booth: „Solange Frauen weinen, wie sie es jetzt tun – will ich kämpfen; solange Kinder Hunger leiden müssen, wie sie es jetzt tun – will ich kämpfen; solange Menschen ins Gefängnis müssen, rein und raus, rein und raus – will ich kämpfen; solange es Mädchen gibt, die auf der Straße unter die Räder geraten, solange es eine Seele gibt, in der das Licht Gottes noch nicht scheint – will ich kämpfen. Ich kämpfe bis zum letzten Atemzug!" Solche mit tiefer Überzeugung ausgesprochenen Worte forderten heraus und motivierten viele junge Christen, sich radikal gegen Armut und für Gott zu engagieren.

Angesichts der sich schon damals abzeichnenden Entwicklungen in Theologie und Kirche befürchtete Booth fatale Fehlentwicklungen: „Ich bin der Überzeugung, dass die größten Gefahren, die dem kommenden Jahrhundert bevorstehen, folgende sind: eine Religion ohne den Heiligen Geist, eine Christenheit ohne Christus, eine Vergebung ohne Buße, eine Erlösung ohne Wiedergeburt, eine Politik ohne Gott und ein Himmel ohne Hölle."

Halb erblindet besuchte Booth in seinen letzten Lebensjahren zahlreiche europäische Länder, um dort die Arbeit der Heilsarmee zu för-

William Booth im fortgeschrittenen Alter

dern. Bis dahin arbeiteten die Heilssoldaten in 58 Ländern der Welt. William Booth starb am 20. August 1912 im Alter von 83 Jahren. An seiner Beerdigung nahmen 40 000 Menschen teil.

Heute ist die Heilsarmee mit insgesamt 1,7 Millionen Mitgliedern, 15 765 Gemeinden, 1900 Schulen, 3600 Sozialeinrichtungen, 21 Krankenhäusern und 202 Gesundheitszentren in 126 Ländern vertreten.

Ausgewählte Literaturhinweise

Geoff Benge/Janet Benge: *William Booth. Soup, Soap, and Salvation*, YWAM Publishing, Seattle/USA 2002

David Malcolm Bennett: *William Booth and his Salvation Army*, Even Before Publishing, Capalaba/Australia 2013

Richard Collier: *Der General Gottes William Booth. Die Geschichte der Heilsarmee*, Verlag der St. Johannis-Druckerei, Lahr-Dinglingen 1981

Trevor Yaxley/Carolyn Vanderwal: *William & Catherine Booth. Leben und Vermächtnis der Gründer der Heilsarmee*, Adullam Verlag, Grasbrunn 2007

Ansätze zum Weiterdenken

◊ Jede in die Jahre gekommene Gemeinde steht in der Gefahr, ihren eigentlichen Auftrag zu vergessen: Menschen praktisch zu helfen und sie auf Gott hinzuweisen. Stattdessen treten gewöhnlich äußere Formen und Traditionen immer mehr in der Vordergrund. In größeren Abständen ist es deshalb für jede Gemeinde hilfreich, festzustellen, ob sie ihrem ursprünglichen Anliegen noch gerecht wird, und dann gegebenenfalls umzulenken.

◊ Wenn man nicht davor die Augen verschließt, gibt es immer hilfsbedürftige, arme und heruntergekokmmene Menschen, um die sich einzelne Christen und Gemeinden kümmern sollten, wenn sie an einem ganzheitlichen Dienst interessiert sind. Jesus verband sein Reden von Gott gewöhnlich mit konkreter Hilfe für leidende Menschen.

◊ Wer Menschen auf Jesus Christus aufmerksam machen will, sollte immer auf der Suche nach neuen, noch besseren Möglichkeiten sein. Wichtig ist vor allem, dass Menschen das Evangelium hören und verstehen, worum es dabei geht. Weniger wichtig ist dann die äußere Form, die gemeindliche Tradition oder der eigene Geschmack. Manchmal stehen sehr persönliche Vorstellungen von geistlicher Würdigkeit und Angemessenheit der wirksamen Verbreitung des Evangeliums im Weg.

◊ Nie sollten Christen sich lediglich auf soziale Hilfe konzentrieren, auch wenn eine säkulare Gesellschaft das immer massiver fordert.

Letztendlich geschieht das Wichtigste in der Seele des Menschen. Hier können Denkfehler und schlechte Gewohnheiten bearbeitet werden. Hier werden Werte und Charakter eines Menschen geprägt. Gerade diese Aspekte verändern tiefgreifend und dauerhaft die Lebenssituation eines Hilfesuchenden. Außerdem sind Christen überzeugt, dass die größten Probleme mit der fehlenden Beziehung zu Gott zu tun haben. Nur ein Mensch, dessen Schuld von Gott vergeben wurde, kann ausgeglichen leben und sich darauf freuen, in Ewigkeit bei Gott zu sein.

27

Charles Haddon Spurgeon (1834–1892)

Predigerfürst im Londoner Tabernacle

Amerikanische Mega-Churches beeindrucken schon allein durch ihre schiere Größe. Mehrere tausend aktive Gemeindeglieder finden sich zu Gottesdiensten zusammen, die in riesigen Hallen oder Stadien abgehalten werden. Solche Kirchen wirken oft als typischer Ausdruck einer postmodernen Massen- und Mediengesellschaft. Doch schon in der Mitte des 18. Jahrhunderts existierte in London eine solche Mega-Church mit um die 10 000 Gottesdienstbesuchern, ganz ohne Internet, Verstärkeranlagen und Bühnenshow.

Die Anfänge

Die Eltern des am 19. Juni 1834 in Kelvedon/Essex geborenen Charles Haddon Spurgeon lebten eine tiefe Frömmigkeit. Die Familie stammte von holländischen Flüchtlingen ab, die infolge der katholischen Gegenreformation nach England gekommen waren. „Ich entstamme einer Familie, welche während der Verfolgung unter Herzog Alba von Holland herüber kam. […] Ich bekenne, dass unsre Vorväter arme Weber waren; aber ich will doch lieber von jemand abstammen, der um seines Glaubens willen gelitten hat, als das Blut aller Herrscher in meinen Adern rollen haben."

Vater und Großvater waren fromme kongregationalistische Prediger. In seinem Elternhaus bekam Spurgeon schon früh die Literatur der puritanistischen Erweckungsprediger in die Hände. Deren persönlicher und calvinistisch geprägter Glaube prägte ihn tief. Zeitweilig lebte er bei seinem Großvater in Stambourn. Schon als kleiner Junge fiel Spurgeon durch sein intellektuelles und geistliches Interesse auf. Lieber als mit gleichaltrigen Jungen zu spielen las er Bücher. Gerne hörte er seinem Großvater zu, wenn dieser seelsorgerliche Gespräche führte oder sich mit Pfarrkollegen austauschte. Im Rückblick erinnerte sich Spurgeon an eine Art Berufung, die er als Kind von einem erfahrenen Prediger erhielt: „Während ich mich als zehnjähriger Knabe bei meinem Großvater aufhielt, kam an einem Sonnabend Herr Knill, ein gewaltiger Prediger des Evangeliums, der als Missionar in St. Petersburg gewirkt hatte [...] in der gewinnendsten Weise sprach er zu mir von der Liebe Jesu und von der Seligkeit des Vertrauens auf ihn, und davon, wie selig es sei, ihn schon in der Kindheit zu lieben. Dann beteten wir, und er bat den Herrn, dass ich ihn erkennen und ihm dienen möchte. [...] Bei dieser Gelegenheit nahm mich Herr Knill vor aller Augen auf seine Knie und sagte: ‚Dieses Kind wird eines Tages das Evangelium predigen und wird es großen Versammlungen verkündigen.' [...] Er sprach sehr feierlich und forderte alle Anwesenden zu Zeugen dessen auf, was er gesagt hatte."

Spurgeon im Alter von 23 Jahren

Während seiner Schulzeit begann Spurgeon intensiv nach Gott zu suchen: „Es gefiel Gott, mich in meiner frühen Jugend von der Sünde zu überzeugen. Ich lebte als ein elendes Geschöpf, das keine Hoffnung, keinen Trost finden konnte. Mein Herz war zermalmt; sechs Monate lang betete ich unter großer Angst von ganzem Herzen und fand keine Erhörung. Ich war entschlossen, jede Gemeinde in Colchester zu besuchen, um den Weg des Heils zu finden; ich war zu allem bereit, wenn Gott mir nur vergeben wollte." Mit vierzehn distanzierte er sich von der kirchlichen Kindertaufe. Am 13. Januar 1850 bekehrte Spurgeon sich nach der Predigt in einer kleinen Freikirche der *Primitive Methodists* in Colchester. Vier Monate später ließ er sich im Fluss Lark öffentlich taufen. Ohne weitere theologische Ausbildung wurde er bereits im Alter von 17 Jahren als Prediger einer kleinen baptistischen Kirche in Waterbeach bei Cambridge berufen. Nebenher arbeitete er als Lehrer an einer örtlichen Schule.

Eine 1852 geplante theologische Ausbildung im College von Stepney (später *Regents Park*) kam durch eine Führung Gottes nicht zustande, sodass Spurgeon sich im Selbststudium Hebräisch, Griechisch und solide Kenntnisse im Bereich von Theologie und Naturwissenschaft aneignete.

Gemeindewachstum
Im Jahr 1854 wurde Spurgeon Pastor der *New Park Street Baptist Church* im Londoner Stadtteil Southwark. Schon bald strömten dermaßen viele Besucher in die Gemeinderäume, dass man Hunderte wieder nach Hause schicken musste. Jeden Sonntag waren die Straßen, die zur Kapelle führten, verstopft. Spurgeons Gemeinde wuchs im Durchschnitt um 400 neugetaufte Personen jährlich. Außerdem besuchten zahllose Neugierige und Besucher aus anderen Gemeinden seine Predigten. Nach zwölf Monaten entschied man sich für den Sonntagabendgottesdienst die *Exter Hall* zu mieten. Auf Dauer erwies sich aber auch diese Veranstaltungshalle als zu klein. Außerdem wollten die Besitzer ihre Räume nicht nur immer einer bestimmten kirchlichen Gruppe überlassen.

Den Zeitungskommentatoren war Spurgeons Erfolg suspekt. Sie bemühten sich, den Prediger als verschrobenen Bauernfänger darzustellen. Eine kritische Karikatur trug den Untertitel: *Brimstone and Treacle* (*Schwefel und Sirup*). Schwefel sollte auf Spurgeon hinweisen, der, im Gegensatz zu der rationalistischen Theologie seiner Zeit, in seinen Predigten auch offen von der Hölle sprach. Sirup stellte den beliebten liberalen Prediger John Chippendall Montesquieu Bellew (1823–1874) dar, der auf unangenehme Themen verzichtete und eher gebildet, sanft und süßlich redete. Auf einer anderen Zeichnung mit dem Titel *Cach `em alive O!* (*Fang' sie lebendig!)* wurde Spurgeon mit einem Hut voll geleimtem Fliegenpapier abgebildet. Damit wollte man dem Prediger unterstellen, mit seinen Reden Menschen wie Fliegen einzufangen. Dieser öffentliche Spott hielt allerdings nur wenige davon ab, Spurgeons Predigten zu besuchen. Schließlich entschloss man sich, die Gottesdienste in der Musikhalle der *Royal Surrey Gardens* durchzuführen. Das 12 000 Menschen fassende Gebäude lag in einem erst kürzlich fertiggestellten Parkgelände mit Springbrunnen, Höhlen, Lauben, Rasenflächen und einem Tierpark. Da in der *Music Hall* normalerweise Sinfonien und Opern aufgeführt wurden, warfen Spurgeons Gegner ihm vor, in einem „Tempel weltlicher Vergnügungen" zu predigen und sich dem Zeitgeist zu beugen. Spurgeon wählte diese Räumlichkeiten jedoch nicht, um seine Veranstaltungen attraktiver erscheinen zu lassen, sondern weil in London keine andere Halle von ähnlicher Größe zur Verfügung stand.

Aufgrund des enormen Andrangs zu den Sonntagabendgottesdiensten mussten Platzkarten an die Gemeinde ausgegeben werden. Nachdem am ersten Abend (19. Oktober 1856) alle Sitzplätze belegt waren, drängten sich noch 3000 Besucher in den Gängen. Rund 10 000 Interessenten blieb der Eintritt gänzlich verwehrt. Einige Gegner Spurgeons legten es darauf an, eine Panik auszulösen, weshalb sie mitten in der Veranstaltung „Feuer!" schrien. Obwohl Spurgeon versuchte, von der Kanzel her für Ordnung zu sorgen, und obwohl weder Rauch noch Flammen zu sehen waren, drängten Tausende zu den Ausgängen. Sieben Menschen starben infolge der Panik, 28 wurden verletzt.

Spurgeon predigt in der *Surrey Music Hall* (1858)

Unmittelbar nach dieser Katastrophe zog sich Spurgeon in das Haus eines Freundes auf dem Land zurück. Er fühlte sich für das Vorgefallene verantwortlich. Er war sich unsicher, wie und ob er weitermachen sollte. „Wie barmherzig ist der Herr, dass er treu bleibt, auch wenn wir nicht glauben! Er erhört unser Gebet selbst dann, wenn wir uns mit Zweifeln quälen und seinem Namen Unehre machen." Schließlich fühlte Spurgeon sich durch Gott und Freunde ermutigt, ab dem 23. November weitere Gottesdienste in der *Music Hall* abzuhalten. Ähnliche Szenen wiederholten sich daraufhin nicht mehr. Die 1858 in Amerika aufblühende Erweckungsbewegung erreichte 1860 auch England und führte zu einem weiteren Ansteigen der Besucherzahlen. Spurgeons Predigten wurden zu einer der Hauptattraktionen Londons. Selbst Mitglieder des Königshauses und der Regierung besuchten seine Veranstaltungen. Zu seiner Zeit war Spurgeon der weitaus bekannteste Prediger Englands.

Zwischenzeitlich sprach Spurgeon nicht nur in der Hauptstadt, sondern auch in den meisten anderen Teilen des Landes. Dabei rief er immer wieder zu Spenden für die geplante Gottesdiensthalle, das *Tabernacle*, auf. Nach rund zweijähriger Bauzeit wurde das *Metropolitan Tabernacle* in Newington Butts 1861 eingeweiht. In der Kirche fanden 6500 Zuhörer Platz. Außerdem gab es in dem Gebäude eine 900 Personen fassende Gebetshalle, einen Sonntagsschulsaal für 1000 Kinder, zahlreiche Klassenzimmer, Gruppenräume, mehrere Küchen usw. Angegliedert war die *Baptisten-Landmission*, die in den London umgebenden Dörfern evangelisierte, und der *Evangelisten-Verein*, dessen Mitarbeiter in Kneipen und Tanzlokalen versuchten, mit Menschen über den Glauben zu sprechen.

Metropolitan Tabernacle, Innenraum

Geistliche Erweckung

Spurgeons Wirksamkeit fällt in die Zeit der Erweckung in Großbritannien. In seiner Zeitschrift *The Sword and the Trowel* erklärte Spurgeon 1866, was er unter *Erweckung* verstand: „Das Wort Erweckung ist aus dem Lateinischen abgeleitet und bedeutet ‚wieder leben' oder, ‚ein Leben neu empfangen, das schon fast ausgehaucht wurde'. … Das flackernde Lebenslicht eines Sterbenden flammt plötzlich wieder auf zu ungewöhnlich strahlender Helle." Deutlich bezog Spurgeon Stellung gegen die Auffassung, man könne Erweckung durch irgendwelche Methoden herbeiführen, selbst wenn sie geistlich klängen. Erweckung war für ihn nicht das Ergebnis von „Begeisterung, Massenversammlungen, Stampfen mit dem Fuß". Sie sei vielmehr das Resultat des nicht verfügbaren Wirkens Gottes. Christen könnten höchstens die Voraussetzungen dazu schaffen, indem sie die ganze biblische Wahrheit predigten. „Der Heilige Geist muss in das lebende Herz hineinkommen durch die lebendige Wahrheit."

In *The Bible and the Newspaper* (1878) kommentierte Spurgeon Ereignisse des Zeitgeschehens, um seinen Lesern Gottes Herrschaft in der Geschichte vor Augen zu führen. Eine Sturmflut im April 1878, durch die auch Kellerräume des *Tabernacles* unter Wasser gesetzt wurden, benutzte Spurgeon, um die Kraft der geistlichen Erweckung zu beschreiben, die durch nichts zurückgehalten werden kann.

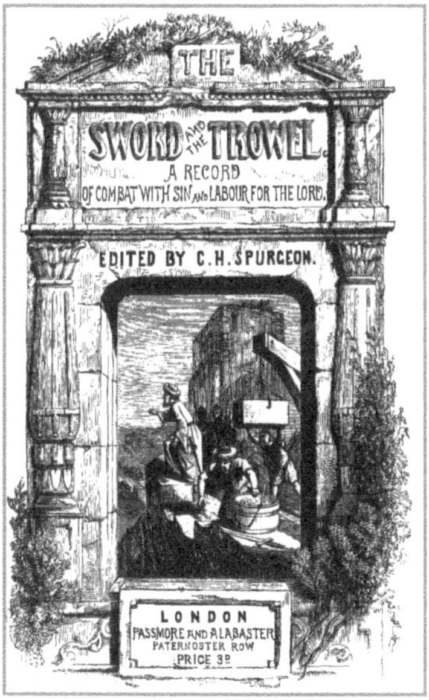

Spurgeons Zeitschrift „The Sword and the Trowel"

Einen Artikel in der *Daily News*, der die *Dreadnought* als das modernste Schlachtschiff der Welt beschrieb, nahm Spurgeon zum Anlass, eine verbreitete Technikgläubigkeit zu kritisieren, die sich selbst im kirchlichen Bereich niedergeschlagen hatte. Nur wenige Jahre nach der von Gott bewirkten Erweckung begannen Christen, Systeme und Schemata zu entwickeln, nach denen geistliches Wachstum weiter gewährleistet werden könnte. „Stehen wir nicht alle in der Gefahr, einer religiösen Maschine zu vertrauen und das Werk des Herrn Sekretären, Komitees, Missionaren und so fort zu überlassen?" Echte Erweckung aber lässt sich nach Spurgeon nicht organisieren. „Das göttliche Leben muss über Menschen hereinbrechen, die kein Interesse daran haben, und in Räume eindringen, wo es als eine Zumutung empfunden wird. Es muss bei Menschen zu sehen sein, die unterwegs sind, die im Verkehr und im Menschengewühl dahintreiben."

Soziales Engagement

Geistliche Erneuerung sollte für Spurgeon auch immer in der Gesellschaft sichtbar werden. „Es ist sehr zu wünschen, dass die christliche Kirche noch mehr Kraft und Einfluss in aller Welt gewönne für Gerechtigkeit ... soziale Reform und sittlichen Fortschritt."

Spurgeons soziales Engagement zeigte sich unter anderem in dem von ihm 1867 gegründeten Waisenhaus *Spurgeon's Child Care*, in dem rund 500 Kinder aufgenommen werden konnten. Seine Gemeinde betrieb darüber hinaus mehrere Armenhäuser, Schulen und Altenheime, die ausnahmslos durch freiwillige Spenden finanziert wurden.

Politisch unterstützte Spurgeon William Edwart Gladstones (1809–1898) *Liberale Partei*. Immer wieder griff er gesellschaftliche Fragen auf, selbst wenn das für ihn persönlich von Nachteil war. So prangerte Spurgeon 1860 in Predigten die amerikanische Sklaverei an, was zu einem erheblichen Rückgang von Buch- und Predigtbestellungen führte. Sklaverei sei „das schlimmste Verbrechen und eine seelenzerstörende Sünde".

Seit 1856 unterrichtete Spurgeon an dem von ihm gegründeten *The Pastor's College* (später *Spurgeon's College*). Die Ausbildungsstätte erfreute sich so großer Beliebtheit, dass 1911 24 % aller baptistischen Prediger hier ihre Ausbildung erhielten. Im Mittelpunkt des Studiums stand die Befähigung zu Predigt und Seelsorge. Die von Spurgeon ausgebildeten Prediger gründeten insbesondere im Südosten Englands zahlreiche neue Gemeinden und prägten damit den konservativen Baptismus in ganz Großbritannien. Ein außerordentlich großer Prozentsatz der hier ausgebildeten Prediger entschied sich später für eine Tätigkeit in der weltweiten Mission.

Spurgeon als Autor

Spurgeon war nie der passionierte Schreiber. „Schreiben ist für mich eine Sklavenarbeit", äußerte er in seinem Buch *The Saint and the Saviour*. Nur wenige Bücher verfasste er als eigenständige Werke. In späteren Jahren stellte Spurgeon einen Sekretär an, der Material aus seinen Reden, Ansprachen und Predigten auswählte und in Druck gab.

Spurgeons Ansprachen wurden nicht nur mit Begeisterung gehört. Von 1855 bis 1917 wurden seine Predigten wöchentlich in einer Auflage von 25 000 Exemplaren gedruckt, erst in *The New Park Street Pulpit* später in *The Metropolitan Tabernacle Pulpit*. Spurgeons Predigten wurden auch in mehr als 40 Sprachen übersetzt und bis heute vielfach gelesen, besonders in den USA. Von 1865 bis zu seinem Tod (1892) gab Spurgeon die sehr verbreitete, theologische Monatszeitschrift *The Sword and the Trowel* (*Schwert und Kelle*) heraus.

Unter den zahlreichen von Spurgeon verfassten Schriften (rund 200) ragen besonders sein siebenbändiger Psalmenkommentar *Die Schatzkammer Davids* (*The Treasury of David*) und seine Gedanken- und Sprichwörtersammlung (*John Ploughman's Talk: or Plain Advice for Plain People*) hervor, die bis 1900 in 400 000 Exemplaren verkauft wurden.

Spurgeons Theologie
Auch wenn Spurgeons Auslegungen deutlich von reformierter Theologie geprägt waren, wollte er sich keiner theologischen Richtung vorbehaltlos anschließen, auch nicht dem Calvinismus.

Immer wieder kämpfte Spurgeon für eine bibelzentrierte Theologie. 1864 wandte er sich in einer Predigt gegen evangelikale Anglikaner, weil sie innerhalb der englischen Landeskirche verblieben, obwohl diese lehrte, dass die Wiedergeburt durch die Taufe geschehe. Aufgrund der unklaren Positionierung der *Evangelischen Allianz* in dieser Frage trennte Spurgeon sich von ihr. 1887 kehrte er der *Baptist Union* den Rücken, weil sie sich nicht deutlich gegen eine liberale Interpretation des Sühnetods Jesu und der biblischen Inspiration wandte (*Downgrade Controversy*). Deutlich bezog Spurgeon Stellung gegen jede Infragestellung der Unfehlbarkeit der Schrift.

Spurgeon in reifen Jahren

Seine Zuhörer forderte Spurgeon zu einer persönlichen Hingabe an Gott und zu einem vorbildlichen Lebensstil auf. Wer das erreichen wolle, müsse sich auf einen Kampf gefasst machen: „Satan versucht uns zu hindern, wenn wir im Gebet vertieft sind. Er reizt uns zur Ungeduld und schwächt unseren Glauben, damit wir womöglich den Segen verlieren. Nicht weniger tätig zeigt sich Satan in der Hinderung christlicher Aktivitäten. Nie hat jemals eine Neubelebung des christlichen Lebens stattgefunden, ohne dass zugleich auch der Widerstand sich kräftig hervortat. [...] Wir dürfen uns nicht darüber wundern, dass Satan uns zu hindern versucht, denn das ist nur der Beweis, dass wir auf der Seite des Herrn stehen und das Werk des Herrn ausführen." Immer wieder ging es in Spurgeons Predigten auch um Gnade und Gehorsam. Er betonte sowohl die göttliche Souveränität als auch die Verantwortung des Menschen. Im Gemeindeleben hob Spurgeon die Bedeutung des Abendmahls besonders hervor.

Gegen Ende seines Lebens schrieb er: „Meine Theologie ist auf die vier Worte zusammengeschrumpft: Jesus starb für mich."

Spurgeon als Prediger

Den großen Zuspruch, den Spurgeons Veranstaltungen fanden, kann man nicht auf unterhaltende Elemente oder eine Anpassung an den Zeitgeschmack zurückführen. Kennzeichnend für seinen Dienst waren eher das Gebet und die Lehrpredigt. Auch wenn er anfänglich immer wieder die Grundlagen des Evangeliums erklärte, ging er schon bald dazu über, auf anschauliche Weise ganz verschiedene theologische Themen aufzugreifen. So predigte er über die Eigenschaften Gottes, die Lehre der Erwählung (*Prädestination*) oder legte einfach einen Bibeltext aus. In einer farbenfrohen Alltagssprache, mit bodenständigem Humor gewürzt, wollte Spurgeon seinen Zuhörern Jesus Christus und die Grundlagen der biblischen Lehren nahebringen. Immer aber sprach er konkret und forderte seine Zuhörer heraus, gelegentlich sogar ganz persönlich. Manchmal fühlte Spurgeon sich durch den Heiligen Geist gedrängt, Menschen anzusprechen, die er nicht näher kannte: „Dort sitzt ein Mann, der Schuster ist. Er hat seinen Laden auch am Sonntag geöffnet. Letzten Sonntagmorgen war er offen. Er nahm 9 Penny ein und verdiente dabei 4 Penny. Für 4 Penny verkaufte er seine Seele dem Satan." Die Zuhörer waren beeindruckt. In jeder Veranstaltung kam es zu Bekehrungen.

Seine bis heute gültigen homiletischen Ratschläge stellte Spurgeon seinen Studenten in *Lectures to my Students* zur Verfügung. In der *Schatzkammer Davids* ergänzte Spurgeon seine eigene Textauslegung durch Kommentare puritanischer Ausleger und durch „Hinweise für den Dorfprediger".

Prediger sollten nach Spurgeon immer auch Zeugen sein von dem, was sie mit Gott erlebt hatten. Dafür sei eine persönliche Bekehrung Grundvoraussetzung. „Wenn wir nicht den Geist haben, den Jesus verheißen hat, können wir nicht den Auftrag ausführen, den Jesus erteilte." Außerdem müssten Prediger der Bibel vollkommen vertrauen und sich in ihren Aussagen immer am Wort Gottes orientieren. „Ein einziger Tropfen der unverdünnten Tinktur des Wortes Gottes ist besser als ein See von Erklärungen." Besonderen Wert legte Spurgeon auch auf die Auswahl passender Beispiele, die die einzelnen Aussagen der Predigt illustrieren sollten.

Spurgeon forderte seine Studenten auf, vor allem verständlich und glaubwürdig zu sprechen nicht akademisch-theologisch. „Wer sich unter Bergleute und Grubenarbeiter mit theologischen Fachbegriffen und salonüblichen Vokabeln begibt, der benimmt sich wie ein Idiot. Die Verwirrung der Sprachen zu Babel war weltreichender, als wir annehmen. Sie gab nicht nur den Völkern verschiedene Sprachen, sondern machte auch die Sprache jeder einzelnen gesellschaftlichen Schicht verschieden."

Abgesehen von einer gründlichen Predigtvorbereitung ermutigte Spurgeon seine Studenten in den *Ratschlägen für Prediger* zu intensivem Gebet: „Das Gebet ist unser wichtigster Gehilfe, solange die Predigt noch auf dem Amboß ist. [...] Unsere gebetslosen Predigten weisen sich als Heu und Stoppeln aus. Ein gewaltiger Beter ist eine feurige Mauer um sein Vaterland her. [...] – Wir sollten nicht nur, wir müssen mehr beten. Das Geheimnis all unseres Erfolgs im Predigtamt liegt im Beten."

Privatleben

1856 heiratete Spurgeon Susannah Thompson, eine Frau aus seiner Gemeinde. Sie scheinen eine überwiegend harmonische Ehe geführt zu haben. Ihre Kinder Charles und Thomas wurden später baptistische Prediger.

Spurgeons Grab

Jahrelang litt Spurgeon unter chronischer Nierenentzündung. Er starb am 31. Januar 1892 in Meton/ Frankreich. Am Trauerzug durch London anlässlich seiner Beerdigung nahmen mehr als 100 000 Menschen teil. Bis heute ist er als Autor und Prediger weltweit bekannt.

Ausgewählte Literaturhinweise

Ernst Bunke: *C. H. Spurgeon. Prediger von Gottes Gnade*, Brunnen Verlag Gießen 1939

Jost Müller-Bohn: *Spurgeon – ein Mensch von Gott gesandt*, Verlag der St. Johannis-Druckerei, Lahr-Dinglingen 1978

Charles H. Spurgeon: *Alles zur Ehre Gottes.* Autobiographie, CLV Verlag, Bielefeld 1997

Georg Walter: *Unter dem Banner Jesu Christi. Charles Haddon Spurgeon. Auszüge aus seinen Werken – ausgewählt und kommentiert*, CLV Verlag, Bielefeld 2012

Ansätze zum Weiterdenken

◊ Ganz gleich, wie weit sich eine Gesellschaft von Gott entfernt hat, wie stark sie materialistisch oder ideologisch geprägt wurde, Gott hat jederzeit die Möglichkeit, einen tiefgehenden geistlichen Aufbruch hervorzurufen. Das ist mit dem Begriff *Erweckung* gemeint. Massen von Menschen fragen plötzlich nach Gott und sind bereit, ihr Leben nach den Maßstäben der Bibel zu verändern.

◊ Weil sich viele Christen nach einer geistlichen Erweckung und Erneuerung sehnen, stehen sie beständig in der Gefahr, Gottes Handeln nachzuhelfen. Regelmäßig treten Prediger und Buchautoren mit ihren Konzepten an die Öffentlichkeit. Sie meinen, einen Weg gefunden zu haben, Erweckung zu organisieren. Zumeist hören sich diese Betriebsanleitungen für eine geistliche Massenbewegung durchaus plausibel an. Bestimmte Formen des Gebets, Bibellesens, Singens oder Wunderbewirkens werden hier präsentiert. Dazu kommen häufig auch noch einige psychologische und managementorientierte Ratschläge. Auftritte eines *gesalbten* Redners werden inszeniert. Mit Musik und Bühnenshow sowie einer ausgefeilten Rhetorik und Werbung sollen die Massen bewegt werden. Auch wenn das kurzfristig und in begrenztem Maß immer wieder funktioniert, muss eingeräumt werden, dass echte Erweckung nie von Menschen gemacht werden kann, ganz gleich wie fromm das Rezept auch klingt, sie ist einzig und allein Gottes Sache.

◊ Auch wenn in der Gesellschaft während der vergangenen beiden Jahrhunderte beständig über die vorgeblich veraltete, unwissenschaftliche und einengende Bibel lamentiert wurde, ist und bleibt sie das wichtigste Werkzeug, mit dem sich Gott den Menschen mitteilt. Natürlich führt es zu mehr Zustimmung und Anhängern, wenn man populäre Meinungen übernimmt, die gerade in Mode und von überallher zu hören sind. Plötzlich wird man nicht mehr als Sonderling betrachtet, sondern als zeitgemäß und aufgeklärt. Wenn dabei jedoch deutliche Aussagen der Bibel unter den Tisch fallen oder uminterpretiert werden, verliert Gemeinde ihre geistliche Glaubwürdigkeit und Autorität.

◊ Predigten sollten nicht die intellektuellen, rhetorischen oder geistlichen Fähigkeiten des Redners illustrieren. Sie haben auch nicht die Aufgabe, zu unterhalten oder immer wieder dieselben Lieblingsthemen aufzugreifen. Predigten sollten vielfältig die ganze Breite biblischer Themen aufgreifen. Sie sollten persönlich und praktisch sein, anschaulich und verständlich formuliert, nicht vernebelt durch komplexe Argumentationen oder geheimnisvolle Spekulationen.

28

Dwight L. Moody
(1837–1899)

Erweckung: von Chicago bis ans Ende der Welt

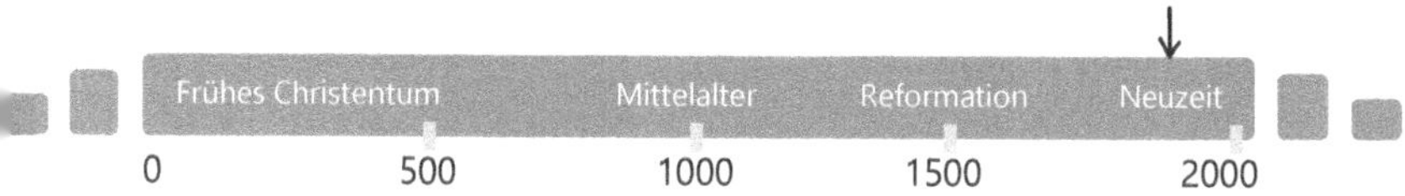

Manchen Besucher eines Gottesdienstes beschlich zuweilen der Verdacht, alle Beteiligten seien irgendwie eingeschlafen. Dieses Phänomen des *Kirchenschlafs* und des bloßen Traditionalismus gab es auch schon vor Jahrhunderten. Die großen Erweckungsprediger der Vergangenheit trugen dazu bei, ihre Zeitgenossen aus der religiösen Lethargie herauszureißen und zu einem engagierten Christenleben zu motivieren.

Weg zur Bekehrung

Einer von ihnen war Dwight Lyman Moody. Er wurde 1837 als sechstes Kind von Edwin Moody und dessen Frau Betsey in Northfield (Massachusetts/USA) geboren. Mehr schlecht als recht schlug sich der Vater als Backsteinmaurer und Kleinfarmer durch. Noch schwieriger wurde die Situation, nachdem der Vater vier Jahre nach Dwights Geburt starb (1841). Ab 1854 arbeitete Moody im Bostoner Schuhgeschäft seines Onkels Samuel Holton. Anfänglich genoss er die Vergnügungsangebote der großen Stadt, dann trat er dem *Christlichen Verein Junger Männer* (CVJM) bei, zuerst aus eher gesellschaftlichen, später aus religiösen Gründen. Außerdem besuchte er die *Mount Vernon Congregational Church*, wo er sich 1855 bekehrte. Sofort begann Moody mit einem intensiven Bibelstudium und regelmäßigen Gebeten für seine weitgehend ungläubige Familie.

Anfänge in Chicago

Wenig später entschied sich Moody, ins schnell wachsende Chicago überzusiedeln. Seit 1859 engagierte er sich im CVJM der Stadt und trug zur Ausbreitung der *Großen Erweckung* in dieser Region bei. Schon eine

Generation zuvor hatten sich mitreißende Prediger wie Finney, Caughey und Kirk daran gemacht, die häufig entwurzelten Neubürger der säkularisierten amerikanischen Großstädte für den christlichen Glauben zu gewinnen. Das starke wirtschaftliche Wachstum, Kriminalität, der Alkohol und sexuelle Freizügigkeit führten hier zu einer Entfremdung von den moralischen Vorstellungen ihrer Herkunftsgesellschaft.

Moody war durch seine Geschäfte in der Chicagoer Stiefel- und Schuhindustrie wohlhabend geworden und zog sich 1860 aus dem Geschäftsleben zurück, um ganz seiner geistlichen Berufung nachgehen zu können. Das empfand er nicht als Verlust, weil nach seiner Überzeugung ein Mensch nur durch die vollkommene Hingabe an Gott echtes Glück finden kann.

Seine Karriere als hauptberuflicher Evangelist begann Moody auf den Straßen von Chicago. Natürlich gab es auch Widerstände. Oftmals wurde Moody auf der Straße angegriffen und wegen seines Glaubens verspottet. Manchmal kam er weinend von solchen Einsätzen zurück.

Dwight L. Moody

Das in der amerikanischen Erweckungsbewegung entwickelte Modell der *Sonntagsschule* wurde ab 1856 auch erfolgreich in Chicago eingeführt. In einem sonntäglichen Unterricht wurden Kindern wie Erwachsenen die Grundlagen des christlichen Glaubens vermittelt. Im Kern ging es darum, dass Interessierte und Bekehrte die Bibel und die christliche Ethik kennen und anwenden lernten. Schon bald nahmen mehr als 600 Personen an Moodys Sonntagsschule teil. Seine Mitarbeiter bemühten sich, die Familien aller teilnehmenden Kinder auch zu Hause zu besuchen, oftmals in den Elendsquartieren. Dadurch sollte die Verbindung zwischen Glaube und Alltagsleben hervorgehoben werden.

Im Norden Chicagos gründete Moody 1859 seine eigene Missionsschule mit Bücherei und sozialen Einrichtungen. Zuerst traf man sich in einem ausrangierten Güterwaggon, dann stellte Rechtsanwalt Kings ein leerstehendes Fachwerkhaus zur Verfügung.

Im Jahr 1862 heiratete Moody Emma Revell (1843–1902), eine der Lehrerinnen seiner Sonntagsschule. Die aus hugenottischer Familie stammende Frau war äußerst attraktiv, gut gebildet, fleißig und fromm. Ihre guten Umgangsformen wurden von dem bisher eher rau auftretenden Moody übernommen. Mit ihr diskutierte er seine Ideen und Zweifel.

Schon bald weitete Moody die Arbeit der *North-Market-Saalmission* aus. Ein neues Gebäude umfasste einen Saal mit 1500 Sitzplätzen, mehrere Klassenräume und eine Kapelle (1864). Schon bald betrieb Moody die zweitgrößte Sonntagsschule Chicagos und gründete seine eigene Gemeinde, um die Neubekehrten besser betreuen und begleiten zu können (*Illinois Street Church*). Obwohl die Kirche formal kongregationalistisch war, arbeitet Moody weiterhin überkonfessionell. Viele Veranstaltungen waren informell, unterhaltsam und persönlich. Er lud zum Freitagabendtee, zum freien Beten oder zu geschäftlichen Treffen ein. Auf dem nationalen CVJM-Kongress von 1870 traf er den Sänger Ira D. Sankey (1840–1908). In den folgenden Jahren sollten die beiden dauerhaft zusammenarbeiten: Moody predigte und Sankey sang.

Ira D. Sankey

Evangelisationsreisen in England

Seine Verbindungen zum CVJM führten zu Moodys erster Englandreise (1867). Hier knüpfte er enge Kontakte mit dem Evangelisten und Waisenhausvater Georg Müller und den *Plymouth Brüdern*. Diese legten besonderen Wert auf die Unfehlbarkeit der Heiligen Schrift, eine persönlich erlebte individuelle Bekehrung und die Wiederkunft Jesu vor dem Tausendjährigen Reich (*Prämillennialismus*).

Auch beeindruckte ihn deren geistliche Vorbereitung der Veranstaltungen durch intensives Gebet. Bei seinem zweiten Englandbesuch 1872 sprach er wiederum beim Londoner CVJM, in zahlreichen

Freikirchen und auf der evangelikalen *Mildmay-Konferenz*. Durch Artikel in der populären Zeitschrift *Der Christ*, herausgegeben von R. C. Morgan, wurde Moody in ganz Großbritannien bekannt.

1873–75 kam Moody zum dritten Mal nach England. Durch den plötzlichen Tod der beiden Hauptsponsoren seiner Reise, des Kaufhausbesitzers Cuthbert Bainbridge und des renommierten Pfarrers William Pennefathers, entstand eine kurzzeitige Unsicherheit bezüglich seiner Auftritte in Großbritannien. Gerade hier lernte Moody, dass Gottes Handeln nicht von seiner Aktivität und effektiven Strategie abhängig ist, auf die er sich viel einbildete. Schließlich wurden Moody und Sankey von einigen Gemeinden im Nordosten Englands eingeladen. Außerordentlich erfolgreich war die sich anschließende Evangelisationsreise durch Schottland. Nach einem Aufenthalt in Irland erreichte die Kampagne ihren Höhepunkt in einer Predigtserie in London. Während seiner Evangelisationstour durch England griff Moody auf zwei transportable Hallen aus Wellblech zurück, die Platz für 5000 Menschen boten und weitere Räume für Gespräche und Schulungen umfassten.

Das große Feuer von Chicago (1871) – mitverantwortlich für Moodys Evangelisationsreisen

„Erfolgsgeheimnis" von Moodys Auftritten

Bei seiner Rückkehr in die USA (1875) war Moody ein bekannter Mann. Von überall her kamen Einladungen. Sein Kommen machte er davon abhängig, ob alle evangelikalen Christen in der geplanten Veranstaltungsreihe zur Zusammenarbeit bereit wären. Oft arbeitete Moody in der Vorbereitung seiner Auftritte mit christlichen Geschäftsleuten zusammen. In Philadelphia gehörten der Kaufhausbetreiber John Wanamaker zu seinen Unterstützern, in New York wurde seine Arbeit unter anderem von dem weithin bekannten Millionär J. P. Morgan finanziert. Mit diesem Geld im Hintergrund vermied Moody es, in den Veranstaltungen Geldspenden einzusammeln.

Im Anschluss an Moodys Evangelisation in New York 1876 schrieb die *New York Times*: „Die Arbeit, die Mr. Moody in diesem Winter für die private und öffentliche Moral geleistet hat, wird fortwirken. Die Trunkenen sind nüchtern geworden, die Lasterhaften tugendsam, die Weltlichen und Selbstsüchtigen selbstlos, … die Alten sind aus ihrer Überheblichkeit aufgerüttelt worden. Eine neue Hoffnung hat Hunderte von Menschen erfüllt."

Während seiner Predigten achtete Moody darauf, sich nicht in die Auseinandersetzungen zwischen Staatskirche und Freikirche einzumischen. Angesichts von Gottlosigkeit und Materialismus rief er demgegenüber zur Einigkeit der Christen auf.

Moodys Predigten waren simpel, allgemeinverständlich und humorvoll. Es ging nicht um hohe Theologie, sondern um die Grundlagen christlichen Glaubens. Moody wollte durch moderne, ansprechende Musik und neue Gestaltungselemente seine Gottesdienste interessanter gestalten. Selten predigte er über das Höllenfeuer wie die Erweckungsprediger früherer Generationen, sondern eher über die Liebe Gottes. Eher trat Moody als der gute Freund von nebenan auf, der jemanden durch Anteilnahme und nachhaltige Bitten von einer schrecklichen Gefahr wegzieht. Besonders eindringlich und plastisch konnte er biblische Geschichten vortragen und in die Lebenswelt seiner Zuhörer transportieren. Vielen Menschen imponierte vor allem Moodys Wahrhaftigkeit und Authentizität. Gelegentlich entschuldigte er sich öffentlich für seine Fehler. Wegen ihrer Beliebtheit wurden seine Predigten von einigen Zeitungen in voller Länge abgedruckt. So wurde seine Botschaft überall im Land verbreitet.

Sankeys Hymnen sprachen das Gefühl an. Beide wollten die Zuhörer zum tiefen Vertrauen auf Gott und zu einer persönlichen Beziehung zu Jesus Christus animieren. Sankeys Liederbuch, zuerst 1873 bei *Morgan und Scoot* veröffentlicht, war dermaßen beliebt, dass in nicht einmal 80 Jahren mehr als 90 Millionen Exemplare verkauft wurden. Sicher trugen auch diese Lieder dazu bei, dass Moodys Wirkung über alle Konfessionsgrenzen und theologischen Differenzen hinwegreichte.

Bildung und Mission

Abgesehen von der Evangelisation lag Moody die christliche Erziehung sehr am Herzen. 1879 rief er die *Northfield School* für Mädchen ins Leben und 1881 die *Mount Hermon School* für Jungen. Im Jahr 1886 gründete er die legendäre Chicagoer Bibelschule für Gemeindemitarbeiter, die bis heute unter dem Namen *Moody Bible Institut* äußerst erfolgreich theologische Ausbildung anbietet. Darüber hinaus etablierte er die *Bibeltage in Northfield* und unterstützte das *Student Volunteer Movement*, eine Organisation zur Förderung der Weltmission durch Einsätze junger Menschen. 1887 konnte Moody auf der Bibeltagung in Northfield 2000 Studenten für „Die Bekehrung der Welt zum Christentum in dieser Generation" gewinnen. Die meisten der von Moody eingeladenen Redner waren Vertreter der Verbalinspiration der Bibel und des bald bevorstehenden Tausendjährigen Reiches. 1899 starb Moody während einer Evangelisationsreise in Kansas an einem Herzschlag. Viele wurden von seiner konsequenten Lebensführung und seinem authentischen Auftreten motiviert, selbst als reisende Evangelisten tätig zu werden.

Gedenktafel am Ort der Bekehrung Moodys in Boston

Ausgewählte Literaturhinweise

Gottlieb Geiß: *Dwight L Moody. Vom Kaufmann zum Evangelisten*, Brunnen Verlag, Gießen 1965

Dwight L Moody: *Aus Moodys Schatzkammer*, C. M. Fliß Verlag, Hamburg 2008

John Pollock: *Dwight L. Moody. Von Gott geführt*, Christliche Verlagsgesellschaft, Dillenburg 1996

W.R. Ward: *Dwight L. Moody*, in: Martin Greschat (Hrsg.): Gestalten der Kirchengeschichte, Bd. 9, W. Kohlhammer Verlag, Stuttgart 1985, S. 308-318

Ansätze zum Weiterdenken

◊ Mancher ist von Gott mit einer angesehenen Karriere und wirtschaftlichem Erfolg gesegnet. Es ist nur angemessen, sich darüber zu freuen und ihm dankbar zu sein. Trotzdem ist es ebenso sinnvoll und äußerst erfüllend, einen Teil des eigenen Lebens dem besonderen Dienst für Gott zu widmen. Ein Arzt könnte seine Fähigkeiten während des Urlaubs kostenlos mittellosen Menschen zur Verfügung stellen. Ein wohlhabender Unternehmer könnte in frühem Alter seinen Betrieb verkaufen, um während seines restlichen Lebens mit seinem Geld Gutes für das Reich Gottes zu bewirken oder eine zweite Karriere als Missionar zu starten.

◊ Auch wenn der Inhalt des christlichen Glaubens sich seit 2000 Jahren nicht verändert hat, verändert sich die Form, wie er vermittelt wird, beständig. Noch immer gilt die Wahrheit vom Schöpfer des Universums, der Propheten berufen und sein Volk Israel erwählt hat. Noch immer ist der Mensch mit seiner Schuld von Gott getrennt und kann nur Vergebung erfahren, wenn er sich auf den stellvertretenden Tod Jesu beruft. Noch immer sind Christen durch die Gemeinde miteinander verbunden und warten auf den Anbruch des Reiches Gottes. Dieser Inhalt christlichen Glaubens aber muss jeweils angemessen zu unterschiedlichen Menschen in ihre jeweilige Lebenssituation transportiert werden. Am besten gelingt das einmal durch einen klassischen Gottesdienst, ein andermal durch ein Gespräch auf Facebook oder eine persönliche Begegnung, bei der man sein Herz ausschütten kann. Wieder andere müssen zusammen Fußballspielen, um sich öffnen zu können, oder auf ein ansprechendes Lied hören. Natürlich gilt „Der Glaube kommt durch die Predigt …" (Römer 10,17), diese kann aber eine unterschiedliche Form haben.

◊ Es ist durchaus korrekt, auf Gott als Richter, auf Sünde und Gericht hinzuweisen. Auch mancher Christ muss ermahnt und zur Veränderung seines Lebens aufgefordert werden. Im Zentrum des christlichen Glaubens aber steht unzweifelhaft die Liebe Gottes. Ähnliche Gebote und Regeln wie die der Bibel finden wir auch in anderen Religionen und philosophischen Systemen. Eine so umfassende, selbstlose Liebe, die sich selbst opfert, „auf Böses mit Gutem antwortet", „alles erträgt" usw. gibt es jedoch nur bei dem Gott, der sich durch Jesus Christus mitgeteilt hat. Natürlich ist das keine undifferenzierte Sympathie, die alles gutheißt und absegnet. Und trotzdem ist diese Liebe real, erfahrbar und ewig.

29

Amy Carmichael
(1867-1951)
Mutter der Tempelprostituierten

Beim Gedanken an Mission bekommt der eine glänzende Augen, der andere Magenschmerzen. Man kann in Mission die Gefahr sehen, anderen Menschen etwas aufzudrängen. Man kann Mission aber auch idealisieren. In der Realität sind Missionare weder blindwütige Fanatiker noch selbstlose Supermänner, die voller Liebe und Mitgefühl alle Belastungen und Widerstände klaglos ertragen. Zumeist sind sie ganz normale Menschen mit ihren individuellen Stärken und Schwächen. Und weil Missionare zumeist in einer fremden Kultur leben, unter einem hohen Erwartungsdruck stehen und eng mit einem kleinen Team zusammenarbeiten, kommen problematische Charaktereigenschaften oft noch stärker zum Ausdruck als in der Heimat.

Sehnsucht nach Heiligung

Amy Carmichael wurde 1867 als ältestes von sieben Kindern einer wohlhabenden Familie in Millisle/Nordirland geboren. Vom Ertrag einiger gut laufender Kornmühlen konnte die Familie bequem leben. Ihre Eltern, David und Catherine Carmichael waren gläubige Presbyterianer. Auch Amy besuchte schon früh die Kirche. Immer wieder betete sie, Jesus möge ihr blaue statt ihrer braunen Augen schenken. Amy war sehr enttäuscht, als sie keine blauen Augen bekam. Während ihrer späteren Tätigkeit in Indien erwiesen sich ihre braunen Augen aber als Vorteil, weil Carmichael so bei den Einheimischen eher akzeptiert wurde. Im Nachhinein war sie froh über Gottes scheinbares Schweigen.

Als Jugendliche wurde Amy von ihren Eltern auf ein Internat geschickt. Als sie 18 Jahre alt war, starb ihr Vater und Amy musste mehr Verantwortung für ihre Geschwister übernehmen. Nachdem ein Schuldner ihres Betriebes sein hohes Darlehen nicht zurückzahlen konnte, war die Familie gezwungen, ihre Mühlen zu verkaufen, um die ausstehenden Schulden zu begleichen.

Die Camichaels zogen daraufhin nach Belfast, wo Amy in Kontakt mit erweckten Kreisen in der örtlichen Stadtmission kam. Mit großem Interesse nahm sie an den Bibelkonferenzen der überkonfessionellen *Keswick-Bewegung* teil. Hier wurde für die „Vertiefung des geistlichen Lebens" geworben. Der siegreiche Christ müsse durch die Kraft des Heiligen Geistes in der Lage sein, seine Neigung zur Sünde zu überwinden. Den Prozess dahin bezeichnete man als *Heiligung*, eine weitere Stufe des Christenlebens nach der Bekehrung.

Amy Carmichael

Robert Wilson, einer der Gründer der *Keswick-Konferenzen,* nahm Amy wie eine eigene Tochter bei sich auf. Mit Freude beobachtete er die Konsequenz, die Carmichael in ihrem geistlichen Leben an den Tag legte. Auch wenn er die Außenmission befürwortete, versuchte er doch, Amy davon abzuhalten, ins Ausland zu gehen. Das hatte sicher auch damit zu tun, dass sie nach dem Tod seiner Frau und seiner Tochter eine der engsten Beziehungspersonen Wilsons geworden war.

Erster Einsatz für die Armen

Schon in dieser Zeit lagen Carmichael die Armen und vor allem benachteiligte Kinder und Frauen am Herzen. In Irland bot sie Arbeiterkindern ein geistliches Zuhause an – *Amys Wellblech-Stiftshütte*. Dazu beigetragen hatte ein Erlebnis, das ihr auch als Erwachsene noch in Erinnerung blieb. Als Amy an einem regnerischen Sonntag mit ihrer Mutter und den Geschwistern die Kirche verließ, kam ihnen auf der Straße eine unansehnliche Bettlerin entgegen. Ihre Kleidung war zerrissen, die Füße steckten in schlammverkrusteten Schuhen. Während Amy mit ihrem ältesten Bruder der Frau half, wurde sie skeptisch von mehreren Gemeindegliedern beobachtet. Plötzlich schämte Amy sich, mit der verkommenen Frau zusammen gesehen zu werden und schaute zu Boden. In diesem Moment meinte sie eine Stimme zu hören: „Wenn aber jemand auf den Grund baut Gold, Silber, Edelsteine, Holz, Heu, Stroh, so wird das Werk eines jeden offenbar werden. Der Tag des Gerichts wird's klarmachen […]" (1Korinther 3, 12f.). In diesen Worten sah Carmichael eine Ermahnung Gottes und entschied, sich nicht mehr nach der Beurteilung anderer zu richten, sondern zu tun, was Gott von ihr erwartete.

Während Carmichael ein andermal mit ihrer Mutter in Belfast in einem Café saß, sah sie draußen auf der Straße ein kleines Mädchen, barfuß und nur mit Lumpen bekleidet, im kalten Regen. Damals versprach sie sich selbst: „Wenn ich einmal groß bin und genügend Geld habe, werde ich ein schönes, großes Gebäude errichten, für Mädchen wie dich."

Mitte der 1880er-Jahre begann Carmichael eine Sonntagsschulklasse für *Shawlies*, Arbeitermädchen, die aus Geldmangel Schals statt Hüte trugen (*Mill girls*). Sie trafen sich im Gemeindesaal der Presbyterianischen *Rosemary-Street-Church*. Die Mädchen schätzten Amys Offenheit und Anteilnahme. Immer mehr kamen, um an den Veranstaltungen teilzunehmen. Schon bald musste man für die Zusammenkünfte der *Shawlies* eine Halle mit 500 Sitzplätzen suchen. Genau zu dieser Zeit bemerkte Carmichael eine Annonce in der Zeitschrift *The Christian*. Dort wurde eine Halle mit Eisenkonstruktion in der gesuchten Größe angeboten. Nachdem Miss Kate Mitchell 500 £ gespendet und ein Mühlenbesitzer das benötigte Grundstück zur Verfügung gestellt hatte, konnte die erste *Welcome Hall* an der Ecke Cambrai-Street/Heather Street in Belfast eröffnet werden (1887). Als sie wenig später nach Manchester zog, begann Carmichael auch dort mit einer Arbeit in den Armenvierteln, unter den *Mill Girls* (1889).

Berufung in die Mission

Im Alter von 24 Jahren war sich Carmichael sicher, in die Außenmission berufen zu sein. Auf der *Keswick-Konferenz* 1887 hatte sie Hudson Taylor, den Gründer der *China-Inland-Mission*, gehört und fühlte sich von seiner Arbeit persönlich angesprochen. Nachdem sie aufgrund ihrer massiven gesundheitlichen Probleme von der *China-Inland-Mission* als Kandidatin abgelehnt worden war, wandte sie sich an die *Church*

Missionary Society, von der sie akzeptiert wurde. Unter anderem litt Carmichael schon damals unter Neuralgie, einer Nervenerkrankung, wodurch sie ständig Schwächegefühle und Schmerzen hatte. Oft war sie über Wochen hinweg bettlägerig.

Bereits ein Jahr später machte Carmichael sich nach kurzer Vorbereitungszeit auf den Weg nach Japan. Sie hatte eine hingegebene Gruppe von Christen erwartet, die gemeinsam alle Kraft dafür einsetzte, Menschen für Gott zu gewinnen. In Wirklichkeit kam sie in eine rivalisierende und zerstrittene Missionarsgemeinschaft. „Wir sind hier kein bisschen besser als zu Hause, und der Teufel ist ununterbrochen tätig. Missionare, die einst wie prächtige Schiffe waren, sind heute nur noch ein Wrack." Auch fiel es Carmichael unerwartet schwer, die Sprache zu erlernen. Außerdem wurde sie immer wieder von ihren Krankheiten lahmgelegt. Häufig litt sie unter Kopfschmerzen und bekam am Ende des ersten Jahres einen Nervenzusammenbruch.

Direkter Draht zu Gott

Nach 15 Monaten hatte Carmichael den Eindruck, dass Japan nicht der richtige Ort für sie wäre. „Die traurigste Person die dir begegnen kann, ist ein Namenschrist. Als die Mission in Japan noch jung war, habe ich so etwas nie gesehen. Doch jetzt ist die Gemeinde hier ein Feld voll von Weizen und von Unkraut."

Ohne mit Vertretern der *Keswick-Konferenz* zu sprechen, von der sie unterstützt wurde, reiste sie ab. Zuerst ging es nach Schanghai/China. Was äußerlich wie eine Flucht vor der unbefriedigenden Situation in Japan aussah, interpretierte Carmichael später als Führung Gottes: „Ich kann einfach nur sagen, dass ich Japan verlassen habe, um mich zu erholen und etwas Abwechslung zu haben. Als ich in Shanghai war, hatte ich den Eindruck, dass Gott mir befahl, ihm nach Ceylon zu folgen, und so bin ich gegangen." Doch auch in Ceylon blieb sie nur kurz. Nachdem Carmichael von der schweren Erkrankung ihres väterlichen Freundes Robert Wilson erfahren hatte, ging sie nach England zurück, um ihn zu unterstützen. Ein Jahr später reiste sie wieder aus und verbrachte die restlichen 55 Jahre ihres Lebens in Indien.

Carmichaels Anspruch, direkt mit Gott in Verbindung zu stehen und Anweisungen für ihre Arbeit in erster Linie von ihm zu empfangen, machte es Mitarbeitern und Unterstützern aus England nicht immer leicht. In dieser Hinsicht wirkte sie recht exzentrisch. Oft war es nur schwer möglich, ihr zu raten oder mit ihr über Entscheidungen zu diskutieren. An dem, was sie von Gott erkannt zu haben meinte, hielt Carmichael zumeist auch fest.

Über die Jahre hinweg verfasste Carmichael mehrere Bücher, in denen sie gelegentlich mit den realen Zuständen auf den Missionsstationen scharf ins Gericht ging. Manche Missionare ärgerten sich erheblich darüber. Sicher kann auch darüber gestritten werden, ob es sinnvoll ist, Konflikte, Fehler und menschliche Unzulänglichkeiten der Missionare zu beschreiben, zumal sich nur wenige der amerikanischen und europäischen Leser wirklich in die schwierige Situation der Missionare hineinversetzen konnten. Auf der anderen Seite neigten viele Berichte für die Unterstützer in der Heimat zu einer einseitig verklärenden Darstellung des Missionarslebens. Selbstlose Helden würden ohne Rücksicht auf ihr eigenes Leben Tag und Nacht den Heiden fremder Länder helfen und das Evangelium predigen. Tausende bekehrten sich und waren dem Missionar für seine aufopfernde Tätigkeit dankbar. Natürlich gab es solche geistlichen Helden wirklich, zumindest gelegentlich.

Die meisten Missionare aber waren normale Menschen, die ihre Fähigkeiten und Schwächen in ihre Einsatzländer mitnahmen. Angesichts des eigenen hohen Erwartungsdrucks, der großen Hoffnungen in der Heimat, der unbekannten Kultur und des stark aufeinander angewiesenen Mitarbeiterteams kamen Schwächen und Macken der Missionare noch weit schneller zum Vorschein als zu Hause. Auch hier gab es Neid, Eifersucht, Faulheit, Bequemlichkeit, Kleinlichkeit, Betrug usw. Und Carmichael schrieb in ihren Büchern darüber. Das war informativ und ehrlich, schadete aber auch dem Ruf der Mission, besonders bei denen, die sie vorher idealisiert hatten. Eines ihrer ersten Bücher trug den Titel *So wie die Dinge sind* (*Things as They Are*).

Freiheit für Tempelprostituierte

Bekannt geworden ist Carmichael durch ihren Einsatz für indische Tempelkinder. Wenige Jahre nach ihrer Ankunft in Südindien zog sie im Auftrag der *Church of England Zenana Mission* nach Dohnavur, um ausgestoßenen Kindern und Jugendlichen eine neue Hoffnung zu geben (1901). Damals war im hinduistischen Indien der Brauch verbreitet, Mädchen, die man loswerden wollte, den Göttern zu weihen. Diese *Tempelkinder* wurden mit den Göttern vermählt und in die Obhut der Priester gegeben. Für den Rest ihres Lebens arbeiteten sie dann als Prostituierte in einem indischen Tempel.[38] Dort standen sie hinduistischen Pilgern zur Verfügung. Dem Sex im Tempel wurde eine besondere spirituelle Funktion zugesprochen. Wirklich freiwillig war diese Tätigkeit natürlich nicht.

---

38 Etwas euphemistisch wurden die hinduistischen Tempelprostituierten auch Tempeltänzerinnen (*Devadasi*) genannt.

Zuerst schickte Carmichael bekehrte Inderinnen als Spione durchs Land, um mehr über die konkrete Situation der Tempelprostituierten in Erfahrung zu bringen. Dann suchte sie die Zusammenarbeit mit einigen indischen Reformern, um dieses unmoralische *Geheimnis* des Hinduismus an die Öffentlichkeit zu bringen. Von den verantwortlichen Indern und auch von Missionskollegen wurde die Situation zumeist heruntergespielt. Man wollte nichts verändern. Eltern fürchteten um eine anerkannte Möglichkeit, sich überzähliger Töchter zu entledigen, und hinduistische Freier fühlten sich um ihr Vergnügen betrogen. Immer wieder gab es sogar Todesdrohungen gegen Carmichael.

Indische Tempelprostituierte

Eine der ersten aufgenommenen Mädchen war die siebenjährige Preena. Ihre Mutter hatte das Kind als Opfer für die Götter den Priestern übergeben. Tagelang hörte sie, wie Carmichael in der Nähe des Tempels mit indischen Frauen über den christlichen Glauben sprach. Eines Nachts schlich Preena sich aus dem Tempel zu Amys Haus und bat die Missionarin um Hilfe. Obwohl die Gefahr bestand, dass man sie wegen Kindesentführung anklagen würde, nahm Carmichael das Mädchen bei sich auf. Hätte sie Preena zurückgeschickt, wäre das Kind vermutlich eingesperrt und geschlagen oder anderweitig bestraft worden. Zwölf Jahre nach Beginn ihrer Rettungsaktion für Tempelprostituierte hatte Carmichael bereits 130 Kinder unter ihrer Fürsorge (1913). Die *Dohnavur-Fellowship* (*Dohnavur- Gemeinschaft*) in Tamil Nadu/Südindien war entstanden. Von 1918–1984 gab es auch ein Haus, in dem ausgesetzte und versklavte Jungen aufgenommen wurden.

Obwohl Carmichael den Hinduismus und die Missbräuche der indischen Gesellschaft scharf kritisierte, passte sie sich – was die äußere Kultur anging – weitgehend ihrem neuen Heimatland an. Alle Mitarbeiterinnen trugen indische Kleidung. Die Kinder bekamen indische Namen. Um sich den Einheimischen noch stärker anzugleichen, färbte Carmichael ihre Haut mit dunklem Kaffeesatz. Englische Missionarinnen und einheimische Inderinnen lebten und arbeiteten eng zusammen, was damals nicht selbstverständlich war.

Die Kinder wurden regelmäßig mit Nahrung versorgt, außerdem erhielten sie Kleidung und eine kostenlose Schulbildung. Natürlich gab es auch tägliche Andachten. Einige Missionarskollegen kritisierten Carmichael, weil sie ihrer Meinung nach zu wenig über den Glauben sprach und zu viel Zeit und Geld für Nahrung und Ausbildung investierte. Carmichael sah das anders: „Wenn man Seelen rettet, kann man sie nicht sofort in den Himmel befördern. Eine Seele ist mehr oder weniger fest an einen Körper gebunden. Und da man die Seele nicht heraustrennen und sich allein um sie kümmern kann, muss man sich gleichzeitig auch um den Körper kümmern."

Amy mit indischen Kindern

Ledige Schwestern als barmherziger Orden

Carmichael hatte nichts gegen das Heiraten an sich, meinte aber, von Gott zur Ehelosigkeit berufen worden zu sein. Auch ihre Mädchen drängte sie sanft, ebenfalls unverheiret zu bleiben: „Vor vielen Jahren habe ich mich in eine Höhle auf einem Berg mit Namen Arima zurückgezogen. Ich hatte Angst vor der Zukunft. Ich ging dorthin, um mit Gott allein zu sein. Der Teufel flüsterte mir ständig ins Ohr: ‚Jetzt geht es dir gut, aber was kommt später? Du wirst sehr einsam sein!' Er gaukelte mir Bilder der Einsamkeit vor, die ich heute noch sehen kann. Regelrecht verzweifelt wandte ich mich an meinen Gott und fragte: ‚Herr, was soll ich tun? Wie kann ich meinen Weg bis zum Ende gehen?' Er antwortete: ‚Keiner, der mir vertraut, wird einsam sein.' Dieses Wort hat mich seit jenem Tag immer begleitet. Das kann auch für dich wahr werden."

Schließlich akzeptierte Carmichael nur noch unverheiratete Frauen als Mitarbeiterinnen ihrer *Dohnavur-Gemeinschaft*. Sie lebten verbindlich als protestantischer Orden der *Schwestern des Gemeinsamen Lebens* zusammen. Zwar gab es kein Gelübde wie in ähnlichen katholischen Einrichtungen, wer aber später noch heiraten wollte, musste die Gemeinschaft verlassen.

Diese Gruppe gleichgesinnter Frauen war für Carmichael eine Art Ersatz für Ehe und Familie. Dabei nahm sie sich die *Brüder vom Gemeinsamen Leben* des katholischen Mystikers Geert Groote (1340–1384) zum Vorbild. Auch sonst erwartete Carmichael von ihren Mitarbeiterinnen einen geradezu „militärischen" Einsatz: „Ich bitte nicht um köstliche Kekse für die Dohnavur-Familie, schön zurechtgemacht und mit einem dekorativen Etikett versehen. Gemessen an den Ergebnissen scheint es an vielen Orten gute Fabrikanten zu geben, die ordentliche Packungen mit Keksen herstellen. Ich bitte aber nicht um Kekse, sondern um Soldaten." Carmichaels Versuche, auch eine Gemeinschaft für Männer ins Leben zu rufen, schlugen fehl.

Selbst wenn Carmichael es nur vorsichtig andeutete, war auch ihre Schwesterngemeinschaft nicht der Himmel auf Erden, sondern hatte mit ganz irdischen Spannungen und Krisen zu kämpfen. Neben all ihrer praktischen Arbeit verfasste Carmichael während der 55 Jahre ihrer Tätigkeit in Indien 35 Bücher, z. B.: *From Sunrise Land: Letters from Japan* (1895), *Things as they are; Mission Work in Southern India* (1903), *His Thoughts Said ... His Father Said* (1951), *Edges of His Ways* (1955) und *God's Missionary* (1957).

Indische Tempelanlage

Christenleben mit Konsequenz

Für sich, für ihre Mitarbeiter und auch für ihre Leser forderte Carmichael ein konsequentes Christenleben, ganz im Vertrauen auf den Schöpfer. „Gott ist der Herr über Wind und Wellen. Sie stehen auch dann noch unter seiner Kontrolle, wenn sie über uns zusammenschlagen. Immer und immer wieder konnten wir erleben, dass alles, was uns zu erdrücken drohte, uns schlussendlich doch nicht erdrückte. Regelmäßig kam dann Gottes Rettung dazwischen. Wir wurden niedergeworfen, aber nicht zerstört."

Carmichael empfand es als eine Zielverfehlung, wenn Christen sich zu sehr auf ihr irdisches Leben konzentrierten. „Wir versprechen, Fremdlinge und Pilger zu sein, suchend nach unserer himmlischen Heimat. Doch dann lassen wir uns wie zu Hause nieder, gar nicht wie Fremdlinge, eher so, als wären wir bereits in der Heimat und planten, so lange wie möglich hier zu bleiben. Da wundere ich mich kaum, dass keine apostolischen Wunder mehr geschehen, wenn wir auch nicht mehr so leben wie die Apostel." Carmichael befürchtete, dass sich die Gegner des Glaubens mehr engagierten als dessen Anhänger. „Der Satan ist wesentlich ernsthafter bei der Sache als wir. Während wir noch überlegen, wie viel uns der Einsatz kosten wird, nutzt er jede Gelegenheit, die sich ihm bietet."

Im Dienst für Gott solle man auch mit Schwierigkeiten leben lernen, war Carmichaels Überzeugung: „Wenn ich mit mir sanft umgehe und mich bequem in das Laster des Selbstmitleids und der Selbstzufriedenheit gleiten lasse; wenn ich nicht versuche, durch die Gnade Gottes Stärke aufzubringen, dann weiß ich gar nichts über Kreuzesliebe." Dabei geht der Christ natürlich auch Risiken ein. „Wer unserem Erlöser nur aus der Entfernung folgt, muss keine Angst haben, Wunden oder Narben davonzutragen." Im täglichen Ringen um den richtigen Weg müsse man immer wieder innere und äußere Widerstände überwinden. „Wenn du im Sieg leben willst, dann darfst du dich nicht durch das Sichtbare und die Gefühle dominieren lassen." Wer ernsthaft Jesus Christus nachfolge, sei bereit, Geld, Zeit und Bequemlichkeit den Menschen zu opfern, die man erreichen wolle. „Du kannst geben ohne zu lieben, aber du kannst nicht lieben ohne zu geben."

Nachwirkungen

Nach einem schweren Sturz war Carmichael für die letzten 20 Jahre ihres Lebens ans Bett gefesselt. Sie starb 1951 im Alter von 83 Jahren in Dohnavur. Statt eines Grabsteins wollte sie durch eine Vogeltränke mit der Inschrift „Amma" (Tamil: Mutter) in Erinnerung bleiben.

Der mit Amy Carmichael sehr gut bekannte Schriftsteller Sherwood Eddy schrieb später über sie: „Der normale Missionar macht sich mit hohen Idealen, doch als sehr unvollkommener Christ auf den Weg. Sein Charakter ist der schwächste Punkt. Und gerade an diesem Punkt war Amy Carmichael ein Segen für uns alle, die in engen Kontakt mit ihr kamen und das Strahlen wahrnehmen konnten, das von ihr ausging. Ich bin nie einem Menschen begegnet, der einem vollkommenen Christen so ähnlich war wie Amy Wilson Carmichael."

Aus Amy Carmichaels *Dohnavur-Fellowship* ist zwischenzeitlich ein christliches Modelldorf mit Kindertagesstätte, Schulen, Internat, Bauernhof, Obstplantagen, Tischlerei, Wäscherei, Krankenstation und Kirche geworden. In zahlreichen umliegenden Dörfern werden auch heute noch regelmäßig evangelistische Veranstaltungen durchgeführt. Bis 2014 wurden in der *Dohnavur-Gemeinschaft* 1875 Mädchen und 670 Jungen längerfristig betreut, die physisch oder moralisch in akuter Gefahr schwebten. 130 junge Frauen bekommen dort jedes Jahr eine berufliche Ausbildung. 125 Senioren haben hier ihre letzte Heimat gefunden. Das Krankenhaus der Station behandelt jährlich rund 40 000 Patienten.

Ausgewählte Literaturhinweise

Elisabeth Elliot: *Amy Carmichael. Ein Leben in der Nachfolge*, Hänssler Verlag, Neuhausen/Stuttgart 1995

Frank Houghton: *Amy Carmichael. Die Geschichte einer großen Frau*, R. Brockhaus Verlag, Wuppertal 1990

Bee Trehane: *Amy Carmichael. Zwölf Körbe voll*, Verlag des Diakonissenmutterhauses Aidlingen, Aidlingen 1990

Ruth A. Tucker: *Bis an die Enden der Erde. Missionsgeschichte in Biographien*, Ernst Franz Verlag, Metzingen 1996, S. 255-258

Ansätze zum Weiterdenken

◊ Die meisten Menschen schätzen eher die Gemeinschaft mit Gleichrangigen, weil sie sich mit ihnen am besten identifizieren können. Gelegentlich sonnen sie sich auch gerne in der Gesellschaft Bessergestellter, weil sie hoffen, dass etwas von deren Glanz auch auf sie abfärbt. Die Armen und Hilfsbedürftigen aber werden meistens gemieden. Höchstens für Fotos oder für das Gefühl, etwas Gutes gemacht zu haben, werden sie gelegentlich aufgesucht. Und doch hat sich Gott immer wieder gerade an die Armen und Verachteten gewandt, vielleicht, weil sich diese Menschen die wenigsten Illusionen über ihre prekäre Lage Gott gegenüber machen.

◊ Manchmal antwortet Gott auf die Gebete von Christen, wie sie das erhoffen. In anderen Situationen scheint er zu schweigen. Eine Veränderung der Situation ist nicht erkennbar. In vielen Fällen aber geht das Handeln Gottes über die Bitte des Gläubigen hinaus. Er macht zwar nicht genau das, um was man ihn gebeten hat, aber sein Handeln stellt sich mit zeitlichen Abstand als noch viel besser heraus, als das, was man sich gewünscht hatte. Wenn Gott Gebete nicht gleich wie erhofft erhört, sollte man nicht mit Enttäuschung reagieren. Es braucht auch die Offenheit für Gottes Weg, der sich gelegentlich von dem selbst erträumten unterscheidet.

- ◊ Leider sind Missionare und Pastoren keine perfekten und unfehlbaren Christen. Im täglichen Leben sind sie eben auch nur normale Menschen. Oftmals stehen sie sogar unter stärkerem Druck und schärferen Anfechtungen als der normale Christ. Mehr noch als hohe Erwartungen brauchen sie Fürbitte und Unterstützung.
- ◊ Im Allgemeinen treffen Christen ihre Lebensentscheidungen nach Berücksichtigung biblischer Prinzipien, nach Auswertung der relevanten Umstände, nach Beratungen mit anderen Gläubigen und Gebet. Bis heute führt Gott gelegentlich aber auch ganz individuell durch eine innere Gewissheit, durch Träume oder auf andere außergewöhnliche Weise.

30

Jakob Vetter

(1872–1918)

Die Deutsche Zeltmission

Manchmal spielt es nicht nur eine Rolle, was man sagt, sondern auch, wo und wie man etwas sagt. Das gilt nicht nur für die Liebeserklärung, sondern auch für geistliche Inhalte. Einige Menschen fühlen sich in der andächtigen Stille von Kirchen besonders wohl, andere würden nie einen sakralen Raum betreten. Seitdem im 19. Jahrhundert die Abneigung vieler Arbeiter und Angestellten gegen die Kirche wuchs, stellte das Christen vor die Herausforderung, kreativ neue Orte zu finden, an denen unbelastet über den Glauben gesprochen werden konnte. Eine Antwort auf diese Frage war zu Beginn des 20. Jahrhunderts die Zeltmission.

Jugend ohne Gott

Jakob Vetter, Gründer der *Deutschen Zeltmission*, wurde am 23. November 1872 in Worms geboren. Sein Vater, Adam Vetter, arbeitete als Gerber, seine Mutter, Katharina, war Hausfrau. Die Familie gehörte zur evangelischen Kirche. In ihrem Alltag spielte der Glaube jedoch kaum eine Rolle. Der Pfarrer ihrer Kirche war überzeugter Rationalist. Er wollte die Mitglieder seiner Gemeinde durch Bildung zu besseren Menschen machen. Als Vetter drei Jahre alt war, starb seine Mutter. Das traf den Jungen tief. Sein Vater versorgte die Familie zwar, Vetter empfand ihn aber eher als kalt und lieblos. Zur Erziehung gehörten häufige Schläge und Ermahnungen. Zwei Jahre später heiratete der Vater erneut. Doch obwohl sich die Stiefmutter bemühte, bekam sie keinen Zugang zu ihrem Sohn. Vetter zog sich immer weiter in sich selbst zurück, litt unter Depressionen und Selbstmordgedanken. Im Nachhinein sah er trotzdem immer wieder die Bewahrung Gottes in seinem Leben: „Der Herr erbarmte sich früh über mich, aber ich wusste es nicht. Mein Herz war trotzig, eigenwillig und herrschsüchtig."

In der Schulzeit fiel Vetter durch seine zahlreichen Streiche auf. Er rebellierte gegen jede äußere Ordnung, im Staat und Zuhause. Lehrer warnten die Eltern, ihr Sohn könnte kriminell werden. Aufgrund der prekären finanziellen Verhältnisse der Familie musste Vetter bereits ab neun Jahren neben der Schule mitverdienen. Es blieb nur wenig Raum für Freizeit und Vergnügungen. Oftmals litt er in seiner Jugend unter Hunger und Kälte, weil selbst für Brennmaterial das nötige Geld fehlte.

Weg zum Glauben

Durch ein extremes Rheinhochwasser im Jahr 1883 wurde auch die Wohnung der Vetters überschwemmt. Kurze Zeit später kaufte der Vater von einem durchreisenden Kolporteur eine Bibel. Gelegentlich begann Vetter darin zu lesen und zu beten.

In dieser Zeit wurde Vetter auf die nahe Baptistengemeinde aufmerksam, deren fröhliches Singen bis auf die Straße zu hören war. Da man ihn in der Schule immer wieder vor gefährlichen Sektierern gewarnt hatte, traute er sich allerdings nicht, sie zu besuchen. Gleichzeitig wurde Vetters Vater durch eine Witwe, der er häufig in praktischen Angelegenheiten half, zu einem kleinen pietistischen Kreis eingeladen. Nachdem er seine Vorurteile vor den „frommen Heuchlern“ überwunden hatte, kam er regelmäßig und nahm auch seinen Sohn mit. An einem der ersten von ihnen besuchten Abenden sprach ein Missionar aus Sumatra. Vetter fühlte sich ganz persönlich berührt und nahm sich vor, ebenfalls in die Mission zu gehen. Vetters Vater bekehrte sich in dieser Veranstaltung und änderte sein Leben grundlegend. Die Kinder besuchten von jetzt an regelmäßig die Sonntagsschule.

Jakob Vetter in jungen Jahren

In seinem 14. Lebensjahr verlor Vetter seinen Vater, der nach wenigen Tagen an den Folgen eines Arbeitsunfalls starb. Noch auf dem Totenbett segnete er seinen Sohn: „Du Jakob wirst ein Diener des Allerhöchsten werden. Gib dich ihm hin und bleibe ihm treu bis zum Tod!“

Wenige Wochen später wurde auch das Leben seiner Stiefmutter durch eine schwere Lungenentzündung beendet. Immer stärker suchte er Trost in der Bibel und in der Gemeinschaft mit anderen Christen. Seine Konfirmation war für Vetter ein besonderes emotionales Erlebnis. Doch seine innere Leere trieb ihn noch am selben Nachmittag von der fröhlichen Feier in die Einsamkeit seiner Dachkammer.

Mit 17 Jahren bekehrte sich Vetter ganz bewusst. Er bereute seine egoistische und vergnügungssüchtige Vergangenheit und entschied sich, von jetzt an konsequent mit Gott zu leben. Als Vetter seinen Freunden von dieser Entscheidung erzählte, distanzierten sich die meisten von ihm. Mit den Übrigen traf er sich mehrmals wöchentlich zu Gebet und Bibellesen. Daraus entstand schon bald eine lebendige Jugendarbeit.

Nebenher entwickelte Vetter seine evangelistischen Fähigkeiten. Sonntags verteilte er auf den Straßen und an den Haustüren gedruckte Ansprachen bekannter Pfarrer. Im Altenheim las er pflegebedürftigen Patienten Predigten von Ludwig Hofacker (1798–1828)[39] vor. Im Wormser Krankenhaus begann er mit einigen Mitarbeitern eine regelmäßige Bibelstunde. In nahegelegenen Dörfern organisierte er auch gegen heftigen Widerstand Erweckungsveranstaltungen.

Bald verabschiedete sich Vetter aus Worms und durchwanderte predigend die Pfalz, das Elsass und Baden. In Karlsruhe traf er auf den damals sehr bekannten Evangelisten Elias Schrenk (1831–1913)[40], dessen Predigten ihn sehr beeindruckten und prägten. Man riet ihm, sich als Mitarbeiter in dem Rettungshaus *Friedrichshöhe* in Tüllingen bei Basel zu bewerben, was er auch tat (1881). Von Tüllingen aus besuchte Vetter regelmäßig die Veranstaltungen eines erweckten Kreises in Lörrach. Dort lernte er Carl Heinrich Rappard (1837–1909)[41] von

---

39 In seinem kurzen Leben war Ludwig Hofacker (1798–1828) ein prägender pietistischer Prediger in Württemberg (Stetten, Plieningen, Stuttgart und Marbach). In sehr persönlichen und herausfordernden Predigten animierte er seine Zuhörer zu einem konsequenten Christenleben. An den Sonntagen kamen die Menschen von weither, um ihn zu hören.

40 Nach seiner Bekehrung ging Elias Schrenk (1831–1913) schon bald als Missionar an die Goldküste in Westafrika. Dann war er Reiseprediger der *Basler Mission* in Frankfurt am Main und später Mitarbeiter der *Evangelischen Gesellschaft des Kantons Bern*. Seit den 1880er-Jahren reiste er als kompromissloser Erweckungsprediger durch Deutschland und die Schweiz. Dabei orientierte er sich am Stil des Amerikaners Dwight Lyman Moody. Mehrere Jahrzehnte war Schrenk der beliebteste deutsche Evangelist.

41 Carl Heinrich Rappard (1837–1909) wuchs in einer frommen Familie im Kanton Waadt/Schweiz auf. Eine geistliche Ausbildung absolvierte er an der

der Pilgermission St. Chrischona kennen. Besonders dessen beredte Auseinandersetzungen mit Atheismus und Bibelkritik imponierten dem jungen Vetter.

Traum vom geistlichen Heldentum

Sein Entschluss, künftig ganz für Gott zu leben, schlug sich in einer etwas dramatischen Selbstverpflichtung nieder, die Vetter 1883 schriftlich in seiner Bibel festhielt: „Ich, Jakob Vetter [...] verschreibe mich heute [...] am heiligen Karfreitag Dir, meinem Heiland Jesus Christus, von nun an bis in alle Ewigkeit, Dein zu bleiben als ein gehorsames Kind. Ich verspreche Dir, meinem geliebten Heiland, zu dienen, für Dein Reich meine ganze Kraft, mein ganzes Leben, alle meine Glieder, all mein Hab und Gut [...] einzusetzen. [...] ich gelobe Dir Treue bis zum Tod und bezeuge es durch diese mit meinem eigenen Blut geschriebene Unterschrift."

Gleichzeitig bewarb Vetter sich bei der Evangelistenschule auf St. Chrischona. Die ausgedehnte und zwischenzeitlich im deutschsprachigen Bereich fest etablierte pietistische Einrichtung war 1840 von Christian Friedrich Spittler in Bettingen, oberhalb von Basel, gegründet worden. Noch im selben Jahr (1893) begann Vetter dort seine theologische Ausbildung. Die Studienzeit betrug vier Jahre. Neben dem Unterricht mussten die Zöglinge auch praktisch anfassen. Vetter wurde in der Schneiderei, in der Waschküche und bei der Getreideernte eingesetzt. Seine Mitstudenten beschrieben Vetter als bartlosen, großen Jüngling mit einem blassen, von langen, dunklen Haaren umrahmten Gesicht. Er hatte eine breite Stirn und stark hervortretende Backenknochen. Seine Haltung war leicht gebeugt, der Blick ernst, beinahe düster. Oft benahm Vetter sich linkisch und unbeholfen. Gerne trug er schwarz. Später ließ er sich einen kräftigen Vollbart wachsen. Häufig war er mit Bibel zu sehen. Bekannt war er für eine gewisse Gesetzlichkeit und Sprachgewalt.

Während der Ausbildung sollten lange Bibelpassagen und Abschnitte aus anderen theologischen Büchern auswendig gelernt werden. Davon hielt Vetter nichts. Viel lieber vergrub er sich in der Bibliothek. In einer kurzen *Sturm-und-Drang-Periode* begeisterte er sich für den pietistischen Schriftsteller Jung-Stilling, für die mittelalterlichen Mystiker und für die Philosophie. Außerdem blieb Vetter durch seine intensiven Gebetszeiten und sein Engagement für die nichtchristliche

---

Pilgermission St. Chrischona in Bettingen bei Basel. Nach einer mehrjährigen Missionstätigkeit in Alexandrien und Kairo/Ägypten, wurde er als Inspektor nach *St. Chrischona* berufen. Theologisch hielt er sich zum Pietismus und zur Heiligungsbewegung.

Umgebung in Erinnerung. Im Unterricht begeisterten ihn vor Allem die alten Kirchenväter. Zeitweilig wollte er sogar mit einigen Kommilitonen einen evangelischen Mönchsorden gründen. Mit Begeisterung las er die Lebensbilder bedeutender Gottesmänner wie Calvin, Finney, Moody und Spurgeon. Denen wollte er nacheifern. Ihre Porträts hingen in seinem Zimmer.

Im Nachhinein schrieb Vetter über seine Studienzeit: „Auf St. Chrischona habe ich meinen Heiland gesehen." Allen, denen die Ausbildung zu streng erschien, antwortete er: „St. Chrischona war für mich kein Polizeidepartement, wie sich ein Bruder in einem Brief äußerte, sondern eine Hütte des Friedens."

Schwer kranker Jungevangelist

Im Sommer 1895 begann Vetter unter spontanen Lungenblutungen zu leiden, die auf eine Lungentuberkulose zurückgingen. Für ihn und seine Umgebung war das sehr beängstigend. Mit den begrenzten finanziellen Mitteln, die ihm zur Verfügung standen, waren die Möglichkeiten ärztlicher Behandlung schnell ausgeschöpft. Daher betete man umso intensiver für ihn. Zwar erholte er sich nach etwa zwei Wochen wieder, hatte jedoch im Laufe seines Lebens immer wieder Anfälle von Lungenbluten.

Vetter als Evangelist

Im weiteren Verlauf der Ausbildung sollten die Studenten regelmäßig in den umliegenden Ortschaften predigen. Aufgrund seiner angeschlagenen Gesundheit bekam Vetter die nahegelegenen Dörfer Bettingen, Grenzach und Riehen zugewiesen. Während seiner emotionalen und mitreißenden Ansprachen vergaß Vetter zumeist seine gut vorbereitete, schriftliche Predigt und improvisierte. Besonders liebte er es, eindringlich über Sünde, Umkehr und Bekehrung zu sprechen.

1895 wurde er von einem gläubigen Fabrikanten nach Freiburg eingeladen. Weil er an dessen Wohnhaus ein Schild mit der Aufschrift „Betteln verboten" gesehen hatte, ließ sich Vetter in seiner Ansprache äußerst kritisch über den Geiz und die Hartherzigkeit der Reichen aus. Das kam nicht gut an. Zum einen schoss er damit über das Ziel hinaus. Zum anderen traf er nicht ganz die Realität, weil sich jener Fabrikant durchaus stark sozial betätigte, nur eben nichts von Bettelei hielt.

In seinen Überlegungen, wie man die entchristlichten Massen der deutschen Großstädte für den Glauben interessieren könnte, kam Vetter auf den Gedanken, die Menschen in ein Zelt einzuladen. Dabei stand ihm die Begeisterung vor Augen, mit der damals Tausende zur Unterhaltung in schnell aufgebaute Zirkuszelte strömten. Am 25. Juli 1897 schloss Vetter seine Ausbildung in St. Chrischona ab und wurde für seinen weiteren Dienst eingesegnet.

Erweckung in der Wetterau

Von der Missionsleitung in St. Chrischona wurde Vetter nach Lich/Hessen geschickt. Zusammen mit dem älteren Evangelisten Franz Thomas Härdle sollte er dort als Prediger in einer Reihe von pietistischen Erweckungsversammlungen mitarbeiten, die sich am Rande der evangelischen Kirche gebildet hatten. Der junge Pastor hatte sich die Arbeit nicht so mühsam und langwierig vorgestellt. „O, wie bin ich enttäuscht! Ich hatte mir lauter schöne, gutbesuchte Gemeinden vorgestellt, voller Leben! Und was fand ich? Lauter, kleine, schläfrige, tote Versammlungen. […] Weiter dachte ich und malte mir aus, wie viel freie und stille Zeit ich haben würde. Und wie ist es nun? Die ganze Woche habe ich kaum einen halben Tag für meine Vorbereitungen. […] Soll ich jetzt mutlos werden? Nie und nimmer! Ich erwarte Großes von Gott! Jeden Sonntag darf ich in großen Evangelisationsversammlungen dienen. Da kommen achthundert bis tausend Personen. […] Jede Woche bereise ich das Arbeitsfeld und diene am Wort. Jeden Tag mache ich Besuche. […] Die größte Versammlung, welche ich in diesen vierzehn Tagen traf, war von zwanzig oder fünfundzwanzig Personen besucht; die kleinste von fünf."

Am 3. November erlitt Vetter einen Zusammenbruch. Er spuckte Blut, bekam Fieber und hatte starke Schmerzen in der Brust. Schon rechnete er damit, sterben zu müssen, und schrieb an Rappard nach St. Chrischona: „Mein Gott hat mich jetzt auf das Totenbett gelegt und mir heute Morgen die letzte Lektion gegeben. Diese heißt kurz und bündig, einfach und klar: ‚Bestell dein Haus, du musst sterben!' […] Ich hatte große Freude an meiner Arbeit. Es fing schon an, sich zu regen in einzelnen Seelen. Ich erwarb mir auch das Zutrauen der Gläubigen […] Es war meine stärkste Blutung, in der ganze Fetzen der Lunge mitgingen. Mein Gott hat das Flehen in jener Nacht gehört, als ich im Blut lag und mir diese Gnadenzeit noch einmal geschenkt. […]." Dann äußerte Vetter, dass er nicht verstehe aber auch nicht verstehen müsse, warum Gott sein Leben hier so früh beende, obwohl es doch noch so viel zu tun gäbe. Weil Gott aber liebend und weise sei, so müsse das wohl der richtige Weg sein. Vetter war sich sicher, die nächsten Tage nicht zu überleben. Und doch kam es anders.

Nach seiner Erholung entschied man, Vetter nicht mehr so viel reisen zu lassen. Stattdessen sollte er jeweils zwei Wochen am selben Ort predigen. Das erwies sich als richtig. Vetter konnte sich körperlich schonen und gleichzeitig intensivere, persönliche Beziehungen zu den Menschen aufbauen, vor denen er täglich sprach. Im Dezember 1898 schrieb er an seine Gemeinde in Riehen: „Seit drei Wochen darf ich hier arbeiten. Zuerst sprach ich im Ratssaal. Der erwies sich aber schon bald als zu klein. Dann übergab man uns die Kirche, die jeden Tag zweimal bis auf den letzten Platz voll von Menschen ist, die nach dem Wort hungern. […] Die Nachversammlungen waren voll Erweckter. Diese jammerten und weinten und schrien nach Gnade. Es geschah, dass an einem Abend fünfundzwanzig zum Glauben kamen. […] Es gibt hier kein Haus, in dem nicht ein Erweckter ist. […] Geld, das etliche durch Betrug und Schwindel an sich gebracht hatten, wurde zurückerstattet. […] Der Sohn des Bürgermeisters war der erste, der zur Erweckung kam. […] In den Häusern hört man jetzt Dank- und Loblieder."

Vetter erlebte, wie Ehebrecher zu ihrem Partner zurückkehrten, wie stadtbekannte Säufer der Kneipe fernblieben und wie hartnäckige Zweifler sich für Gott öffneten. Auch in zahlreichen anderen Dörfern der Region fanden Erweckungen statt, die sich nicht nur als Eintagsfliegen erwiesen. Es entstanden neue, lebendige Gemeinschaften. Immer war sich Vetter dabei seiner körperlichen und geistlichen Schwäche bewusst. Gelegentlich wurde er durch einen massiven Tuberkuloseanfall daran erinnert. Innerhalb kürzester Zeit war Vetter als Evangelist weithin bekannt. Schon bald sprach er in ganz Deutschland und der Schweiz.

Vetter hatte Erfolg. Seine Predigten wurden offen und dankbar aufgenommen, wobei er mit seinen heftigen verbalen Ausfällen manchmal über das Ziel hinausschoss. Auch in seinen Rundbriefen benutzte er zuweilen einen ziemlich kriegerischen Ton: „Ich möchte dir Nachricht geben von den Siegen, die unser König Gott errungen hat, um dir dadurch Mut zu machen, gläubig auf ihn, den Siegesfürsten, zu blicken.

Die ersten Wochen rückte ich allein mit guten Geschossen aus dem göttlichen Arsenal gegen den Feind vor. Er leistete großen Widerstand. Luzifer kommandierte seine Legionen […] und brachte die Schar Immanuels sehr ins Gedränge. […] Am Sonntag […] forderte ich die Rebellen und Feinde Gottes heraus. Nachdem […] ich sie beinahe zwei Stunden mit Granaten und Bomben des göttlichen Wortes bombardiert hatte […]", gaben sie nach.

Geburt der Zeltmission

Den Sommer 1899 verbrachte Vetter in England, um bekannte Christen zu treffen, Kontakte zu schließen und neue geistliche Anstöße zu bekommen. Die meiste Zeit verbrachte er in London, wo er die einflussreichen britischen Erweckungsprediger Charles Haddon Spurgeon (1834–1892), Joseph Parker (1830–1902) und Campbell Morgan (1863–1945) bzw. ihre Schriften näher kennenlernte. Besonders beeindruckt war Vetter auch von der evangelistischen und sozialdiakonischen Arbeit der durch William Booth (1829–1912) gegründeten Heilsarmee. Abgesehen von vielen anderen Begegnungen und Gesprächen sah Vetter hier zum ersten Mal ein Zelt, das für christliche Veranstaltungen genutzt wurde. Das ermutigte ihn für sein eigenes Vorhaben in Deutschland.

Wieder zu Hause warb Vetter für seine Idee eines großen Zeltes für evangelistische Veranstaltungen. Er betete intensiv, wollte jedoch

Aus der Frühzeit der Zeltmission

nicht um Spenden bitten. Im Laufe der Zeit gingen trotzdem erhebliche Gelder ein, sodass man 1902 über 12 000 Mark verfügte. Jetzt gab Vetter den Bau des Zeltes in Auftrag und entwarf zusammen mit Otto Stockmayer (1838–1917), einem Führer der deutschen Heiligungsbewegung, die Statuten der neu zu gründenden Einrichtung: „Das Haupt der Zeltmission ist Christus. Diesem gegenüber fühlt sie sich verpflichtet, den ganzen Rat Gottes [...] zu verkündigen [...] Sie steht auf dem Boden der ganzen Heiligen Schrift, die sie als alleinige Autorität in Lehre und Leben anerkennt. Sie fordert von jedem Menschen eine persönliche, gänzliche Willensentscheidung für Jesus sowie Bruch mit Sünde und Welt. Sie glaubt an die ewige Verdammnis derer, die Jesus nicht annehmen. Sie dient keiner bestimmten Konfession oder Benennung [...] Sie arbeitet mit allen Gemeinschaften an der Rettung der Welt [...]." Bewusst positionierte man sich bei seinem evangelistischen Vorhaben überkonfessionell auf der Grundlage der Evangelischen Allianz.

Während einer Evangelisation Vetters in Siegen meldeten sich sieben Bergleute zur künftigen Mitarbeit im Zelt. Sie sollten das Zelt auf- und abbauen, Ordnungs- und Wachdienste übernehmen sowie Bibelstudien und Gesprächsgruppen leiten. Auch für den Verkauf christlicher Schriften an den Veranstaltungsorten waren die Zeltdiakone zuständig. Zwischen den Evangelisationen arbeiteten sie im Erholungsheim *Patmos* und reparierten die Zelte. Im Winter, wenn keine Veranstaltungen stattfanden, nahmen sie am Unterricht der Pilgermission St. Chrischona teil.

Ganz offiziell wurde das erste Zelt der *Deutschen Zeltmission* am 27. April 1902 auf der *Tersteegensruh*[42] bei Mülheim a.d. Ruhr eingeweiht. Tausende Besucher waren gekommen. Vetter berichtete, wie es zur Idee der Zeltmission gekommen war, Stockmayer hielt die Festpredigt, die Gemeinde sang von einem Harmonium begleitet, die Diakone wurden mit Handauflegung eingesegnet.

Obwohl zahlreiche, selbst fromme Pfarrer vor der Zeltmission warnten und den Verantwortlichen unnüchterne Schwärmerei vorwarfen, bildete sich schon bald ein großer Freundeskreis, der ideell und materiell hinter der Arbeit stand. Ein regelmäßig erscheinendes Informationsblatt *Gruß aus der Zeltmission* (später *„Zeltgruß"*) informierte über geplante Veranstaltungen und gab persönliche Einblicke in gerade vorübergegangene Evangelisationen.

---

42 Die Anhöhe *Tersteegensruh* wurde nach dem pietistischen Laienprediger und mystischen Erbauungsschriftsteller Gerhard Tersteegen (1697–1769) benannt, der in Mülheim a.d. Ruhr wohnte.

Kämpfe und Erfolge

Während einer der ersten Evangelisationen in Köln sprachen der fromme und damals populäre General von Viebahn (1840–1915)[43], der spätere Mitbegründer der deutschen Pfingstbewegung Pastor Jonathan Paul (1853–1931) und Vetter. Nach öffentlichen Warnungen von katholischen Kanzeln begannen junge Leute die Veranstaltungen zu stören. In seiner Ansprache betonte Vetter, dass man weder Heilige noch Pfarrer oder Evangelisten brauche, um zu Jesus zu kommen. Ein anwesender Priester fühlte sich provoziert, schrie dazwischen und forderte alle Katholiken auf, umgehend das Zelt zu räumen. Unter lautem Rufen und Pfeifen verließen daraufhin rund 300 Besucher die Veranstaltung. Als Vetter am gleichen Abend das Zelt verließ, wurde er von 800 aufgestachelten Katholiken mit den Worten „Da kommt der Judas!" erwartet. Erst wurde nur geschrien und gepöbelt, dann flogen Steine und Erdklumpen. Unter dem Schutz einiger Mitarbeiter konnte sich Vetter gerade noch in einem Waggon der Straßenbahn in Sicherheit bringen.

Während der nächsten Tage lief es ganz ähnlich. Schließlich wurde die Zeltversammlung unter Polizeischutz gestellt. Die Polizei erwog sogar, Militär anzufordern. Unmittelbar darauf verwüstete ein schwerer Sturm die Innenstadt von Köln. Auch das Zelt wurde getroffen und stürzte in sich zusammen. Die erschreckten Besucher flohen. Nur wenige Menschen wurden leicht verletzt. Unter Polizeischutz setzte man die Veranstaltungen in einem großen Saal mitten in der Stadt fort, während auf der Straße gegen Vetter demonstriert wurde. Drei Tage nach dem Höhepunkt des Aufruhrs lud man Vetter vor Gericht, wo er sich wegen Gotteslästerung und öffentlichen Aufruhrs verantworten sollte. Vetter ließ den mitstenographierten Text seiner Predigten vorlesen und stellte sich den Fragen. Gotteslästerung, zu der auch Polemik gegen die katholische Kirche zählte, konnte damals mit Gefängnis geahndet werden. Umso erleichterter war Vetter, als er drei Wochen später mit der Post die Nachricht erhielt, er sei freigesprochen.

---

43 Georg von Viebahn, dessen Vorfahren ursprünglich aus Drieberhausen bei Gummersbach stammten, bekehrte sich als Konfirmand und schloss sich später der Brüderbewegung an. Im preußischen Militär stieg er bis zum Generalmajor in Stettin auf. An den Wänden der von ihm kommandierten Kasernen ließ er Bibelsprüche anbringen. Über 21 Jahre hinweg gab er das vielgelesene *Evangeliumsblatt* heraus (Auflage später 170 000 Exemplare). Als beliebter Evangelist war er auch für die Zeitschrift *Schwert und Schild* verantwortlich. Außerdem war er an der Gründung einer *Allianz Bibelschule* in Berlin (heute *Forum Wiedenest*) und der *Blankenburger Allianzkonferenz* wesentlich beteiligt.

In Velbert verweigerte der Bürgermeister der Zeltmission die Genehmigung, bis er von seinem Vorgesetzten, dem Präsidenten der Provinz Düsseldorf, angewiesen wurde, sein Verbot aufzuheben. Während seines sechswöchigen Aufenthalts warb Vetter vor Vertretern der zerstrittenen christlichen Gemeinschaften für Einheit. Dann erst begann die eigentliche Evangelisation. Nun gab es zu Herzen gehende Bekehrungen. Schließlich entstand eine langanhaltende Erweckung in Velbert. Ein Knecht wollte sich bei seinem Herrn entschuldigen und mit dem Rauchen aufhören. Ein Dieb bekannte seine Taten und versprach Besserung. Zwei Wirtsfrauen bekehrten sich gegen den Willen ihrer Männer. Nachdem daraufhin die Umsätze zurückgingen, stürmte einer der Wirte zu Vetter, um ihm die Meinung zu sagen. Wenig später erkrankte seine Frau und musste ins Krankenhaus. Der Mann sah darin das Reden Gottes und wollte jetzt selbst Christ werden.

Im Herbst 1903 wurde das Zelt während eines Sturms in Siegen stark beschädigt. Gegner der Zeltmission, die schon vor Beginn der Veranstaltungen gespottet und gelästert hatten, fühlten sich bestätigt. Solche Demütigungen riefen Vetter bei all seinen Erfolgen immer wieder auf den Boden zurück.

Neue Zelte und Häuser

Durch weitere Spenden und viele freiwillige Helfer ermutigt begann Vetter 1903 mit dem Bau eines christlichen Erholungsheims in Siegen-Geisweid. Überall aus Deutschland und dem Ausland kamen Gelder für das neue Vorhaben zusammen, sodass bereits ein Jahr später 30 000 Mark zur Verfügung standen. Noch im Herbst 1904 wurde das Haus mit dem Namen *Patmos* eingeweiht. Im Garten des Heims hatte man das Missionszelt aufgeschlagen. Unter den rund 3000 Gästen waren Stockmayer und Rappard als langjährige Begleiter und Lehrer Vetters. In den Festreden wurde betont, wie Gott durch überraschende Spenden und praktische Hilfeleistungen den Bau des Hauses erst ermöglicht hatte. Hier wollte man erbauliche Freizeiten veranstalten, der Zeltmission eine Heimat schaffen sowie Erholung für überarbeitete Prediger und Missionare bieten.

1906 weihte man in Lüdenscheid ein zweites Zelt mit 3000 Sitzplätzen ein. Im gleichen Jahr wurde noch ein drittes Zelt erworben, das insbesondere in den Niederlanden eingesetzt werden sollte. An der feierlichen Einweihung dieses Zeltes in Apeldoorn nahm auch die Königin Wilhelmina (1880–1962) mit ihrem Gefolge teil. Im schweizerischen Rämismühle entstand ein eigener Zweig der Zeltmission, die 1906 ihr erstes Zelt in Dienst stellen konnte. Im gleichen Jahr kamen der ehemalige

Sozialist Fritz Binde und Ludwig Henrichs als Evangelisten zur *Deutschen Zeltmission*. Weitere Spenden ermöglichten 1907 den Erwerb eines zusätzlichen Zeltes für Süddeutschland, das sofort in Cannstatt, Stuttgart, Ludwigsburg und Straßburg eingesetzt wurde. Gleichzeitig zerstörte ein Sturm in Dortmund eines der ersten Zelte weitgehend.

In Geisweid errichtete die Zeltmission ein Geschäftshaus, in dem die christliche Buchhandlung untergebracht wurde (1908). Zwei Jahre später eröffnete Vetter auf dem Missionsgelände eine eigene Kapelle.

Kein Familienmensch

In einem Zelt neben *Haus Patmos* heiratete Vetter am 28. September 1906 Maria Baumann aus Riehen bei Basel. Im Juni 1908 bekam das Paar ihr erstes Kind, Maria. Vetter ging nicht wie viele andere in der Familie auf. Schon vor seiner Verheiratung hatte er seiner Braut gesagt: „Erst kommt Gott, dann der Dienst für Gott und dann die Familie." Von seiner Frau erwartete er Unterstützung, aber auch Korrektur: „Sorge dafür, dass ich ganz für den großen Meister lebe! Tadle all meine Fehler, ermahne mich, wenn nötig, und lass es nie an Warnungen und Trost fehlen!" In Briefen aus seinen Einsatzorten teilte Vetter seine geistlichen Überlegungen mit seiner Frau: „Die Hauptfeinde der Liebe sind das Misstrauen und die Vorurteile. [...] Ein Mensch, der nie das Gute bei seinen Mitmenschen sieht, sondern nur Verkehrtes und Böses, hat keine Liebe." Auch seinen Kindern schrieb er regelmäßig: „Ich denke jeden Tag an dich und erbitte von Gott, dass mein liebes Kind einmal nicht fehlen wird in der großen, schönen Himmelswelt."

Reisen in den Nahen Osten und nach Russland

Im Februar 1905 reiste Vetter nach England, um sich ein eigenes Bild von der Erweckung in Wales zu machen. Ihn beeindruckten die vollen Kirchen, öffentliche Sündenbekenntnisse, innige Gebete und tätige Nächstenliebe. Konfessionelle Unterschiede traten hier immer mehr zurück. Innerhalb von wenigen Monaten hatten sich Zehntausende bekehrt und wollten ein neues Leben beginnen.

Im Winter 1905/6 predigte Vetter in Ägypten und Palästina, wohin er von deutschen Missionaren und Geschäftsleuten eingeladen worden war. Schon auf der Anreise organisierte Vetter Evangelisationsveranstaltungen in Italien und auf dem Passagierschiff, mit dem er das Mittelmeer überquerte. Abgesehen von einem Besichtigungsprogramm predigte er in verschiedenen deutschsprachigen Gemeinden Ägyptens. In Israel beeindruckte ihn besonders das von Ludwig Schneller (1858–1953) gegründete *Syrische Waisenhaus*. Zwei Wochen evangelisierte Vetter in Haifa, wo sich zahlreiche Deutsche niedergelassen hatten. Über Syrien und die Türkei – damals zum Osmanischen Reich gehörig – begab er sich zurück nach Deutschland.

Im Dezember 1906 reiste Vetter mit seiner Frau nach Russland. Über Dresden und Krakau ging es nach Odessa (heute Ukraine), wo Vetter in mehreren Gemeinden vor Hunderten von Deutschen, Russen und Juden sprach. Mit dem Schiff fuhr die Gesellschaft über das Schwarze Meer nach Sewastopol (Krim) und dann mit dem Zug weiter nach Melitopol (heute Ukraine). Auf der Weiterreise besuchte Vetter verschiedene mennonitische Familien und blieb einige Zeit in der deutschen Siedlung Steinbach, wo er zusammen mit erweckten Christen der Mennoniten-Brüdergemeinden Evangelisationsveranstaltungen abhielt. Zweimal predigte Vetter in Moskau, bevor er nach Petersburg kam, wo er von der frommen Fürstin Natalie Lieven (1842–1920) eingeladen worden war, der Frau des Oberzeremonienmeisters am Zarenhof. In ihrem Palast hielt Vetter mehrere Gottesdienste, zu denen auch Angestellte und einfache Menschen von der Straße willkommen waren. Auf Einladung eines deutsch-russischen Fürsten reiste Vetter 1909 auf dessen Gut Mesothen (heute Lettland). Später traf Vetter sich wieder mit der Fürstin Lieven, die eine wichtige Rolle in der Petersburger Erweckungsbewegung spielte. Vergeblich versuchte Vetter sie für die Gründung einer russischen Zeltmission zu gewinnen.

Jakob Vetter

Kommentare zu Christen und Gemeinden

Seine reich illustrierten Predigten würzte Vetter mit Beispielen aus der Natur, der Wissenschaft und dem alltäglichen Leben. Besonders häufig sprach er über Jesus Christus, Vergebung, Bewahrung und Heiligung. Vetter bereitete sich intensiv auf seine Predigten vor, lehnte es aber ab, seine Ansprachen auszuformulieren oder auswendig zu lernen. Lieber wollte er spontan auf die Stimmung seines Publikums eingehen. Am Ende seiner Evangelisationsveranstaltungen rief Vetter seine Zuhörer gewöhnlich zu einer persönlichen Lebensübergabe an Gott auf. Von emotionalen Gefühlsausbrüchen und rhetorischer Manipulation hielt er nichts. Wenn er mit voller Begeisterung sprach, machte Vetter allerdings rege von Händen und Füßen Gebrauch. Gelegentlich konnte er auch seine Stimme erheben, seine Zuhörer direkt herausfordern oder kräftig mit der Hand aufs Rednerpult schlagen. In frühen Jahren wirkte Vetter häufig hart und fordernd. Im Laufe der Zeit lagen mehr Milde und Mitgefühl in seinen Ansprachen. Viele, die ihm begegneten, beeindruckten seine Bescheidenheit und seine Bereitschaft, ehrlich gemeinte Kritik anzunehmen.

Jemandem der klagte, ständig in Sünde zu fallen, gab er zu bedenken: „Haben Sie acht auf die Anfänge der Versuchung! [...] Weiter machen Sie es sich zu heiligen Gewohnheit, bei jedem Angriff des Teufels still vor sich her zu sagen: ‚Jesus starb für mich! Ich bin frei! Ich brauche nicht zu sündigen!' [...] Dann nehmen Sie sich auch jeden Tag Zeit zum Lesen des Wortes Gottes und zum Gebet."

Christen, die sich bedauerten, so viel für ihren Glauben einsetzen und aufgeben zu müssen, gab er zu bedenken: „Wer ein bequemes Leben sucht, sich immer fürchtet, er tue zu viel im Werk des Herrn, und andere aufhält, ihre ganze Kraft für Gott einzusetzen, dem möchte ich zurufen: ‚Dank ab! Deine Gemütlichkeit und deine Bequemlichkeit haben keinen Platz im Reich Gottes.' [...] Wenn man alles für Jesus tut, ist einem keine Arbeit zu gering. Da schämt man sich nicht, wenn man die Straße kehren muss."

Einem gutbürgerlichen Mann antwortete Vetter auf die Frage, wen man nicht im Himmel sehen werde: „Die Namenschristen, seien sie Katholiken oder Protestanten, Baptisten oder Methodisten, werden wir dort vergebens suchen. [...] Wer seine eigene Kirche, Versammlung, Gemeinde und Gemeinschaft als die allein seligmachende und allein biblische betrachtet, ist stockblind. Das Volk Gottes ist die allgemeine christliche Kirche [...] Wer aber meint, seine Partei und sein Stamm, gleichgültig, ob groß oder klein, sei die Braut Christi, irrt und kennt die Schrift nicht."

Einem unter Krankheit leidenden Christen schrieb Vetter: „Ganz sicher ist es, dass Jesus unser Arzt ist und bleibt. Heute noch hat er Macht, die Kranken zu heilen, wann und wo er will. Damit ist aber nicht gesagt, dass er alle Kranken heilen muss. Es ist übertrieben, wenn jemand in der Gemeinde sagt: ‚Krankheiten gibt es für den Christen nicht mehr' [...] Das stimmt mit dem Wort Gottes nicht überein. Es steht nirgends geschrieben, dass alle Krankheiten unbedingt geheilt werden müssen. Zuerst müssen sie in ihrer Krankheit lernen, was Gott ihnen zu sagen hat [...] Krankheit ist schon für manchen eine Erziehungsschule für das ewige Leben bei Gott geworden. [...] Die größten Zeugen Gottes hatten meist viel zu kämpfen mit Krankheiten und anderen Leiden."

Christen die sich danach sehnten, den gerade in Mode stehenden Freizeitbeschäftigungen nachzugehen, gab Vetter zu bedenken: „Ich habe ein Grauen vor dem modernen Christentum, das alles erlaubt." Gläubigen, die ständig auf der Suche nach einem neuen geistlichen Trend waren, hielt Vetter entgegen: „Wir brauchen kein neues Evangelium, brauchen auch keine außergewöhnlichen Gaben und Fähigkeiten. Liefern wir uns dem Heiligen Geist aus, so haben wir alles durch ihn. Die Welt läuft da- und dorthin, um etwas Neues zu hören. Wir bleiben beim uralten Evangelium [...]." – „Eine große Versuchung in der Gegenwart ist das Verlangen der Massen nach einem ästhetischen Christentum, einem Christentum ohne Dornenkrone [...] ohne Blut und Wunden, ein Weg ohne Kreuz und Leiden, Schmach und Verachtung. [...] Man will religiöse Philosophie [...] etwas für Gefühl und Intellekt, man will ein interessantes Christentum. Man liebt eine Art Redekunst, die nicht Herz und Gewissen trifft, die keine Sünde straft, Tod und Hölle verschweigt [...] Der Moderne sucht nicht Gnade, sondern er prahlt mit seinem Witz und Können."

Zu Hause in Riehen

Im März 1912 zog Vetter mit seiner Familie vom *Haus Patmos* nach Riehen/Schweiz, in die Heimat seiner Frau. Die stärker werdenden gesundheitlichen Probleme machten den Umzug in das klimatisch günstigere Rheintal nötig. Vetter setzte sich für den Neubau des örtlichen Gemeinschaftshauses ein und gründete zu diesem Zweck den *Verein für kirchliche Evangelisation und Gemeinschaftspflege*. Das Gebäude, in dem sich heute die *Freie evangelische Gemeinde* (FeG) befindet, konnte 1914 eingeweiht werden.

War Vetter Zuhause, sprach er häufig in Bibelstunden und Gottesdiensten. Wenn er nicht zu Predigten und Evangelisationen unterwegs war, verbrachte er viel Zeit in seinem Arbeitszimmer. Gerne hatte er hier auch seine Familie oder Freunde um sich, mit denen er sich unterhielt oder ihnen ein christliches Buch in die Hand drückte. Viel Zeit brauchte Vetter für die Beantwortung der Stöße von seelsorgerlichen Briefen, die er regelmäßig erhielt. Gästen gab er Bilder bedeutender christlicher Persönlichkeiten oder ein kleines Buch als Geschenk mit auf den Weg. Im Allgemeinen war Vetter eher arbeitsorientiert. Als er anlässlich einer Konferenz müde nach *St. Chrischona* kam und jemand ihn fragte: „Bruder Vetter, machen Sie keine Ferien?", erwiderte Vetter: „Nein, der Teufel macht auch keine!"

Rückblick und Ausblick

Auf dem zehnten Jahresfest der *Deutschen Zeltmission* erinnerte Vetter an die Anfänge dieser Arbeit: „Wir haben die Liebe Gottes erkannt in der Zeltmission. Ohne Mittel, ohne einflussreiche Freunde, ohne Betriebskapital, kurz, ohne all die Faktoren, die sonst die treibende Kraft sind, wurde die Zeltmission gegründet. […] Man nannte uns eine Zigeunerbande, evangelisierende Menagerie und die Redner nannte man Vagabundenprediger […] In Kirchen wurde gegen uns gepredigt und das Volk und die öffentliche Meinung wurde gegen uns mobil gemacht. […] Bis zu den höchsten Behörden des Landes mussten wir gehen, ehe wir in gewissen Städten Aufnahme fanden. […] Heute ist es anders. Zeltevangelisation ist populär geworden. […] In vielen Großstädten gibt man uns freiwillig und ohne Geld Plätze […] Überall kommen uns die Behörden freundlich entgegen."

Inventar eines modernen Missionszeltes

Für die Zukunft kam Vetter gleich noch mit weiteren kreativen Vorschlägen: Man solle ein Evangelisationsschiff bauen und eine transportable Halle, die besser gegen Wind und Wetter geschützt sei als ein Zelt.

Mit Beginn des Ersten Weltkrieges (1914) kam die Arbeit der Zeltmission fast zum Erliegen. Mitarbeiter wurden zum Militär eingezogen, Geld fehlte, religiöse Großveranstaltungen wurden nur noch ungern zugelassen. Vetter begann Krankenhäuser und Lazarette zu besuchen, um verletzten Soldaten und traumatisierten Zivilisten seelsorgerlich beizustehen. Er organisierte auch eine offizielle Seelsorgearbeit für die kämpfenden Soldaten an der Front. Große Mengen von Bibeln und erbaulichen christlichen Schriften konnten verteilt werden. Außerdem sammelte Vetter Kleider und Nahrung für Flüchtlinge. Besonders lagen ihm die Kriegsgefangenen am Herzen. Er besorgte englische und französische Literatur und verteilte sie unter den gefangenen Soldaten.

Moderne Zeltpavillons der DZM heute

Vom deutschen Kriegsministerium erhielt Vetter die Genehmigung zum Druck und Verteilen von 60 000 russischen Evangelien. Zusammen mit einigen russischsprachigen Christen besuchte er die Gefangenen in ihren Lagern. Vor seinem Tod sprach Vetter noch auf einigen großen Evangelisationsveranstaltungen: im Velodrom in Nürnberg, in Zürich und im Münster von Basel. Am 13. Dezember 1918 starb er zuhause in Riehen.

In den 1920er-Jahren stand die *Deutsche Zeltmission* unter der Leitung des ostpreußischen Evangelisten Ernst Krupka (1890–1991), der auch in Südamerika und Kanada predigte. Im Zweiten Weltkrieg kam die Arbeit vollständig zum Erliegen. In der Nachkriegszeit evangelisierte Waldemar Didschun in einem neu erstellten Zelt. In den 1960er- und 70er-Jahren waren Paul Deitenbeck (1912–2000) und Gerhard Bergmann (1914–1981) die weithin bekannten Redner der *Deutschen Zeltmission*. Peter Hahne und Bärbel Wilde engagierten sich später als Vorstandsmitglieder und Redner. In den 1990er-Jahren änderte sich das Konzept der Evangelisationen. Seither arbeitet man mit kleineren, aber komfortableren Zeltpavillons. Zum hundertjährigen Jubiläum wurde im Andenken an den Gründer die *Jakob Vetter Stiftung* ins Leben gerufen.

Ausgewählte Literaturhinweise

Hans Bruns: *Jakob Vetter. Der Gründer der Zeltmission*, Brunnen Verlag, Gießen 1954

Wolfgang Putschky: *Seine Gnade reicht aus: Aus dem Leben Jakob Vetters*, St. Johannis-Druckerei, Lahr 2002

Marie Vetter: *Evangelist Jakob Vetter. Ein Lebensbild*, Verlag der Deutschen Zeltmission, Geisweid 1922

Jakob Vetter: *Der Triumpf des Kreuzes: Evangelisationsreden aus den Jahren 1902 & 1903 gehalten im Zelt der Deutschen Zeltmission*, Philemon-Verlag, Birkenfeld 2002

Ansätze zum Weiterdenken

◊ Wer etwas Positives mit Gott erlebt hat, ist zumeist auch motiviert, zu anderen darüber zu sprechen. Vielen, die gerade zum Glauben gekommen sind, fällt es äußerst leicht, mit jedem, den sie treffen, voller Begeisterung über die Vergebung ihrer Schuld zu reden. Oftmals gewöhnen sich Christen im Laufe der Zeit an ihre Beziehung zu Gott und den Sinn, den er ihrem Leben gab. Dann beginnen sie zu schweigen. Eigentlich jedoch gibt es auch für den langjährigen Christen noch genügend Gründe, über Jesus Christus, die Vergebung der Schuld und das Leben mit Gott zu sprechen.

◊ Auf der Suche nach Selbstpositionierung und der kritischen Überprüfung der ihnen angebotenen Lebenskonzepte tendieren junge Menschen oft zu radikalen Positionen. Sie sind von einer Idee oder Person entweder grenzenlos begeistert oder lehnen sie rundheraus ab. Manchmal schießen sie dabei auch über das Ziel hinaus, weil sie noch nicht so deutlich erkennen, dass einige Fragen eben nicht so ausschließlich beantwortet werden können. Im Zusammenleben mit jungen Wahrheitssuchern werden Christen herausgefordert, ihre Positionen gut zu begründen und Geduld mit radikalen Aussagen zu haben. Darüber hinaus werden sie veranlasst, ihre eigenen Überzeugungen neu zu durchdenken und gegebenfalls klarer zu ihnen zu stehen.

◊ Krankheit kann entmutigen und niederdrücken, vor allem wenn sie sich lange hinzieht. Solche Leiden müssen aber nicht zu einem Gefühl der eigenen Nutzlosigkeit oder zu einer Anklage an die Gerechtigkeit Gottes führen. Auch Menschen mit einschneidenden Krankheiten können von Gott sinnvoll gebraucht werden und anderen eine Hilfe sein, insofern sie bereit sind, sich von Gott ihren Platz zeigen zu lassen.

◊ Alles, was neu ist, wird erst einmal insbesondere von den Älteren kritisiert, manchmal zu Recht, manchmal auch zu Unrecht. Hilfreich ist, Neues nicht vorschnell abzulehnen, nur weil es sich noch fremd anfühlt. Auf der anderen Seite sollte man Neues aber auch nicht nur einfach deshalb feiern, weil es neu und deshalb unbelastet bzw. spannend ist. Bei genauerer Betrachtung wird sich manches Neue als genial und manches als unbrauchbar entpuppen.

◊ Träume, Ideale und Visionen sind eine schöne Sache. Sie sollten aber nicht davon abhalten, sich den Herausforderungen des Alltags zu stellen. Große Visionen können zu den vielen kleinen Schritten motivieren, die nötig sind, um das Ziel zu erreichen. Sie können aber auch blockieren, weil einem der Alltag angesichts der großen Ideen so kleinlich und unwichtig vorkommt. Manchmal übersieht man aufgrund weitreichender eigener Visionen andere Aufgaben und Chancen, die Gott schon vorbereitet hat. – Wenn keine Zeltmission mehr möglich ist, kann man sich um die Kriegsgefangenen kümmern.

31

William Cameron Townsend

(1896–1982)

Wycliff Bibelübersetzer

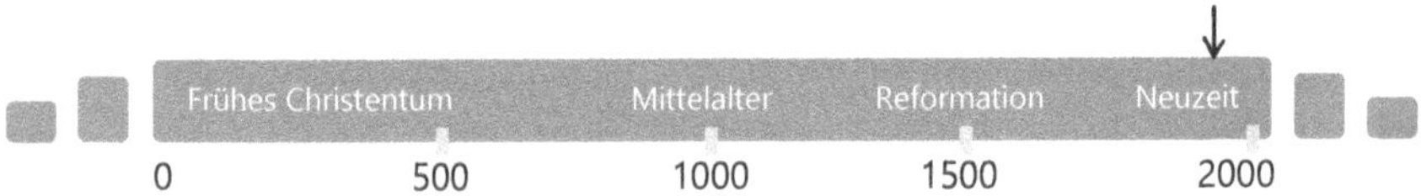

Alle Menschen sind im Denken und Empfinden nachhaltig von ihrer eigenen Kultur und Muttersprache geprägt. Hier schlägt das Herz. Von hier aus wird Neues und Fremdes gesehen und eingeordnet. Will man einem anderen Menschen nahe kommen, ihm etwas besonders verständlich machen, muss man sich auf seine Kultur und seine Sprache einlassen. Das gilt nicht nur für Liebe und Bildung, sondern ganz besonders auch für den Glauben. Deshalb lag Christen schon immer sehr viel daran, möglichst jedem Menschen die Bibel in seiner eigenen Sprache anbieten zu können.

Aller Anfang ist schwer

Cameron Townsend wurde 1896 als fünftes Kind von William Hammond und Molly Cormack Townsend geboren. Die ärmliche Familie bewohnte ein kleines, sehr einfaches Haus mit nur einem Zimmer in Eastvale/Kalifornien. Schon als Kind besuchte Townsend regelmäßig die presbyterianische Kirche am Ort. In der wirtschaftlich schwierigen Zeit zu Beginn des 20. Jahrhunderts hatte auch seine Familie unter Armut zu leiden. Der Vater verdiente sein bescheidenes Einkommen als Pachtbauer.

Berufung als Bibelverkäufer

Während seines zweiten Studienjahrs am *Occidental College* in Los Angeles schloss Townsend sich der *Studenten-Missions-Bewegung* (SVM) an. Motiviert durch die Vorträge des Präsidenten des CVJM-Weltbundes und Friedensnobelpreisträgers John R. Mott (1865–1955) bewarb er sich beim *Bibelhaus von Los Angeles* (*Los Angeles Bible House*) als Bibelverkäufer für Lateinamerika. Schon war seine Ausreise nach Guatemala geplant, da traten die USA in den *Ersten Weltkrieg* ein (1917). Als Unteroffizier der Nationalgarde fühlte sich Townsend verpflichtet, für sein Land zu kämpfen. Deshalb stellte er die Missionspläne vorerst zurück.

Stella Zimmermann, eine Missionarin aus Guatemala zeigte sich entrüstet und versuchte Townsend von seiner Entscheidung abzubringen. Sie bezeichnete ihn als „Feigling", der „in einen Krieg zieht, in den auch eine Million andere Männer gehen könnten". Dabei sei ihm die Sache Gottes offensichtlich nicht so wichtig, sodass er ledige „Frauen den Dienst des Herrn allein tun lasse". Townsend meinte, in diesem Vorwurf das Reden Gottes zu erkennen und zog seine Meldung beim amerikanischen Militär zurück. Zur Überraschung aller ließ sein Vorgesetzter ihn ohne lange Diskussionen mit folgender Begründung gehen: „Sie können viel mehr Gutes tun, wenn Sie in Zentralamerika Bibeln verkaufen, als wenn Sie in Frankreich Deutsche erschießen."

William Cameron Townsend

Keine spanischen Bibeln für Indianer

Nach einigen Monaten in Guatemala begann Townsend, am Sinn seiner Aufgabe zu zweifeln (1917). Sein Auftrag bestand unter anderem darin, den Einheimischen spanische Bibeln zum Verkauf anzubieten. Doch in der ländlichen Region des von ihm betreuten Gebiets lebten vor allem 200 000 Cakchiquel-Indianer, die kaum Spanisch verstanden. Für ihre eigene Sprache gab es bis dahin keine Grammatik, keine eigene Schrift und schon gar keine Bibelübersetzung.

„Warum hat euer Gott, wenn er so klug ist, nicht unsere Sprache gelernt?" Auf diese leicht provokative Frage eines Indianers wusste Townsend erst keine Antwort, dann widmete er die nächsten 13 Jahre seines Lebens den Cakchiquel. Nachdem er ihre Sprache analysiert und systematisiert hatte, übersetzte er die Bibel. Immer wieder stieß Townsend bei seiner Arbeit auf riesige Probleme, weil die Indianersprache mit der Systematik europäischer Linguistik nicht so ohne

Weiteres erfassbar war. Die Sprache der Cakchiquel verfügt beispielsweise über vier verschiedene k-Laute und Hunderte von Konjugationen eines Verbs, je nach Ort, Zeit und Geschlecht des Handelnden.

Mit seinem neuen Projekt wechselte Townsend vom *Bibelhaus Los Angeles* zur *Zentral-Amerika-Mission (Central American Mission/CAM)*. Allerdings zweifelte man auch hier am Sinn einer so aufwändigen Übersetzungsarbeit und drängte den Missionar zu einem stärker evangelistischen Engagement.

Während dieser Zeit ließ sich Townsend in Santa Catarina an der Küste Guatemalas nieder. Mit finanzieller Unterstützung aus den USA organisierte er ein indianisches Missionszentrum, das eine Schule, Gästebetten, eine medizinische Station, einen Stromgenerator, einen Betrieb zur Kaffeeverarbeitung und einen Laden für Agrarprodukte umfasste. Ihm war es wichtig, die Predigt des Evangeliums mit konkreter Hilfe für die Einheimischen zu verbinden.

Townsend kritisierte die synkretistische Religiosität und den weit verbreiteten Aberglauben, gegen den seitens der katholischen Kirche nur wenig unternommen wurde. Mit seiner Bibelübersetzung wollte er dazu beitragen, dass die Indianer sich selbst ein Bild von den Aussagen Gottes machen konnten. Zusätzlich bot er ihnen verschiedene Möglichkeiten zur beruflichen Ausbildung. Im Rahmen seiner Missionsarbeit integrierte Townsend nicht nur die einheimische Sprache, sondern auch lokale Bräuche und Kleidersitten. Letzten Endes wünschte sich Townsend von Indianern geführte, eigenständige, evangelische Gemeinden.

Nachdem die Cakchiquel-Bibel 1929 fertiggestellt worden war, beauftragte die Missionsleitung Townsend, im Gebiet dieses Stammes zu bleiben, um den Glauben der jungen Christen zu festigen und weitere Gemeinden aufzubauen. Weil er sich aber zu weiteren Übersetzungsarbeiten berufen fühlte, trennte der umtriebige Townsend sich 1934 wieder von der *Zentral-Amerika-Mission*.

Das *Sommerinstitut für Linguistik*

Nachdem er zur Behandlung einer Tuberkuloseerkrankung zurück nach Kalifornien reisen musste (1932), entwickelte Townsend einen Plan zur Übersetzung der Bibel in 20 bisher unerforschte Indianersprachen Mexikos. Zusammen mit L. L. Legters, dem Sekretär der *Pioneer Mission Agency*, rief er daraufhin das *Wycliff-Camp* nahe Sulphur Springs/ Arkansas ins Leben (1934). Hier wurden zukünftigen Bibelübersetzern Kenntnisse in Ethnologie (Völkerkunde), Linguistik (Sprachwissenschaft) und Methoden der Bibelübersetzung vermittelt. Am ersten Kurs nahmen lediglich drei Studenten teil. Trotzdem wiederholte Townsend das Camp seitdem jedes Jahr mit zunehmendem Erfolg.

Mit der Unterstützung der mexikanischen Regierung und staatlicher Linguisten (Prof. Moisés Sáenz, Dr. Mariano Silva y Aceves) begann er 1936 ein Übersetzungsprojekt unter aztekischen Indianern im mexikanischen Bergland bei Tetelcingo. Im Laufe der Jahre übersetzten Townsend und sein Team hier nicht nur die Bibel in verschiedene indianische Sprachen. Außerdem entstanden zur praktischen Unterstützung der einheimischen Bevölkerung eine Orangenplantage und eine Schule.

Das 1936 von Townsend gegründete *Linguistische Sommerinstitut* (*Summer Institute of Linguistics*/SIL) widmet sich vor allem der Erforschung und Dokumentation unbekannter Sprachen. Dabei werden häufig Grammatik und Schrift rein mündlich überlieferter Dialekte erarbeitet. Außerdem engagieren sich die Mitarbeiter bei der Alphabetisierung der Bevölkerung und leisten die Vorarbeit für Bibelübersetzungsprojekte von *Wycliff*.

Geleitet und stark geprägt wurde SIL durch seinen langjährigen Direktor Kenneth Lee Pike (1912–2000). Seit 1951 gibt *SIL* die international anerkannte Datenbank *Ethnologue* zur Dokumentation der weltweiten Sprachforschung heraus. In mehr als 20 000 Fachpublikationen wurden Ergebnisse von linguistischer Feldforschung zu mehr als 1000 Minderheitensprachen veröffentlicht. Von 1950 bis 1987 war SIL in der *University of Oklahoma* in Norman untergebracht. Später wurde das Institut an die *University of Texas* in Arlington verlegt. Das internationale SIL-Hauptquartier befindet sich seit 2008 in Singapur. Die Arbeit der SIL wurde offiziell von den *Vereinten Nationen* und der *UNESCO* anerkannt und ausgezeichnet.

Logo des „Summer Institute of Linguistics"

Die Wycliff-Bibelübersetzer

Aus dem *Summer Institute of Linguistics* gingen 1942 die *Wycliff-Bibelübersetzer* (*Wycliffe Bible Translators International*) hervor, die ihren Sitz in einem Vorort von Los Angeles hatten. Mit dieser Organisation sollten die sprachlichen Studien für konkrete Bibelübersetzungen fruchtbar gemacht werden. Abgesehen von der exakten linguistischen Erforschung der Sprachen legen die *Wycliff*-Mitarbeiter großen Wert auf die Berücksichtigung kultureller Besonderheiten bei ihren Bibelübersetzungen, sodass auch literarische Bilder, Gleichnisse und Symbole möglichst treffend in die fremde Sprache übertragen werden können.

Townsend benannte sein Werk nach dem englischen Theologen John Wycliff (1330–1384), der 1383 eine frühe englische Bibelübersetzung anfertigte und abschreiben ließ. Von ihm berufene Laienprediger sollten die Bibel unter das Volk bringen. So wie Wycliff seinen Landsleuten das Wort Gottes in Englisch nahebrachte, wollte Townsend sich dafür einsetzen, dass noch viele andere Völker und Stämme die Bibel in ihrer eigenen Sprache lesen können.

1948 war Townsend auch bei der Gründung des *Jungle Aviation and Radio Service* (JAARS) in Peru beteiligt, einer Gesellschaft, die Missionare und Bibelübersetzer bei den praktischen Fragen ihrer Tätigkeit unterstützen sollte. Vor allem ging es darum, einen Flugdienst für den Transport der Mitarbeiter und Radiosender zur Kommunikation untereinander zu installieren. Später kamen Transporte per Schiff und per Allradfahrzeug sowie verschiedene Internetaktivitäten dazu.

Townsend mit einem der ersten JAARS Piloten

Kein ewiger Patriarch

Immer wieder entschied die *Wycliff*-Leitung nicht im Sinne von *Onkel Cam*, wie Cameron Townsend von seinen Leuten genannt wurde. Schon sehr bald übertrug er die Führung der Missionsgesellschaft einem Exekutivkomitee. Die Mitglieder sollten letztlich alle wichtigen Entscheidungen selbst treffen, mit denen sie später schließlich auch leben mussten.

Zu stark standen Townsend große christliche Persönlichkeiten vor Augen, die ihre Macht nicht abgeben konnten und ihren Werken dadurch schweren Schaden zugefügt hatten. Er wollte nicht nur seine Ideen durchsetzen, sondern sich auch der Einschätzung seiner Mitarbeiter stellen. Sie sollten ebenfalls ihre Erfahrung und ihre geistlichen Argumente zum Wohl der Gesamtorganisation einbringen können.

Ehe und Familie

1919 heiratete Townsend Elvira Malmstrom, eine Missionarin, die gerade zum ersten Mal nach Guatemala ausgereist war. Weil es ihr zunehmend schwerer fiel, mit den Rückschlägen und Einschränkungen des Missionarslebens in einem zentralamerikanischen Indianerstamm zurechtzukommen, litt sie immer stärker an psychischen Problemen.

William und Elaine Townsend

Nachdem Townsends erste Frau Elvira 1944 noch relativ jung gestorben war, heiratete er 1946 Elaine Mielke, die schon vorher jahrelang für *Wycliff* in Mexiko gearbeitet hatte. Zusammen waren sie 17 Jahre in Peru für die Bibelübersetzung tätig. Sie hatten vier Kinder. Später begannen sie eine Arbeit in Kolumbien.

Obwohl ihm das in der Zeit des *Kalten Krieges* einige Kritik eingetragen hat, reiste Townsend in die Sowjetunion, um neue Bibelübersetzungen in Südrussland zu initiieren. Nach einem Sprachstudium in Moskau flog er mit seiner Frau in den Kaukasus, um dort mit Pädagogen und Linguisten über neue Übersetzungsprojekte zu beraten. Von Freunden in den USA wurde Townsend vorgeworfen, „er sei auf die Kommunisten hereingefallen". Doch sein Anliegen war kein politisches. „Wir gingen nicht in die UdSSR, um nach Fehlern zu suchen. Wir gingen, um zu sehen, wie wir dienen konnten, und einen Weg dafür zu bahnen, dass die Bibel in weitere Sprachen übersetzt wird."

Keine konfessionellen Grenzen

Weil es ihm vor allem darum ging, die Bibel in so viele neue Sprachen zu übersetzen wie möglich, stellte er alle weitergehenden politischen oder theologischen Fragen zurück. So kam es ihm bei seinen Mitarbeitern vor allem darauf an, dass sie gläubige Christen und sprachtalentiert waren, ihre konfessionelle Zugehörigkeit war dann zweitrangig.

Als der katholische Akademiker Paul Witte *Wycliff*-Bibelübersetzer werden wollte, kam es deshalb zum Eklat. Townsend sah darin kein Problem: „Es ist möglich, Christus als Herrn und Erlöser zu bekennen und doch in der römisch katholischen Kirche zu bleiben." Soweit es ihn betraf, war er „wirklich glücklich, wenn die Bibelübersetzungen von allen und jedem gebraucht werden." Schließlich war Townsend überzeugt, dass die Bibel für sich selbst spräche, ganz gleich ob sie von einem Baptisten oder einem Katholiken weitergegeben würde. Die *Wycliff*-Leitung aber beurteilte die Situation anders und lehnte den katholischen Bewerber ab. Townsend kümmerte sich daraufhin darum, dass der Übersetzer seine Arbeit unter einer anderen Missionsgesellschaft machen konnte.

Im Jahr 1949 bewarben sich Jim und Anita Price, die aus einer Pfingstgemeinde stammten. In der hitzigen Debatte um die Aufnahme der Kandidaten argumentierte Townsend, dass die Lehren der Pfingstgemeinde für die Arbeit von Wycliff nur eine untergeordnete Relevanz hätten. Außerdem würde man einem Stamm in Peru die Bibel vorenthalten, wenn man die beiden ablehnen würde. Schließlich drohte Townsend sogar mit seinem Rücktritt als Direktor, wenn man sich gegen die Prices entscheiden sollte. Schlussendlich wurden die Bewerber akzeptiert, weil sie sich von der Überzeugung distanzierten, nur die Christen hätten den Heiligen Geist, die in Zungen reden könnten.

Frauen und Farbige in der Mission

Vollkommen unüblich war es bis dahin auch, ledige Missionarinnen alleine an einem Ort arbeiten zu lassen. Einen ersten und äußerst erfolgreichen Versuch in diese Richtung machte *Wycliff* mit Loretta Anderson und Doris Cox, die 1950 ihre Arbeit unter den Sharpas, einem gefürchteten Kopfgeldjägerstamm im peruanischen Dschungel begannen. Nach einigen Jahren bekehrte sich der durch die Ermordung seines Vorgängers an die Macht gekommene Häuptling Tariri zum christlichen Glauben und unterstützte die Arbeit der Bibelübersetzung aktiv. Später stellte der Häuptling klar, wie wichtig es für ihn war, dass zwei Frauen und keine Männer in seinen Stamm gekommen waren: „Wenn ihr Männer geschickt hättet, hätten wir sie sofort getötet. Bei einem Ehepaar hätte ich den Mann getötet und die Frau für mich genommen. Aber was konnte ein großer Häuptling mit zwei harmlosen Mädchen tun, die darauf bestanden, ihn Bruder zu nennen?"

In einer Zeit, in der viele evangelikale Amerikaner noch die Rassentrennung verteidigten, war Townsend offen für jeden bekehrten Mitarbeiter, unabhängig von seiner Herkunft und seiner Hautfarbe. 1952 schrieb er an den *Wycliff*-Vorstand: „Unsere Satzung enthält nichts, was nach Diskriminierung riecht. Auch im Neuen Testament findet man nichts Derartiges. Bitte schickt so viele nichtweiße Mitarbeiter, wie ihr könnt, wenn sie sich in den Kursen gut bewähren."

Von akademischen Titeln hielt Townsend nicht viel. Bei seinen Mitarbeitern kam es ihm weniger auf Universitätsdiplome, als vielmehr auf Begabung beim Analysieren und Übersetzen einer Sprache und auf christliche Einsatzbereitschaft an. Um ein Signal in diese Richtung zu setzen, lehnte Townsend bis auf einen alle ihm angebotenen Ehrendoktorwürden ab.

Kompromisse für Bibelübersetzungen

Im Laufe der Jahre gab es nicht nur Lob für Townsends ausgedehnte linguistische Arbeit. Fromme Kritiker und auch eigene Mitarbeiter warfen ihm vor, nicht immer ganz ehrlich zu sein. Ausländischen Regierungen gegenüber stellte Townsend seine Leute gerne als weltliche Sprachforscher und Entwicklungshelfer vor, die Lesen und Schreiben lehrten. In heimischen Gemeinden und bei Spendern traten die *Wycliff*-Mitarbeiter aber als missionarische Bibelübersetzer auf.

Um die nötigen Genehmigungen für die beabsichtigten Übersetzungsarbeiten zu erhalten, war Townsend bereit, Kontakt mit zweifelhaften Politikern zu pflegen und sich an staatlichen Entwicklungsprogrammen zu beteiligen. So besuchte er beispielsweise den mexikanischen Präsidenten Lázaro Cárdenas del Río (1895–1970) und verteidigte dessen sozialistische Politik. Die Piloten seiner Missionsgesellschaft ließ er gelegentlich auch in Regierungsangelegenheiten fliegen.

Eigentlich versuchte Townsend, sich, wo irgend möglich, aus der Politik herauszuhalten. Nur wenn es darum ging, seine Übersetzungsprojekte zu sichern, pflegte er den persönlichen Kontakt zu den verantwortlichen Mitgliedern der Regierung. Aufgrund der Townsend wiederholt vorgeworfenen *weltlichen Ausrichtung* seiner Organisation traten die *Wycliff*-Bibelübersetzer schließlich aus dem *Verband interdenominationeller Missionen* (IFMA) aus.

Zerstörung indigener Kulturen

Von säkularen Ethnologen und Entwicklungshelfern wurden *SIL* und *Wycliff* im Laufe der Jahre immer wieder beschuldigt, zur Zerstörung indigener Völker und Kulturen beizutragen. Kritisiert wurden vor allem die engen Kontakte zu Regierungsstellen und internationalen Firmen, die in den betreffenden Gebieten tätig waren. Ohne diese Verbindungen waren eine legale und konfliktfreie Spracherforschung und Bibelübersetzung häufig allerdings kaum möglich.

Außerdem wurde zuweilen moniert, dass durch die missionarische Arbeit von Wycliff indigene Kulturen verändert würden. Dabei wurde allerdings zu wenig beachtet, dass gerade die Erforschung und Verschriftlichung der Sprachen eine äußerst wichtige Grundlage für die Erhaltung traditioneller Lebensweisen bildete. Kritiker ignorierten auch weitgehend, dass die Menschen der betreffenden Völker sich freiwillig dem christlichen Glauben öffneten und ihn zumeist als Bereicherung begriffen oder sogar als Befreiung von religiösen Ängsten und Belastungen, unter denen sie vorher gelitten hatten.

Cakchiquel-Familie, Guatemala (Foto: John Isaac - UNEP-WCMC Internal Reseources)

Abschied

In seiner jahrzehntelangen aufreibenden Arbeit wurde Townsend durch eine tiefgründige Begeisterung für die Bibel getragen. „Der größte Missionar ist die Bibel in der Muttersprache", wiederholte er immer wieder.

Nach einem längeren Kampf gegen eine akute Leukämie starb Townsend am 23. April 1982. Sein Grab befindet sich auf dem Gelände des *JAARS-Center* in Waxhaw, North Carolina. Auf den Grabstein ließ Townsend eingravieren: „Meine Lieben: Dient einander mit Liebe. Bringt unsere Aufgabe zuende. Übersetzt die Bibel in jede Sprache. – Onkel Cam." Billy Graham bezeichnete ihn aufgrund seines sehr erfolgreichen

Engagements für zahllose Bibelübersetzungen als den „größten Missionar unserer Zeit".

Wycliff heute

Die *Wycliff*-Bibelübersetzer setzen sich bis heute mit über 7000 Mitarbeitern in 60 Ländern für die weltweite Übersetzung und Verbreitung der Bibel ein (150 davon in Deutschland). Weltweit werden gegenwärtig rund 7000 verschiedene Sprachen gesprochen. Bisher wurden in 1023 Sprachen einzelne biblische Bücher, in 1329 das Neue Testament und in 531 die vollständige Bibel übersetzt. Nach eigenen Angaben haben *Wycliff*-Mitarbeiter an mehr als 850 Übersetzungen der Bibel oder von Bibelteilen maßgeblich mitgearbeitet. Gegenwärtig laufen Bibelübersetzungsprojekte in 2195 Sprachen. Die *Wycliff*-Partnerorganisation *Faith comes by Hearing* hat nach derzeitigem Stand in 844 Sprachen Hörbibeln produziert. Außerdem beteiligte man sich an der Übersetzung des *Jesus-Films* in beinahe 1300 Sprachen und an dem Aufbau zahlreicher Webseiten und Apps, über die biblische Texte heruntergeladen werden können.

Ausgewählte Literaturhinweise

James C. u. Marti Hefley: *Onkel Cam*, Hänssler Verlag, Neuhausen/Stuttgart 1979

Hugh Steven: A *Thousand Trails – Personal Journal of William Cameron Townsend 1917–1919 Founder of Wycliffe Bible Translators*, CREDO Publishing Corp, Langley/Canada 1985

William Lawrence Svelmoe: *A New Vision for Missions: William Cameron Townsend, the Wycliffe Bible Translators and the Culture of Early Evangelical Faith Missions 1917–1945*, University of Alabama Press, Tuscaloosa/USA 2008

Ruth A. Tucker: *Bis an die Enden der Erde. Missionsgeschichte in Biographien*, Ernst Franz Verlag, Metzingen 1996, S. 346-353

Ansätze zum Weiterdenken

◊ Zweifellos ist die Bibel die Quelle, aus der Menschen sich heute am zuverlässigsten über das Denken und Handeln Gottes informieren können. Die Heilige Schrift will aber nicht nur Fakten vermitteln, sondern auch das Herz ihrer Leser berühren. Wahrscheinlich versteht jeder Mensch die wichtigen Mitteilungen Gottes am besten in seiner eigenen Muttersprache. Insofern sind Bibelübersetzungen und Bibelverbreitung für die Vermittlung christlichen Glaubens von außerordentlich großer Bedeutung.

- ◊ Bei vielen sozialen, politischen oder evangelistischen Aktivitäten können Christen aus verschiedenen Konfessionen problemlos zusammenarbeiten. Selbst wenn sich bestimmte theologische Überzeugungen im Ermessensspielraum des Übersetzers niederschlagen, spielt auch bei der Bibelübersetzung die Gemeindezugehörigkeit eine untergeordnete Rolle. Obwohl Christen den unterschiedlichen theologischen Sichtweisen natürlich nicht gleichgültig oder ignorant gegenüberstehen sollten, kann eine zu starke Betonung der eigenen Überzeugung viel wertvolle Lebenszeit verbrauchen, teilweise unnötige Gräben aufreißen, viele missionarische Tätigkeiten untergraben und der Gesellschaft gegenüber ein unzutreffendes Bild des christlichen Glaubens vermitteln.
- ◊ Der Vorwurf der Kulturzerstörung wird zumeist aus weltanschaulichen Gründen erhoben. Christenkritischen und linksorientierten Autoren ist es ein Dorn im Auge, dass sich in der Vergangenheit viele indigene Völker dem christlichen Glauben gegenüber geöffnet haben. Bei der pauschalen Kritik wird unterschlagen, dass alle Kulturen einer ständigen Veränderung unterworfen sind, mit oder ohne christliche Mission. Auch wird zu wenig beachtet, dass die Erforschung von Sprache und Verhalten eine unverzichtbare Voraussetzung für den Erhalt oder die Weiterentwicklung einer Kultur bilden. Manche Bräuche und Überzeugungen sind aus allgemein menschlicher Sicht nicht erhaltenswert. Häufig freuen sich die Einheimischen, diese Dinge hinter sich lassen zu können (z. B. rituelle Vergewaltigung, Angst vor den Verstorbenen, Verachtung von Kranken, Menschenfresserei usw.).
- ◊ Nicht ganz einfach zu beantworten ist die Frage, wie sich Christen, insbesondere Missionare, zu der Politik ihrer Gastländer positionieren sollen. Einerseits ist es unbefriedigend, sozialistische, korrupte oder gewalttätige Potentaten gewähren zu lassen oder durch die geleistete soziale Arbeit sogar noch indirekt zu unterstützen. Andererseits können allzu kritische Äußerungen jede diakonische und evangelistische Arbeit in dem betreffenden Land unmöglich machen.

32

Martin Niemöller

(1892–1984)

Gegen politische Ideologisierung

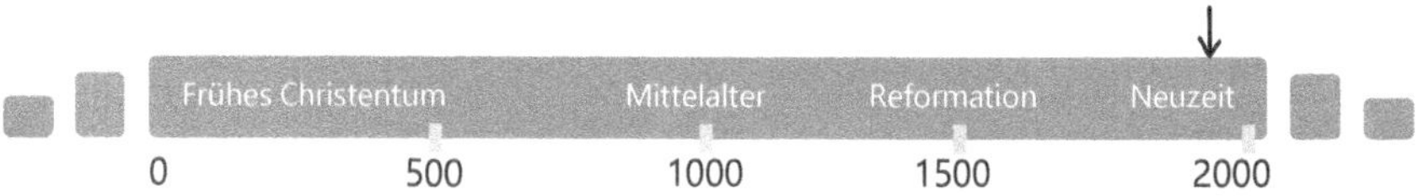

Das Verhältnis zwischen Christ und Staat war in der Geschichte häufig durch Übertreibungen oder Blindheit gekennzeichnet. Manchmal wollten Christen mithilfe der Politik den Himmel auf Erden erzwingen. Ein andermal ließen sie sich vorschnell von dem Wahn einer populären Ideologie mitreißen. Immer wieder wurden Christen schuldig, weil sie nicht genau hingesehen haben und dadurch zerstörerische politische Kräfte einfach gewähren ließen. Es ist nie leicht, als Christ öffentliche Verantwortung zu tragen, gerade in turbulenten Zeiten. Eine besondere Herausforderung waren für die Christen im 20. Jahrhundert der Kommunismus und der Nationalsozialismus.

Im Kaiserreich

Martin Niemöller wurde am 14. Januar 1892 in Lippstadt geboren. Von den zahlreichen Geschwistern erreichten sechs das Erwachsenenalter. Der Vater war ein pietistisch ausgerichteter evangelischer Pfarrer, kaisertreu und national. Um 1900 zog die Familie ins fromme Elberfeld, wo der Vater als Prediger und Seelsorger tätig war. Lebenslang erinnerte sich Niemöller an dessen praktisches Christenleben und seine volkstümlichen Predigten. Die ganz auf Jesus Christus ausgerichtete Frömmigkeit übernahm Niemöller von ihm. Bis zum Ende seines Lebens fragte sich Niemöller bei wichtigen Entscheidungen: „Was würde Jesus dazu sagen?"

Schon in der Schule war er alles andere als ein Mitläufer. Unter seinen zahlreichen Freunden gab er den Ton an. Wie viele seiner Altersgenossen träumte er damals von der Seefahrt und liebte es, in seiner Freizeit zu jagen. 1910 machte Niemöller sein Abitur als Bester seines Jahrgangs. Danach kam er zur Marine, wo er 1912 sein Fähnrichsexamen ablegte. Damals betrachtete Niemöller es als Verpflichtung, sich auch militärisch für den Schutz seines Vaterlandes zu engagieren. Im *Ersten Weltkrieg* wurde der junge Marineoffizier auf den damals noch neuen U-Booten eingesetzt. Ab 1918 war er Oberleutnant und Kommandant von UC-67, das vorwiegend im Mittelmeer operierte und erfolgreich zahlreiche gegnerische Schiffe versenkte. Durch die Brutalität und Rücksichtslosigkeit des U-Boot-Krieges kam Niemöller zum ersten Mal der Gedanke, Pastor zu werden. Während eines Heimaturlaubs verlobte er sich mit der Studentin Else Bremer, der Schwester eines Schulkameraden und Freundes. In ihrer weitgehend harmonischen Ehe wurden sieben Kinder geboren.

Martin Niemöller (Foto: J.D. Noske, Anefo, Nationaal Archief)

Von den politischen Revolten am Ende des Krieges und dem neuen demokratischen System der *Weimarer Republik* distanzierte sich Niemöller zunächst. Er weigerte sich, sein U-Boot gemäß den Kapitulationvereinbarungen an England auszuliefern, und verließ das Militär. Erst überlegte er, Landwirt zu werden, und arbeitete eine Zeitlang auf *Wieligmanns Hof* in der westfälischen Grafschaft Tecklenburg. Dann entschied er sich aber für ein Theologiestudium in Münster. Als Pfarrer wollte Niemöller der orientierungslosen Gesellschaft durch den christlichen Glauben wieder Sinn und Ziel geben. Seinen Lebensunterhalt verdiente er als Fahrkartenverkäufer für die Reichsbahn und als Bürokraft in einer Bank. Außerdem beteiligte Niemöller sich als Kommandeur einer Studentenwehr an der Niederschlagung des kommunistischen *Spartakusaufstands* im Ruhrgebiet (1920).

Nach seinem sehr gut bestandenen Theologieexamen begann er 1924 als Geschäftsführer der *Inneren Mission* in Münster. 1927 gründete Niemöller die *Darlehensgenossenschaft der Westfälischen Inneren Mission* als Selbsthilfeeinrichtung der Gemeinden (heute: *Bank für Kirche und Diakonie*). 1929 sprach er sich für eine stärkere Beteiligung der Evangelischen Kirche in der Kommunalpolitik aus und wurde selbst Stadtverordneter und Fraktionsführer der *Evangelischen Vereinigung* im Stadtparlament von Münster.

1931 veröffentlichte Niemöller seine Erinnerungen an den *Ersten Weltkrieg* in einem Buch mit dem Titel *Vom U-Boot zur Kanzel*, das schon bald zum Bestseller wurde. Durch seine Publikation wurde der Pfarrer deutschlandweit bekannt. Politisch dachte er national-konservativ. Niemöller war stolz auf seinen Einsatz als U-Boot-Kommandant. Schon seit 1924 sympathisierte Niemöller mit den Nationalisten. Mit innerlicher Zustimmung las er Hitlers politisches Pamphlet *Mein Kampf*. Diese Partei schien ihm am ehesten in der Lage, wieder Ordnung und Sicherheit in Deutschland zu etablieren.

Deutsches U-Boot aus dem Ersten Weltkrieg

1931 ging Niemöller als Pfarrer nach St. Annen in Berlin-Dahlem, wo er formal bis 1945 angestellt blieb, obwohl er einen Großteil der Zeit in Gefangenschaft der Nationalsozialisten verbrachte. In diesem Stadtteil wohnten vor allem höhere Beamte und wohlhabende Bürger.

Im Nationalsozialismus

Obwohl Niemöller die Forderung der Nationalsozialisten nach Recht und Ordnung unterstützte, ärgerte ihn deren politische Einflussnahme auf die evangelische Kirche und die offene Unterstützung der *Deutschen Christen*, die den Glauben nationalistisch uminterpretierten.[44] Bei den Kirchenwahlen von 1933 war Niemöller einer der Hauptkritiker der *Deutschen Christen*. Ihm ging es um die Freiheit des Evangeliums von jeder ideologischen Bevormundung und nicht so sehr um das politische Programm der Nationalsozialisten. Dabei musste Niemöller erfahren, dass

44 Die *Deutschen Christen* waren der protestantische Ableger der *Nationalsozialistischen Partei* (NSDAP). Ihnen gehörten eine Reihe von Pfarrern und Gemeindemitgliedern an, die das Ziel hatten, die evangelische Kirche für die Ideen des *Dritten Reiches* zu gewinnen. *Reichsleiter* der *Deutschen Christen* war der Berliner Pfarrer Joachim Hossenfelder (1899–1976). Er war davon überzeugt, dass mit der Einrichtung des *Dritten Reiches* durch Hitler das deutsche Volk eine *neue Offenbarung* erlebe.

man ihn gerade aufgrund seines Engagements für die Unabhängigkeit der Kirche als *Volksverräter* und *Vaterlandsfeind* diffamierte.

Seit Mai 1933 betätigte sich Niemöller aktiv in der *Jungreformatorischen Bewegung,* die für eine umfassende kirchliche Neuordnung kämpfte. Im Vorstand dieser Gruppe setzte er sich für die Wahl Friedrich von Bodelschwinghs (1877–1946) als Reichsbischof ein. Nach der Wahl des hitlerkritischen Bodelschwingh wurde Niemöller einer seiner engsten Mitarbeiter. Schon kurze Zeit später entzogen einflussreiche lutherische Bischöfe Bodelschwingh die Unterstützung, weil sie an einem ungetrübten Verhältnis zum Staat interessiert waren. Bodelschwingh trat daraufhin als Reichsbischof zurück und die *Jungreformatorische Bewegung* konzentrierte sich auf die theologische Schulung in den Gemeinden.

Propaganda der *Deutschen Christen* in Berlin (Bundesarchiv_Bild_183-1985-0109-502)

Noch im September 1933 trat Niemöller als Vorsitzender des gerade gegründeten *Pfarrernotbundes* an die Öffentlichkeit. Unter anderem stellte er sich in dieser Funktion deutlich gegen die *Arierparagraphen,* die Christen jüdischer Herkunft aus jedem kirchlichen Dienst drängen sollte.[45] Niemöller hob hervor, dass ein Prediger vor allem der Bibel und

45 Unter *Arierparagraphen* versteht man Gesetze und Verordnungen der Nationalsozialisten, die es nur noch „Ariern" (Deutschen und Deutschstämmigen) erlaubte, höhere Posten in staatlichen und nichtstaatlichen Organisationen einzunehmen. Juden sollten so aus verantwortlichen Stellungen verdrängt werden. Durch das *Gesetz zur Wiederherstellung des Berufsbeamtentums* vom 7. April 1933 wurden alle nichtarischen Beamten in den Ruhestand versetzt. Auf Drängen der *Deutschen Christen* schlossen auch viele evangelische Landeskirchen 1934 Pfarrer und andere Mitarbeiter mit jüdischen Wurzeln aus.

nicht dem gerade herrschenden Zeitgeist verpflichtet sei. Judenchristen dürften nicht diskriminiert werden. Durch den *Pfarrernotbund* sollten Prediger unterstützt werden, die auf staatlichen Druck hin entlassen wurden. Schnell entwickelte sich die Gruppe zu einem der wichtigsten Träger der kirchlichen Opposition gegen den Nationalsozialismus. Bereits 1933 traten ihm mehr als 3000 Pfarrer bei. Niemöller wurde als Gründer und Leiter des *Pfarrernotbundes* überall in Deutschland zu Vorträgen, Predigten und Besprechungen der Kirchenleitungen eingeladen. Federführend drängte er zum Kampf gegen die *Deutschen Christen* und ihre nationalistische Verfälschung des Evangeliums.

Obwohl zum 2.7.1933 die Beflaggung mit der Hakenkreuzflagge verordnet war, wurde an Niemöllers Kirche in Dahlem lediglich die Kirchenfahne gehisst, während sich andere Gemeinden regelmäßig mit dem Hakenkreuz schmückten.

Unabhängig von den offiziellen Kirchenleitungen konstituierten sich seit 1934 *Freie evangelische Synoden*, mit denen Niemöllers *Pfarrernotbund* kooperierte. Im Mai 1934 kam es in Barmen (Wuppertal) zur ersten *Bekenntnissynode* dieser konfessionell recht unterschiedlichen Gruppen. Niemöller war entscheidend an der Organisation und Durchführung dieser Zusammenkunft beteiligt. In der hier verabschiedeten *Barmer Theologischen Erklärung* hoben die Delegierten die Unabhängigkeit der Kirche von allen menschlichen Ideologien und Mächten konsequent hervor:

> „Die unantastbare Grundlage der Deutschen Evangelischen Kirche ist das Evangelium von Jesus Christus, wie es uns in der Heiligen Schrift bezeugt und in den Bekenntnissen der Reformation neu ans Licht getreten ist. Hierdurch werden die Vollmachten, deren die Kirche für ihre Sendung bedarf, bestimmt und begrenzt. […]
>
> Jesus Christus, wie er uns in der Heiligen Schrift bezeugt wird, ist das eine Wort Gottes, das wir zu hören, dem wir im Leben und im Sterben zu vertrauen und zu gehorchen haben.
>
> Wir verwerfen die falsche Lehre, als könne und müsse die Kirche als Quelle ihrer Verkündigung außer und neben diesem einen Worte Gottes auch noch andere Ereignisse und Mächte, Gestalten und Wahrheiten als Gottes Offenbarung anerkennen. […]
>
> Wie Jesus Christus Gottes Zuspruch der Vergebung aller unserer Sünden ist, so und mit gleichem Ernst ist er auch Gottes kräftiger Anspruch auf unser ganzes Leben; durch ihn widerfährt

uns frohe Befreiung aus den gottlosen Bindungen dieser Welt zu freiem, dankbarem Dienst an seinen Geschöpfen.

Wir verwerfen die falsche Lehre, als gebe es Bereiche unseres Lebens, in denen wir nicht Jesus Christus, sondern anderen Herren zu Eigen wären, Bereiche, in denen wir nicht der Rechtfertigung und Heiligung durch ihn bedürften. [...]"

Bereits im Herbst 1934 richtete die *Bekennende Kirche in Preußen* fünf Predigerseminare zur Ausbildung ihrer Vikare ein (in Wuppertal-Elberfeld, Bielefeld-Sieker, Naumburg, Finkenwalde und Bloestau). In Berlin organisierte man 1935 eine von der Gestapo[46] verbotene *Kirchliche Hochschule* die bis 1941 in verschiedenen Privatwohnungen und Niemöllers Gemeindehaus Pfarrer für die *Bekennende Kirche* ausbildete.

Um Ruhe an der „kirchlichen Front" zu bekommen, empfing Hitler am 25.1.1934 die Kirchenführung zu einer Audienz. Niemöller kritisierte Hitler offen und massiv. „Herr Reichskanzler, Gott selbst hat uns die Verantwortung für unser Volk übertragen. Und keine Macht der Welt ist berechtigt, sie von uns zu nehmen." – „Die Sorge um das deutsche Volk überlassen Sie ruhig mir", antwortete Hitler gereizt. Kirchenleiter wie die Bischöfe Theophil Wurm (Württemberg) und Hans Meiser (Bayern) distanzierten sich daraufhin deutlich von Niemöller. Nach der Rolle des Kritikers der Nationalsozialisten hatte er sich nicht gesehnt, nahm sie aber als Berufung Gottes an, wie er 1935 in einer Predigt äußerte: „Wir haben nicht zu fragen, wie viel wir uns zutrauen, sondern wir werden gefragt, ob wir Gottes Wort zutrauen, dass es Gottes Wort ist und tut, was es sagt!"

Schon am nächsten Tag erschien die Gestapo zu einer gründlichen Hausdurchsuchung. Niemöller selbst wurde mehrere Tage lang täglich zu längeren Verhören bestellt. Am 10.2.1934 explodierte im Treppenhaus des Dahlemer Pfarrhauses eine Bombe, wohl um den kritischen Theologen einzuschüchtern.

Auf der *Zweiten Bekenntnissynode* vom 18.-19. Oktober 1934 in Dahlem erhob der Reichsbruderrat, zu dem Niemöller gehörte, den Anspruch auf die geistliche Leitung der *Deutschen Evangelischen Kirche*. Der größere Teil der *Bekennenden Kirche* widersetzte sich diesem Schritt und installierte eine *Vorläufige Kirchenleitung* (VKL) mit Bischof August Marahrens (1875–1950) an der Spitze, der zu einer größeren Kooperation mit dem Staat bereit war. Damit musste der

46 Als *Gestapo* bezeichnet man die Geheime Staatspolizei im nationalsozialistischen Deutschland.

Kreis um Niemöller auf jede Rückendeckung seitens der offiziellen Kirche verzichten.

Ab 1935 ging der nationalsozialistische Staat massiv gegen die Mitglieder des konsequenten Flügels der *Bekennenden Kirche* vor: Die Finanzverwaltung wurde zerschlagen, weitgehend willkürliche Hausdurchsuchungen, Verhaftungen und Verhöre wurden durchgeführt, religiöse Veranstaltungen wurden durch Erlasse und Beschlüsse behindert. Aufgrund seiner deutlichen Kritik an Alfred Rosenberg (1893–1946), dem Chefideologen der Nationalsozialisten, wurde Niemöller 1935 erstmalig inhaftiert, bald jedoch wieder freigelassen.

Leidenschaftlich und klar kritisierte Niemöller die ängstliche Zurückhaltung kirchlicher Repräsentanten angesichts dieser ideologischen Grenzüberschreitung des Staates. In einem verbreiteten Artikel forderte er 1936 eine „missionierende Kirche", die „den Angriff auf das Reich der Welt" wagt. Niemöller sah durch den Nationalsozialismus den Kern des Evangeliums bedroht. An seine Frau schrieb er: „Ich habe nicht für […] [die lutherische Kirche] gekämpft, sondern für die Kirche des Herrn; denn der Angriff geht heute nicht gegen Luther […] sondern gegen den Herrn Jesus Christus. Wer das verleugnet und hier mitmacht, der führt den berühmten Dolchstoß und verrät des Menschen Sohn mit einem Kuss!"

KZ Sachsenhausen, Häftlinge beim Zählappell (Bundesarchiv_Bild_183-78612-0003)

Niemöller wurde für viele im In- und Ausland der Repräsentant des kirchlichen und politischen Widerstands. Er selbst hielt sich allerdings nicht für den großen Helden, wie beispielsweise im Brief an seine Frau deutlich wird (1938): „Ach Liebling, was mag Gott mit uns vorhaben?! Ich bin doch weder ehrgeizig noch revolutionär, weder ein großer Theologe noch sonst was, und wir müssen so auf den Präsentierteller vor aller Welt!"

Auf Betreiben der Nationalsozialisten wurde Niemöller am Morgen des 1. Juli 1937 erneut verhaftet. Nach acht Monaten zermürbender Untersuchungshaft verurteilte man ihn zu einer geringen Gefängnis- und Geldstrafe, die eigentlich mit seiner Zeit im Polizeigewahrsam abgegolten wäre. Doch statt Niemöller auf freien Fuß zu setzen, wurde er auf Hitlers Anordnung ins Konzentrationslager Sachsenhausen eingeliefert. Drei Jahre Einzelhaft und innere geistliche Kämpfe zermürbten den Gefangenen. Bei Kriegsbeginn 1939 meldete sich Niemöller als Freiwilliger für die Marine, weil er der bedrückenden Einzelhaft im KZ entfliehen wollte. Als ideologisch unsicherer Kandidat wurde er allerdings abgelehnt.

Angesichts der vorrückenden amerikanischen Armee wurde Niemöller von der SS nach Südtirol verschleppt. Vor der durch Hitler persönlich angeordneten Ermordung bewahrten ihn die rechtzeitig eintreffenden Soldaten der Alliierten. Als auch die Amerikaner Niemöller weiter gefangen hielten, trat er in den Hungerstreik. Einige Wochen später durfte er wieder zurück nach Hause. Acht Jahre hatte er aufgrund seiner Kritik am Nationalsozialismus hinter Gittern verbracht.

In der Bundesrepublik Deutschland

Bereits kurz nach seiner Freilassung war Niemöller, mit Sondererlaubnis der Alliierten Kontrollkommission, in England (1946). Im Frühjahr 1947 reiste er durch die USA. Bei seiner Ankunft wurde er als möglicher deutscher Naziverbrecher kurzzeitig verhaftet, ehe sich das Missverständnis aufklärte. Auf einer regelrechten Tournee sprach er dann als Repräsentant des kirchlichen Widerstands gegen Hitler in 60 amerikanischen Städten vor mehr als 600 000 Menschen.

Die politischen, gesellschaftlichen und wirtschaftlichen Veränderungen der Nachkriegszeit und auch die Erinnerungen an seine Gefangenschaft machten Niemöller schwer zu schaffen. Immer wieder hatte er mit Niedergeschlagenheit und Depressionen zu kämpfen. In der evangelischen Kirche erfuhr er manche Ehrungen. Immerhin war er einer der wenigen führenden Protestanten, der sich sehr früh und deutlich gegen den Nationalsozialismus gestellt hatte. 1947 wurde

Niemöller Kirchenpräsident der *Evangelischen Kirche von Hessen und Nassau* (bis 1968).

Kurz nach Kriegsende lud Bischof Theophil Wurm (1868–1953) die Leiter der evangelischen Landeskirchen ins hessische Treysa, um über die Neuordnung der Kirche zu beraten. Obwohl man die Verstrickung der Kirche in den Nationalsozialismus am liebsten verdrängen wollte, wurde Niemöller aufgrund seines Renommees in den neugegründeten *Rat der Evangelischen Kirche in Deutschland* (EKD) gewählt. Schon auf der zweiten Ratstagung der EKD am 18./19.10.1945 in Stuttgart kam es zu Auseinandersetzungen, weil Niemöller darauf bestand, dass die evangelische Kirche sich zu ihrer Mitschuld an den Gräueln des *Zweiten Weltkriegs* bekannte. Im *Stuttgarter Schuldbekenntnis* hieß es dann auch unter anderem: „Mit großem Schmerz sagen wir: Durch uns ist unendliches Leid über viele Völker und Länder gebracht worden." In Kirchenleitungen und Gemeinden wurde diese Bitte um Vergebung eher zurückhaltend oder sogar ablehnend aufgenommen.

1947 initiierte Niemöller daraufhin das *Darmstädter Wort*, in dem noch einmal deutlich die Mitschuld der *Evangelischen Kirche* an den Verbrechen des Nationalsozialismus benannt wurde. Ein Sturm der Entrüstung erhob sich gegen Niemöller. Sowohl Kirchenleitungen als auch Gemeinden wollten ihre politischen Verstrickungen und ihre willige Kollaboration mit den Nationalsozialisten baldmöglichst vergessen. Niemöller aber forderte eine öffentliche Bitte um Vergebung im Sinne der Opfer und als Immunisierung gegen die Gefahr einer künftigen Politisierung der Kirche. „Wir sind nicht im Frieden mit Gott, sondern wir murren gegen Gott, und das soll uns daran erinnern, dass Gott Grund hat, über uns zu murren: Es geht um die Schuld, es geht um die Sünde." Das Bekenntnis kirchlicher Schuld war für Niemöller nicht nur eine politische Geste, sondern die konsequente Anwendung des Evangeliums. Denn Vergebung könne nur dort stattfinden, wo Schuld beim Namen genannt und bereut werde.

Das Angebot göttlicher Vergebung gelte nach Niemöller allerdings nicht nur für die Mitschuldigen am Nationalsozialismus, sondern auch für die Kommunisten als den neuen Feinden im beginnenden *Kalten Krieg*[47] dieser Jahre. „Ist Jesus Christus nicht auch für die Menschen, die

47 Als *Kalten Krieg* bezeichnet man den Konflikt zwischen den Westmächten unter Führung der *Vereinigten Staaten von Amerika* und dem *Ostblock* unter Führung der Sowjetunion (1947–1989). Während dieser Zeit gab es eine intensive Spionage und beständige militärische Drohungen. Man versuchte, die ganze Welt in Einflusssphären zwischen Ost und West, Sozialismus und Kapitalismus aufzuteilen. In einigen Staaten der Welt wurden währenddessen Stellvertreterkriege

Kommunisten sind, gestorben und auferstanden?", wagte Niemöller zu fragen. 1952 erklärte er im Blick auf die feindliche Sowjetunion: „[…] müsste die Christenheit des Westens sie [die Kommunisten] nicht mit unaufhörlichem Gebet und Fürbitte umgeben und tragen? Und müssten wir nicht bei uns selber und bei denen um uns her den glühenden Hass zurückweisen, der unseren Glauben bedroht und zunichtemacht?" Nicht politisch motivierte Hasspredigten dürften in der Kirche zu hören sein, sondern echte Friedensliebe sollte die Christen in dieser weltpolitischen Lage auszeichnen. Ganz unzeitgemäß wollte Niemöller die damals populäre Einteilung der Welt in Gut und Böse, West und Ost, Kapitalismus und Kommunismus nicht einfach mitgehen.

Weil Niemöller sich nicht schnell auf den neuen politischen Trend eingestellt hatte, warf man ihm vor, *Staatsfeind* und *Sympathisant der Kommunisten* zu sein. Tatsächlich unterhielt er Beziehungen zur linken Studentenbewegung der 60er-Jahre und zu Vertretern des Sozialismus. Zeitweilig übernahm er idealistisch deren Kritik am Kapitalismus. Besonders hob Niemöller ihr Engagement für die Schwachen und für den weltweiten Frieden hervor. Gelegentlich warb die SPD im Wahlkampf mit gefälschten Niemöller-Zitaten. Viele bemängelten zurecht seine weitgehende Blindheit für die Verbrechen der Sowjetunion. Weil er aber auch den Sozialisten nicht unkritisch zustimmen wollte, störten linke Studenten ab 1970 zahlreiche seiner öffentlichen Vorträge.

Niemöller auf einer Deutschen Briefmarke (1992)

Niemöllers pointierte Stellungnahmen gegen die Gründung der Bundesrepublik, gegen deren Wiederbewaffnung und Westeinbindung sind wohl in erster Linie durch seine Furcht vor einer erneuten Politisierung der Kirche zu erklären. Niemöller wollte die sich anbahnende Spaltung Deutschlands verhindern, mit all dem Leid, das sie für die Betroffenen bedeutete. Christen sollten sich für den Frieden einsetzen und nicht als Kommunisten oder Kapitalisten in Erscheinung treten.

---

zwischen den Machtblöcken geführt (z. B. in Korea 1950–1951 und in Vietnam 1955–1975).

Schon 1952 warb Niemöller während seines Besuchs beim Moskauer Patriarchen der Russisch-orthodoxen Kirche für eine Aussöhnung mit dem ehemaligen Feind. Gleichzeitig forderte er öffentlichkeitswirksam die Freilassung der deutschen Kriegsgefangenen aus sowjetischen Arbeitslagern.

Schon im Herbst 1945 begann Niemöller, Kontakte zu anderen ausländischen Kirchen zu knüpfen. Dadurch wollte er die internationale Isolierung der *Evangelischen Kirche* nach dem *Zweiten Weltkrieg* überwinden. Rund 150 weitere Auslandsreisen folgten, bis Niemöller 1961 einer der sechs Präsidenten des *Weltrats der Kirchen*[48] wurde.

Nach der Zündung der ersten russischen Wasserstoffbombe 1954 wurde Niemöller zu einem der schärfsten Atomwaffengegner in Deutschland. Nach intensiven Gesprächen mit führenden Atomphysikern wie Otto Hahn (1879–1968) kam Niemöller zum Schluss, dass für einen überzeugten Christen Nuklearwaffen unverantwortbar seien. Waffen herzustellen und einzusetzen, die die gesamte Menschheit auslöschen könnten, sei für Christen vollkommen inakzeptabel. Es gäbe keinen Wert, den man mit dem Risiko der weitgehenden Auslöschung des Lebens rechtfertigen könnte.

Während eines Vortrags in Mannheim äußerte Niemöller 1959: „Die Massenvernichtungsmittel sind keine Waffen mehr; sie wirken gegen Freund und Feind und Neutrale; sie verteidigen auch nicht mehr, denn sie treffen auch den, den sie verteidigen möchten; sie machen keinen Unterschied mehr zwischen Krieg und Frieden […]." In seinen Ansprachen gegen Atomwaffen provozierte Niemöller immer wieder, um die weitgehend ahnungslose Bevölkerung[49] über ihre Situation am Rande

---

48 Der Ökumenische Rat der Kirchen/ÖRK (auch: *Weltkirchenrat*; engl. *World Council of Churches*/WCC) wurde am 23. August 1948 in Amsterdam als gemeinsames Forum der Kirchen gegründet. Heute umfasst er 349 Mitgliedskirchen in mehr als 120 Ländern. Ursprünglich konzentrierte sich der ÖRK vor allem auf den Austausch und die Koordination zwischen den Mitgliedkirchen. Seit den 60er-Jahren konzentrierte man sich immer stärker auf politische, wirtschaftliche und ökologische Themen. Währenddessen finanzierte man unter anderem die Gewalt afrikanischer Befreiungsbewegungen und förderte eine gewisse Religionsvermischung.

49 In den 40er- und 50er-Jahren versuchte man die Menschen mit einer groben Verharmlosung bezüglich der Folgen eines Atomkriegs zu beruhigen. Der Zivilbevölkerung wurden mit Bleikugeln gefütterte Schutzanzüge und metallene Kisten als ausreichender Schutz gegen die Bombenstrahlung empfohlen. Sähe man den Blitz einer Atombombenexplosion, solle man sich auf den Boden werfen und den Kopf mit einem Kissen oder einer Aktentasche bedecken, dann könne einem nichts passieren. Spätere Prognosen zeichneten ein ganz anderes Bild. Bei einem atomaren Weltkrieg müsste man demnach mit rund einer Milliarde Toten

des Abgrunds aufzurütteln. Niemöller beteiligte sich in diesen Jahren an zahlreichen Friedensmärschen, Demonstrationen und Mahnwachen. Pazifismus aus Glauben und in der Nachfolge Jesu war seine Zielvorstellung. Die Kirchen sollten umkehren, Buße tun und ihre Schuld bekennen, weil sie so lange und so selbstverständlich immer wieder Macht und Gewalt gerechtfertigt hätten.

Christen sollten persönlich wie auch öffentlich realisieren, dass sie untrennbar mit allen anderen Menschen verbunden sind: „Ohne Sinnesänderung – vom Ich und seiner Selbstzentriertheit zur lebendigen Solidarität mit dem anderen und den anderen – ist die hoffnungslose Selbstzerstörung nicht aufzuhalten. Deshalb habe ich die Aufgabe meines Lebens in der unentwegten Einladung zur Nachfolge Jesu als zum Weg des Lebens gesehen."

Pfarrhaus von Martin Niemöller, Ev. Gemeinde Dahlem

Trotz seiner deutlichen Gesellschaftskritik weigerte sich Niemöller zeitlebens, als Politiker aufzutreten. Das würde lediglich seine Glaubwürdigkeit als Pastor schmälern, war seine Überzeugung. „Dann nimmt mir auch der Mann von der Gegenseite das Wort nicht mehr ab." Darauf kam es Niemöller an. In erster Linie wollte er Seelsorger sein, Verkünder des Wortes. „Das ist meine Leidenschaft, ich will das Evangelium so

rechnen. Verstrahlung, Feuerstürme und Aschewolken würden zu einem Zusammenbruch der Zivilisation für mindestens 100 Jahre führen.

verkündigen, dass der Mensch angesprochen wird, ich will als Prediger hineinreden in die konkrete Situation des Menschen."

Im Jahr 1961 kam Niemöllers Frau bei einem Autounfall ums Leben. Zehn Jahre später heiratete er Sibylle von Sell, die später zum Judentum übertrat. Nachdem Martin Niemöller am 6.3.1984 im Alter von 92 Jahren gestorben war, schrieb der Pfarrer und SPD-Politiker Heinrich Albertz (1915–1993) über ihn: „Er ist einer der ganz wenigen, der in unserem Jahrhundert glaubwürdig als Christ gepredigt und gelebt hat, in vielen Wandlungen [...] Und schließlich eben als ganz alter Mann, als Botschafter des Friedens, des unbedingten Pazifismus, von seinem Herrn geliebt." Dabei stand Niemöller allerdings immer wieder in der Gefahr, Politik und Glaube unsachgemäß zu vermischen und die Perspektive der tiefen Trennung des Menschen von Gott zu vernachlässigen.

Ausgewählte Literaturhinweise

Martin Grechat: *Martin Niemöller*, in: Martin Greschat (Hrsg.): Gestalten der Kirchengeschichte, Bd. 10, W. Kohlhammer Verlag, Stuttgart 1986, S. 187-204

Martin Niemöller: *Dahlemer Predigten*. Kritische Ausgabe, hrsg. von Michael Heymel, Gütersloher Verlagshaus, Gütersloh 2011

Dietmar Schmidt: *Martin Niemöller*, Rowohlt Verlag, Reinbek bei Hamburg 1959

Matthias Schreiber: *Martin Niemöller*, Rowohlt Verlag, Reinbek bei Hamburg 1997

Ansätze zum Weiterdenken

◊ In der Vergangenheit haben Christen oftmals dazu tendiert, sich relativ schnell mit konservativen politischen Positionen zu identifizieren. Hier sollten Ordnung, Werte, Leistung und Tradition gewährleistet werden. Dass radikal rechte Politiker dabei gelegentlich diktatorisch wurden, gewalttätig, fremdenfeindlich, intolerant usw., wurde von vielen verdrängt. Christlicher Glaube ist politisch, aber weder rechts noch links. Jesus Christus steht über aller Parteipolitik. Christen sollten sich nicht zu schnell auf politisch beliebte Freund-Feind-Schemata einlassen.

◊ Es ist kaum möglich, als Christ politisch vollkommen neutral zu leben. An vielen Stellen überschneiden sich christliche Interessen und Lebensbereiche, biblische Werte und Überzeugungen mit politischen Programmen und Idealen (Erziehung, Ehe, Wirtschaft, Medizin). Christen können sich dann entweder in den Konfliktbereichen vom Staat distanzieren oder gar gegen ihn kämpfen. Das hängt wahrscheinlich davon ab, wie stark der Widerspruch ist und welche Möglichkeiten zur Verfügung stehen. Viele aber wählen die am wenigsten befriedigende Option: Sie schauen zu bzw. übernehmen die gerade modernen politischen Positionen auf Kosten ihrer Verwurzelung im Evangelium. Zur Beruhigung ihres Gewissens konstruieren sie natürlich irgendeine Erklärung, der zufolge politische Ideologie und biblische Überzeugung wunderbar zusammenpassen.

◊ Die Gefahr, gesellschaftlich moderne Positionen vorschnell zu übernehmen, ist dann besonders groß, wenn andere Meinungen weitgehend verdrängt bzw. diffamiert werden und wenn das eigentliche Interesse nicht deutlich dargelegt wird. Oft wird nicht offen gesagt, was man eigentlich beabsichtigt, stattdessen werden möglichst viele positiv besetzte Begriffe benutzt (sozial, gerecht, menschenfreundlich, wissenschaftlich, logisch, frei) und mit dem eigenen Anliegen verbunden, um in der Öffentlichkeit eine breite Unterstützung zu bekommen. Hat man sich erst durchgesetzt, treten die eigentlichen Ziele zutage und deren oft negative Nebenwirkungen.

◊ In einer weitgehend von Gott losgelösten Welt geht es ohne Gewalt nicht. Irgendjemand probiert immer, seine Interessen mit irgendeiner Form von Gewalt durchzusetzen. Ein guter Staat dämpft und reguliert die private Gewalt. Ein schlechter lässt zu viel zu und verliert deshalb die Übersicht oder setzt zu viel Gewalt ein und beginnt, Andersdenkende illegitim zu unterdrücken. Das Konzept des *gerechten Krieges* versucht im Bereich der Ethik starke legitime Gewalt zu beschreiben. Auch wenn manchmal Diktatoren, Verbrecher oder Extremisten durch nichts anderes als durch Gewalt aufzuhalten sind, besteht allerdings immer die Gefahr, dass mit dem Begriff des *gerechten Krieges* nur die eigenen, nicht immer reinen Motive verschleiert werden. So ging es im Kampf gegen den Kommunismus wahrscheinlich nicht immer nur um Freiheit, Demokratie oder gar um den christlichen Glauben.

33

Billy Graham
(1918–2018)
Evangelisation weltweit

Vermittler des Glaubens waren in der frühen Kirche vor allem Leute ohne große theologische Bildung. Sie waren Juristen, Rhetoren oder Handwerker und setzten ihre Redebegabung für Gott ein, nachdem sie sich bekehrt hatten. Im Mittelalter haben vor allem Mönche und Priester für den christlichen Glauben geworben. In der Neuzeit wurden neben den Pfarrern immer stärker auch gläubige Laien eingebunden. Sie sollten selber in der Bibel lesen und von ihren Erfahrungen erzählen. Im 19. Jahrhundert wurden Missionare und Diakonissen zu idealen Vermittlern des Glaubens. In einer Zeit der Professionalisierung, der Großveranstaltungen und der Medien trat dann der Evangelist immer stärker in den Vordergrund. Möglichst anschaulich und herausfordernd sollte er die Grundlagen christlichen Glaubens erklären. Doch wohl niemand in der Kirchengeschichte predigte zu so zahlreichen Menschen wie der amerikanische Evangelist Billy Graham. Reporter nannten Graham den „Papst der amerikanischen Protestanten".

Farmersohn

Billy Graham, eigentlich William Franklin Graham Jr., wurde am 7. November 1918 in Charlotte, North Carolina, geboren. Seine Eltern, William und Morrow Graham, betrieben eine kleine Farm mit Milchkühen. Das Geld war eher knapp. Die wirtschaftliche Depression Ende der 20er-Jahre des vergangenen Jahrhunderts war gekennzeichnet von Massenarbeitslosigkeit und Inflation. Billy wuchs mit vier jüngeren Geschwistern auf.

In der schottischstämmigen Familie wurden die ethischen Maßstäbe der Bibel besonders betont. Regelmäßig las man im Wort Gottes und hielt Hausandachten. Bei den Grahams wurde aber auch viel gelacht. Der

Vater war für seinen ausgeprägten Humor bekannt. Billys Aufgabe war es, jeden Morgen die 20 Kühe der Familie zu melken und zu füttern. Im Sommer begann die Arbeit auf der Farm oft schon um 2.30 Uhr in der Früh. Nebenher nahm Graham sich Zeit, auf dem Heuboden zu lesen und durch Bücher die Welt kennenzulernen, in der er lebte.

Bis dahin las Graham zwar mit der Familie in der Bibel, betete und besuchte regelmäßig die presbyterianische Kirche am Ort, innerlich aber fühlte er sich leer und distanziert. Seine Religiosität empfand er eher als etwas Angelerntes. Nichts wies in diesen Jahren darauf hin, dass Graham einmal auf 417 Großveranstaltungen zu mehr als 215 Millionen Menschen in 185 Ländern sprechen würde.

Billy Graham 1966

Im Alter von 15 Jahren besuchte Billy die Veranstaltungen des Evangelisten Mordecai Fowler Ham (1877–1961) an seiner Schule. Anfänglich kam er zu den Predigten, um mitzuerleben, wie einige Studenten den Redner durch spitzfindige Fragen und Unterbrechungen aus dem Konzept bringen würden. Doch verliefen die Abende anders als erwartet. Der unscheinbare Ham sprach glaubwürdig und plausibel über die Schuld der Menschen und die Vergebung Gottes. Graham fühlte sich ganz persönlich getroffen und entschied sich, ab sofort ein Leben im Glauben zu führen. Nach seiner Bekehrung war er sich der Nähe und Vergebung Gottes gewiss, las aus eigenem Antrieb in der Bibel und sang in seiner Freizeit und bei der Arbeit im Stall Kirchenlieder.

Nach der Highschool ging Graham nach Tennessee, um am konservativen *Bob Jones College* zu studieren (1936). Die strengen Regeln und Vorschriften der Ausbildungsstätte waren allerdings nicht ganz nach Grahams Geschmack. Deshalb wechselte er schon bald die Schule.

Theologiestudent

Nachdem er sein Studium am *Florida Bible Institute* (heute: *Trinity College*) mit einem Bachelor in Theologie abgeschlossen hatte, ging er ans

Wheaton College in Illinois. Während des Studiums sammelte er seine ersten Erfahrungen als Redner. Bei regelmäßigen Kanufahrten auf dem *Hillsborough River* predigte er zu Übungszwecken den Alligatoren, Vögeln und Bäumen. Intensiv fragte er während dieser Jahre nach dem Willen Gottes für seine weitere Zukunft.

1939 wurde Graham als Pastor der *Südlichen Baptisten* (*Southern Baptist Convention*) ordiniert. Nach einer Unterbrechung, in der er zu Beginn des Zweiten Weltkriegs als Militärkaplan tätig war, schloss Graham 1943 sein Studium in Wheaton ab. Seine erste Stellung erhielt er als Pastor der *First Baptist Church* in Western Springs/Illinois.

Nach der Beendigung seiner Ausbildung engagierte sich Graham für die neu entstandene christliche Jugendorganisation *Youth for Christ* (YFC, *Jugend für Christus*), deren erster vollamtlicher Mitarbeiter er wurde (1944). Hier sollten junge Menschen für den Glauben an Jesus Christus gewonnen und auf einen Dienst im Reich Gottes vorbereitet werden. Sehr erfolgreich organisierte er die Aktivitäten der noch jungen Organisation, sodass YFC bereits nach einem Jahr in 300 amerikanischen Städten vertreten war. Von 1947 bis 1952 war Graham außerdem Präsident der *Northwestern-Schools*, einer Gruppe christlicher Schulen in Minnesota.

Mensch

1943 heirateten Billy Graham und Ruth McCue Bell (1920–2007). Seine Frau hatte er während des Studiums kennengelernt. Ruth McCue Bell verbrachte die ersten 17 Jahre ihres Lebens in China und Korea, wo ihr Vater als Mediziner in der Mission tätig war. 1945 wurde das erste von fünf Kindern der Grahams geboren. Gemeinsam haben sie drei Töchter, zwei Söhne und 19 Enkelkinder.

Trotz Billys häufiger Abwesenheit führten die Grahams eine harmonische Ehe. Ruth stand dem Evangelisten unterstützend und beratend zur Seite, wie ein Brief an seine Frau aus dem Jahr 1950 deutlich macht: „Dein Ratschlag ist der einzige, dem ich wirklich traue. Du hast keine Vorstellung davon, wie oft ich deinen Ausführungen zugehört habe und den Eindruck hatte, deine Worte kämen direkt vom Herrn …"

Zahlreiche Menschen, die Ruth und Billy Graham persönlich kennenlernten, waren beeindruckt von ihrer Bescheidenheit, der Demut, ihrem Interesse an anderen Menschen und ihrem persönlichen Umgang mit Gott im Alltag.

Evangelist

Auf seiner ersten größeren Evangelisation sprach Graham 1947 in Grand Rapids/Michigan vor 6000 Menschen. Weitere Veranstaltungen folgten in Charlotte, Miami und Baltimore.

Das *Christ for Greater Los Angeles*-Komitee plante für 1949 eine Großevangelisation, zu der Billy Graham als noch wenig bekannter Redner eingeladen wurde. 1000 Gebetsgruppen bereiteten die Veranstaltung vor. Am 25. September 1949 fand der erste Evangelisationsabend in einem 6000 Zuschauer fassenden Zirkuszelt statt. Grahams frischer, ehrlicher und konkreter Predigtstil schlug ein. Zahlreiche Menschen öffneten sich für den christlichen Glauben und erlebten eine Bekehrung, unter ihnen der damals bekannte Sänger und Schauspieler Stuart Hamblen (1908–1989), sowie der Olympiasieger Louis Silvie Zamperini (1917–2014). Aufgrund des starken Besucherandrangs wurde das Zelt auf 9000 Sitzplätze erweitert und die Veranstaltungsreihe immer wieder verlängert.

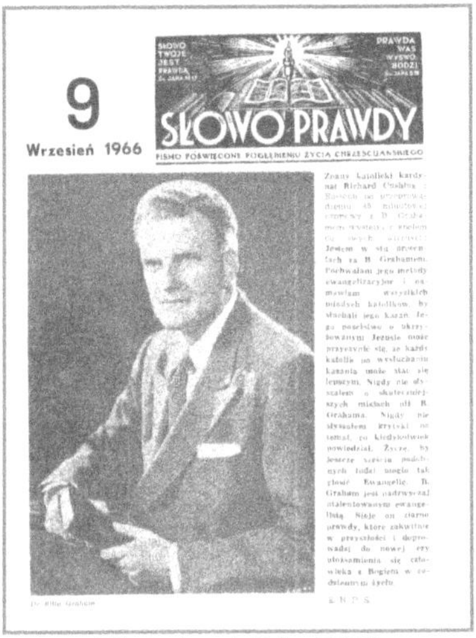

Billy Graham in Polen (1966)

Grahams gewachsener Bekanntheitsgrad füllte das riesige Zelt in Los Angeles für acht Wochen. Seine Predigten waren Stadtgespräch und boten Orientierung nach den belastenden Jahren des Zweiten Weltkriegs und der Angst vor den atomaren Massenvernichtungswaffen. Der Zeitungs-Magnat William Randolph Hearst (1863–1951) wurde auf Graham aufmerksam und setzte sich für eine positive Berichterstattung ein. Auch der *Time-* und *Life*-Herausgeber Henry Robinson Luce (1898–1967) war von Graham begeistert und warb in seinen Zeitschriften für den Prediger. Dadurch wurden dessen Evangelisationsveranstaltungen in den ganzen USA bekannt.

In den folgenden Jahren wurde Graham zu einem christlichen Superstar. Im Zentrum seiner Predigten standen die Sünde des Menschen, die Liebe Gottes, der stellvertretende Tod Jesu Christi und das konsequente Christenleben. Gerade in den 50er-Jahren ließ er sich allerdings auch durch den amerikanischen Antikommunismus beeinflussen. In der Sowjetunion sah er den größten Gegner des christlichen Glaubens. Aus dieser Richtung müsse wohl auch der Antichrist kommen, so meinte er. Obwohl Graham nie ein Datum des Weltendes nannte, erwartete er die Wiederkunft Christi in den kommenden Jahrzehnten. „Der Antichrist, vor dem die Propheten warnten, dass er in den letzten Tagen erscheinen würde, wächst und nimmt Gestalt an vor unseren Augen [...]" (1954).

Seit den 50er-Jahren trug Graham dazu bei, die miteinander zerstrittenen evangelikalen Fraktionen Amerikas zu versöhnen. Um bei seinen Großveranstaltungen mit möglichst vielen christlichen Gruppen kooperieren zu können, grenzte sich Graham im Laufe der Jahre allerdings auch immer weniger gegenüber der liberalen Theologie ab. Seine Einheitsbestrebungen gingen vielen Evangelikalen entschieden zu weit. Im Zusammenhang mit seinen Veranstaltungen unterhielt er unter anderem Kontakte zur katholischen und orthodoxen Kirche, aber auch zu christlichen Sondergruppen wie den Adventisten und den Mormonen.

Billy Graham 1954

Wie kaum ein Prediger seiner Zeit hob Billy Graham die Bedeutung der Bibel außerordentlich hervor. „The Bible says" („Die Bibel sagt") wurde geradezu zu seinem Markenzeichen. Während seiner Predigten hielt er fast immer die Bibel in der Hand, um deutlich zu machen, dass er nicht über seine eigenen Ideen sprach, sondern über den Inhalt der Heiligen Schrift. In seinen Vorträgen und Büchern begründete Graham alle seine Aussagen mit entsprechenden Passagen der Bibel. Er ging davon aus, dass Gott auch heute noch durch die Bibel ganz persönlich zu Menschen sprechen kann und dass die Aussagen dieses Buches für die Lebensfragen der Gegenwart relevant sind. Wahrer Glaube muss nach Graham auf der Bibel gegründet sein. Immer wieder betonte er, dass auf menschlichen Worten oder kluger Philosophie keine Verheißung liege, sondern allein auf Gottes Wort.

In jeder seiner Evangelisationen war es Graham wichtig, seine Zuhörer aufzufordern, ihre Sünden zu erkennen, Jesus Christus um Vergebung zu bitten und sich in einer örtlichen Gemeinde zu engagieren. Man sollte aber nicht bei einer einmaligen, durch die Predigt ausgelösten Entscheidung, stehenbleiben. Immer wieder forderte Graham ein bewusstes und konsequentes Christenleben, auch in schwierigen

Lebenslagen und unter Angriffen auf den Glauben. Christen müssten damit rechnen, für ihre Überzeugungen ausgelacht oder gar verfolgt zu werden.

Graham beklagte, „dass oft ein verweichlichtes Christentum gepredigt werde, das den Nachfolgern Christi nichts an Opfern abfordere. Die Folge sei, dass solche Bekehrungen oft sehr oberflächlich blieben und sich im Leben wenig auswirkten." Um die Menschen, die sich während seiner Evangelisationen für Jesus Christus entschieden, zu einem stabilen geistlichen Leben zu führen, legte Graham großen Wert auf eine intensive Nacharbeit. Jeder Interessierte sollte nach Möglichkeit einzeln besucht und betreut werden. Der Kontakt zu einer geeigneten Gemeinde wurde vermittelt und eine Einführung zum Bibellesen angeboten.

Weltreisender

In den nächsten Jahren war Graham ständig unterwegs. Seine häufig wochenlangen Veranstaltungen veränderten das Leben zehntausender Menschen. Jeden Abend rief er dazu auf, ein Leben mit Jesus Christus zu beginnen, Frieden mit Gott zu finden. Ein Evangelisations-Kreuzzug in London dauerte 12 Wochen, eine Veranstaltungsreihe im *Madison Square Garden*/New York sogar vier Monate (1957).

Mit seiner wachsenden Popularität kamen immer mehr Einladungen aus dem Ausland. Ehe Graham zusagte, wurden Mitarbeiter seiner Missionsgesellschaft *BGEA* in die betreffende Stadt geschickt, um Kontakt mit den Veranstaltern aufzunehmen. Erst wenn ein Chor, ehrenamtliche Seelsorgehelfer und andere Mitarbeiter gewonnen waren, sagte Graham zu. Es sollte auch sichergestellt werden, dass sich möglichst viele christliche Gemeinden und Organisationen an der geplanten Evangelisation beteiligten und dass eine angemessene Nacharbeit garantiert werden konnte. Diese oft mehrwöchigen Veranstaltungen wurden damals auch *Kreuzzüge* (*crusades*) genannt.

Zum Abschluss einer neunzigtägigen Evangelisation in London (1954) sprach Graham in der Sportarena von White City und im weltbekannten *Wembley Stadion* vor mehr als 187 000 Menschen. Unter den Gästen befanden sich der Oberbürgermeister von London, der Erzbischof von Canterbury, Parlamentsmitglieder und mehrere Minister der englischen Regierung. Ein gläubiger General eröffnete die Veranstaltung. Mit dem Bibelvers „Wählt euch heute, wem ihr folgen wollt" (vgl. Josua 24,15) forderte Graham seine Zuhörer zur Bekehrung auf. Insgesamt hatten rund zwei Millionen Menschen die Veranstaltungen dieser Evangelisation besucht. Per Telefonleitung wurden die Predigten zusätzlich in 405 englische Städte übertragen. Ein Akademiker berichtete im Rückblick: „Dreimal bin ich in den Versammlungen Billy Grahams gewesen. Das erste Mal, um zu spotten; das zweite Mal, um zu suchen; das dritte Mal, um für die Erlösung in Christus zu danken!"

Während des Koreakrieges reiste Graham mit Grady Wilson und Bob Pierce (Gründer von *World Vision*) nach Japan und Korea, um vor Soldaten und Einheimischen zu sprechen (1950/51). Seit 1977 predigte Graham trotz politischer Spannungen mehrfach in der Sowjetunion und anderen Ländern des ehemaligen Ostblocks (z. B. 1977, 1978, 1982, 1984, 1985). Von den 155 000 Menschen, vor denen er 1992 in Moskau sprach, wollten 38 000 ein Leben mit Jesus Christus beginnen.

Die meisten Zuhörer hatte Graham während seiner Evangelisation in Seoul/Korea (1973). Auf der *Yoido-Plaza* sprach er zu mehr als einer Millionen Menschen. Seine längste Evangelisation fand 1957 im *Madison Square Garden*/New York statt. Dort predigte er 16 Wochen hintereinander, Tag für Tag. Insgesamt sprach Graham in 58 Jahren als Evangelist auf 417 Großveranstaltungen in 185 Ländern zu mehr als 210 Millionen Menschen.

Erstaunlicherweise stiegen Graham weder sein Erfolg noch seine Bekanntheit zu Kopf. Bei den Vorbereitungen der Evangelisationen wollte er sich nicht auf sein Ansehen und auch nicht auf ausgefeilte Werbestrategien verlassen. Immer wieder hob er die Bedeutung des Gebets und die Führung durch den Heiligen Geist hervor. Nachdem sich das 75 000 Menschen fassende *Baumwoll-Stadion* von Dallas 1954 entgegen anderslautenden Erwartungen bis auf den letzten Platz gefüllt hatte, begann Graham seine Ansprache folgendermaßen: „Einige haben gesagt, dass es für mich unmöglich wäre, dieses Stadion heute zu füllen. Diese Leute hatten Recht, aber was ich nicht konnte, das hat Gott getan in dieser Stunde. Darum vergesst den Redner und hört auf das, was euch Gott durch sein Wort zu sagen hat."

Deutschland

Bei seinem ersten Deutschlandbesuch predigte Billy Graham in Frankfurt, im *Rheinstadion* in Düsseldorf und im *Olympia Stadion* von Berlin (1954). Die deutsche Presse kommentierte seinen Auftritt überwiegend positiv. Das Nachrichtenmagazin *Spiegel* berichtete: „Billy Graham ist als Redner kein Exhibitionist. Er ist nicht einmal ein kühner Techniker der Massenpsychologie. Er ist ganz einfach ein Mann, der glaubt, und dessen Glaube einfach ist. Er predigt nicht für Fortgeschrittene im christlichen Glauben, sondern für die Grundschüler, er predigt das ABC des Christentums […] und er predigt mit der hypnotischen Wirkung dessen, der auch nicht einen Schimmer des Zweifels zulässt."

In der *Bunten Illustrierten* war zu lesen: „Das mit Spannung erwartete erste Auftreten des als *moderner Wanderprediger* angekündigten Billy Graham auf deutschem Boden entbehrte aller Sensationen. Viele hatten einen theatralischen Eiferer und religiösen Zungenakrobaten erwartet, andere waren durch übertriebene Presseberichte auf eine *kabarettistische Vorstellung* mit biblischem Akzent vorbereitet – sie alle wurden enttäuscht. Dafür gingen Tausende mit dem guten Gefühl nach Hause, dass ihnen hier jemand zum ersten Mal Gott wirklich nähergebracht habe. […] Grahams Glaube ist naiv, fast kindlich. Er spricht über Gott wie über seinen besten Freund, den man achtet und verehrt […] Solche Worte gehen zu Herzen, weil sie das ausdrücken, was Millionen von Menschen empfinden: Gott ist nicht fern und unnahbar, sondern dicht und erreichbar. Du kannst mit ihm reden […]."

Billy Graham 1954 in Düsseldorf
(Foto: Hans Lachmann,
Bundesarchiv-Bild 194-0798-22)

Schon 1955 folgten hierzulande weitere Evangelisationsveranstaltungen in Mannheim, Stuttgart, Nürnberg, Dortmund und Frankfurt. 1960 predigte Graham in Essen, Hamburg und Berlin, 1963 in Nürnberg und Stuttgart, 1966 in Berlin, 1970 in Dortmund, 1982 sprach er in zahlreichen Städten der damaligen DDR, 1990 fand eine Großevangelisation an der *Berliner Mauer* vor dem Reichstag statt.

1993 wurde mit Billy Graham in Deutschland die Veranstaltungsreihe *ProChrist* eröffnet. Durch Satellitenübertragung hörten 180 000 Menschen seine in der Essener *Grugahalle* gehaltenen Predigten. Auch die Zeitschrift *Entscheidung* (Berlin) und das Hilfswerk *Geschenke der Hoffnung (Weihnachten im Schuhkarton)* gehen auf die Initiative Billy Grahams zurück.

Radio- und Fernsehprediger

Graham war einer der ersten, der konsequent die modernen Medien für die Verbreitung des Glaubens einsetzte. Seine wöchentliche Sendung

The Hour of Decision (Stunde der Entscheidung) wurde vom Sender *ABC* (später über *NBC Network)* produziert und anfänglich von 150 Radio-Stationen ausgestrahlt. In späteren Jahren übernahmen 1200 amerikanische Sender das Programm.

Über drei Jahre hinweg hatte Graham auch eine eigene Fernseh-Show. Der Erfolg dieser Sendungen brachte Graham dazu, Medien systematisch einzusetzen, um das Evangelium weltweit zu verbreiten. 1978 begann er damit, einzelne Evangelisationen per Satellit zu übertragen, um sie einem noch größeren Publikum zugänglich zu machen. Daraus entstand 1993 unter anderem die alle vier Jahre stattfindende deutschsprachige Großevangelisation *ProChrist*, die über Satellit an rund 1000 Veranstaltungsorte in 14 Ländern übertragen wird.

Gründer

Im Laufe der Jahre rief Graham zahlreiche christliche Organisationen ins Leben, die sich zumeist der Evangelisation widmen.

Die 1950 in Minneapolis/Minnesota gegründete *Billy Graham Evangelistic Association* (BGEA) hat seit 2003 ihren Sitz in Charlotte/North Carolina. Seit ihrer Gründung ist die BGEA verantwortlich für Grahams Radiosendung *Hour of Decision*, für ein christliches Fernsehprogramm, für die weit verbreitete Zeitungskolumne *My Answer* (20 Millionen regelmäßige Leser), für das *Decision* Magazin (Auflage international: 400 000 Exemplare), für die Organisation von Großevangelisationen und für die Schulung von Pastoren weltweit.

Seit 1950 produzierte *WorldWide Pictures* rund 200 evangelistische Filme mit Titeln wie: *The Portland Story, Time to run, Joni* oder *Cry From the Mountain*. Zwei Millionen Menschen geben an, durch diese Filme Christen geworden zu sein. 1952 wurde die *Billy Graham Evangelistic Film Ministry* gegründet. In den hier produzierten Filmen erzählen Menschen davon, wie sie zum Glauben an Jesus Christus gekommen waren. Zumeist sind auch Ausschnitte aus Grahams Evangelistionsveranstaltungen zu sehen.

Die 1956 gegründete Zeitschrift *Christianity Today* sollte nach dem Willen Billy Grahams „ein Zeugnis für die Glaubwürdigkeit der Schrift als Wort Gottes" sein. Mit einer Auflage von 180 000 Exemplaren gehört *Christianity Today* zu den wichtigsten und einflussreichsten evangelikalen Zeitschriften der USA. Die Online-Ausgabe *ChristianityToday.com*

verzeichnet monatlich bis zu 11,8 Millionen Besucher. Die Zeitschrift berichtet vor allem über aktuelle Entwicklungen und Diskussionen in der evangelikalen Welt.

Das seit 1958 erscheinende *Decision magazine* (deutsche Ausgabe: *Entscheidung*) enthält vor allem kurze Bibelstudien, Erlebnisberichte und Erklärungen zu Grundfragen des Glaubens. *Entscheidung* soll „den einfachen Christen ermutigen, über seinen Glauben zu sprechen und im Alltag mit Gott zu leben. Evangelistische Beiträge sollen den säkular denkenden Menschen ansprechen und ihn für Christus gewinnen."

Seit 1973 leistet der *World Emergency Fund* der BGEA humanitäre Hilfe bei Naturkatastrophen und in anderen Krisenfällen. In Zusammenarbeit mit lokalen christlichen Gruppen werden Nahrungsmittel und medizinische Hilfe angeboten.

Vordenker

Billy Graham ist der Initiator des *Internationalen Kongresses für Weltevangelisation*, der 1974 im schweizerischen Lausanne stattfand. 2700 Teilnehmer stellten sich auf der Konferenz hinter die sogenannte *Lausanner Verpflichtung*. Darin geht es um die Autorität der Bibel sowie die Einzigartigkeit und Universalität Jesu Christi, um die Notwendigkeit der Evangelisation und die soziale Verantwortung der Christen. „Wir glauben, dass das Evangelium Gottes gute Nachricht für die ganze Welt ist. Durch seine Gnade sind wir entschlossen, dem Auftrag Jesu Christi zu gehorchen, indem wir sein Heil der ganzen Menschheit verkündigen, um alle Völker zu Jüngern zu machen." Die *Lausanner Verpflichtung* prägte evangelikales Selbstverständnis international für mehrere Jahrzehnte.

Präsidentenseelsorger

Graham fungierte als seelsorgerlicher Berater mehrerer amerikanischer Präsidenten, so etwa bei dem Republikaner Richard Nixon (1913–1994). 28 Jahre vor dessen Amtseinführung als US-Präsident lernte Graham Ronald Reagan (1911–2004) bei einem Golfspiel kennen. Auch die meisten anderen amerikanischen Staatschefs begleitete Graham seelsorgerlich, lange bevor sie nach Washington gingen.

Präsident George W. Bush (geb. 1946) wurde nach eigenen Aussagen bei der Überwindung seiner Alkoholprobleme entscheidend durch Graham, einem Freund der Familie, unterstützt. Als 13-Jähriger war der spätere US-Präsident der Demokraten, Bill Clinton (geb. 1946), tief beeindruckt von den Predigten Billy Grahams, die er auf einer Evangelisation in Little Rock (1959) hörte. Insbesondere blieb ihm der eindringliche Aufruf des Evangelisten zu Vergebung und Versöhnung angesichts der damals tobenden Rassenunruhen in Erinnerung.

Mehrfach wurden Graham Posten im US-Kabinett angeboten, die er allesamt ablehnte ebenso wie den Ratschlag, selbst für die Präsidentschaft zu kandidieren. Aus der aktuellen Tagespolitik hat sich Graham zumeist herausgehalten, auch wenn er mit konservativen Politikern sympathisierte. Kritisch äußerte Graham sich in der Öffentlichkeit zur gängigen Abtreibungspraxis und zur Idealisierung der Homosexualität. Im Vietnamkrieg unterstützte er die amerikanischen Soldaten durch Truppenbesuche und Evangelisationsveranstaltungen (1966, 1967, 1968).

Gebetsfrühstück in Washington: Billy Graham mit Ronald und Nancy Reagan

„Fälscher"

Gegner aus den unterschiedlichsten christlichen Fraktionen kritisierten Graham im Laufe der Jahre scharf. Einigen war er zu liberal, weil er Anti-Abtreibungsaktivisten zurechtwies, die mit Gewalt gegen Ärzte und Frauen vorgegangen waren. Für den Theologen und Philosoph Reinhold Niebuhr (1892–1971) war Graham „ahnungslos und unwissenschaftlich", weil er sich von der historisch-kritischen Exegese distanzierte. Der theologisch sehr konservative und traditionsbewusste amerikanische Evangelist Bob Jones (1883–1968) meinte, Graham „habe der Sache Jesu Christi mehr geschadet als jeder andere lebende Mensch". Er habe zu einem oberflächlichen, verweltlichten Christentum beigetragen. Auch die zeitweilige Nähe Grahams zur katholischen und orthodoxen

Kirche nahm man ihm übel. Präsident Harry S. Truman (1884–1972) bezeichnete Graham im *Kalten Krieg* als *Fälscher*, weil er nicht *national* genug denke.

Billy Graham als Pensionär

Rentner

Graham litt seit 1992 an der Parkinson-Krankheit sowie an Prostatakrebs und beendete offiziell im Jahr 2000 seine Missionsarbeit. 2005 zog er sich ganz aus dem aktiven Dienst zurück und ging in Pension. William Franklin Graham III. übernahm daraufhin die Leitung der *Billy Graham Evangelistic Association* (BGEA). Im Jahr 2007 starb seine Frau Ruth nach 64 gemeinsamen Ehejahren an Osteoarthritis und Lungenentzündung.

Seitdem verließ Graham nur noch selten das Haus. Seinen 95. Geburtstag feierte er 2013 mit 900 geladenen Gästen in Asheville/North Carolina. Zu diesem Anlass hielt Graham eine engagierte Predigt mit dem Titel: *My Hope America*. Darin äußerte er: „Unser Land benötigt eine neue geistliche Erweckung!"

Tod

Mit biblischen 99 Jahren starb Graham am 21. Februar 2018 in Montreat/North Carolina. Auf die Nachricht vom Tod Grahams hin twitterte der amerikanische Präsident Donald Trump (geb. 1946): „Keiner war wie er! Er wird von Christen und allen anderen Religionen vermisst werden. Ein ganz besonderer Mann." Vizepräsident Mike Pence erinnerte, Graham habe mit seinen unvergleichlichen Ansprachen das Leben von Millionen verändert. Expräsident Jimmy Carter (geb. 1924) würdigte ihn als Prediger, der „unermüdlich die Botschaft von Brüderlichkeit und Hoffnung verbreitet hat. Er formte das geistliche Leben von vielen Millionen Menschen weltweit".

Am Freitag, den 2. März 2018, wurde Graham in seiner Heimatstadt Charlotte/North Carolina beerdigt. In den Tagen zuvor war sein Sarg im Kapitol aufgebahrt worden, eine Ehre, die sonst fast ausschließlich Regierungsmitgliedern zuteilwird.

An der Trauerfeier nahmen über 2000 geladene Gäste teil, darunter US-Präsident Donald Trump, Vizepräsident Mike Pence und christliche Leiter aus aller Welt. Grahams Tochter Anne Graham Lotz (geb. 1948) erinnerte auf der Trauerfeier: „Meine Mutter brachte mir bei, die Bibel immer zu lesen. Und mein Vater brachte mir bei, immer über sie nachzudenken." Die Trauerfeier wurde per Internetstream in die ganze Welt übertragen.

Mit großer Mehrheit stimmte das amerikanische Repräsentantenhaus dafür, eine Plastik des Evangelisten Billy Graham als Vertreter North Carolinas fertigen zu lassen. Diese soll zukünftig im Kapitol/Washington D. C. für den amerikanischen Bundesstaat aufgestellt werden.

Predigerlegende

Im Gegensatz zu vielen anderen christlichen Leitern war Billy Graham zeitlebens in keinen Skandal verwickelt. Deshalb schrieb das Magazin *USA Today* über ihn: „Er war der Evangelist, der keine Millionen veruntreute wie Jim Bakker, der nicht regelmäßig Prostituierte besuchte wie Jimmy Swaggart, der keine Mega-Kirche gründete wie Joel Osteen, der nicht versuchte, US-Präsident zu werden, wie Pat Robertson, noch eine politische Partei gründete wie Jerry Falwell."

Grahams Integrität beeindruckte und ermutigte Millionen. Durch seine Glaubwürdigkeit wurde er zu einer akzeptierten moralischen Instanz für Personen wie Martin Luther King, Bono, Muhammad Ali und US-Präsidenten von Eisenhower bis Bush. Vom *Meinungsforschungsinstitut Gallup* wurde Graham im Laufe der Jahre 51-mal zu einem der zehn beliebtesten Männer der Welt ernannt. Zahllose Menschen, die ihm begegneten, lobten seinen Humor, sein Verständnis, seine Aufrichtigkeit, seine Arglosigkeit und Akzeptanz.

In höherem Alter erhielt Graham zahlreiche politische und kirchliche Preise sowie Auszeichnungen für sein Engagement als Evangelist, Theologe, Buchautor, Friedensstifter und seelsorgerlicher Berater. Mehrere Universitäten verliehen Graham in Anerkennung seiner Leistungen die Ehrendoktorwürde.

Erinnerung

Das 1987 eröffnete *Billy Graham Training Center* auf dem Gelände von *The Cove* in Asheville/North Carolina bietet Erholung und Schulung. Neben theologischen Kursen werden Leiterschaftsschulungen und Freizeiten zur geistlichen Erbauung organisiert.

Das über 200 000 Objekte umfassende *Billy Graham Center* am *Wheaton College* in Illinois versteht sich als Spezialbibliothek zum Thema Evangelisation. Neben zahlreichen Dokumenten aus der Arbeit der BGEA finden sich Unterlagen und Untersuchungen zur Geschichte und Theologie der Evangelisation/Mission weltweit.

Die 2007 eröffnete *Billy Graham Library* in Charlotte/North Carolina dokumentiert das Leben und die Arbeit Grahams. Es handelt sich um eine Art Museum und Archiv zum Evangelisten. Auch viele persönliche Gegenstände, Plakate, Handzettel, Bücher, Möbel usw. finden sich in der Ausstellung. Besuchern wird mit Texten und Filmen der Glaube an Jesus Christus nahegebracht.

„Ich bin kein großer Philosoph, kein Theologe, kein Intellektueller [...] Meine einzige Spezialität ist das Gewinnen von Seelen." (Billy Graham)

Das Billy-Graham-Museum und -Archiv in North Carolina

Ausgewählte Literaturhinweise

Wilhelm Brauer: *Europas Goldene Stunde. Stimmen zum Besuch Billy Grahams*, R. Brockhaus Verlag, Wuppertal 1954

John Pollock: *Billy Graham. Die Biographie*, Hänssler Verlag, Holzgerlingen 2004

Billy Graham: *So wie ich bin. Die Autobiographie*, Brunnen Verlag, Gießen 1998

John Barnhart: *Die Billy Graham Story – Seine Botschaft und ihre Wirkung in Politik und Gesellschaft*, Claudius Verlag, München 1973

Ansätze zum Weiterdenken

- ◊ Wem von Millionen von Menschen Beifall gespendet wird und wem immense Geldmittel anvertraut werden, der kann schnell stolz, überheblich oder korrupt werden. Es braucht sowohl charakterliche Stärke als auch eine besondere Bewahrung Gottes, wenn ein Mensch mit hohem Bekanntheitsgrad und viel Einfluss nicht zu Fall kommen soll. Mancher kann sich deshalb freuen, mit weit weniger Macht und Geld verantwortlich umzugehen. Jeder Christ, dem Gott eine hohe gesellschaftliche Position anvertraut hat, braucht eine feste Verankerung im Glauben und das besondere Gebet der Gemeinde.
- ◊ Wahrscheinlich war und ist es zu allen Zeiten notwendig, das Evangelium einfach, unpolemisch und deutlich weiterzugeben. Intellektuelle Ansprachen, Wunder- und Wohlfühlveranstaltungen erreichen weit weniger Menschen und stehen in der Gefahr, vom eigentlich relevanten Inhalt der Bibel abzulenken. Am besten verschwindet der Prediger hinter seiner Botschaft und hinter der Person Jesu Christi.
- ◊ Zwar verbreiten moderne Medien viel Unsinn und rauben einen Großteil der Freizeit. Wie kaum ein anderes Werkzeug dienen sie aber auch dazu, dass viele Menschen etwas von Jesus Christus erfahren, die in der Vergangenheit dazu kaum eine Chance hatten. Christen sollten nicht nur auf die Gefahren neuer technologischer Entwicklungen hinweisen, sondern sie auch positiv gebrauchen, um die befreienden Aussagen der Bibel möglichst weit und angemessen zu verbreiten.
- ◊ In der Beziehung zwischen Gott und Mensch genügen kein religiöses Interesse, kein moralischer Lebensstil, keine kirchlichen Rituale und auch kein spirituelles Bauchgefühl. Vor allem braucht es eine Bekehrung. Der Mensch muss sich seiner Schuld und seiner Distanz zu Gott bewusst werden, sich demütigen und Jesus Christus um Vergebung bitten, dann wird seine brachliegende Verbindung zu Gott reaktiviert.

Buchempfehlung

Michael Kotsch
Helden des Glaubens
22 Kurzbiografien aus der Kirchengeschichte – Band II

In diesem zweiten Band geht es erneut quer durch die Kirchengeschichte, beginnend mit den ersten Christen bis ins 20. Jahrhundert. 22 Kurzbiografien laden wieder dazu ein, hingebungsvolle Christen kennenzulernen und sich durch das Handeln Gottes in ihrem Leben ermutigen zu lassen, die eigene Gegenwart besser zu verstehen und sich selbst mutig und gestärkt im Glauben innerhalb der eigenen Lebensgeschichte einzubringen.

Gb., 400 S., 13,5 × 20,5 cm
Best.-Nr. 271577
ISBN 978-3-86353-577-3

Buchempfehlung

Michael Kotsch
Helden des Glaubens
12 Kurzbiografien aus der Kirchengeschichte – Band III

Auch im dritten Band von *Helden des Glaubens* kommen Christen aus fast allen Jahrhunderten der Kirchengeschichte repräsentativ zur Sprache. Darunter sind Prediger, Philosophen, Naturwissenschaftler, Militärs, Sozialreformer, Professoren, Reformatoren und Missionare. Sie stammen aus Deutschland, England, Dänemark, der Schweiz, den USA und Indien. Natürlich sind sie nur Beispiele fehlerhafter und doch begabter Menschen, die von Gott gebraucht wurden, um seine Gemeinde in dieser Welt zu bauen und zu prägen. Sie alle wollten mit ihrem Leben Gott ehren.

Gb., 384 S., 13,5 × 20,5 cm
Best.-Nr. 271797
ISBN 978-3-86353-797-5

Buchempfehlung

Rudolf Möckel
Christus in mir
Durch den Glauben persönlich reifen
Ein Gang durch das elfte Kapitel des Hebräerbriefs

Ratgeber zur Entwicklung der Persönlichkeit gibt es viele, sie sind jedoch allesamt auf menschlicher Kraft, psychologischen Erkenntnissen und emotionaler Intelligenz aufgebaut. So sehnen sich auch viele Christen nach einer bleibenden Veränderung ihres Wesens. Sie möchten mit ihrer menschlichen Persönlichkeit der Persönlichkeit Gottes entsprechen, stoßen aber nur allzu bald an ihre Grenzen. Alte Fehlhaltungen und eingefahrene Verhaltensmuster verweigern sich bleibender Veränderung. Die Folgen sind oft genug Entmutigung und Resignation.

Doch es gibt Hoffnung. Dieses Buch lässt die herausragenden Persönlichkeiten aus Hebräer 11 (Abel, Henoch, Noah, Abraham, Isaak, Jakob, Josef, Mose und Rahab) zu lebendigen Vorbildern für unsere Veränderung in der Nachfolge Christi werden.

Pb., 256 S., 13,5 × 20,5 cm
Best.-Nr. 271978
ISBN 978-3-86353-978-8